CB005622

SHERLOCK
HOLMES

Rio de Janeiro, 2022

Diretora editorial: *Raquel Cozer*

Gerente editora: *Alice Mello*

Editor: *Ulisses Teixeira*

Revisão: *Anna Beatriz Seilhe, Carolina Rodrigues, Gregory Neres, Izabel Moreno, Mônica Surrage, Vinícius Louzada*

Diagramação: *Elza Maria da Silveira Ramos*

Capa: *Maquinaria Studio*

Rua da Quitanda, 86, sala 218 – Centro – 20091-005
Rio de Janeiro – RJ – Brasil
Tel.: (21) 3175-1030

Um estudo em vermelho — tradução de Louisa Ibánez
O sinal dos quatro — tradução de Branca de Villa-Flor
As aventuras de Sherlock Holmes — tradução de Edna Jansen de Mello

CIP-Brasil. Catalogação na fonte
Sindicato Nacional dos Editores de Livros, RJ

D784s
v. 1

Doyle, Arthur Conan, Sir, 1859-1930
Sherlock Holmes : obra completa / Arthur Conan Doyle ; [tradução Louisa Ibañez; Branca de Villa-Flor; Edna Jansen de Mello]. - Rio de Janeiro : HarperCollins Brasil, 2017.
512 p. ; 23 cm.

Tradução de: A study in scarlet; the sign of four; the adventures of sherlock holmes
ISBN 9788595080843

1. Holmes, Sherlock (Personagem fictício) - Ficção. 2. Detetives particulares - Inglaterra - Ficção. 3. Ficção policial inglesa. I. Título.

15-19925 CDD: 823
CDU: 821.111-3

Printed in China

SUMÁRIO

UM ESTUDO EM VERMELHO

Primeira parte:

Reimpressão das memórias do dr. John Watson, ex-oficial médico do Exército britânico

1

O SR. SHERLOCK HOLMES

EM 1878 FORMEI-ME EM MEDICINA PELA UNIVERSIDADE DE LONDRES e fui para Netley, a fim de fazer o curso indicado para os cirurgiões do Exército. Quando terminei os meus estudos ali, fui designado cirurgião assistente do Quinto Regimento de Fuzileiros de Northumberland. Nessa época, o regimento estava acantonado na Índia e, antes que eu pudesse juntar-me a ele, explodiu a segunda guerra afegã. Ao desembarcar em Bombaim, fui informado de que minha unidade já avançara pelos desfiladeiros, internando-se profundamente em território inimigo. Entretanto, parti com vários outros oficiais que estavam na mesma situação e conseguimos chegar sãos e salvos a Kandahar, onde encontrei meu regimento e assumi imediatamente minhas novas funções.

A campanha rendeu honrarias e promoções para muitos, mas para mim só trouxe infortúnios e desastres. Fui transferido de minha brigada para a de Berkshire, com a qual participei da batalha fatídica de Maiwand. Ali, fui atingido no ombro pela bala de um mosquete afegão que me fraturou o osso e roçou a artéria subclávia. Eu teria caído em poder dos ferozes ghazis, se não fosse a coragem e a dedicação de meu ordenança, Murray, que me pôs atravessado no lombo de um cavalo de carga e conseguiu levar-me em segurança até as linhas britânicas.

Abatido pela dor e debilitado pelas contínuas privações a que fora submetido, fui removido para o hospital da base em Peshawar, em um trem que transportava outros feridos. Ali eu me recuperava, e já melhorara o suficiente para andar pelas enfermarias, até mesmo tomar um pouco de sol na varanda, quando fui atacado pelo tifo, essa praga de nossas possessões indianas. Fiquei com a vida em perigo durante meses e, quando finalmente voltei a mim e entrei em convalescença, estava tão enfraquecido e tão magro que uma junta médica determinou a minha volta imediata para a Inglaterra. Assim, fui embarcado no navio de transporte de tropas *Orontes*, e um mês depois desembarcava no cais de Portsmouth, com a saúde irremediavelmente comprometida, mas tendo a permissão paternal do governo para tentar melhorá-la nos nove meses seguintes.

Eu não tinha conhecidos nem parentes na Inglaterra, de modo que era livre como o ar — ou tão livre como pode ser um homem com uma renda de 11 xelins e seis pence diários. Nessas circunstâncias, era natural que eu fosse atraído para Londres, a grande cloaca para a qual são drenados irresistivelmente todos os ociosos e vagabundos do Império. Fiquei ali durante algum tempo, em um hotel retirado no Strand, onde levei uma vida sem conforto e sem sentido, gastando todo o dinheiro que recebia muito mais livremente do que deveria. A situação de minhas finanças tornou-se tão alarmante que eu logo percebi que teria de deixar a metrópole e me estabelecer em algum lugar no campo, ou modificar completamente o meu estilo de vida. Escolhida a última alternativa, resolvi deixar o hotel e instalar-me em moradia menos pretensiosa e mais barata.

No mesmo dia em que cheguei a essa conclusão, eu estava no bar Criterion quando alguém bateu no meu ombro. Ao virar-me, reconheci Stamford, um rapaz que fora meu assistente em Bart. A visão de um rosto amigo no vasto deserto londrino é algo realmente agradável para um homem solitário. Nos velhos tempos, Stamford nunca fora um companheiro mais íntimo, porém eu agora o acolhia com entusiasmo, e ele também parecia satisfeito em me ver. Na exuberância da minha alegria, convidei-o para almoçar comigo no Holborn e, juntos, partimos em um cabriolé.

— Diabo, o que andou fazendo, Watson? — perguntou ele, sem dissimular o espanto, enquanto sacolejávamos pelas ruas apinhadas de Londres. — Está magro como um sarrafo e queimado como uma castanha.

Fiz-lhe um breve relato de minhas aventuras e mal o concluíra quando chegamos ao nosso destino.

— Coitado! — exclamou, penalizado, após ter ouvido meus infortúnios. — O que pretende fazer agora?

— Procurar um lugar para morar — respondi. — Tento resolver o problema de encontrar cômodos confortáveis a um preço razoável.

— Curioso — disse meu companheiro. — Hoje você é a segunda pessoa que me diz a mesma coisa.

— E quem foi a primeira? — perguntei.

— Um sujeito que trabalha no laboratório de química do hospital. Lamentava-se, ainda essa manhã, por não encontrar alguém com quem dividir o aluguel dos ótimos cômodos que encontrara, mas que são caros demais para as suas posses.

— Formidável! — exclamei. — Se ele procura mesmo alguém para dividir a casa e as despesas, sou exatamente o homem indicado. É melhor ter um companheiro do que morar sozinho.

Stamford olhou-me de modo estranho por cima do seu copo de vinho.

— Você ainda não conhece Sherlock Holmes — disse. — Talvez não gostasse dele como companheiro permanente.

— Por quê? O que há contra ele?

— Bem, eu não disse que há alguma coisa que o desabone. Ele tem ideias um tanto estranhas, é apaixonado por alguns ramos da ciência. Pelo que sei, é uma pessoa bastante correta.

— Estudante de medicina? — perguntei.

— Não, e não tenho a mínima ideia a respeito do que ele pretende fazer. Parece entender muito de anatomia, além de ser um químico de primeira. No entanto, que eu saiba, nunca fez nenhum curso regular de medicina. Seus estudos são um tanto desregrados e excêntricos, mas com esse sistema irregular ele acumulou uma quantidade de conhecimentos que deixaria seus professores surpresos.

— Nunca lhe perguntou o que pretende fazer no futuro? — indaguei.

— Não; ele é desses que não se abrem em confidências, embora possa ser bastante comunicativo quando é dominado pela imaginação.

— Eu gostaria de conhecê-lo — disse. — Se vou morar com alguém, preferiria um homem que aprecie os estudos e tenha hábitos tranquilos. Ainda não me sinto bastante forte para suportar muito barulho ou agitação. Já tive o suficiente de ambos no Afeganistão... o suficiente para o resto da vida. Como poderei entrar em contato com esse seu amigo?

— Ele deve estar no laboratório — respondeu meu companheiro. — Às vezes ele evita o lugar durante semanas, ou então trabalha lá de manhã à noite. Se quiser, iremos ao seu encontro depois do almoço.

— É uma boa ideia — respondi, e nossa conversa passou para outros temas.

Quando estávamos a caminho do hospital, depois que saímos do Holborn, Stamford forneceu-me maiores detalhes sobre o cavalheiro que eu me propunha a aceitar como companheiro de moradia.

— Não me responsabilize se por acaso você não se der bem com ele — avisou-me. — Não sei nada a seu respeito além do que fiquei sabendo quando o encontrava ocasionalmente no laboratório. Este arranjo foi ideia sua, portanto não me culpe por alguma coisa.

— Se não nos dermos bem, será fácil separarmo-nos — respondi. — Está me parecendo, Stamford — acrescentei, olhando com firmeza para meu interlocutor —, que você tem algum motivo para lavar as mãos em relação a esse assunto. O temperamento desse homem é tão terrível ou existe algo mais? Vamos, fale sem receio!

— É difícil exprimir o inexprimível — respondeu Stamford, rindo. — Holmes talvez seja científico demais para o meu gosto, chega a beirar a insensibilidade. Posso imaginá-lo dando a um amigo uma pitadinha do último alcaloide vegetal, não por maldade, compreenda, mas apenas por espírito investigativo, para ter uma ideia precisa dos efeitos. Para ser justo, acho que ele próprio tomaria o alcaloide com a mesma presteza. Parece ter paixão pelo conhecimento definido e exato.

— Não vejo nada demais nisso.

— Concordo, desde que tudo fique dentro de certos limites. Evidentemente, a situação assume uma forma bizarra quando ele chega ao cúmulo de dar pauladas em cadáveres na sala de dissecação.

— Dar pauladas em cadáveres?

— Exatamente, a fim de verificar quanto tempo depois da morte o corpo pode apresentar escoriações. Eu o vi fazendo isso, com meus próprios olhos.

— E ainda insiste em dizer que ele não é estudante de medicina?

— Não é. Só Deus sabe qual a finalidade de seus estudos. Bem, aqui estamos, e você precisa formar sua própria opinião sobre ele.

Enquanto Stamford falava, dobramos para uma ruela e entramos por uma pequena porta lateral, que dava para uma ala do grande hospital. O terreno agora me era familiar e não precisei ser guiado quando subimos a fria escadaria de pedra e seguimos pelo corredor comprido, de paredes caiadas e com várias portas castanho-escuras. Quase no final, uma passagem de arcada baixa levava ao laboratório de química.

Era uma sala ampla, com paredes cheias de prateleiras entulhadas de incontáveis frascos. Havia mesas baixas e largas espalhadas por ali, juncadas de retortas, tubos de ensaios e pequenos bicos de Bunsen, com suas chamas azuis oscilantes. Na sala só vi um estudante, curvado sobre uma mesa afastada, absorvido no seu trabalho. Ao ouvir nossos passos, ele olhou em volta e ergueu-se, com uma exclamação satisfeita.

— Descobri! Descobri! — ele gritou para meu acompanhante, correndo para nós com um tubo de ensaio na mão. — Descobri um reagente que é precipitado pela hemoglobina e por nada mais!

Se ele tivesse descoberto uma mina de ouro, seu rosto não demonstraria uma alegria maior.

— Dr. Watson, sr. Sherlock Holmes — apresentou Stamford.

— Como vai? — disse ele cordialmente, apertando minha mão com uma força de que eu não o julgaria capaz. — Vejo que esteve no Afeganistão.

— Como é que sabe? — perguntei, espantado.

— Não vem ao caso agora — ele respondeu dando uma risadinha para si mesmo. — No momento, a questão é sobre a hemoglobina. Percebe a importância da minha descoberta, não?

— Quimicamente é interessante, sem dúvida, mas na prática... — respondi.

— Como? Meu caro, é a descoberta mais prática da medicina legal dos últimos anos! Não percebe que, com isso, teremos um teste infalível para manchas de sangue? Venha cá!

Em sua ansiedade, segurou-me pela manga do casaco e me puxou para junto da mesa onde estivera trabalhando.

— Tomemos um pouco de sangue fresco — disse, enfiando um comprido estilete no dedo. Aparou numa pipeta a gota de sangue que saiu. — Agora, adiciono esta pequena quantidade de sangue a um litro de água. Perceberá que a mistura tem a aparência de água pura, pois a proporção do sangue não pode ser maior que um para um milhão. Entretanto, não tenho dúvida de que obteremos a reação característica.

Enquanto falava, ele jogou alguns cristais brancos dentro do recipiente, acrescentando em seguida algumas gotas de um fluido transparente. O conteúdo adquiriu imediatamente uma tonalidade escura de mogno, ao mesmo tempo que um pó acastanhado se concentrava no fundo do recipiente de vidro.

— Ah! Ah! — exclamou ele, batendo palmas e parecendo tão encantado quanto uma criança com um brinquedo novo. — O que acha disso?

— Parece um teste bastante delicado — observei.

— Ótimo! Ótimo! O antigo teste com o guáiaco era muito rudimentar e impreciso. O mesmo se pode dizer do exame microscópico dos glóbulos do sangue. Este último é inútil se as manchas já tiverem algumas horas. Isso aqui, no entanto, parece funcionar perfeitamente, seja o sangue novo ou antigo. Se esse teste já tivesse sido inventado, centenas de homens que agora andam por aí em liberdade estariam pagando por seus crimes há muito tempo.

— É mesmo? — murmurei.

— Casos e mais casos criminais esbarram seguidamente nesse ponto. Um homem se torna suspeito de um crime talvez até meses depois que ele foi cometido. Suas roupas de baixo ou as calças são examinadas e revelam manchas pardacentas. Serão manchas de sangue, lama, ferrugem, frutas, de quê? Esta é uma questão que tem confundido muitos especialistas. E por quê? Porque não havia um exame de laboratório confiável. Mas agora temos a "reação Sherlock Holmes", de modo que não haverá mais dificuldades daqui por diante.

Seus olhos cintilavam enquanto ele falava e, levando a mão ao peito, fez uma mesura, como se agradecesse a alguma multidão gerada por sua imaginação.

— Aceite os meus parabéns — falei, bastante surpreso com o seu entusiasmo.

— Houve o caso de Von Bischoff em Frankfurt, no ano passado. Se esse teste já existisse, ele certamente teria sido enforcado. Houve também o caso Mason em Bradford, o do famigerado Müller, o de Lefèvre em Montpellier e o de Samson em Nova Orleans. Enfim, eu poderia enumerar uma série de casos em que esse teste teria sido decisivo.

— Você parece um calendário ambulante de crimes — disse Stamford, rindo. — Poderia lançar um jornal nessa linha. O título seria "Noticiário Policial do Passado".

— Sem dúvida, seria também uma leitura muito interessante — observou Sherlock Holmes, colocando um pequeno emplastro no local da espetadela em seu dedo. — Preciso ser cauteloso — continuou, virando-se para mim com um sorriso —, porque estou sempre lidando com venenos.

Estendeu as mãos enquanto falava e reparei que estavam salpicadas de emplastros semelhantes, além de descoradas pela ação de ácidos fortes.

— Viemos aqui tratar de negócios — disse Stamford, acomodando-se em uma banqueta alta de três pernas e empurrando outra, com um pé, na minha direção. — Este meu amigo anda à procura de moradia, e como você se queixava de não encontrar ninguém para dividir as despesas, achei que seria interessante pô-los em contato.

Sherlock Holmes pareceu encantado com a ideia de dividirmos acomodações.

— Estou de olho em um apartamento na Baker Street — anunciou — que seria perfeito para nós. Espero que o cheiro de tabaco forte não o incomode.

— Costumo fumar tabaco de marinheiro — respondi.

— Muito bem. Em geral, tenho produtos químicos em casa e, de vez em quando, costumo fazer experiências. Isso o incomodaria?

— De modo algum.

— Vejamos quais são os meus outros defeitos... Volta e meia fico irritadiço e de boca fechada dias inteiros. Não vá pensar que estou zangado quando me comporto dessa maneira. Basta deixar-me em paz e logo tudo voltará ao normal. E você, o que tem para confessar? É muito melhor que dois sujeitos fiquem conhecendo seus piores defeitos antes que comecem a morar juntos.

Achei graça naquele interrogatório.

— Tenho um filhote de buldogue — falei — e faço objeção a qualquer tipo de barulho, porque estou com os nervos abalados. Além disso, costumo levantar-me em horas impróprias e sou terrivelmente preguiçoso. Ainda tenho outros defeitos quando estou bem de saúde, mas, no momento, estes são os principais.

— Inclui o som do violino em sua categoria de barulhos? — ele perguntou ansioso.

— Depende do executante — respondi. — Um violino bem tocado é um presente para os deuses, mas quando acontece o contrário...

— Oh, então está tudo bem! — exclamou Holmes, com uma risada satisfeita. — Acho que podemos considerar o assunto resolvido, isto é, se ficar satisfeito com os aposentos.

— Quando iremos vê-los?

— Venha encontrar-me amanhã ao meio-dia e iremos juntos para resolver tudo — respondeu ele.

— Certo, ao meio-dia em ponto — falei, apertando-lhe a mão.

Deixamos que ele voltasse ao trabalho com seus produtos químicos e, juntos, eu e Stamford seguimos para o meu hotel.

— Por falar nisso — soltei de repente, parando e virando-me para meu companheiro —, como, diabo, ele soube que vim do Afeganistão?

Meu companheiro esboçou um sorriso enigmático.

— Esta é justamente a pequena peculiaridade de Holmes — disse ele. — Muita gente gostaria de saber como ele consegue descobrir as coisas.

— Oh! Então é um mistério? — exclamei, esfregando as mãos. — Isso é muito estimulante! Sou-lhe grato por ter feito o contato. Como sabe, "o homem é o estudo adequado da humanidade"...

— Pois então, estude-o — disse Stamford ao despedir-se. — Imagino que Holmes seja um problema intrincado. Aposto como ele descobrirá mais coisas a seu respeito do que você conseguirá descobrir a respeito dele. Até breve, Watson.

— Até breve — respondi, e entrei em meu hotel sentindo um profundo interesse por meu novo conhecido.

2

A CIÊNCIA DA DEDUÇÃO

Encontramo-nos no dia seguinte, conforme o combinado, e inspecionamos os aposentos da Baker Street, 221 B, sobre os quais havíamos falado na véspera. Eram dois dormitórios confortáveis e uma sala de estar espaçosa e arejada, mobiliada com jovialidade e iluminada por duas amplas janelas. O conjunto era atraente em todos os aspectos, e o preço, tão módico, se dividido entre nós, que acertamos tudo ali mesmo e tomamos posse de nossos domínios. Na mesma tarde retirei meus pertences do hotel e Sherlock Holmes chegou na manhã seguinte, com várias caixas e maletas. Durante um ou dois dias ficamos em franca atividade, tirando nossas coisas das malas e arrumando-as da melhor maneira possível. Feito isso, aos poucos começamos a nos adaptar ao nosso novo ambiente.

A convivência com Holmes não foi nem um pouco difícil. Ele tinha maneiras tranquilas e hábitos regulares. Era raro vê-lo de pé após as dez horas da noite, e quando eu me levantava de manhã, ele invariavelmente já tomara o *breakfast* e saíra. Às vezes, passava o dia no laboratório de química, outras vezes nas salas de dissecação e, de vez em quando, fazia longas caminhadas, que pareciam conduzi-lo às zonas mais baixas da cidade. Nada parecia superá-lo em energia quando era dominado por um acesso de atividade; mas volta e meia era acometido por uma reação e permanecia durante dias a fio no sofá da sala de estar, mal proferindo uma palavra ou movendo um músculo, da manhã à noite. Nessas ocasiões, eu percebia nos olhos dele uma expressão tão vaga e sonhadora que poderia ter suspeitado que ele era viciado em algum narcótico, se a temperança e a lisura de sua vida não proibissem uma ideia desse tipo.

À medida que as semanas passavam, meu interesse por ele e a curiosidade a respeito de seus objetivos na vida aumentaram e aprofundaram-se aos poucos. Ele próprio e sua aparência chamavam a atenção do observador mais desatento. Tinha mais de 1,80 metro de altura, mas a magreza excessiva fazia com que parecesse ainda mais alto. Seus olhos eram atentos e penetrantes, exceto durante aqueles intervalos de torpor a que já me referi; e o nariz delgado, aquilino, dava à fisionomia um ar de vigilância e determinação. Também o queixo, saliente e quadrado, indicava um homem decidido. Suas mãos estavam sempre manchadas de tinta e de produtos químicos, mas mostravam uma extraordinária delicadeza de toque, como tive ocasião de observar várias vezes, enquanto ele manipulava seus frágeis instrumentos de alquimista.

O leitor poderá considerar-me um bisbilhoteiro incurável, quando eu confesso o quanto aquele homem espicaçava a minha curiosidade, e com que frequência tentei descobrir alguma coisa por entre a reticência que ele mostrava em relação a tudo que lhe dizia respeito. Antes que seja pronunciada a sentença, no entanto, devo lembrar como a minha vida era monótona, e que havia pouca coisa que prendesse minha atenção. Meu estado de saúde impedia que eu me aventurasse fora de casa, a menos que o tempo estivesse excepcionalmente bom, e, por outro lado, eu não tinha amigos que pudessem visitar-me e, assim, romper o tédio daquela existência diária. Nessas circunstâncias, saudei com avidez o pequeno mistério que envolvia meu companheiro e passei boa parte do meu tempo tentando decifrá-lo.

Holmes não estudava medicina. Em resposta a uma pergunta, havia confirmado a opinião de Stamford a respeito disso. Também não parecia ter feito algum curso regular que lhe desse um título científico ou lhe garantisse uma via de entrada para o mundo erudito. Entretanto, era notável a dedicação que mostrava por determinados ramos do saber e, dentro de limites incomuns, seu conhecimento era tão extraordinariamente vasto e minucioso que eu ficava abismado com suas observações. Certamente, nenhum homem trabalharia com tanto afinco ou adquiriria informações tão precisas se não tivesse um objetivo definido em vista. Leitores sem método raramente se destacam pela exatidão de seus conhecimentos. E homem algum sobrecarregaria a mente com questões insignificantes, a menos que tenha bons motivos para fazer isso.

A ignorância de Holmes era tão surpreendente quanto o seu conhecimento. Ele parecia não saber quase nada sobre literatura, filosofia e política contemporâneas. Quando citei Thomas Carlyle certa vez, Holmes, mostrando a mais perfeita ingenuidade, perguntou quem era ele e o que havia feito. Mas minha perplexidade atingiu o auge quando descobri por acaso que ele ignorava a Teoria de Copérnico e a composição do sistema solar. Para mim, um ser humano civilizado do século XIX que não soubesse que a Terra girava em torno do sol era algo tão extraordinário que quase me recusava a acreditar.

— Você parece admirado — disse ele, sorrindo da minha expressão de surpresa. — Pois agora que já aprendi isso, farei o possível para esquecê-lo.

— Esquecê-lo?

— Procure entender — falou. — Para mim, o cérebro de um homem, originalmente, é como um sótão vazio, que deve ser entulhado com os móveis que escolhermos. Um tolo o enche com todos os tipos de quinquilharia que vai encontrando pelo caminho, a ponto de os conhecimentos que lhe seriam úteis ficarem soterrados ou, na melhor das hipóteses, tão misturados às outras coisas que ficaria difícil selecioná-los. Já o trabalhador especializado é extremamente cauteloso em relação às coisas que coloca em seu cérebro-sótão. Depositará lá apenas as ferramentas que poderão ajudá-lo a realizar o seu trabalho, mas, destas, ele terá um vasto sortimento e todas arrumadas na mais perfeita ordem. É um engano pensar que esse pequeno recinto tem paredes elásticas, que podem ser distendidas indefinidamente. Dependendo disso, chega o momento em que, para cada novo acréscimo de conhecimento, esquecemos algo que já sabíamos antes. Portanto, é da maior importância evitar que dados inúteis ocupem o lugar dos úteis.

— Certo, mas o sistema solar! — protestei.

— Que importância tem isso para mim? — ele me interrompeu, impaciente. — Você disse que giramos em torno do sol. Se girássemos em torno da lua, isso não faria a mínima diferença para mim ou para o meu trabalho.

Estive a ponto de perguntar-lhe que trabalho era esse, mas alguma coisa no seu jeito indicava que a curiosidade não teria boa acolhida. Mesmo assim, meditei sobre o nosso curto diálogo e esforcei-me para tirar disso alguma conclusão. Ele dissera que não queria adquirir conhecimentos inadequados às suas finalidades. Então, todos os conhecimentos que possuía tinham de ser úteis para ele. Mentalmente, enumerei os vários pontos em que ele se revelara excepcionalmente bem-informado. Cheguei a pegar um lápis e a anotá-los. Não pude deixar de sorrir quando concluí o documento. Ficou assim:

Conhecimentos de Sherlock Holmes

1. *Literatura: zero.*
2. *Filosofia: zero.*
3. *Astronomia: zero.*
4. *Política: fracos.*
5. *Botânica: variáveis. Versado nos efeitos de beladona, ópio e venenos em geral. Não sabe nada sobre jardinagem e horticultura.*
6. *Geologia: práticos, mas limitados. À primeira vista, sabe reconhecer solos diferentes. Quando chega de suas caminhadas, mostra-me manchas e respingos nas calças e, por sua cor e consistência, me diz em que parte de Londres as recebeu.*
7. *Química: profundos.*
8. *Anatomia: acurados, mas pouco sistemáticos.*
9. *Literatura sensacionalista: imensos. Ele parece conhecer todos os detalhes de cada horror perpetrado neste século.*
10. *Toca bem violino.*
11. *É perito em esgrima e boxe, além de hábil espadachim.*
12. *Tem um bom conhecimento prático das leis inglesas.*

Quando cheguei a esse ponto da minha lista, joguei-a no fogo, desanimado.

"Se eu só posso descobrir o objetivo desse homem conjugando todas essas habilidades e encontrando uma profissão que as utilize", disse para mim mesmo, "é melhor desistir já da tentativa".

Vejo que me referi acima aos seus dotes de violinista. Sem dúvida, eram notáveis, mas tão excêntricos quanto todas as suas outras habilidades. Eu sabia perfeitamente que Holmes era capaz de executar peças difíceis porque, a meu pedido, tocara alguns *Lieder* de Mendelssohn e outras músicas de minha preferência. Quando entregue a si mesmo, no entanto, ele raramente interpretava qualquer música ou tentava alguma ária identificável. À tardinha, recostado em sua poltrona, fechava os olhos e passava descuidadamente o arco pelas cordas do violino em seus joelhos. Algumas vezes, os acordes eram sonoros e melancólicos; outras, fantásticos e alegres. Refletiam, sem dúvida, os pensamentos que invadiam sua mente, mas eu não conseguia determinar se a música os ajudava ou se o ato de tocar era simplesmente o resultado de um capricho ou fantasia. Eu teria me rebelado contra aqueles solos exasperantes, se ele não tivesse o hábito de encerrá-los tocando, em rápida sucessão, séries completas de minhas peças prediletas, como uma pequena compensação por testar minha paciência.

Durante a primeira semana ou pouco mais, não tivemos visitas, e eu já começava a pensar que meu companheiro também era um homem sem amigos. Mas, pouco depois, descobri que ele tinha muitos conhecidos nas mais variadas classes sociais. Havia um homenzinho pálido, com cara de rato e olhos escuros, que me foi apresentado como sr. Lestrade e que apareceu três ou quatro vezes na mesma semana. Certa manhã foi a vez de uma jovem, elegantemente vestida, que se demorou por meia hora ou mais. Naquela mesma tarde, Holmes foi procurado por um visitante de cabelos grisalhos e ar fatigado, parecendo um negociante judeu, muito excitado. Logo em seguida veio uma mulher idosa, desmazelada e com sapatos cambaios. Em outra ocasião, meu companheiro teve uma entrevista com um cavalheiro de cabelos brancos; e numa outra, recebeu um carregador da estrada de ferro em seu uniforme de belbutina.

Sempre que surgia algum desses estranhos visitantes, Sherlock Holmes pedia para usar a sala de estar, e então eu me retirava para meu quarto. Ele sempre se desculpava por causar-me este inconveniente.

— Preciso usar a sala como lugar para tratar de negócios, e essas pessoas são meus clientes — dizia.

Mais uma vez, surgia a oportunidade de interrogá-lo diretamente e, como antes, a discrição impedia que eu o forçasse a confiar em mim. Na época, pensei que Holmes devia ter fortes motivos para evitar o assunto, mas ele logo fez com que eu afastasse essa hipótese, ao abordá-lo voluntariamente.

Estávamos no dia 4 de março, tenho bons motivos para recordar a data, e levantei-me um pouco mais cedo que de hábito. Vi que Sherlock Holmes ainda não terminara seu *breakfast*. A criada estava tão acostumada à minha demora em sair da cama que ainda não arrumara meu lugar à mesa nem preparara o meu café. Com a petulância irracional do gênero humano, toquei a sineta e anunciei secamente que estava pronto. Em seguida, peguei uma revista em cima da mesa e tentei matar o tempo com ela, enquanto meu companheiro mastigava silenciosamente sua torrada. Deparei-me com um artigo cujo título fora sublinhado a lápis e, naturalmente, passei os olhos por ele.

O título um tanto pretensioso era "O livro da vida", e o artigo se propunha a demonstrar o quanto um homem observador poderia apreender por meio do exame minucioso e sistemático de tudo que lhe caísse sob os olhos. Tive a impressão de que aquilo era uma extraordinária mistura de absurdo e sagacidade. A argumentação era compacta e intensa, mas as deduções pareciam rebuscadas e exageradas. O autor afirmava que uma expressão momentânea, um repuxar de músculo ou um movimento dos olhos podiam denunciar os pensamentos mais íntimos de um homem. Segundo ele, era impossível que alguém bem-treinado na observação e na análise fosse iludido em suas deduções. As conclusões seriam tão infalíveis como tantas proposições de Euclides. Para os leigos, esses resultados pareceriam tão extraordinários que, enquanto não aprendessem o método pelo qual haviam sido obtidos, considerariam o homem que chegara a eles uma espécie de adivinho.

"A partir de uma gota d'água", dizia o autor, "um pensador lógico poderia inferir a possibilidade de um Atlântico ou de um Niágara, sem jamais ter visto um e outro ou ouvido falar deles. Assim, toda vida é uma grande cadeia, cuja natureza é revelada pela simples apresentação de um único elo. Como todas as artes, a Ciência da Dedução e da Análise só pode ser adquirida após um aprendizado demorado e paciente, mas a vida não é suficientemente longa para permitir que algum mortal atinja a perfeição máxima nesse campo. Antes de se concentrar nos aspectos morais e mentais do assunto que apresenta as maiores dificuldades, o pesquisador deve começar pelo domínio dos problemas mais elementares. Ao encontrar um semelhante, que ele aprenda, em um relance, a distinguir a história do homem e o ofício ou profissão que ele exerce. Por mais infantil que esse exercício possa parecer, ele aguça as faculdades de observação, ensinando para onde se deve olhar e o que procurar. Pelas unhas de um indivíduo, pela manga do seu paletó, seus sapatos, o joelho das calças, as calosidades do polegar e indicador, pelos punhos da camisa... em cada um desses detalhes, a profissão de um homem é nitidamente revelada. Que tudo isso junto deixe de esclarecer um investigador competente é quase inconcebível."

— Quanto disparate! — exclamei, jogando a revista sobre a mesa. — Nunca li tamanha tolice na vida!

— O que é? — perguntou Sherlock Holmes.

— Ora, este artigo — disse, apontando-o com a colher ao me sentar para o *breakfast*. — Vejo que já o leu, pois está assinalado a lápis. Não posso negar que foi escrito com inteligência, mas ainda assim me irrita. Evidentemente, são as teorias forjadas por algum desocupado, que desenvolve todos esses pequeninos paradoxos sem sair da poltrona de seu gabinete. Nada têm de prático. Eu gostaria de vê-lo na barulheira de um vagão de terceira classe do trem subterrâneo para então perguntar-lhe quais eram as profissões de todos os seus companheiros de viagem. Apostaria mil por um contra ele.

— E perderia seu dinheiro — observou Holmes calmamente. — Quanto ao artigo, fui eu que escrevi.

— Você?

— Exatamente. Tenho certa tendência a observar, a deduzir. Todas as teorias que expus aí, e que a você parecem tão fantasiosas, na verdade são extremamente práticas, tão práticas que dependo delas para viver.

— Como? — perguntei involuntariamente.

— Bem, eu trabalho por conta própria. Imagino que seja o único no mundo nesse ramo. Sou um detetive-consultor, se é que entende o que isso significa. Aqui em Londres temos punhados de detetives oficiais e particulares. Quando estão em apuros, eles me procuram, e tento colocá-los novamente na pista certa. Fornecem-me todos os indícios e, graças ao meu conhecimento da história do crime, geralmente consigo descobrir e corrigir as falhas. Existe uma grande semelhança entre os delitos, de modo que, se temos todos os detalhes de mil casos na ponta dos dedos, seria estranho não conseguirmos desenredar o milésimo primeiro. Lestrade é um detetive conceituado. Recentemente, ficou perdido ao investigar um caso de falsificação, e foi isso que o trouxe aqui.

— E quanto às outras pessoas?

— Na maioria, são enviadas por agências particulares de investigação. Todas são pessoas com problemas que procuram algum esclarecimento. Ouço as histórias que me contam, elas ouvem meus comentários e depois embolso meus honorários.

— Está querendo dizer que sem sair do quarto você consegue desatar um nó insolúvel para outros homens, embora eles próprios tenham observado todos os detalhes pessoalmente? — perguntei.

— Sem tirar nem pôr. Tenho uma espécie de intuição nesse sentido. De vez em quando aparece um caso mais complicado que os outros. Então, preciso caminhar por aí e ver as coisas com meus próprios olhos. Como sabe, tenho uma boa dose de conhecimentos especiais que, aplicados ao problema, facilitam extraordinariamente as coisas. Aquelas regras de dedução no artigo que provocou o seu desdém são inestimáveis no meu trabalho prático. Observação é a minha segunda natureza. Você pareceu surpreso quando eu lhe disse, no nosso primeiro encontro, que estava retornando do Afeganistão.

— Alguém lhe contou, sem dúvida.

— Absolutamente! Eu *sabia* que você vinha do Afeganistão. Devido a um hábito antigo, o encadeamento de pensamentos passou pela minha mente com tamanha rapidez que cheguei à conclusão sem ter consciência das etapas intermediárias. Mas essas etapas existiram. O meu raciocínio foi o seguinte: "Aqui temos um cavalheiro com aparência de médico, mas também com modos de militar. Portanto, sem sombra de dúvida, um médico do Exército. Acabou de chegar dos trópicos, pois tem o rosto queimado e essa não é a cor natural de sua pele, já que os pulsos são claros. Passou por privações e doenças, como demonstra nitidamente seu rosto macilento. Foi ferido no braço esquerdo, já que o mantém numa posição rígida e pouco natural. Em que lugar dos trópicos um médico inglês do Exército enfrentaria tantas agruras e seria ferido no braço? No Afeganistão, evidentemente." Toda esta fieira de pensamentos não levou mais de um segundo. Então, comentei que você viera do Afeganistão e percebi que ficou espantado.

— Tudo parece muito simples, da maneira como você explica — respondi, sorrindo. — Você me lembra o Dupin de Edgar Allan Poe. Nunca pensei que esse tipo de gente existisse na vida real.

Sherlock Holmes levantou-se e acendeu seu cachimbo.

— Sem dúvida imagina estar me fazendo um elogio quando me compara a Dupin — observou. — Bem, na minha opinião, Dupin era um tipo bastante inferior. Aquele seu truque de interromper os pensamentos do amigo com um comentário oportuno, após um silêncio de 15 minutos, além de espalhafatoso, é superficial. Não duvido que ele tivesse um certo dom analítico, mas não era de modo algum o fenômeno que Poe parecia imaginar.

— Já leu as obras de Gaboriau? — perguntei. — Lecoq corresponde à ideia que você faz de um detetive?

Sherlock Holmes fungou com ironia.

— Lecoq era um grande trapalhão — disse ele, irritado. — Sua energia era a sua única qualidade. Esse livro me deixou francamente enojado. A questão consistia em identificar um prisioneiro desconhecido. Eu teria feito isso em 24 horas, enquanto Lecoq levou uns seis meses. Um livro assim poderia ser um manual para os detetives aprenderem o que devem evitar.

Fiquei bastante indignado ao ver menosprezados dois personagens que eu tanto admirava. Fui até a janela e fiquei olhando a rua movimentada.

"Este sujeito pode ser muito esperto", pensei, "mas certamente é bastante presunçoso".

— Hoje em dia, não há mais crimes nem criminosos — disse ele, em tom de lamento. — De que adianta a inteligência em nossa profissão? Sei muito bem que tenho capacidade para tornar meu nome famoso. Não há e nunca houve alguém que contribuísse com tamanha dose de estudo e talento natural para investigação criminal como eu. E qual foi o resultado? Não há crimes a desvendar ou, no máximo, algum delito desajeitado, com um motivo tão transparente que até um funcionário da Scotland Yard consegue resolver.

Eu continuava irritado com sua maneira presunçosa de falar e achei melhor mudar de assunto.

— O que será que aquele sujeito está procurando? — perguntei.

Ao falar, apontei para um indivíduo corpulento e vestido com simplicidade, que caminhava devagar pela calçada oposta, consultando os números das casas com ansiedade. Tinha um grande envelope azul na mão e, evidentemente, era portador de alguma mensagem.

— Está falando daquele sargento aposentado da Marinha? — perguntou Sherlock Holmes.

"Quanta fanfarronice!", pensei. "Ele sabe que não posso confirmar o que disse."

O pensamento mal tinha cruzado a minha mente quando o homem que observávamos descobriu o número de nossa porta e atravessou a rua às pressas. Ouvimos a batida forte, uma voz grave no andar de baixo e, em seguida, o ruído de passos firmes subindo a escada.

— Para o sr. Sherlock Holmes — disse ele, entrando na sala e estendendo a carta ao meu amigo.

Ali estava a minha oportunidade de acabar com sua arrogância. Ele nem havia pensado nisso quando fez sua observação casual.

— Escute, amigo — falei com a voz mais branda possível —, posso perguntar-lhe qual a sua profissão?

— Mensageiro, senhor — respondeu de modo rude. — Meu uniforme está sendo consertado.

— E o que fazia antes? — tornei a perguntar, com um malicioso olhar de esguelha para meu companheiro.

— Era sargento, senhor. Da infantaria ligeira da Marinha. Sem resposta, sr. Holmes? Perfeitamente, senhor.

O homem bateu os calcanhares, ergueu a mão em continência e saiu.

3
O MISTÉRIO DE LAURISTON GARDEN

Confesso que fiquei absolutamente perplexo com aquela nova prova da natureza prática das teorias de meu companheiro. Meu respeito por sua capacidade analítica aumentou de maneira considerável. Mesmo assim, eu ainda nutria a secreta desconfiança de que tudo não passasse de um episódio previamente combinado com o objetivo de me deixar deslumbrado, embora não pudesse compreender qual a sua intenção ao enganar-me daquele jeito. Quando olhei para Holmes, ele terminara de ler a nota e seus olhos haviam adquirido aquela expressão opaca e distante que indicava abstração mental.

— Diabo, como conseguiu deduzir aquilo? — perguntei.

— Deduzir o quê? — replicou ele, com petulância.

— Ora, que o homem era sargento reformado da Marinha.

— Agora não tenho tempo para futilidades — respondeu com rispidez. Depois, acrescentou com um sorriso: — Desculpe-me o modo rude. Você interrompeu o fio dos meus pensamentos, mas talvez até seja melhor assim. Então, não conseguiu perceber que aquele homem era um sargento da Marinha?

— De modo algum.

— Foi mais fácil descobrir isso do que explicar como eu sei. Se lhe pedirem para provar que dois e dois são quatro, você talvez encontre alguma dificuldade, embora tenha certeza disso. Mesmo quando aquele homem estava do outro lado da rua, pude ver uma grande âncora azul tatuada no dorso de sua mão. Isso indicava alguma ligação com o mar. Ele tinha uma postura militar e, além disso, usava as suíças próprias da Marinha. Tínhamos, então, um marinheiro. Notava-se nele um certo ar de importância, de quem está acostumado a comandar. Você deve ter notado o modo como ele movia a cabeça e manejava a bengala. Além disso, seu rosto era o de um homem resoluto, respeitável e maduro... um conjunto de características que me levou a acreditar que ele fora um sargento da Marinha.

— Incrível! — exclamei.

— Corriqueiro — disse Holmes, embora, pela sua expressão, eu percebesse que ele tinha ficado satisfeito com minha visível surpresa e admiração. — Ainda há pouco eu lhe dizia que não há mais criminosos. Tudo indica que eu estava enganado — veja isto!

Estendeu-me a carta que acabara de receber do mensageiro.

— Oh! — exclamei, assim que corri os olhos por ela. — Isto é terrível!

— Parece um tanto fora do comum — ele observou calmamente. — Poderia lê-la para mim em voz alta?

Esta é a carta que li para ele:

Prezado sr. Sherlock Holmes,

Esta noite houve uma grave ocorrência no nº 3 de Lauriston Gardens, nas proximidades da Brixton Road. Por volta de duas da madrugada, nosso policial de ronda avistou luz nesse endereço e, como a casa estava vazia, desconfiou que havia algo errado. A porta estava aberta e, na sala da frente, sem nenhuma mobília, ele se deparou com o cadáver de um cavalheiro, bem-vestido e tendo em um dos bolsos cartões de visita em nome de "Enoch J. Drebber, Cleveland, Ohio, USA". Não houve roubo e não há nenhuma pista sobre a maneira como o homem morreu. Existem marcas de sangue na sala, embora o corpo não apresente nenhum ferimento. Não imaginamos o que ele teria ido fazer naquela casa desabitada; aliás, o caso todo é um enigma. Se puder ir até lá, a qualquer hora antes do meio-dia, irá encontrar-me. Deixei tudo tal como estava, até ter notícias suas. Se não puder vir, enviarei maiores detalhes e ficarei imensamente grato pela gentileza de sua opinião.

Cordialmente,

Tobias Gregson

— Gregson é o homem mais esperto da Scotland Yard — observou o meu amigo. — Ele e Lestrade são os únicos que têm valor, em meio a um punhado de incompetentes. Ambos são rápidos e decididos, mas convencionais... terrivelmente convencionais. Por outro lado, há uma grande rivalidade entre eles e são ciumentos como duas beldades profissionais. A coisa promete ser divertida, se Gregson e Lestrade forem designados para o caso.

Era espantosa a calma com que ele murmurava aquilo.

— Sem dúvida, não há um momento a perder! — exclamei. — Desço e chamo um coche para você?

— Ainda não tenho certeza se irei ou não. Sou o sujeito mais incuravelmente preguiçoso que já houve neste mundo... embora possa ser bastante ativo quando estou disposto a isso.

— Ora, mas esta é justamente a oportunidade que esperava!

— Meu caro amigo, que diferença faz para mim? Supondo-se que eu resolva todo o caso, pode ter certeza de que o crédito será todo de Gregson, Lestrade e Cia. É isso que acontece quando não se é um investigador oficial.

— Bem, mas ele pede a sua ajuda.

— É verdade. No fundo, sabe que sou superior a ele e reconhece o fato, mas seria capaz de cortar a língua antes de admiti-lo a mais alguém. Enfim, sempre podemos ir e dar uma espiada por lá. Trabalharei à minha maneira, sem ajuda. Se não conseguir nada, pelo menos rirei deles. Vamos!

Enfiou o sobretudo e passou a movimentar-se de uma maneira que indicava que a apatia de antes fora substituída por um acesso de energia.

— Pegue o seu chapéu — disse.

— Quer que eu vá também? — perguntei.

— Sim, caso não tenha nada melhor para fazer.

Um minuto depois, estávamos em um cabriolé, rodando a toda a velocidade para a Brixton Road.

Fazia uma manhã nublada e nevoenta. Um véu acastanhado pairava acima dos telhados, parecendo o reflexo das ruas lamacentas. Meu companheiro estava na melhor disposição de ânimo, tagarelando sobre violinos de Cremona e a diferença entre um Stradivarius e um Amati. Quanto a mim, permanecia calado, porque o mau tempo e o assunto melancólico em que estávamos envolvidos me deixavam deprimido.

— Você não me parece nada preocupado com o caso que tem pela frente — falei por fim, interrompendo a explanação musical de Holmes.

— Por enquanto, ainda não dispomos de dados — ele respondeu. — É um erro capital formular teorias antes de contarmos com todos os indícios. Pode prejudicar o raciocínio.

— Em pouco tempo terá os seus dados — observei, apontando com o dedo. — Esta é a Brixton Road e, se não me engano, aquela é a casa.

— Tem razão. Pare, cocheiro, pare!

Ainda estávamos a uns cem metros de distância, mas ele insistiu em descer ali mesmo, de modo que fizemos a pé o resto do trajeto.

O número 3 de Lauriston Gardens tinha uma aparência agourenta e ameaçadora. Era uma das quatro casas que ficavam um pouco recuadas da rua, sendo duas ocupadas e duas vazias. A última espiava para fora através de três filas de janelas tristes e abandonadas, com uma aparência vaga e opaca, a não ser pelos cartazes de "Aluga-se", que surgiam aqui e ali, como cataratas sobre as vidraças encardidas. Havia um pequeno jardim salpicado de plantas raquíticas entre cada uma das casas e a rua, cortado por um estreito caminho amarelado, parecendo ser uma mistura de saibro e argila. Tudo ali estava lamacento, por causa da chuva que caíra durante a noite. O jardim era circundado por uma parede de tijolos com mais ou menos um metro de altura, encimada por grades de madeira. Nessa parede, estava recostado um policial robusto, cercado por um pequeno grupo de desocupados, todos esticando o pescoço e aguçando os olhos, na vã esperança de um vislumbre do que acontecia no interior.

Imaginei que Sherlock Holmes entraria imediatamente na casa, para atirar-se ao estudo do mistério. Entretanto, nada parecia mais distante de sua intenção. Com ar despreocupado que, em vista das circunstâncias, me parecia próximo à afetação, ele caminhou de um lado para outro pela calçada, fitando o chão com expressão absorta, depois o céu, as casas opostas e a linha das grades sobre os muros. Terminada a sua inspeção, ele começou a andar lentamente pelo caminho do jardim, ou melhor, pelo gramado vizinho, de olhos pregados no chão. Parou duas vezes e eu o vi sorrir uma vez, ouvindo-o também soltar uma exclamação satisfeita. Havia muitas marcas de pegadas impressas no terreno molhado e argiloso, mas, como os policiais já tinham ido e vindo por ali, não pude imaginar como meu companheiro poderia descobrir uma pista no local. De qualquer modo, já que tivera provas tão extraordinárias da rapidez de seus dotes perceptivos, acreditava que ele conseguiria distinguir muitas coisas que para mim eram invisíveis.

À entrada da casa, fomos recebidos por um homem alto e claro, de pele alva e cabelos muito louros, com um caderno de notas na mão, que se precipitou ao encontro de Holmes, apertando-lhe a mão efusivamente.

— Foi muita gentileza ter vindo — disse ele. — Nada foi tocado ainda.

— Exceto aqui fora! — replicou meu companheiro, apontando para o caminho no jardim. — Se uma manada de búfalos tivesse passado por ali, a confusão não seria pior. Mas imagino que já havia tirado suas conclusões, Gregson, antes de permitir que isso acontecesse.

— Fiquei muito ocupado dentro da casa — respondeu o detetive, evasivamente. — Meu colega, o sr. Lestrade, também está aqui. Esperava que ele cuidasse dessa parte.

Holmes fitou-me de esguelha e ergueu as sobrancelhas sardonicamente.

— Se dois homens como você e Lestrade já estão na pista, não resta muita coisa para um terceiro fazer — disse.

Gregson esfregou as mãos, satisfeito consigo mesmo.

— Creio que já fizemos tudo que era necessário — respondeu. — De qualquer modo, é um caso estranho e sei o quanto aprecia o gênero.

— Veio para cá de cabriolé? — perguntou Sherlock Holmes.

— Não.

— Nem Lestrade?

— Também não.

— Então, vamos dar uma espiada na sala.

Com esta observação inconsequente, ele entrou na casa em largas passadas, seguido por Gregson, cujas feições exprimiam espanto.

Um corredor curto, de assoalho nu e empoeirado, levava à cozinha e às dependências de serviço. Duas portas se abriam para ele, uma à direita e outra à esquerda. Era evidente que uma delas ficara fechada por muitas semanas. A outra dava para a sala de jantar, o aposento onde ocorrera o misterioso fato. Holmes entrou e eu o segui, com o coração apertado por aquela sensação que a presença da morte inspira.

Era uma grande sala quadrada, que parecia ainda maior pela ausência de móveis. As paredes estavam forradas com um papel vulgar e espalhafatoso, manchado de bolor em vários lugares e com enormes tiras rasgadas, aqui e ali, penduradas e expondo o reboco amarelado. Do lado oposto à porta havia uma lareira vistosa, com um consolo que imitava mármore branco. A um canto desse consolo da lareira via-se um toco de vela vermelha. A única janela estava tão suja que só deixava penetrar uma claridade opaca e incerta, que emprestava a tudo uma tonalidade acinzentada, acentuada pela espessa camada de poeira que cobria todo o aposento.

Foi mais tarde que notei esses detalhes. Naquele momento, minha atenção concentrava-se na figura imóvel e macabra estendida nas tábuas do assoalho, com os olhos abertos e sem vida fitando o teto desbotado. O homem devia ter uns 43 ou 44 anos, era de estatura mediana, tinha ombros largos, cabelos negros e anelados, a barba curta e hirsuta. Trajava fraque e colete de tecido grosso e de boa qualidade, calças claras, e tinha punhos e colarinho imaculadamente alvos. No chão, a seu lado, havia uma cartola bem-escovada e em bom estado. Ele tinha as mãos crispadas e os braços abertos, mas as pernas estavam torcidas, dando a impressão de que sua agonia fora extremamente penosa. Em seu rosto rígido estampava-se uma expressão de horror e também de ódio, segundo me pareceu, como jamais vi em um semblante humano. Aquela contorção malévola e terrível, juntamente com a testa baixa, o nariz chato e o queixo proeminente, davam ao morto uma singular aparência simiesca, acentuada pela postura torcida e pouco natural. Eu já vira a morte em formas variadas, porém nunca com um aspecto tão medonho como naquela sala sombria e sinistra, que dava para uma das principais artérias da Londres suburbana.

Esguio e com seu ar de furão, Lestrade estava parado junto à porta e cumprimentou-nos, a mim e a meu companheiro.

— Este caso vai dar o que falar — observou ele. — Supera tudo o que já vi, e note-se que não sou calouro.

— Nenhuma pista? — perguntou Gregson.

— Absolutamente nada — respondeu Lestrade.

Sherlock Holmes chegou perto do corpo e, ajoelhando-se, examinou-o atentamente.

— Têm certeza de que não há ferimentos? — perguntou, apontando para as numerosas gotas e salpicos de sangue espalhados em torno.

— Plena certeza! — exclamaram os dois detetives.

— Sendo assim, é evidente que esse sangue veio de uma segunda pessoa, presumivelmente o assassino, se é que houve assassinato. Isso me faz lembrar as circunstâncias da morte de Van Jansen, em Utrecht, em 1834. Lembra-se do caso, Gregson?

— Não, senhor.

— Pois procure ler... realmente, deveria lê-lo. Não há nada de novo sob o sol. Tudo já aconteceu antes.

Enquanto falava, seus dedos ágeis voavam daqui para ali, por todos os cantos, apalpando, pressionando, desabotoando e examinando, tendo nos olhos aquela mesma expressão absorta que já mencionei. Conduziu o exame com tal rapidez que dificilmente alguém perceberia a minúcia com que o fazia. Por fim, cheirou os lábios do morto e depois olhou as solas de suas botas de couro.

— Não o removeram do lugar? — perguntou.

— Apenas o suficiente para que o examinássemos.

— Então, podem levá-lo agora para o necrotério — disse Holmes. — Não há mais nada para se examinar.

Gregson tinha uma padiola e quatro homens ali perto. A um chamado seu, os padioleiros entraram na sala e retiraram o morto. Quando o corpo foi erguido, um anel caiu no chão, tilintando, e rolou pelo assoalho. Lestrade apanhou-o e olhou para ele com ar de mistério.

— Uma mulher esteve aqui! — exclamou. — Isso é uma aliança de mulher!

Ao falar, exibiu a aliança na palma da mão. Juntamo-nos em torno dele e fitamos o anel. Não havia dúvida de que aquele aro singelo de ouro já havia adornado o dedo de uma noiva.

— Isso complica as coisas — comentou Gregson. — E sabe Deus como já estavam complicadas.

— Tem certeza de que isso não as simplifica? — observou Holmes. — Nada descobriremos ficando aqui a contemplar a aliança. O que encontrou nos bolsos do homem?

— Temos tudo aqui — disse Gregson, apontando para alguns objetos amontoados sobre um dos últimos degraus da escada. — Um relógio de ouro, nº 97.163, da casa Barraud, de Londres. Uma corrente de relógio, pesada e de ouro maciço. Um anel de ouro com o símbolo maçônico. Um alfinete de gravata de ouro, no formato de uma cabeça de buldogue, com olhos de rubis. Uma carteira em couro da Rússia, contendo cartões de visitas de Enoch J. Drebber, de Cleveland, correspondentes às iniciais E.J.D. na roupa de baixo. Nenhuma carteira de notas, mas dinheiro trocado nos bolsos, totalizando sete libras e 13 xelins. Uma edição de bolso do *Decameron*, de Boccaccio, com o nome de Joseph Stangerson na primeira folha em branco. Duas cartas... uma endereçada a E.J. Drebber e outra a Joseph Stangerson.

— Para que endereço?

— American Exchange, Strand, Londres, para serem entregues quando procuradas pelos destinatários. Ambas foram enviadas pela Guion Steamship Company e falam sobre a partida de seus barcos de Liverpool. É evidente que o infeliz estava prestes a voltar para Nova York.

— Investigou o homem chamado Stangerson?

— Imediatamente, senhor — disse Gregson. — Fiz publicar anúncios em todos os jornais. Enviei um de meus homens ao American Exchange, mas ele ainda não voltou.

— Pediu informações a Cleveland?

— Telegrafamos para lá esta manhã.

— O que disse?

— Apenas detalhamos as circunstâncias, acrescentando que ficaríamos gratos por qualquer informação que nos ajudasse.

— Não solicitou detalhes sobre algum ponto específico, que considerasse importante?

— Pedi informações sobre Stangerson.

— Nada mais? Não existe nenhuma circunstância que sirva de base para esse caso? Pretende telegrafar novamente?

— Já disse tudo o que tinha a dizer — respondeu Gregson num tom ofendido.

Sherlock Holmes riu para si mesmo e parecia prestes a fazer algum comentário, quando Lestrade, que ficara na sala da frente enquanto conversávamos no corredor, reapareceu em cena, esfregando as mãos de um jeito pomposo e satisfeito.

— Sr. Gregson, acabo de fazer uma descoberta da maior importância, algo que passaria despercebido se eu não tivesse examinado as paredes cuidadosamente — disse.

Os olhos do homenzinho cintilavam enquanto ele falava e, evidentemente, mal continha a euforia por ter lavrado um tento contra o colega.

— Venham ver! — chamou, voltando alvoroçadamente à sala, cuja atmosfera parecia renovada após a remoção de seu macabro inquilino. — Um momento, fiquem onde estão!

Riscou um fósforo na bota e o aproximou da parede.

— Vejam isto! — exclamou, triunfante.

Já mencionei que o papel de parede estava rasgado e com as tiras penduradas em vários lugares. Naquele canto da sala, um bom pedaço se rasgara, deixando à mostra um quadrado amarelado de reboco áspero. Nesse espaço descoberto via-se uma única palavra, garatujada em letras de sangue:

Rache

— O que me diz disso? — perguntou o detetive, com o ar de um mestre de cerimônias apresentando o espetáculo. — Passou despercebido porque ficava no canto mais escuro da sala e ninguém pensou em examinar aqui. O assassino escreveu isso com o próprio sangue, dele ou dela. Notem a mancha que escorreu pela parede! De qualquer modo, afasta a hipótese de suicídio. Por que teria sido escolhido esse canto? Eu lhes direi: vejam aquela vela sobre a lareira. Estava acesa no momento e, assim, este canto passou a ser a parte mais iluminada da sala.

— E, já que as descobriu, o que significam essas letras? — perguntou Gregson num tom desdenhoso.

— O que significam? Bem, certamente aqui seria escrito o nome Rachel, mas quem o escreveu deve ter sido interrompido antes de terminá-lo. Ouçam o que digo: quando esse caso for esclarecido, verão que uma mulher chamada Rachel está envolvida no assunto. Ria à vontade, sr. Sherlock Holmes. Pode ser muito esperto e inteligente, mas, depois de tudo encerrado, verá que o velho cão de caça se saiu muito melhor.

— Sinceramente, peço que me desculpe! — disse meu companheiro, que irritara o homenzinho com um acesso de riso. — Evidentemente, é seu o crédito de ser o primeiro a descobrir esse detalhe e, como disse, tudo indica que a palavra foi escrita pelo outro participante do mistério da noite passada. Ainda não tive tempo de examinar esta sala, mas, com a sua permissão, é o que farei agora.

Enquanto falava, tirou do bolso uma fita métrica e uma grande lente de aumento redonda. Munido dos dois instrumentos, passou a caminhar rápida e silenciosamente pela sala, parando de vez em quando, ajoelhando-se algumas vezes e, em uma delas, estirando-se de bruços no assoalho. Estava tão absorto em sua atividade que parecia ter esquecido a nossa presença, porque falava baixinho o tempo todo consigo mesmo, soltando uma série de exclamações, resmungos, assobios e gritos sufocados de animação e esperança. Enquanto o observava, não pude deixar de compará-lo a um bem-treinado cão de caça, quando anda de um lado para outro farejando a presa escondida, ganindo de ansiedade, até encontrar o rastro perdido. Holmes prosseguiu em sua pesquisa durante uns bons vinte minutos, medindo, com o maior cuidado, distâncias entre marcas totalmente invisíveis para mim e, volta e meia, usando sua fita métrica nas paredes, de modo também incompreensível. Em um ponto, recolheu cuidadosamente um montículo de poeira acinzentada do chão, guardando tudo em um envelope. Por fim, examinou com a lente a palavra escrita na parede, verificando atentamente cada letra. Feito isso, pareceu dar-se por satisfeito, porque guardou a fita métrica e a lente no bolso.

— Dizem que o gênio consiste em uma capacidade infinita para o trabalho paciente — observou com um sorriso. — Como definição é péssima, embora se aplique ao ofício de detetive.

Gregson e Lestrade tinham observado as manobras de seu colega amador com muita curiosidade e certo desdém. Evidentemente, não percebiam que os mínimos gestos de Sherlock Holmes, algo que eu começava a compreender, tinham sempre alguma finalidade prática e definida.

— O que acha de tudo isto? — perguntaram os dois.

— Eu estaria lhes roubando os méritos do caso se pretendesse ajudá-los — observou meu amigo. — Conduziram-se tão bem até agora que seria lamentável a interferência de mais alguém. — Havia um mundo de sarcasmo em suas palavras. — Se me puserem a par de suas investigações, terei o máximo prazer em ajudá-los como for possível — prosseguiu. — Nesse meio-tempo, eu gostaria de falar com o policial que encontrou o corpo. Poderiam fornecer seu nome e endereço?

Lestrade consultou seu caderno de notas.

— John Rance — disse. — Está de folga agora. Poderá encontrá-lo em Audley Court, 46, Kennington Park Gate.

Holmes anotou o endereço.

— Vamos, doutor — disse para mim. — Vamos falar com Rance. Quero dizer-lhes uma coisa que talvez possa ajudá-los no caso — acrescentou, virando-se para os dois detetives. — Aqui houve um homicídio e o assassino era um homem. Tem mais de 1,80 metro de altura, é relativamente novo, com pés pequenos para sua altura, usa botinas grosseiras, de bico quadrado, e fumava um charuto Trichinopoly. Chegou aqui com sua vítima em um cabriolé de quatro rodas, puxado por um cavalo com três ferraduras velhas e uma nova, na pata dianteira esquerda. Com toda probabilidade, o assassino tem o rosto corado e as unhas da mão direita são bastante compridas. Estes são apenas alguns detalhes, mas que podem ajudar.

Lestrade e Gregson entreolharam-se com um sorriso de incredulidade.

— Se o homem foi assassinado, como aconteceu? — perguntou o primeiro.

— Veneno — disse Sherlock Holmes, lacônico. Caminhou para a porta. — Mais uma coisa, Lestrade — acrescentou, virando-se antes de sair: — "Rache" quer dizer "vingança" em alemão; portanto, não perca seu tempo procurando uma senhorita Rachel.

Após esse último disparo, Holmes afastou-se, deixando para trás os dois rivais boquiabertos.

4

O QUE JOHN RANCE TINHA A DIZER

Era uma hora da tarde, quando saímos do número 3 de Lauriston Gardens. Sherlock Holmes levou-me à agência telegráfica mais próxima, de onde expediu um longo telegrama. Depois fez sinal para um cabriolé e ordenou ao cocheiro que nos conduzisse ao endereço fornecido por Lestrade.

— Nada como a prova colhida diretamente na fonte — comentou ele. — Na verdade, já formei minha opinião sobre esse caso, mas nunca é demais sabermos tudo que há para saber.

— Você me surpreende, Holmes — observei. — Sem dúvida, não tem muita certeza sobre os detalhes que acabou de fornecer aos detetives.

— Não há qualquer margem para erro — respondeu ele. — Ao chegar lá, a primeira coisa que observei foi que uma carruagem fizera dois sulcos com as rodas perto da esquina. Ora, até a noite passada, tivemos uma semana sem chuva, de modo que aquelas rodas só deixariam marcas tão fundas se tivessem sido feitas durante a noite. Havia também marcas dos cascos de um cavalo, sendo o contorno de uma delas desenhado com mais nitidez que o das outras três, o que indicava uma ferradura nova. Já que uma carruagem parara ali depois de começar a chover e, não tendo parado mais durante a manhã (Gregson foi positivo quanto a isso), ela deve ter estado lá durante a noite e, por conseguinte, conduziu os dois indivíduos até a casa.

— Visto assim, parece bem simples, mas, e quanto à altura do outro homem? — murmurei.

— Ora, em nove entre dez casos, podemos avaliar a altura de um homem pelo comprimento de seus passos. Trata-se de um cálculo bem simples, mas não vou entediá-lo com números. Eu tinha o comprimento dos passos do indivíduo na argila do jardim e na poeira do assoalho da sala. Além disso, eu tinha outros elementos para confirmar a exatidão de meus cálculos. Quando um homem escreve em uma parede, o instinto o leva a escrever à altura dos olhos. Muito bem, aquela inscrição estava a cerca de 1,80 metro do chão. Foi uma brincadeira de criança.

— E sobre a idade? — perguntei.

— Bem, se um homem consegue dar passadas de 1,20 metro sem o menor esforço, tem que estar em plena forma física. Era essa a largura de uma poça no jardim. Botinas de verniz a contornaram e biqueiras quadradas a saltaram. Afinal, não há mistério algum nisso. Estou apenas aplicando à vida diária alguns dos preceitos sobre observação e dedução que eu recomendava naquele artigo. Há algo mais que o esteja intrigando?

— Aquilo sobre as unhas e o charuto Trichinopoly — falei.

— A inscrição na parede foi feita pelo dedo indicador de um homem, molhado em sangue. Com a lente, pude observar que o reboco havia sido ligeiramente arranhado durante a escrita, o que não aconteceria se ele estivesse com as unhas aparadas. Recolhi um pouco da cinza espalhada no assoalho. Era de cor escura e em escamas... uma cinza idêntica à produzida por um Trichinopoly. Fiz um estudo especial sobre cinzas de charuto, aliás, escrevi uma monografia a respeito. Gabo-me de poder identificar, à primeira vista, a cinza de qualquer marca conhecida de charuto ou tabaco. É exatamente nesses detalhes que está a diferença entre um detetive especializado e os do tipo que Gregson e Lestrade personificam.

— E quanto ao rosto corado? — perguntei.

— Oh, foi apenas um tiro no escuro, embora eu não tenha dúvidas a respeito. Não me pergunte como, no estágio atual do caso.

Passei a mão pela testa.

— Minha cabeça é um torvelinho — comentei. — Quanto mais penso no caso, mais misterioso me parece. Como é que os dois homens, se é que foram mesmo dois, conseguiram entrar em uma casa vazia? O que aconteceu com o cocheiro que os levou até lá? Como um homem poderia obrigar outro a tomar veneno? De onde veio o sangue? Qual o motivo do crime, já que não houve roubo? Como aquela aliança de mulher foi parar ali? E, acima de tudo: por que o segundo homem escreveria a palavra alemã *RACHE* antes de dar o fora? Confesso que não vejo nenhuma maneira possível de conciliar todos esses fatos.

Meu companheiro sorriu de modo aprovador.

— Você resumiu as dificuldades da situação de maneira clara e sucinta — disse. — Ainda há muitos pontos obscuros, embora eu já tenha opinião formada sobre os fatos principais. Quanto à descoberta do pobre Lestrade, não passa de um indício falso, a fim de pôr a polícia na pista errada ao sugerir que aquilo era obra de socialistas ou de sociedades secretas. Aquilo não foi feito por um alemão. O "A", caso tenha percebido, estava impresso mais ou menos segundo a escrita alemã. Ora, um verdadeiro alemão invariavelmente usa caracteres latinos para letras de imprensa. Assim sendo, posso afirmar com segurança que não foi um alemão quem fez a inscrição, mas um imitador grosseiro, que exagerou no seu papel. Foi simplesmente um golpe de astúcia para despistar a investigação. Não vou lhe dizer muito mais sobre o caso, doutor. Como sabe, um mágico perde prestígio quando seu truque é desvendado. Se eu lhe explicar muita coisa sobre o meu método de trabalho, acabará concluindo que, afinal de contas, sou um indivíduo bastante comum.

— Eu jamais pensaria uma coisa dessa — respondi. — Seria impossível alguém aproximar mais a dedução de uma ciência exata do que você fez.

Meu companheiro enrubesceu de prazer ao ouvir minhas palavras e ao perceber o meu tom sincero. Eu já notara que ele era tão sensível aos elogios feitos à sua arte quanto uma jovem a respeito da própria beleza.

— Eu lhe direi mais uma coisa — acrescentou Holmes. — "Botinas de verniz" e "Biqueiras quadradas" chegaram no mesmo cabriolé e seguiram juntos pelo caminho do jardim do jeito mais amistoso possível, talvez até de braços dados. Quando entraram na casa, ficaram andando de um lado para o outro na sala, ou melhor, "Botinas de verniz" ficou parado, enquanto "Biqueiras quadradas" ia e vinha. Pude ler tudo isso na poeira; como li também que, quanto mais ele andava, mais excitado ia ficando. Isso foi revelado pela largura cada vez maior das passadas. Ficou falando o tempo todo e, sem dúvida, cada vez ficava mais encolerizado. Então, ocorreu a tragédia. Contei-lhe tudo o que sei até agora, porque o resto não passa de suposições e conjecturas. De qualquer modo, já temos uma boa base para começar a trabalhar. Precisamos nos apressar, porque pretendo ouvir Norman Neruda esta tarde, em um concerto no *Halle*.

Esta conversa ocorreu enquanto nosso cabriolé abria caminho por uma longa sucessão de ruas sujas e becos sombrios. No mais sujo e sombrio de todos, nosso cocheiro parou de repente.

— Audley Court fica ali — anunciou, apontando para uma fenda estreita na fileira de tijolos desbotados. — Estarei aqui quando voltarem.

Audley Court não era um lugar atraente. A passagem estreita nos levou a um pátio quadrado, com piso de lajes e cercado de moradias sórdidas. Abrimos caminho por entre bandos de crianças imundas e varais com roupas desbotadas penduradas, até chegarmos ao número 46. A porta da casa exibia uma pequena placa de latão com o nome Rance gravado. Soubemos que o policial estava na cama e fomos conduzidos a uma saleta, a fim de esperá-lo.

Ele surgiu pouco depois, parecendo um pouco irritado por ter seu repouso interrompido.

— Já apresentei meu relatório no posto — declarou.

Holmes tirou meio soberano do bolso e brincou pensativamente com a moeda.

— Pensamos que seria melhor ouvir tudo de sua própria boca — disse.

— Terei o máximo prazer em ajudá-lo no que puder — respondeu o policial, de olhos fixos na pequena moeda de ouro.

— Basta que nos conte a seu modo o que aconteceu.

Rance sentou-se no sofá de crina e franziu a testa, como que decidido a não omitir o menor detalhe em seu relato.

— Contarei desde o início — falou. — Minha ronda vai de dez da noite às seis da manhã. Às 23 horas, houve uma briga no White Hart, mas, fora isso, tudo continuou tranquilo no meu setor. Começou a chover a uma da madrugada, encontrei Harry Murcher (ele faz a ronda em Holland Grove) e ficamos conversando na esquina da Henrietta Street. Um pouco mais tarde, por volta de duas horas, mais ou menos, achei que devia dar uma espiada e ver se estava tudo calmo na Brixton Road. Estava tudo enlameado e deserto. Não vi ninguém durante a minha caminhada, embora um ou dois cabriolés passassem por mim. Ia andando devagar, pensando que uma dose de gim quente me faria bem quando, de repente, uma nesga de luz me chamou a atenção, bem na janela daquela casa. Ora, eu sabia que as duas casas em Lauriston Gardens estavam vazias porque o proprietário não quer mandar limpar os esgotos, embora o último inquilino de uma delas tenha morrido de tifo. Fiquei perplexo ao ver a luz na janela, o que me fez desconfiar de que algo estava errado. Quando cheguei à porta...

— Parou e depois voltou até o portão do jardim — interrompeu meu companheiro. — Por que fez isso?

Rance teve um sobressalto e fixou os olhos arregalados em Sherlock Holmes, com o espanto estampado no rosto.

— Foi isso mesmo! — exclamou. — E só Deus sabe como descobriu isso! Bem, quando cheguei à porta, estava tudo tão quieto e deserto que pensei que era um mau negócio não ter ninguém ali comigo. Não tenho medo de nada no mundo dos vivos, mas fiquei pensando que bem podia ser o sujeito que morreu de tifo inspecionando os esgotos que o mataram. A ideia me deixou apavorado e voltei ao portão para ver se avistava a lanterna de Murcher. Mas não havia o menor sinal dele nem de mais ninguém.

— Não viu ninguém na rua?

— Nem uma alma e nem ao menos um cachorro. Então, tomei coragem, voltei e abri a porta. Estava tudo quieto lá dentro, de modo que fui até a sala onde a luz estava brilhando. Havia uma vela bruxuleante no consolo da lareira... era uma vela de cera vermelha... e com a sua claridade, eu vi...

— Sei tudo o que você viu. Deu várias voltas pela sala, ajoelhou-se junto ao corpo, depois foi até a cozinha, verificou a porta e então...

John Rance levantou-se de um salto, com ar amedrontado e um olhar cheio de suspeita.

— Onde estava escondido para ver tudo isso? — exclamou. — Está me parecendo que sabe muito mais do que deveria.

Holmes riu e jogou seu cartão de visita sobre a mesa, na direção do policial.

— Não vá me prender pelo assassinato — disse. — Sou um dos cães de caça e não o lobo. Gregson e Lestrade poderão confirmar o que digo. Muito bem, prossiga. O que fez depois?

Rance sentou-se outra vez, mas não perdeu a expressão intrigada.

— Voltei ao portão e usei meu apito. Isso fez com que Murcher e mais dois viessem ao meu encontro.

— A rua estava vazia nesse momento?

— Bem, era como se estivesse, no caso de alguém que pudesse ser de alguma valia.

— O que quer dizer?

Um sorriso surgiu no rosto do policial.

— Já vi muitos bêbados por aí, mas nunca um como aquele — explicou. — Quando cheguei, o sujeito estava no portão, encostado às grades, cantando a plenos pulmões a *New-fangled Banner*, ou algo parecido. Mal conseguia ficar em pé, quanto mais ajudar em alguma coisa.

— Que tipo de homem era ele? — perguntou Sherlock Holmes.

John Rance pareceu um tanto irritado com a digressão.

— Um beberrão dos piores — respondeu. — Teria sido levado diretamente para o posto policial, se não tivéssemos coisa mais importante para fazer.

— O rosto dele, suas roupas... não reparou em nada? — perguntou Holmes, impaciente.

— É claro que reparei, já que tive de erguê-lo, com ajuda de Murcher. Era um sujeito alto, de rosto muito corado, mas com a parte inferior escondida por uma echarpe que...

— Já basta! — exclamou Holmes. — O que foi feito dele?

— Não íamos ficar cuidando de um bêbado justamente naquela hora — respondeu o policial numa voz ofendida. — Imagino que tenha encontrado o caminho de volta para casa.

— Como estava vestido?

— Tinha um sobretudo marrom.

— E um chicote na mão?

— Chicote? Hum... não.

— Então, deve tê-lo largado em algum lugar — murmurou meu companheiro. — Chegou a ver ou ouvir um cabriolé, depois disso?

— Não.

— Aqui tem meio soberano — disse meu companheiro, levantando-se e apanhando seu chapéu. — Receio que você não suba muito na força policial, Rance. Devia usar também a cabeça, em vez de tê-la apenas como enfeite. Na noite passada, poderia ter ganhado suas divisas de sargento. O homem que teve nas mãos é o mesmo que possui a chave deste mistério, aquele que estamos procurando. Agora não adianta discutirmos isso, mas eu lhe garanto que é como falei. Vamos, doutor.

Fomos andando na direção do cabriolé, deixando nosso informante incrédulo, mas evidentemente perturbado.

— Que grande imbecil! — exclamou Holmes, em tom amargo, enquanto voltávamos para casa. — Pensar que teve uma oportunidade de ouro nas mãos e não soube aproveitá-la!

— Pois eu continuo no escuro — disse. — É verdade que a descrição do homem combina com a ideia que você fez do segundo personagem do mistério. Mas por que ele voltaria à casa depois que saiu? Não é assim que agem os criminosos.

— A aliança, homem, a aliança! Ele voltou para recuperá-la. Enfim, se não tivermos outro meio de capturá-lo, sempre podemos atraí-lo com a aliança. Vou pegá-lo, doutor... aposto dois contra um como o agarro. Fico-lhe muito grato por tudo. Só fui a Lauriston Gardens por sua causa, e se não tivesse ido, teria perdido o estudo mais interessante que já encontrei: um estudo em vermelho, hein? Ora, por que não usarmos um pouco a linguagem artística? Temos o fio vermelho do crime enredando-se na meada descolorida da vida, e nossa obrigação é desentranhá-lo, isolá-lo, expondo-o em toda a sua extensão. Muito bem, vamos ao nosso almoço e, depois, a Norman Neruda. Seu ataque e sua execução musical são esplêndidos. Como é mesmo aquela pequena peça de Chopin que ela interpreta de modo tão magistral? Tra-la-la-li-ra-la...

Recostado no assento do cabriolé, aquele cão de caça amador ficou cantarolando como uma cotovia, enquanto eu meditava sobre as muitas facetas da mente humana.

5

NOSSO ANÚNCIO ATRAI UM VISITANTE

A ATIVIDADE DAQUELA MANHÃ FORA EXCESSIVA PARA A MINHA saúde, de modo que, à tarde, eu me sentia francamente exausto. Depois que Holmes saiu para o concerto, deitei-me no sofá disposto a dormir por umas duas horas. Foi uma tentativa inútil. Tudo que havia sucedido me deixara tão excitado que as mais estranhas fantasias e suposições povoavam minha mente. Toda vez que eu fechava os olhos, via a fisionomia contraída e simiesca do homem assassinado diante de mim. A impressão provocada por aquele rosto fora tão sinistra que era difícil sentir outra coisa além de gratidão pela pessoa que retirara seu dono deste mundo. Se as feições humanas alguma vez já revelaram o vício em seu aspecto mais malévolo, sem dúvida eram as de Enoch J. Drebber, de Cleveland. Mesmo assim, eu reconhecia que era preciso fazer justiça, e que a depravação da vítima não constituía atenuante aos olhos da lei.

Quanto mais eu pensava no caso, mais extraordinária me parecia a hipótese de meu companheiro, de que o homem fora envenenado. Lembrei-me de que ele cheirara os lábios do cadáver e tinha certeza de que ele detectara algo que sustentava essa ideia. Bem, se não fosse veneno, o que mais poderia ter provocado a morte do indivíduo, se ele não apresentava ferimentos nem sinais de estrangulamento? Ao mesmo tempo, de quem seria aquele sangue que manchara tanto o assoalho? Não havia sinais de luta, e a vítima não possuía nenhuma arma com a qual pudesse ter ferido o adversário. Enquanto todas essas perguntas ficassem sem resposta, era quase certo que eu e Holmes não conseguiríamos conciliar o sono. As maneiras calmas e confiantes de meu companheiro, no entanto, convenciam-me de que ele já havia formulado alguma teoria que explicasse todos os fatos, embora eu não pudesse imaginar nem por um momento qual seria.

Holmes voltou muito tarde — tão tarde que só o concerto não seria capaz de detê-lo por tanto tempo. O jantar já estava na mesa antes de seu regresso.

— Foi magnífico! — ele exclamou ao sentar-se. — Lembra-se do que Darwin diz sobre a música? Segundo ele, a capacidade de produzi-la e apreciá-la já existia entre a raça humana muito antes de existir a faculdade da linguagem. Talvez seja por isso que nos sentimos tão sutilmente influenciados por ela. Certamente, nossas almas guardam lembranças vagas daqueles séculos envoltos em brumas, quando o mundo ainda estava na infância.

— Trata-se de uma ideia um tanto ampla — observei.

— Nossas ideias precisam ser tão amplas quanto a Natureza, se quisermos interpretá-la — respondeu ele. — O que há com você? Não me parece o mesmo. Sem dúvida, esse caso da Brixton Road o deixou perturbado.

— Para ser franco, deixou mesmo — falei. — Depois de minhas experiências no Afeganistão, eu devia estar mais insensível. Vi meus companheiros serem dizimados na batalha de Maiwand e não perdi a calma.

— Posso compreender. Aqui há um mistério, excitando a imaginação, e onde não há imaginação, não existe horror. Já viu o jornal da tarde?

— Ainda não.

— Faz um relato bastante detalhado do caso, mas não menciona o fato de que uma aliança de mulher caiu ao chão quando o corpo foi erguido. Ainda bem!

— Por quê?

— Veja este anúncio — respondeu ele. — Mandei publicá-lo esta manhã em todos os jornais, logo após a ocorrência.

Atirou o jornal na minha direção por cima da mesa, e passei os olhos pelo ponto indicado. Era o primeiro anúncio da coluna de *Achados*.

“Foi encontrada esta manhã na Brixton Road”, dizia o anúncio, “uma aliança de ouro, no trajeto entre a Taberna White Hart e

Holland Grove. Procurar o dr. Watson na Baker Street, 221 B, entre oito e nove desta noite."

— Desculpe-me por usar seu nome — disse ele. — Se publicasse o meu, alguns desses idiotas o reconheceriam e se intrometeriam no caso.

— Está tudo bem — falei. — Mas, se aparecer alguém, eu não tenho nenhuma aliança comigo.

— Oh, é claro que tem! — ele disse, estendendo-me uma. — Esta servirá perfeitamente. É quase idêntica à outra.

— E quem você acha que virá buscá-la?

— Ora, o homem do sobretudo marrom... nosso amigo corado de biqueiras quadradas. Se não aparecer em pessoa, enviará um cúmplice.

— Talvez ele ache arriscado demais.

— De modo nenhum. Se minha opinião estiver correta, e tenho todos os motivos para acreditar que está, esse homem preferirá arriscar qualquer coisa a perder a aliança. Segundo imagino, ele a deixou cair enquanto se debruçava sobre o corpo de Drebber e não deu por falta dela na hora. Ao sair da casa, percebeu que a perdera e voltou rapidamente, mas viu que a polícia já ocupara o lugar por sua própria culpa, ao deixar a vela acesa. Então, teve que fingir que estava bêbado para afastar as suspeitas que devem ter surgido quando o viram junto ao portão. Agora, ponha-se no lugar dele. Refletindo sobre o assunto, deve ter-lhe ocorrido que poderia ter perdido a aliança na rua, depois de sair da casa. O que fazer então? Examinar ansiosamente os jornais da tarde, na esperança de encontrá-la na coluna dos objetos achados. Garanto como os olhos do nosso homem brilharam quando ele viu o meu anúncio. Ele deve ter ficado eufórico. Por que temer uma armadilha? Em sua opinião, não haveria nenhum motivo para se pensar que a aliança encontrada tenha alguma ligação com o crime. Ele virá. Você o verá dentro de uma hora.

— E depois? — perguntei.

— Oh, não se preocupe. Eu me incumbirei de lidar com ele. Tem alguma arma?

— Tenho meu velho revólver regulamentar e alguns cartuchos.

— Seria conveniente limpá-lo e carregá-lo. O homem deve estar desesperado e, embora eu o pegue desprevenido, é melhor ficar preparado para uma emergência.

Fui para o meu quarto e segui seu conselho. Quando voltei com o revólver, a mesa já estava arrumada e Holmes se entretinha em sua ocupação favorita de arranhar o arco no violino.

— Os acontecimentos estão se precipitando — anunciou quando entrei. — Acabo de receber resposta ao telegrama que mandei para os Estados Unidos. Minha opinião sobre o caso estava correta.

— E qual é sua opinião? — perguntei, ansioso.

— Meu violino precisa de cordas novas — observou ele. — Ponha seu revólver no bolso. Quando o sujeito chegar, dirija-se a ele com naturalidade e deixe o resto comigo. Não vá amedrontá-lo, encarando-o fixamente.

— São oito horas — falei, consultando meu relógio.

— Exato. Talvez ele esteja aqui dentro de mais alguns minutos. Abra a porta, deixando-a apenas encostada. Assim. Agora, deixe a chave do lado de dentro. Obrigado! Vê? Descobri ontem este livro antigo e curioso em uma banca, *De Jure inter Gentes*, publicado em latim, em Liége, nos Países Baixos, em 1642. Imagine, Carlos I ainda tinha a cabeça sobre os ombros quando imprimiram este livreto de capa marrom...

— Quem o imprimiu?

— Philippe de Croy. Não faço a mínima ideia de quem ele era. Na primeira página em branco está escrito em tinta quase apagada: *Ex libris Guliolmi Whyte*. Quem teria sido Guliolmi Whyte? Imagino que algum advogado pragmático do século XVII. Sua letra mostra um traço jurídico na caligrafia. Bem, acho que aí vem o nosso homem!

Enquanto ele falava, tocaram com força a sineta da entrada. Sherlock Holmes levantou-se silenciosamente e moveu sua cadeira na direção da porta. Ouvimos a criada passar pelo corredor e depois o estalido seco do trinco sendo aberto.

— O dr. Watson mora aqui? — perguntou uma voz clara, embora um pouco áspera.

Não ouvimos a resposta da criada, mas a porta se fechou e alguém começou a subir a escada. Os passos eram vacilantes e arrastados. Uma expressão de surpresa passou pelo rosto de meu amigo quando os ouviu. Os passos se aproximaram lentamente pelo corredor e ouviu-se uma leve pancada na porta.

— Entre! — exclamei.

Em vez do homem violento que esperávamos, entrou na sala uma mulher bastante idosa e enrugada, coxeando. Pareceu ofuscada pela brilhante claridade repentina do aposento e, após uma mesura, ficou piscando os olhos lacrimosos e remexendo nos bolsos com dedos nervosos e trêmulos. Olhei de esguelha para meu companheiro e vi seu rosto assumir uma expressão tão desconsolada que mal pude manter a seriedade.

A velha exibiu finalmente um jornal vespertino e apontou para nosso anúncio.

— Foi isto que me trouxe aqui, bondosos cavalheiros, uma aliança encontrada na Brixton Road — disse, fazendo outra mesura. — Pertence à minha filha Sally, casada faz apenas um ano. Seu marido é camareiro de um navio da União e nem sei o que diria se voltasse e a encontrasse sem sua aliança. Em seu estado normal ele não é dos mais delicados, e piora muito quando bebe... Se querem saber, ela ontem foi ao circo com...

— A aliança é esta? — perguntei.

— Deus seja louvado! — exclamou a velha. — Esta noite, Sally será uma mulher feliz... Sim, é essa mesma.

— Qual é o seu endereço? — perguntei, pegando um lápis.

— Duncan Street, 13, em Houndsditch. É um bocado longe daqui.

— A Brixton Road não fica no trajeto entre qualquer circo e Houndsditch — observou Holmes com rispidez.

A velha virou o rosto e o encarou fixamente, com seus olhinhos circundados de vermelho.

— O cavalheiro perguntou o meu endereço — falou. — Sally mora em uma pensão em Mayfield Place, 3. Fica em Peckham.

— E seu nome é...?

— Meu sobrenome é Sawyer... o dela é Dennis, desde que se casou com Tom Dennis. É um excelente rapaz, muito direito também quando está no mar, e nenhum camareiro da companhia lhe passa à frente. Mas, em terra, quando se envolve com mulheres e bebidas...

— Aqui tem a sua aliança, sra. Sawyer — interrompi, atendendo a um sinal de meu companheiro. — Está claro que pertence à sua filha e fico feliz em poder devolvê-la ao legítimo dono.

Murmurando uma porção de agradecimentos e bênçãos, a velha guardou a aliança no bolso e arrastou-se pelos degraus abaixo. Sherlock Holmes levantou-se rapidamente assim que ela desapareceu e precipitou-se para seu quarto. Voltou em poucos segundos, envolto em seu impermeável e com um cachecol em torno do pescoço.

— Vou segui-la — disse, apressado. — Ela deve ser uma cúmplice e me levará ao homem. Espere por mim.

Mal a porta do corredor se fechara atrás de nossa visitante e Holmes já descia a escada. Espiando pela janela, pude vê-la arrastando-se com dificuldade do outro lado da rua, enquanto seu perseguidor furtivo ia um pouco atrás.

"Se toda a teoria dele não estiver errada", pensei, "Holmes está agora sendo levado para o centro do mistério".

Não era preciso que ele me pedisse para esperá-lo, porque descobri que seria impossível dormir enquanto não soubesse o resultado de sua aventura.

Holmes saíra quase às 21 horas e eu não fazia a mínima ideia de quando voltaria, mas continuei fumando imperturbavelmente o meu cachimbo e folheando as páginas de *Vie de Bohème*, de Henri Murger. Soaram as 22 horas e ouvi os passos rápidos da criada a caminho da cama. Às 23 horas, as passadas mais solenes da senhoria atravessaram o corredor rumo a destino idêntico. Era quase meia-noite quando ouvi o ruído seco da chave de Holmes girando na fechadura. Assim que entrou, vi no seu rosto que ele não se saíra bem. Divertimento e decepção pareciam debater-se para ver quem levava a melhor e, vencendo o primeiro, ele explodiu numa gargalhada jovial.

— Por nada no mundo eu gostaria que o pessoal da Scotland Yard soubesse do que houve! — exclamou, deixando-se cair na poltrona. — Já zombei tanto deles que nunca mais esqueceriam o meu fracasso. Mas posso rir agora porque, a longo prazo, eu é que levarei a melhor.

— Afinal, o que aconteceu? — perguntei.

— Oh, não me importo de contar uma história contra mim mesmo. Aquela criatura não tinha andado muito quando começou a coxear ainda mais e dar todos os sinais de estar com os pés doloridos. Parou um pouco depois e fez sinal para uma carruagem que passava. Consegui aproximar-me o suficiente para ouvir o endereço, mas nem precisaria ficar tão ansioso, porque ela o anunciou numa voz suficientemente alta para ser ouvida do outro lado da rua: "Leve-me à Duncan Street, 13, em Houndsditch, cocheiro!" Pensei que tudo aquilo começava a parecer autêntico e, vendo-a entrar em segurança na carruagem, encarapitei-me na traseira. Todo detetive deveria ser perito nesta arte. Bem, lá fomos nós sacolejando, sem parar uma só vez, até chegarmos à rua em questão. Pulei para o chão antes de chegarmos à porta e fiz o resto do trajeto a pé, caminhando tranquilamente. Vi a carruagem parar. O cocheiro saltou da boleia, abriu a porta e ficou parado, esperando. Mas ninguém saiu lá de dentro. Quando me aproximei, ele vasculhava freneticamente o veículo vazio, enquanto soltava o mais selecionado repertório de pragas que jamais ouvi. Não havia o menor sinal de sua passageira e, se não me engano, ele ainda levará muito tempo para receber o pagamento pela corrida. Pedindo informações no número 13, ficamos sabendo que a casa pertencia a um respeitável forrador de paredes chamado Keswick, e que ali não conheciam ninguém com os sobrenomes Sawyer ou Dennis.

— Está querendo dizer que aquela velha fraca e capenga foi capaz de saltar da carruagem em movimento sem que você ou o cocheiro a vissem? — perguntei, perplexo.

— Velha uma ova! — replicou Sherlock Holmes com rispidez. — Nós é que bancamos duas velhas tolas. Devia ser um homem novo, além de ágil e excelente ator. Um disfarce perfeito. Sem dúvida, percebeu que era seguido e apelou para esse truque, a fim de despistar-me. Isso indica que o homem que procuramos não é tão solitário como imaginei, porque tem amigos prontos a arriscar-se por ele. Bem, doutor, vejo que parece esgotado. Se quer um conselho, vá dormir!

Eu me sentia realmente cansado e aceitei o conselho. Deixei Holmes sentado diante da lareira e, já tarde da noite, ouvi os gemidos sufocados e melancólicos de seu violino, indicando que ele ainda analisava o estranho problema que se dispusera a resolver.

6

TOBIAS GREGSON MOSTRA O QUE PODE FAZER

No dia seguinte, os jornais estavam cheios daquilo que chamavam de "O mistério de Brixton". Cada um deles fazia um longo relato do caso e alguns acrescentavam comentários. Havia neles alguns detalhes que eu não conhecia. Em meu álbum de recortes ainda guardo vários deles, e também registros relativos ao caso. Aqui vai um resumo de alguns:

O *Daily Telegraph* observava que, na história do crime, raramente se vira uma tragédia com características mais estranhas. O nome alemão da vítima, a aparente ausência de outros motivos e a sinistra inscrição na parede, tudo parecia indicar que o homicídio fora perpetrado por refugiados políticos e revolucionários. Os socialistas tinham várias ramificações na América e, sem dúvida, o morto infringira suas leis não escritas, e fora então rastreado por eles. Após alusões superficiais ao *Vehmgericht*, à água-tofana,[1] aos carbonários, à marquesa de Brinvilliers, à teoria de Darwin, aos princípios de Malthus e aos assassinatos da Ratcliff Highway, o artigo terminava admoestando o governo e defendendo uma vigilância mais severa dos estrangeiros na Inglaterra.

O *Standard* comentava o fato de que violências desse tipo costumavam ocorrer quando os liberais estavam no governo. Eram resultado da inquietação popular e do consequente enfraquecimento da autoridade em geral. O morto era um cidadão americano que estava na metrópole havia algumas semanas. Hospedara-se na pensão de Madame Charpentier, na Torquay Terrace, em Camberwell. Em suas viagens,

[1] Nome de um veneno à base de arsênio, inventado por uma mulher chamada Toffana, muito usado nos séculos XVI e XVII (N.T.).

era acompanhado por Joseph Stangerson, seu secretário particular. Os dois haviam se despedido da dona da pensão na terça-feira, dia 4 deste mês, partindo para a Euston Station, onde tomariam o expresso de Liverpool. Depois disso, tinham sido vistos na plataforma da estação. Nada mais se soubera deles, até que o corpo do sr. Drebber foi encontrado em uma casa vazia da Brixton Road, a muitos quilômetros de distância de Euston. Como chegara até lá ou de que maneira encontrara seu trágico destino eram circunstâncias ainda envoltas em mistério. Nada se sabia ainda sobre o paradeiro de Stangerson. "Foi com prazer que soubemos", continuava o jornal, "que os senhores Lestrade e Gregson, da Scotland Yard, estão encarregados das investigações e, antecipadamente, estamos certos de que policiais tão competentes resolverão prontamente o caso".

O *Daily News* observava que, sem dúvida, tratava-se de um crime político. O despotismo dos governos continentais e o ódio que votavam ao liberalismo tinham feito com que se refugiasse na Inglaterra um grande número de homens que poderiam se tornar excelentes cidadãos, se não estivessem amargurados pelas lembranças dos sofrimentos vividos. Entre esses homens vigorava um rígido código de honra, e qualquer infração ao mesmo era punida com a morte. Era preciso fazer todos os esforços para encontrar Stangerson, o secretário, a fim de que ele confirmasse detalhes sobre os hábitos da vítima. Já fora dado um grande passo com a descoberta do endereço da casa onde ele se hospedara, isso devido inteiramente à sagacidade e à determinação do sr. Gregson, da Scotland Yard.

Eu e Sherlock Holmes lemos essas notícias durante o *breakfast* e ele pareceu divertir-se bastante com o que lia.

— Como eu lhe disse, Lestrade e Gregson é que ficariam com os méritos, houvesse o que houvesse.

— Isso depende de como tudo terminará.

— Oh, meu amigo, que diferença faz? Se o homem for agarrado, será *graças* aos esforços desses dois; se escapar, será *apesar* de seus esforços. É cara, eu ganho, e coroa, você perde. O que quer que eles façam, sempre terão admiradores. *"Un sot trouve toujours un plus sot que l'admire."*[2]

[2] Um tolo sempre encontra alguém mais tolo para admirá-lo. (N.T.)

— O que significa isto? — exclamei, porque naquele instante chegou até nós o ruído confuso de muitos passos no corredor e na escada, em meio a expressões de desagrado por parte de nossa senhoria.

— É a divisão da Baker Street da força policial dos detetives — disse meu companheiro com seriedade.

Mal ele acabara de falar, irrompeu em nossa sala uma meia dúzia dos moleques mais sujos e andrajosos que já vi na vida.

— Atenção! — gritou Holmes em voz de comando. Os seis garotos esfarrapados perfilaram-se como várias estatuetas grotescas.

— Daqui por diante vocês mandarão apenas Wiggins trazer notícias, enquanto o resto ficará esperando na rua. E então, Wiggins, descobriram? — perguntou Holmes.

— Não, senhor — respondeu um dos garotos.

— Era mais ou menos o que eu esperava. Continuem trabalhando até descobrir. Aqui está o pagamento — disse meu companheiro, entregando um xelim a cada um deles. — Podem ir agora e, da próxima vez, tragam melhores informações.

Fez um gesto com a mão e eles desceram correndo pela escada como ratos. Logo depois, ouvimos suas vozes agudas soando já na rua.

— Um só desses pequenos mendigos rende mais que uma dúzia de agentes da força — observou Holmes. — A simples presença de alguém que pode ser um policial é suficiente para selar os lábios de muita gente, mas essa garotada tem trânsito livre e ouve tudo. São de uma vivacidade incomum; falta-lhes apenas organização.

— Empregou-os para o caso da Brixton Road? — perguntei.

— Exatamente. Há um ponto que preciso verificar. É apenas questão de tempo, aliás. Olá! Finalmente vamos ter novidades! Lá vem Gregson descendo a rua, com a beatitude estampada na face. Vem direto para cá, tenho certeza. Isso mesmo, está parando e... aí está ele!

Houve um violento toque da sineta e, em questão de segundos, o detetive louro subia a escada, três degraus de cada vez, até irromper em nossa sala de estar.

— Meu caro amigo, dê-me os parabéns! — exclamou, sacudindo a mão inerte de Holmes. — Consegui tornar todo esse caso claro como o dia!

Uma sombra de ansiedade pareceu cobrir o rosto expressivo de meu amigo.

— Quer dizer que já estão na pista certa? — perguntou ele.

— Na pista certa? Como, se já temos o homem atrás das grades?

— Quem é ele?

— Arthur Charpentier, subtenente da Marinha de Sua Majestade! — exclamou Gregson pomposamente, esfregando as mãos gordas e estufando o peito.

Sherlock Holmes deu um suspiro de alívio e relaxou, sorridente.

— Sente-se e aceite um destes charutos — convidou. — Estamos ansiosos para saber como se saiu. Que tal um uísque?

— Não me faria mal nenhum — respondeu o detetive. — Os tremendos esforços nesses dois últimos dias me deixaram exausto. Não foi tanto o esforço físico, compreenda, mas a tensão mental. Sabe bem o que isso significa, sr. Sherlock Holmes, já que nós dois trabalhamos com o cérebro.

— Suas palavras muito me honram — disse Sherlock Holmes gravemente. — Agora, conte-nos como chegou a um resultado tão gratificante.

O detetive acomodou-se na poltrona e, com ar complacente, passou a soltar baforadas de seu charuto. Então, de repente, deu uma palmada na coxa e desatou a rir.

— O mais engraçado nisso tudo é que o tolo do Lestrade, sempre se julgando tão esperto, seguiu a pista errada! — disse. — Anda atrás do secretário Stangerson, que tem tanto a ver com o caso quanto um bebê por nascer. Certamente, a esta altura já deve tê-lo agarrado.

A ideia o divertia tanto que ele começou a rir até ficar sufocado.

— E como conseguiu sua pista?

— Contarei tudo, mas, naturalmente, dr. Watson, isso fica estritamente entre nós. A primeira dificuldade que enfrentamos foi descobrir os antecedentes desse americano. Outros teriam esperado que houvesse uma resposta a seus anúncios nos jornais ou que alguém se adiantasse, prestando informações voluntariamente. Mas não é assim que Tobias Gregson costuma trabalhar. Lembra-se da cartola que estava ao lado do morto?

— Sem dúvida — respondeu Holmes. — Fabricação de John Underwood & Sons, da Camberwell Road, 129.

A euforia de Gregson murchou.

— Pensei que não tivesse percebido o detalhe — disse. — O senhor esteve lá?

— Não.

— Ah! — exclamou Gregson, aliviado. — Pois nunca deveria deixar passar uma oportunidade, por menor que seja!

— Nada é pequeno para um grande cérebro — observou Holmes, em tom sentencioso.

— Muito bem, procurei Underwood e perguntei-lhe se vendera uma cartola, daquele tamanho e com aquelas características. Ele examinou seus livros e imediatamente encontrou o registro. A cartola fora vendida a um certo sr. Drebber, que morava na Pensão Charpentier, em Torquay Terrace. Foi assim que consegui o endereço dele.

— Esperto... muito esperto! — murmurou Sherlock Holmes.

— Minha visita seguinte foi a Madame Charpentier — continuou o detetive. — Encontrei-a muito pálida e ansiosa. Sua filha também estava na sala. Uma beleza de moça, acreditem. Tinha os olhos vermelhos e seus lábios tremiam, quando falei com ela. Fiquei desconfiado ao reparar nesses detalhes. Deve saber muito bem o que sentimos, sr. Sherlock Holmes, se farejamos a pista certa... uma espécie de comichão nos nervos. "Já soube da morte misteriosa de seu ex-hóspede, o sr. Enoch J. Drebber, de Cleveland?", perguntei-lhe. A mãe assentiu, parecendo incapaz de pronunciar uma só palavra. A filha debulhou-se em lágrimas. Mais do que nunca, tive certeza de que as duas sabiam algo sobre o assunto.

"'A que horas o sr. Drebber saiu de sua casa para pegar o trem?', perguntei.

"'Às vinte horas', ela respondeu, engolindo em seco para acalmar a agitação. 'Seu secretário, o sr. Stangerson, disse que havia dois trens... um às 21h15 e outro às 23 horas. Ele pretendia pegar o primeiro.'

""E foi essa a última vez que o viu?'

"O rosto da mulher sofreu uma terrível transformarção ao ouvir a pergunta. Ela ficou completamente lívida. Só depois de alguns segundos é que ela conseguiu balbuciar uma única palavra ('foi'), e, assim mesmo, em voz rouca e estranha. Houve um silêncio durante algum tempo, e então a filha começou a falar em voz clara e tranquila.

"'De nada vale ficarmos com mentiras, mamãe', disse. 'Sejamos francas com este cavalheiro. Nós vimos o sr. Drebber outra vez.'

"'Que Deus a perdoe!', exclamou Madame Charpentier, erguendo as mãos e deixando-se afundar em uma poltrona. 'Você acaba de matar seu irmão!'

"'Arthur iria preferir que falássemos a verdade', respondeu a jovem com firmeza.

"'Será melhor contarem tudo o que sabem', falei. 'As meias verdades são piores do que nenhuma. Além disso, ignoram o que sabemos a respeito.'

"'Você será a única responsável por isso, Alice!', exclamou a mãe. Em seguida, virando-se para mim, disse: 'Vou contar-lhe o que sei, senhor. Não pense que minha agitação por causa de meu filho signifique qualquer receio de que ele tenha tomado parte nesse caso terrível. Sei que é completamente inocente. No entanto, tenho medo de que possa parecer implicado, aos seus olhos e aos olhos dos demais. Mas isso é absolutamente impossível. Seu caráter elevado, sua profissão e seus antecedentes jamais o permitiriam.'

"'No momento, o que de melhor tem a fazer é expor-me claramente os fatos', respondi. 'Se seu filho for inocente, o que me disser não irá piorar a situação.'

"'É melhor que nos deixe a sós, Alice', disse ela, e a filha retirou-se. 'Muito bem, senhor', continuou ela, 'não era minha intenção contar-lhe tudo isso, mas já que minha pobre filha tomou a iniciativa, não tenho outra saída. E, já que me decidi a falar, não omitirei nenhum detalhe'.

"'É a atitude mais sensata', respondi.

"'O sr. Drebber ficou quase três semanas hospedado aqui. Ele e seu secretário, o sr. Stangerson, estiveram viajando pelo continente. Notei uma etiqueta de Copenhague em cada uma de suas malas, indicando que essa cidade fora sua última parada. O sr. Stangerson era quieto e retraído, exatamente o oposto de seu patrão, lamento dizê-lo. Este tinha hábitos rudes e maneiras descorteses. Na própria noite de sua chegada, ficou ainda pior ao embriagar-se e, para ser franca, depois do meio-dia dificilmente se poderia dizer que estava sóbrio. Sua maneira de lidar com as criadas era desagradavelmente livre e íntima. O pior é que ele, em pouco tempo, passou a tratar minha filha da mesma forma, dirigindo-se algumas vezes a Alice de um modo que, por sorte, ela ainda é inocente demais para compreender. Uma ocasião, ele chegou ao cúmulo de agarrá-la e abraçá-la, um insulto que levou seu próprio secretário a reprová-lo pela conduta indigna.'

"'E por que motivo suportou tudo isto?', perguntei. 'Imagino que possa livrar-se de seus hóspedes quando bem entender.' Madame Charpentier enrubesceu ao ouvir minha observação.

"'Quem dera que eu o tivesse despedido no mesmo dia em que chegou', disse ela. 'Mas, cedi à tentação. Eles estavam pagando uma libra de diária cada um, isto é, 14 libras por semana, e estamos na temporada fraca. Sou viúva e tenho muitas despesas com meu filho na Marinha. Fiz o que achei melhor, porque não queria perder aquele dinheiro. Entretanto, a última façanha do sr. Drebber passou dos limites e, por causa disso, pedi-lhe que fosse embora. Esse foi o motivo de sua saída.'

"'E o que aconteceu depois?'

"'Senti o coração leve quando os vi indo embora. Justamente agora meu filho estava de folga, mas não lhe contei nada sobre o ocorrido, porque ele tem gênio violento e é louco pela irmã. Quando fechei a porta atrás daqueles dois, foi como se me tirassem um peso dos ombros. Mas em menos de uma hora tocaram a sineta e fiquei sabendo que o sr. Drebber voltara. Estava muito agitado e era evidente que havia passado da conta na bebida. Entrou na sala onde eu estava com minha filha e fez um comentário confuso sobre ter perdido o trem. Virando-se para Alice, na minha presença, propôs-lhe que fugisse com ele. "Você é maior e, legalmente, pode agir como bem entender", disse. "Tenho dinheiro de sobra para gastar. Não ligue para sua velha e venha comigo agora mesmo! Terá uma vida de rainha!" A pobre Alice ficou tão amedrontada que quis fugir, mas ele a agarrou pelo pulso e obrigou-a a caminhar até a porta. Gritei e, nessa hora, Arthur entrou na sala. Nem sei dizer o que aconteceu em seguida. Ouvi xingamentos e o ruído confuso de uma briga. Estava aterrorizada demais para erguer a cabeça. Quando olhei, vi Arthur rindo junto à porta, segurando uma bengala. "Não creio que o distinto cavalheiro volte a importunar-nos", disse ele. "Vou segui-lo para ver o que pretende." Com essas palavras, ele apanhou o seu chapéu e saiu para a rua. Na manhã seguinte, ficamos sabendo da morte misteriosa do sr. Drebber.'

"Foram essas as declarações que ouvi de Madame Charpentier, entre muitas pausas e hesitações. Falava tão baixo às vezes que eu mal entendia as palavras. De qualquer modo, taquigrafei tudo que me disse, a fim de evitar possibilidade de engano."

— Impressionante — disse Sherlock Holmes, com um bocejo. — O que aconteceu em seguida?

— Quando Madame Charpentier terminou de falar, percebi que tudo girava em torno de uma só questão — continuou o detetive. — Encarei-a fixamente, de um modo que sempre dá resultado com as mulheres, e perguntei a que horas seu filho voltara para casa.

"'Não sei', ela respondeu.

"'Como, não sabe?'

"'Ele tem a chave da porta da rua. Não o vi chegar.'

"'Então ele chegou depois que a senhora foi dormir?'

"'Sim.'

"'E quando foi isso?'

"'Fui para o quarto por volta das 23 horas.'

"'Quer dizer que seu filho ficou ausente pelo menos duas horas?'

"'Sim.'

"'Talvez quatro ou cinco horas?'

"'Sim.'

"'O que ele fez durante todo esse tempo?'

"'Não sei', ela respondeu, empalidecendo tanto que até seus lábios perderam a cor.

"Evidentemente, depois disso eu não tinha mais nada a fazer ali. Descobri onde estava o tenente Charpentier, convoquei dois agentes para me acompanharem e efetuei a prisão. Quando toquei seu ombro, aconselhando-o a ir conosco sem reagir, ele replicou prontamente: 'Imagino que estejam me prendendo como suspeito pela morte daquele patife do Drebber.'

"Como não havíamos falado nada sobre isso, suas palavras aumentaram ainda mais minhas suspeitas."

— Sem dúvida — comentou Holmes.

— Ele ainda tinha consigo a pesada bengala que, segundo sua mãe, levava ao sair atrás de Drebber. Praticamente, é como um porrete de carvalho.

— Muito bem, qual é a sua teoria?

— Minha teoria é que ele seguiu Drebber até a Brixton Road. Chegando lá, os dois tornaram a discutir e, durante a briga, Drebber deve ter recebido uma forte bengalada, talvez na boca do estômago, um golpe que o matou sem deixar marcas. Chovia tanto que não havia ninguém nos arredores, permitindo assim que Charpentier pudesse arrastar o corpo de sua vítima para a casa vazia. Quanto à vela, ao sangue, à inscrição na parede e à aliança, certamente foram artimanhas para despistar a polícia.

— Excelente! — exclamou Holmes, em tom encorajador. — Francamente, está progredindo, Gregson. Você ainda será alguém!

— Sem querer me gabar, acho que me saí bem — respondeu o detetive com orgulho. — O tenente prestou um depoimento espontâneo, declarando que, após seguir Drebber por algum tempo, este o percebeu e tomou então um cabriolé para livrar-se dele. Quando voltava para casa, encontrou um antigo colega de bordo, com quem fez uma longa caminhada. Ao lhe perguntarem onde morava esse antigo colega, ele não conseguiu dar uma resposta satisfatória. Creio que tudo se encaixa singularmente bem. O que me diverte é pensar que Lestrade anda atrás de uma pista falsa. Quase posso garantir que não conseguirá grande coisa. Ora, mas era só o que faltava! Aí está ele, em carne e osso!

Era realmente Lestrade, que subira a escada enquanto conversávamos e agora entrava na sala. Entretanto, sua segurança, a desenvoltura dos trajes e da aparência haviam desaparecido. Agora, seu rosto tinha uma expressão perturbada, as roupas sujas e amarrotadas. Evidentemente, viera com a intenção de consultar Sherlock Holmes, mas ficara desconcertado ao encontrar seu colega ali. Parou no meio da sala, mexendo nervosamente no chapéu, sem saber o que fazer.

— Este é um dos casos mais extraordinários e mais incompreensíveis que já vi — disse por fim.

— Oh, acha mesmo, sr. Lestrade? — exclamou Gregson, triunfante. — Imaginei que chegaria a essa conclusão. Conseguiu encontrar o secretário, o sr. Joseph Stangerson?

— O secretário, sr. Joseph Stangerson, foi assassinado no hotel Halliday por volta das seis horas dessa manhã — disse Lestrade numa voz grave.

7
UMA LUZ NAS TREVAS

A INFORMAÇÃO TRAZIDA POR LESTRADE ERA TÃO GRAVE E INESPERADA que nos primeiros momentos ficamos os três estatelados. Gregson levantou--se bruscamente e engoliu o resto do seu uísque com água. Quanto a mim, fiquei olhando em silêncio para Sherlock Holmes, que tinha os lábios apertados e as sobrancelhas franzidas.

— Stangerson também! — murmurou. — A trama está se complicando.

— Já estava bem complicada antes — grunhiu Lestrade, puxando uma cadeira. — Parece que interrompi uma espécie de conselho de guerra.

— Tem certeza... do que nos contou? — gaguejou Gregson.

— Estou vindo do quarto dele — explicou Lestrade. — Fui o primeiro a ser informado do ocorrido.

— Estávamos ouvindo a opinião de Gregson sobre o assunto — comentou Holmes. — Poderia contar-nos o que viu e fez?

— Quanto a isso, não faço objeções — respondeu Lestrade, sentando-se. — Confesso francamente que, para mim, Stangerson estava implicado na morte de Drebber. Mas esse último acontecimento mostrou que estava completamente enganado. Dominado por uma única ideia, procurei descobrir o que tinha sido feito do secretário. Os dois haviam sido vistos juntos na Euston Station por volta das 20h30 do dia 3. Às duas da madrugada, o corpo de Drebber foi encontrado na Brixton Road. Meu problema era descobrir o que Stangerson fizera entre as 20h30 e a hora do crime, e também o que fez depois disso. Passei um telegrama para Liverpool, fornecendo uma descrição do homem e alertando para que vigiassem os navios americanos. Então, comecei a trabalhar, visitando todos os hotéis e pensões existentes nos arredores da Euston. Eu achava que, se Drebber e o companheiro haviam se separado, a atitude mais natural de Stangerson seria procurar alojamento nas vizinhanças da estação e depois voltar lá na manhã seguinte.

— Era provável que os dois tivessem combinado com antecedência um ponto de encontro — ponderou Holmes.

— Exatamente. Passei toda a noite de ontem investigando, sem resultados positivos. Recomecei essa manhã bem cedo e, às oito horas, cheguei ao Hotel Halliday, na Little George Street. Quando perguntei se um certo sr. Stangerson se hospedara lá, responderam imediatamente que sim.

"'O senhor deve ser o cavalheiro que ele esperava!', disseram. 'Há dois dias que ele espera alguém.'

"'Onde está o sr. Stangerson no momento?', perguntei.

"'No andar de cima, dormindo no seu quarto. Pediu que fosse acordado às nove horas.'

"'Vou subir e falar com ele imediatamente', anunciei.

"Eu achava que, com os nervos abalados por minha presença inesperada, ele deixaria escapar alguma coisa. O engraxate do hotel prontificou-se a indicar-me o quarto; ficava no segundo andar, depois de um pequeno corredor. Ele me mostrou a porta e já ia descer, quando vi algo que me deixou nauseado, a despeito de meus vinte anos de experiência. Por baixo daquela porta, saía um pequeno filete de sangue, que serpenteava pelo corredor e formava uma diminuta poça junto ao rodapé da parede fronteira. Minha exclamação involuntária fez o empregado voltar. Ele quase desmaiou quando viu o sangue. A porta estava trancada por dentro, mas nós a forçamos com os ombros e a arrombamos. A janela do quarto estava aberta e, ao lado dela, jazia o corpo de um homem em camisa de dormir, formando um monte confuso. Estava morto e já fazia algum tempo, porque tinha os membros rígidos e frios. Quando o viramos, o empregado imediatamente o identificou como o cavalheiro que alugara o quarto com o nome de Joseph Stangerson. A causa da morte era uma punhalada profunda no lado esquerdo, que devia ter atingido o coração. E agora vem o detalhe mais estranho do caso. Podem imaginar o que havia acima do cadáver?"

Senti um arrepio na pele e um pressentimento de horror iminente, mesmo antes que Sherlock Holmes respondesse.

— A palavra *RACHE* escrita em letras de sangue — disse ele.

— Exatamente! — exclamou Lestrade, em tom atemorizado.

Ficamos todos em silêncio por alguns momentos. Havia algo tão metódico e tão incompreensível nos atos do assassino desconhecido que acrescentava um tom ainda mais sinistro aos seus crimes. Meus nervos, sempre firmes no campo de batalha, estremeceram quando pensei nisso.

— O assassino foi visto — continuou Lestrade. — Um leiteiro, a caminho da leiteria, descia pelo beco que vem das estrebarias, nos fundos do hotel. Ele percebeu então que uma escada, que sempre é deixada naquele local, estava erguida até uma janela escancarada do segundo andar. Depois de passar por ela, olhou para trás e viu um homem descendo pela escada. Descia com tamanha calma e tão publicamente que o rapaz achou que era algum carpinteiro ou encanador que trabalhava no hotel. Não lhe deu maior atenção, e apenas pensou que ainda era muito cedo para o indivíduo já estar trabalhando. Teve a impressão de que o homem era alto, de rosto corado e vestia um comprido sobretudo marrom. Deve ter ficado no quarto durante algum tempo depois do assassinato, porque encontramos água manchada de sangue na bacia do lavatório, sinal de que tentou lavar as mãos, e marcas nos lençóis onde ele limpou deliberadamente o seu punhal.

Olhei para Holmes ao perceber que a descrição do assassino combinava exatamente com a que fora feita por ele. Entretanto, em seu rosto não havia o menor sinal de alegria ou satisfação.

— Não encontrou nada no quarto que pudesse fornecer uma pista para o assassino? — perguntou.

— Nada. Stangerson estava com a carteira de Drebber em seu bolso, mas parece que isso era normal, porque ele cuidava de todos os pagamentos. Continha oitenta e poucas libras, e nada tinha sido retirado. Fossem quais fossem os motivos de crimes tão extraordinários, é evidente que o roubo não estava entre eles. Não encontrei papéis ou anotações nos bolsos da vítima, a não ser um telegrama de um mês atrás, enviado de Cleveland e contendo as palavras: "J.H. está na Europa." Não havia nome do remetente.

— Não havia mais nada? — perguntou Holmes.

— Nada que fosse importante. Um romance, que o homem lia para ajudá-lo a dormir, estava caído na cama e, em uma cadeira ao lado, seu cachimbo. Havia um copo de água na mesa e, no peitoril da janela, uma caixinha redonda de unguento, contendo duas pílulas.

Sherlock Holmes levantou-se de repente da cadeira, com uma exclamação de alegria.

— O último elo! — exclamou, exultante. — Meu caso está completo!

Os dois detetives o fitaram com espanto.

— Tenho agora nas mãos todos os fios que formavam esse emaranhado — disse meu companheiro, confiante. — É claro que ainda faltam alguns detalhes, mas tenho certeza de todos os fatos principais, desde que Drebber se separou de Stangerson na estação até a descoberta do cadáver deste. É como se tivesse visto tudo com meus próprios olhos. Darei aos senhores uma prova do que sei. Recolheu essas pílulas, Lestrade?

— Estão aqui comigo — disse Lestrade, tirando do bolso uma caixinha branca. — Fiquei com elas, com a carteira e o telegrama, com a intenção de guardá-los em lugar seguro, no posto policial. Foi por mero acaso que apanhei as pílulas, porque, com franqueza, não lhes dei nenhuma importância.

— Deixe-me vê-las — pediu Holmes. — Muito bem, doutor — disse, virando-se para mim. — Acha que são pílulas comuns?

Não eram, evidentemente. Tinham uma cor cinza-pérola, eram pequeninas, redondas e quase transparentes, vistas contra a luz.

— A julgar por sua leveza e transparência, eu diria que são solúveis na água — falei.

— Exatamente — afirmou Holmes. — E agora, por favor, quer descer e trazer aquele pobre cachorrinho que está doente há tanto tempo? Ainda ontem, a senhoria pediu a você para acabar com o sofrimento dele.

Fui até o andar de baixo e tornei a subir com o pequeno *terrier* nos braços. O bichinho respirava com dificuldade e os olhos mortiços indicavam que seu fim estava próximo. Na verdade, o focinho esbranquiçado era um sinal de que ele já ultrapassara o período normal de existência de um cão. Coloquei-o sobre uma almofada, em cima do tapete.

— Agora, cortarei uma dessas pílulas em duas partes — disse Holmes, tirando o canivete do bolso e passando das palavras à ação. — Uma metade ficará na caixa, para finalidades futuras. Colocarei a outra metade neste copo de vinho, no qual há uma colher de chá de água. Podem notar que nosso caro doutor tem razão: ela se dissolve rapidamente.

— Isto pode ser muito interessante — disse Lestrade no tom ofendido de quem acha que está sendo ridicularizado. — Entretanto, não posso imaginar o que isso tem a ver com a morte do sr. Joseph Stangerson.

— Calma, meu amigo, calma! Mais algum tempo e verá que isso tem tudo a ver com o caso. Agora, acrescentarei um pouco de leite, para melhorar o gosto da mistura. Veremos que o cão a beberá sem demora.

Enquanto falava, despejou o conteúdo do copo de vinho em um pires e o colocou diante do *terrier*, que o lambeu rapidamente, até deixá-lo seco. A seriedade com que Holmes agia nos deixara tão impressionados que ficamos calados, observando atentamente o animal, à espera de algum efeito extraordinário. Mas nada aconteceu. O cachorro continuou deitado na almofada, ainda respirando com dificuldade, mas nem melhor nem pior do que antes de beber a mistura.

Holmes tirara o relógio e, como os minutos passavam sem qualquer resultado, surgiu em seu rosto uma expressão de profundo aborrecimento e desapontamento. Ele mordeu os lábios, tamborilou com os dedos na superfície da mesa e exibiu vários outros sinais de impaciência. Sua emoção era tão evidente que lamentei sinceramente por ele, enquanto os dois detetives sorriam com ironia, parecendo até satisfeitos com o dilema em que ele se encontrava.

— Não pode ser coincidência! — exclamou, levantando-se bruscamente da cadeira e começando a andar pela sala com passos nervosos. — É impossível que fosse apenas uma coincidência. As mesmas pílulas de que suspeitei no caso de Drebber acabaram sendo encontradas após a morte de Stangerson. No entanto, são inócuas! O que significará isso? É claro que toda a cadeia do meu raciocínio não pode ser falsa. Seria impossível! No entanto, esse cão moribundo nem ao menos piorou. Ah! É isso! Já sei!

Com um grito de pura alegria, ele correu para a caixinha, cortou a outra pílula ao meio, dissolveu-a na água, acrescentou leite e a ofereceu ao *terrier*. A língua do pobre animal pareceu apenas tocar na mistura, e imediatamente uma forte convulsão estremeceu-lhe os membros; em seguida ficou rígido e sem vida, como que fulminado por um raio.

Sherlock Holmes soltou um profundo suspiro e enxugou o suor que lhe cobria a testa.

— Eu devia ser mais confiante — falou. — A esta altura, devia saber que quando um fato parece opor-se a uma longa série de deduções, ele invariavelmente é capaz de fornecer alguma outra interpretação. Das duas pílulas dessa caixa, uma era do mais terrível veneno e a outra era absolutamente inócua. Eu deveria saber mesmo antes de ver a caixa.

Esta afirmação me pareceu tão surpreendente que mal pude acreditar que ele estava em seu juízo perfeito. Mas o cãozinho morto era uma prova de que suas conjecturas tinham sido corretas. Pouco a pouco, a névoa que toldava a minha mente foi se dissipando, e comecei a ter uma vaga, remota percepção da verdade.

— Tudo isso lhes parece estranho porque, no início das investigações, não deram importância à única pista real que tinham diante dos olhos — continuou Holmes. — Tive a sorte de perceber este fato, e tudo que aconteceu desde então serviu apenas para confirmar minha suposição original e, na realidade, foi a sequência lógica dessa hipótese. Por isso, as coisas que os deixaram perplexos e tornaram o caso mais obscuro serviram para esclarecer minhas dúvidas e reforçar minhas conclusões. É um erro confundir estranheza com mistério. Frequentemente, o crime mais comum é também o mais misterioso, porque não oferece nenhuma característica nova ou especial da qual se possa extrair outras deduções. Esse crime seria muito mais difícil de solucionar se a vítima simplesmente tivesse sido encontrada na rua, sem nenhuma das circunstâncias incomuns e sensacionais que o cercaram, que o tornaram extraordinário. Os detalhes estranhos, longe de complicarem o caso, na verdade tiveram o dom de torná-lo mais fácil.

Gregson ouvira a peroração com visível impaciência e não se conteve mais.

— Escute aqui, sr. Sherlock Holmes — disse ele. — Estamos prontos a reconhecer que é um homem inteligente e que tem seus próprios métodos de trabalho. Mas, no momento, queremos algo além da simples teorização e de sermões. Agora, a questão é apanhar o culpado. Já expus meu caso e parece que eu estava enganado. Charpentier não poderia ser acusado do segundo crime. Lestrade foi atrás do seu homem, Stangerson, e parece que ele também estava enganado. O senhor soltou indícios aqui e ali, demonstrando saber mais do que nós, mas chegou a hora em que temos o direito de fazer-lhe uma pergunta direta a respeito do que sabe sobre esse assunto. Pode dar-nos o nome do culpado?

— Sinto muito, mas acho que Gregson tem razão, sr. Holmes — observou Lestrade. — Nós dois tentamos e falhamos. Por várias vezes, desde que estamos nessa sala, o senhor afirmou que dispõe de todas as evidências necessárias para a solução. Espero que não a guarde por mais tempo.

— Qualquer demora na captura do assassino poderia dar-lhe tempo de perpetrar novas atrocidades — comentei.

Mesmo pressionado por todos nós, Holmes continuava indeciso. Andava pela sala com a cabeça inclinada sobre o peito e a testa franzida, como costumava fazer quando estava perdido em seus pensamentos.

— Não haverá mais assassinatos — disse afinal, parando de repente. — Quanto a isso, fiquem descansados. Perguntaram se sei o nome do assassino. É claro que sei. Mas esse é um detalhe insignificante, comparado à possibilidade de o agarrarmos. É o que espero fazer dentro em pouco. Tenho esperanças de consegui-lo com meus próprios expedientes, mas é algo que deve ser conduzido com sutileza, porque estamos lidando com um homem esperto e desesperado que, como já pude comprovar, conta com o apoio de outro tão inteligente quanto ele. Enquanto o criminoso achar que ninguém tem uma pista que o incrimine, existe alguma possibilidade de apanhá-lo. Se ele tiver a mais leve suspeita, trocará de nome e desaparecerá imediatamente entre os quatro milhões de habitantes dessa grande cidade. Sem querer ofendê-los, devo dizer que considero esses homens muito mais sagazes que os agentes da lei, e foi por isso que não pedi ajuda oficial. Se eu fracassar, é claro que levarei toda a culpa por essa omissão, mas estou preparado para isso. Por enquanto, posso apenas prometer que entrarei imediatamente em contato com os senhores, desde que com isso não ponham os meus planos em risco.

Gregson e Lestrade estavam longe de parecer satisfeitos com essa promessa ou com a alusão depreciativa à polícia. O primeiro ficou ruborizado até a raiz dos cabelos claros, enquanto os olhos do outro reluziam de curiosidade e ressentimento. Mas nenhum deles chegou a dizer coisa alguma porque, antes disso, ouviu-se uma batida na porta e Wiggins, o líder dos garotos pedintes, uma figura mirrada e desagradável, entrou na sala.

— Com licença, senhor — disse ele, tocando a testa onde se espalhavam mechas de cabelos. — O cabriolé está esperando lá embaixo.

— Bom garoto — disse Holmes com suavidade. — Por que não adotam esse modelo na Scotland Yard? — ele continuou, tirando um par de algemas de aço de uma gaveta. — Vejam como a mola funciona bem. Fecha-se em um instante.

— O modelo antigo é bastante bom — observou Lestrade. — Se encontrarmos o homem que irá usá-lo.

— Muito bem, muito bem — disse Holmes rindo. — O cocheiro poderá ajudar-me com a minha bagagem. Peça a ele que suba, Wiggins.

Fiquei surpreso ao ouvir meu companheiro falar como se estivesse prestes a viajar, porque não comentara nada comigo a esse respeito. Havia uma pequena mala à vista. Ele a pegou e começou a afivelar-lhe as correias. Estava ocupado nisso quando o cocheiro entrou.

— Dê-me uma ajuda com essa fivela, cocheiro — disse, ficando de joelhos sobre a maleta e sem ao menos virar a cabeça.

O homem aproximou-se, com ar um tanto aborrecido e desafiador. Estendeu as mãos para ajudar Holmes. No mesmo instante soou um estalido seco, um entrechoque metálico e Sherlock Holmes ficou rapidamente de pé.

— Senhores! — exclamou, com os olhos brilhantes. — Quero apresentar-lhes o sr. Jefferson Hope, o assassino de Enoch Drebber e de Joseph Stangerson!

Toda a cena levara apenas um instante — havia sido tão rápida que eu nem chegara a entender direito o que acontecia. Tenho uma viva recordação daquele momento, da expressão triunfante de Holmes e da euforia de sua voz, e também do rosto atônito e feroz do cocheiro, ao fitar as algemas cintilantes que apareceram em seus pulsos como que por encanto.

Durante um ou dois segundos, ficamos petrificados como um grupo de estátuas. Então, com um rugido de fúria, o prisioneiro livrou-se da mão de Holmes e precipitou-se para a janela. Vidraças e caixilhos cederam à investida, mas, antes que seu corpo transpusesse inteiramente a abertura, Gregson, Lestrade e Holmes saltaram sobre ele como cães de caça. O homem foi puxado de volta à sala, e então teve início uma luta terrível. Além de robusto, ele estava tão enfurecido que nós quatro fomos várias vezes atirados longe. O prisioneiro mostrava a força convulsiva de um homem durante um ataque epilético. Tinha o rosto e as mãos terrivelmente feridos pelas vidraças partidas, mas a perda de sangue não lhe diminuía a resistência. Foi somente quando Lestrade conseguiu agarrá-lo pelo lenço que tinha no pescoço, quase o estrangulando, que ele compreendeu a inutilidade de seus esforços. De qualquer modo, só nos sentimos mais seguros depois de amarrar-lhe não só os pés, mas também as mãos. Quando nos levantamos, estávamos cansados e arquejantes.

— Temos o seu cabriolé — disse Sherlock Holmes. — Servirá para levá-lo à Scotland Yard. E agora, cavalheiros, chegamos ao fim do mistério — acrescentou com um sorriso cordial. — Vocês podem fazer quantas perguntas quiserem, sem o risco de que eu me recuse a respondê-las.

Segunda parte:
O país dos santos

1
NA GRANDE PLANÍCIE ALCALINA

NA REGIÃO CENTRAL DO GRANDE CONTINENTE NORTE-AMERICANO estende-se um deserto árido e inóspito, que durante muitos anos constituiu uma barreira ao avanço da civilização. Da Sierra Nevada ao Nebrasca, e do rio Yellowstone, ao norte, até o Colorado, ao sul, existe uma vasta área de desolação e silêncio. A natureza nem sempre mostrou a mesma disposição em toda essa sinistra extensão. Ela abrange montanhas altivas e nevadas, e vales profundos e sombrios. Existem rios impetuosos que correm através de *canyons* acidentados, e há imensas planícies, brancas de neve no inverno e acinzentadas no verão por causa da areia salitrada e alcalina. Mas tudo isso preserva as características comuns de uma região inóspita, estéril e miserável.

Não há habitantes nessa terra do desespero. Um bando de Pawnees ou de Blackfeet pode cruzá-la ocasionalmente para chegar até outros campos de caça, mas até o mais bravo dos bravos entre essas tribos de peles-vermelhas sente alívio ao deixar para trás essas planícies horrendas e se ver de novo em suas pradarias. O coiote se esconde em meio à vegetação raquítica, o abutre desliza pesadamente pelo ar e o desajeitado urso cinzento rasteja pelas ravinas sombrias, recolhendo entre as rochas o que consegue encontrar para sobreviver. São eles os únicos moradores do deserto.

No mundo inteiro, talvez não haja visão mais tétrica do que a revelada na encosta norte da Sierra Blanca. Até onde a vista alcança, estendem-se faixas imensas de terreno plano, pontilhado de manchas alcalinas, interrompidas por pequenos bosques de chaparrais enfezados. No limite do horizonte ergue-se uma longa cadeia de picos de montanhas, com os cumes escarpados salpicados de neve. Nesse território imenso não existe sinal de vida ou algo ligado à vida. Não há pássaros no céu azul-metálico, nenhum movimento na terra agreste e cinzenta... e reina o silêncio mais absoluto em todos os recantos. Por mais que se agucem os ouvidos, não há o menor rumor no deserto majestoso; nada, a não ser silêncio, o silêncio mais profundo e opressivo.

Foi dito antes que não havia nenhum sinal de vida nessa vasta planície, e seria a pura verdade se não existisse uma trilha que serpenteava através do deserto até perder-se na distância, que pode ser vista do alto da Sierra Blanca. Essa trilha está sulcada de rodas e batida pelos pés de muitos aventureiros. Aqui e ali, há objetos brancos espalhados pela cinzenta areia alcalina, e que reluzem ao sol. Aproxime-se e examine-os! São ossos, alguns maiores e grosseiros, outros menores e mais delicados. Os primeiros pertenceram a bois, os segundos, a homens. Pode-se seguir essa fantasmagórica rota de caravanas por quase 2.500 quilômetros guiando-se por esses despojos calcinados e espalhados dos que tombaram no trajeto.

Um viajante solitário contemplava esse cenário no dia 4 de maio do ano de 1847. Pela sua aparência, ele bem poderia ser o próprio gênio ou demônio daquela região. Quem o observasse teria dificuldade em saber se ele estava mais perto dos quarenta ou dos sessenta anos. Seu rosto era esquálido e macilento, com a pele bronzeada, semelhante a um pergaminho, repuxada sobre os ossos salientes; a barba e os cabelos, longos e castanhos, estavam estriados de branco; os olhos, fundos nas órbitas, queimavam com um brilho febril, e a mão que agarrava o rifle era quase tão descarnada quanto a de um esqueleto. De pé, ele precisava usar a arma como apoio, mas sua estatura elevada e a constituição maciça da ossatura sugeriam um corpo vigoroso e resistente. O rosto emaciado e as roupas que pendiam frouxas sobre os membros esqueléticos proclamavam o que dava a ele aquela aparência decrépita e senil. O homem estava morrendo de fome e de sede.

Ele rastejara penosamente pela ravina mais abaixo e conseguira escalar aquela pequena elevação na vã esperança de vislumbrar algum sinal de água. Agora, a grande planície salgada estendia-se ante seus olhos e o cinturão distante das montanhas agrestes delimitava a paisagem, sem o menor sinal de vegetação que pudesse indicar a presença de umidade. Em todo aquele vasto panorama não havia um raio de esperança. Ele olhou para norte, leste e oeste com um olhar selvagem e interrogador. Percebeu então que sua caminhada chegara ao final e que morreria ali, naquele penhasco estéril.

— Por que não aqui, ou daqui a vinte anos em um colchão de plumas? — murmurou, sentando-se no abrigo formado por uma pedra arredondada.

Antes de sentar-se, ele depositara no chão o rifle inútil e também um fardo volumoso, envolto em um xale cinzento, que viera carregando no ombro direito. Parecia pesado demais para as forças que lhe restavam, porque, ao abaixá-lo, deixou-o bater no chão com certa violência. Imediatamente, brotou do fardo cinzento um leve gemido e surgiu uma carinha amedrontada, com brilhantes olhos castanhos, e dois punhos minúsculos, cheios de covinhas.

— Você me machucou! — exclamou uma vozinha infantil, em tom de censura.

— Desculpe-me — disse ele. — Não foi por querer.

Enquanto falava, desembrulhou o xale cinzento e apareceu uma linda garotinha de uns cinco anos, cujos sapatos delicados e o elegante vestido rosa com aventalzinho branco denotavam cuidados maternos. A criança estava pálida e abatida, mas os braços e as pernas saudáveis indicavam que sofrera menos privações que o companheiro.

— Como se sente agora? — ele perguntou com ansiedade, porque a menininha continuava esfregando os cachos dourados e curtos que lhe cobriam a parte de trás da cabeça.

— Se você beijar, eu fico boa — respondeu ela, com a mais absoluta seriedade, indicando-lhe a parte dolorida. — É assim que mamãe faz. Onde está mamãe?

— Sua mãe foi embora, mas não vai demorar muito e logo você estará com ela.

— Foi embora? — exclamou a garotinha. — Sem me dizer até logo? Ela sempre me diz até logo, mesmo quando vai tomar chá na casa da titia, mas agora já faz três dias que não volta! Ei, você não está com sede? Eu estou. Não tem água nem nada para a gente comer?

— Não, não há nada, querida. Se tiver um pouquinho de paciência, logo tudo ficará bem. Encoste sua cabecinha em mim assim, e ganhará mais coragem. Não é fácil falar quando nossos lábios estão endurecidos como couro, mas acho melhor deixar você saber em que pé andam as coisas. O que tem aí?

— Coisas bonitas! Lindas! — exclamou a garotinha, entusiasmada, erguendo para ele dois pedaços de mica. — Vou dar para meu irmão Bob, quando voltarmos para casa.

— Daqui a pouco, você estará vendo coisas mais bonitas do que estas — disse o homem com firmeza. — É só esperar um pouco. Eu ia contar a você que... Lembra-se de quando deixamos o rio para trás?

— Claro que me lembro.

— Pois bem. Pensamos que logo encontraríamos outro rio, veja só... Mas alguma coisa deu errado: bússolas, mapas, seja o que for, a água não apareceu. A que tínhamos acabou. Ficaram apenas algumas gotas para os pequeninos como você e... e...

— E então você não podia mais se lavar — interrompeu gravemente a menininha, erguendo os olhos para o rosto taciturno do homem.

— E nem beber. Então, o sr. Bender foi o primeiro a ir-se, depois o índio Pete, depois a sra. McGregor, depois Johnny Hones e depois, querida, foi a vez de sua mãe.

— Então, mamãe também morreu! — exclamou a garotinha, escondendo o rosto no avental e começando a soluçar amargamente.

— Sim, todos se foram, menos nós dois. Então, pensei que poderia encontrar água nessa direção e vim me arrastando até aqui, com você no ombro. Bem, acho que a situação não melhorou nem um pouco. Não nos resta a menor oportunidade!

— Você quer dizer que também vamos morrer? — perguntou a criança, contendo os soluços e erguendo o rostinho lavado de lágrimas.

— Acho que não temos saída.

— Oh! Por que não disse logo? — perguntou ela, rindo alegremente. — Você me deu um susto! Bem, porque se a gente morre, logo a gente estará outra vez com mamãe.

— Sim, você estará, queridinha.

— Você também. Vou contar a ela como foi bom para mim. Aposto que ela está esperando a gente na porta do céu, com um jarro bem grande de água e uma porção de bolinhos quentes, tostados dos dois lados, como eu e Bob gostamos. Quanto tempo vai demorar?

— Não sei... mas será logo.

Os olhos do homem estavam fixos no horizonte norte. No azul da abóbada celeste haviam surgido três pequenas manchas que aumentavam de tamanho a todo instante por causa da rapidez com que se aproximavam. Logo elas se transformaram em três grandes aves escuras que começaram a voar em círculos acima da cabeça dos dois andarilhos. Depois pousaram em algumas rochas mais acima. Eram abutres, as aves de rapina do oeste, que ali apareciam como precursores da morte.

— Galos e galinhas! — exclamou a garotinha, contente, apontando para aquelas formas agourentas e batendo palmas para que voassem. — Ei, foi mesmo Deus que fez este lugar?

— Claro que foi Ele, queridinha — respondeu seu companheiro, um pouco espantado com a pergunta inesperada.

— Ele também fez o Illinois e fez o Missouri — ela continuou. — Bem, eu acho que outra pessoa fez este lugar, porque não é tão bem-feito como lá. Aqui, esqueceram de botar árvores e água.

— O que você me diz de fazer uma oração? — perguntou o homem, hesitante.

— Ainda não ficou de noite — respondeu ela.

— Que diferença faz? Na verdade, não é muito comum, mas fique certa de que Ele não se importa. Repita as orações que dizia todas as noites, na carroça, quando estávamos nas pradarias.

— Por que você não reza também? — perguntou a criança, com olhos arregalados.

— Não me lembro mais como se reza — respondeu ele. — Eu tinha a metade do tamanho desse rifle quando fiz minha última oração. Enfim, acho que nunca é tarde demais. Comece você a rezar e irei repetindo o que disser.

— Então, tem de ajoelhar-se e eu também — disse a menininha, estendendo o xale no chão. — Veja, ponha as mãos assim. Faz a gente se sentir bem.

Era uma estranha visão, caso houvesse mais alguém para observá-la, além dos abutres. Lado a lado, os dois andarilhos ajoelharam-se no xale estreito, a menininha tagarela e o temerário e curtido aventureiro. O rostinho rechonchudo e a fisionomia angulosa se voltavam para o céu sem nuvens, em comovida súplica àquele Ser temido ante o qual se prostravam, enquanto as duas vozes, uma aguda e cristalina, a outra grave e enrouquecida, se juntavam na oração por clemência e perdão. Terminada a prece, os dois voltaram a acomodar-se à sombra da rocha, até que a criança adormeceu, aninhada contra o peito largo de seu protetor. Ele ainda lhe velou o sono por algum tempo, mas a Natureza foi mais forte. Por três dias e três noites, aquele homem não se concedera um só momento de repouso. Aos poucos suas pálpebras foram se fechando sobre os olhos cansados, a cabeça inclinou-se sobre o peito até a barba grisalha confundir-se com as tranças douradas da criança, e ambos mergulharam no mesmo sono profundo e sem sonhos.

Se o andarilho tivesse ficado acordado por mais meia hora, seus olhos veriam um estranho espetáculo. Ainda muito longe, na extremidade da planície alcalina, surgia uma pequena nuvem de poeira, tão leve no início, que mal podia ser distinguida entre as brumas da distância. Mas, aos poucos, ela foi ficando maior, até formar uma nuvem sólida e bem-definida. Essa nuvem continuou a crescer até ficar evidente que só poderia ser levantada por uma grande multidão em movimento. Em regiões mais férteis, um observador chegaria à conclusão de que uma daquelas grandes manadas de búfalos que pastavam nas terras das pradarias estava se aproximando. Mas naquele terreno árido, isso era impossível. À medida que o redemoinho de poeira chegava mais perto do penhasco solitário em que os dois viajantes descansavam, começaram a surgir em meio à névoa os toldos de lona que cobriam os carroções e as figuras de cavaleiros armados. A aparição, afinal, era uma grande caravana que seguia para o oeste. E que caravana! Quando seu início chegou ao sopé das montanhas, o final ainda não era visível no horizonte. O desfile de carroças e carroções, de cavaleiros e homens a pé estendia-se por toda a imensidão da planície desértica. Havia muitas mulheres cambaleando sob a carga que transportavam, crianças caminhando ao lado das carroças ou espiando por entre os toldos brancos. Evidentemente, aquele não era um grupo comum de migrantes, mas algum povo nômade, forçado pelas circunstâncias a procurar novas terras. De lá, elevava-se no ar límpido um confuso clangor, uma espécie de rumor, produzido por aquela massa humana, misturando-se ao rangido das rodas e aos relinchos dos animais. Mesmo assim, todo aquele barulho não foi suficiente para despertar os dois viajantes cansados que dormiam mais acima.

À frente da coluna seguiam uns vinte cavaleiros de feições graves e decididas, trajando roupas escuras de tecidos grosseiros e armados de rifles. Quando chegaram à base do penhasco, pararam e fizeram uma rápida reunião.

— Os poços ficam para a direita, irmãos — disse um deles, de cabelos grisalhos, lábios duros e rosto escanhoado.

— À direita da Sierra Blanca; em seguida, chegaremos ao rio Grande — disse outro.

— Não temam a falta de água! — exclamou um terceiro. — Aquele que a fez brotar das rochas não abandonaria agora o Seu povo eleito.

— Amém! Amém! — respondeu o grupo todo.

Estavam prestes a reiniciar a viagem quando um dos mais jovens e de vista mais aguçada deu um grito, apontando para o penhasco escarpado acima deles. No alto da rocha acinzentada esvoaçava algo pequeno e rosado, que aparecia em brilhante e nítido contraste com o fundo escuro da pedra. Ao verem aquilo, todos pararam os cavalos e empunharam os rifles, enquanto chegavam novos cavaleiros a galope para reforço da vanguarda. Em todas as bocas corria a palavra "pele-vermelha".

— Não há índios por aqui — disse o homem mais idoso, que parecia o chefe da caravana. — Já passamos pelos Pawnees e só encontraremos outras tribos depois de cruzarmos as grandes montanhas.

— Posso ir até lá dar uma espiada, Irmão Stangerson — ofereceu-se um dos homens do grupo.

— Eu também! Eu também! — gritaram várias vozes.

— Deixem seus cavalos aqui embaixo. Ficaremos esperando por vocês — respondeu o Ancião.

Rápidos, os jovens desmontaram e prenderam os cavalos, iniciando a escalada da encosta íngreme em direção ao objeto que lhes despertara a atenção. Avançaram rápida e silenciosamente, com a segurança e a perícia de exploradores experientes. Da planície mais abaixo, os outros podiam vê-los saltando de rocha em rocha, até seus vultos ficarem destacados contra o céu, liderados pelo jovem que primeiro dera o alarme. De repente, seus companheiros o viram erguer os braços, como que tomado de espanto. Os que se juntaram a ele mostraram a mesma emoção, quando o quadro lhes surgiu diante dos olhos.

Na pequena plataforma que encimava a elevação agreste, havia um rochedo solitário e gigantesco. Encostado nele estava um homem alto, de barbas compridas e feições curtidas, mas exibindo a mais extrema magreza. A fisionomia plácida e a respiração ritmada indicavam que dormia profundamente. Uma menininha repousava a seu lado, com os braços roliços enlaçando-lhe o pescoço moreno e musculoso, enquanto a cabecinha de cabelos dourados descansava contra o peito de sua túnica de belbutina. Os lábios rosados da criança estavam entreabertos, mostrando uma fileira regular de dentes alvos como a neve, enquanto um sorriso infantil brincava em seu rostinho angelical. As perninhas rechonchudas, que terminavam em meias brancas e sapatos limpos, de fivelas reluzentes, ofereciam um estranho contraste com os membros compridos e esquálidos do companheiro. Na borda do rochedo, acima da estranha dupla, empoleiravam-se solenemente três abutres que, ao verem os recém-chegados, crocitaram roucamente a sua decepção e voaram, afastando-se dali.

O ruído dos pássaros despertou os adormecidos, que olharam em volta, espantados. O homem levantou-se com dificuldade e contemplou a planície, tão desolada quando adormecera, mas que agora estava tomada por aquela massa extraordinária de homens e animais. Seu rosto assumiu uma expressão de incredulidade e ele passou a mão ossuda sobre os olhos.

— Deve ser isso que chamam de delírio — murmurou.

A criança ficou de pé a seu lado, agarrada à aba de sua túnica e, em silêncio, olhava em volta, com a expressão atônita e inquisitiva da infância.

Logo, a expedição de socorro convencia os dois extraviados de que sua presença ali não era nenhuma miragem. Um dos jovens tomou a garotinha nos braços e a colocou nos ombros, enquanto outros dois amparavam seu companheiro esquálido, ajudando-o na descida em direção às carroças.

— Meu nome é John Ferrier — explicou o andarilho. — Eu e a menina somos os únicos sobreviventes de um grupo de 21 pessoas. Os outros morreram de fome e sede, lá no sul.

— Ela é sua filha? — perguntou alguém.

— Acho que agora passou a ser — respondeu o homem, em tom desafiador. — É minha porque eu a salvei. De hoje em diante, seu nome será Lucy Ferrier. E os senhores, quem são? — ele perguntou, olhando com curiosidade para seus audaciosos e bronzeados salvadores. — Parecem uma multidão infindável.

— Somos quase dez mil — disse um dos jovens. — Somos os filhos de Deus perseguidos, os eleitos do Anjo Merona.

— Nunca ouvi falar dele — disse o andarilho.

— Parece que ele elegeu um bocado de gente.

— Não zombe do que é sagrado — replicou o outro, ressentido. — Somos os que creem nas sagradas escrituras, gravadas em hieróglifos em lâminas de ouro batido, que foram entregues ao santo Joseph Smith, em Palmara. Estamos vindo de Nauvoo, no estado de Illinois, onde erguemos nosso templo. Agora, estamos procurando um refúgio contra os homens violentos e ímpios, mesmo que esse refúgio fique no meio do deserto.

O nome de Nauvoo evidentemente despertou lembranças em John Ferrier.

— Compreendo — disse ele. — Vocês são os mórmons.

— Sim, somos os mórmons — responderam em coro os companheiros do rapaz.

— Para onde estão indo?

— Não sabemos. A mão de Deus nos guia, na pessoa de nosso profeta. Vamos levá-lo à sua presença. Ele decidirá o que fazer com você.

Eles chegaram à base da elevação e foram cercados por uma multidão de peregrinos: mulheres pálidas e de aspecto submisso, crianças saudáveis e alegres, homens ansiosos e de ar grave. Foram muitas as exclamações de espanto e comiseração quando aquelas pessoas perceberam a pouca idade da garotinha e a indigência de seu companheiro. A escolta dos dois, entretanto, não parou: foi abrindo caminho por entre o povo, seguida por uma multidão de mórmons, até chegar a um carroção que se destacava pelo maior tamanho e pela aparência suntuosa. Havia seis cavalos atrelados ao veículo, enquanto os outros eram puxados por dois ou, no máximo, quatro animais. Ao lado do cocheiro estava sentado um homem que não devia ter mais de trinta anos, mas cuja cabeça maciça e expressão decidida o destacavam como o líder. Estava lendo um livro de capa marrom, mas que deixou de lado quando a multidão se aproximou, e ficou ouvindo atentamente o relato do episódio. Em seguida, virou-se para os dois forasteiros.

— Só podemos levá-los conosco se aceitarem nossas crenças — disse em tom solene. — Não devemos ter lobos em nosso rebanho. Seria melhor que seus ossos se calcinassem no deserto do que ser aquele minúsculo ponto de apodrecimento que, com o tempo, corrompe toda a fruta. Virão conosco nessas condições?

— Eu os acompanharia sob quaisquer condições — respondeu Ferrier, com tanta veemência que os solenes Anciãos não puderam reprimir um sorriso.

Somente o líder conservou sua expressão grave e compenetrada.

— Leve-o, Irmão Stangerson — disse ele. — Dê-lhe de comer e de beber, e também à criança. Que seja sua a tarefa de instruí-lo em nossa crença sagrada. Já nos atrasamos demais. Avante! Avante para Sião!

— Avante! Avante para Sião! — gritou a multidão de mórmons.

Essas palavras foram ecoando pela comprida caravana, de boca em boca, até se dissolverem em um confuso murmúrio distante. Com o estalido dos chicotes e o ranger de rodas, as grandes carroças começaram a se movimentar, e em pouco tempo toda a caravana serpenteava pela planície desértica. O Ancião a quem tinham sido confiados os dois forasteiros levou-os para a sua carroça, onde uma refeição já os aguardava.

— Os dois ficarão aqui — disse ele. — Dentro de alguns dias já estarão recuperados de seu cansaço. Enquanto isso, lembrem-se de que agora pertencem à nossa religião para sempre. Foi Brigham Young quem disse isso, e ele falou com a voz de Joseph Smith, que é a voz de Deus.

2

A FLOR DO UTAH

ESTE NÃO É O LUGAR ADEQUADO PARA REMEMORARMOS OS SOFRIMENTOS e as privações impostos aos imigrantes mórmons antes de chegarem ao seu paraíso final. Das margens do Mississippi às vertentes ocidentais das Montanhas Rochosas, eles lutaram com uma persistência quase sem precedentes na história. Homens selvagens, animais ferozes, fome, sede, fadiga e doenças (todos os obstáculos que a Natureza podia colocar em seu caminho) foram superados pela tenacidade anglo-saxônica. Mesmo assim, a longa jornada e os terrores acumulados haviam enfraquecido os mais fortes entre eles. Nenhum deles deixou de se ajoelhar para uma prece ardente, quando viram o grande vale do Utah abaixo deles, banhado pela luz do sol. E souberam pelos lábios de seu chefe que aquela era a terra prometida, que aqueles acres virgens seriam sua herança para sempre.

Em pouco tempo, Young mostrou que era um administrador competente e também um chefe determinado. Foram traçados mapas e planos, nos quais foi delineada a futura cidade. Nos arredores, as terras foram divididas e distribuídas segundo a posição de cada indivíduo. Os comerciantes dedicaram-se ao seu negócio e os artesãos às suas aptidões. Ruas e praças foram construídas na cidade como por um passe de mágica. No campo, drenava-se e amanhava-se a terra, plantava-se e colhia-se, de modo que no verão seguinte toda a região ficou coberta pelo ouro dos trigais. Tudo prosperava naquela estranha comunidade. Acima de tudo, o grande templo que haviam erguido no centro da cidade ficava cada vez maior e mais alto. Desde os primeiros clarões do alvorecer até as últimas luzes do crepúsculo, as batidas de martelo e o rangido das serras jamais cessavam no monumento levantado pelos imigrantes Àquele que os conduzira sãos e salvos por entre tantos perigos.

Os dois forasteiros, John Ferrier e a garotinha que compartilhava seu destino e fora adotada como filha, acompanharam os mórmons até o final de sua longa peregrinação. A pequena Lucy Ferrier sentiu-se à vontade no carroção do Ancião Stangerson, uma moradia que ela dividia com as três esposas do mórmon e seu filho, um menino teimoso e precoce de 12 anos. Após refazer-se, com a capacidade de recuperação da infância, do choque provocado pela morte da mãe, em pouco tempo ela passou a ser a predileta das mulheres, habituando-se prontamente à nova vida dentro da moradia ambulante coberta de lona. Nesse meio-tempo, Ferrier já se recuperara das privações sofridas e se destacava não só como um guia útil, mas também como um caçador infatigável. Ele conquistou com tanta rapidez a estima dos novos companheiros que, ao chegarem ao destino final de suas perambulações, foi unanimemente decidido que receberia uma extensão de terra tão fértil e tão grande quanto a de qualquer colono, com exceção do próprio Young, de Stangerson, Kemball, Johnston e Drebber, que eram os quatro Anciãos principais.

Na terra assim obtida, John Ferrier construiu uma sólida casa de troncos, que foi recebendo acréscimos nos anos seguintes, até transformar-se em uma moradia espaçosa. Ferrier era um homem de senso prático, habilidoso no trabalho manual, e sabia negociar. Sua constituição férrea permitia que trabalhasse da manhã à noite, lavrando e melhorando suas terras. Assim, sua plantação e tudo que lhe pertencia prosperaram de maneira extraordinária. Em três anos, ele estava em situação melhor que os vizinhos, em seis podia ser considerado um homem de posses, em nove estava rico e, em 12, não havia em toda Salt Lake City mais que meia dúzia de colonos cuja situação se comparasse à sua. Desde o grande mar interior até as distantes Montanhas Wasatch, não havia nome mais conhecido que o de John Ferrier.

Em apenas um ponto, apenas um, ele melindrava as suscetibilidades dos membros de sua religião. Nenhum argumento ou tentativa de persuasão conseguiu induzi-lo a formar um harém, como faziam seus companheiros. Ele jamais explicou os motivos de sua recusa, limitando-se a permanecer inflexível nessa decisão. Algumas pessoas o acusaram de indiferença para com sua religião adotada e outras atribuíram o fato à cobiça pelo dinheiro e à relutância em aumentar as despesas. Outras ainda falavam de um amor antigo, uma jovem loura que definhara de desgosto na costa do Atlântico. Fosse qual fosse a razão, o fato é que Ferrier permanecia rigorosamente celibatário. Nos outros aspectos, porém, ele seguia a religião da jovem comunidade, conquistando a fama de ser um homem correto e ortodoxo.

Lucy Ferrier cresceu naquela casa de troncos e ajudava o pai adotivo em todas as suas tarefas. O ar puro das montanhas e o aroma balsâmico dos pinheiros foram a ama e a mãe que lhe faltavam. De ano para ano ela ficava mais alta e mais forte, seu andar ganhava mais flexibilidade e o rosto se tornava mais corado. Muitos viajantes, ao passarem pela estrada principal que margeava a propriedade de Ferrier, sentiam reviver pensamentos há muito esquecidos quando contemplavam a figura esguia e jovem caminhando rapidamente pelos campos de trigo ou a encontravam montando um dos cavalos do pai com toda a desenvoltura e a graça de uma verdadeira filha do oeste. Assim, ela desabrochou em flor, e o ano em que seu pai se transformou no mais rico dos proprietários foi também o período em que ela se tornou a mais bela jovem americana que poderia ser encontrada em toda a costa do Pacífico.

Entretanto, não foi seu pai o primeiro a descobrir que a menina se transformara em mulher. Isso raramente acontece nesses casos. Essa mudança misteriosa é gradual e sutil demais para ser medida por datas. Menos ainda percebe a própria jovem, até que um certo timbre de voz ou o contato de uma mão faz com que o coração pulse mais forte em seu peito; então, com uma mistura de medo e orgulho, ela percebe que uma natureza nova e maior despertou dentro dela. São poucas as que não se lembram desse dia nem do pequeno incidente que anunciou a alvorada de uma vida nova. No caso de Lucy Ferrier, a própria ocasião foi bastante séria, sem falar da futura influência que teria em seu destino e no de várias outras pessoas.

Era uma quente manhã de junho, e os Santos dos Últimos Dias estavam tão ocupados quanto as abelhas, cuja colmeia haviam escolhido como seu emblema. Nos campos e nas ruas ouvia-se o mesmo zumbido da atividade humana. Longas fileiras de mulas bastante carregadas desciam as estradas poeirentas, todas rumando para o oeste, porque irrompera a febre do ouro na Califórnia e a rota terrestre cruzava a cidade dos Eleitos. Havia ainda rebanhos de ovelhas e manadas de bovinos que vinham de pastagens distantes, e também uma procissão de imigrantes cansados, homens e cavalos igualmente esfalfados por sua jornada interminável. No meio de toda essa confusão, abrindo caminho com a perícia de um consumado cavaleiro, Lucy Ferrier galopava, com as faces coradas pelo exercício e os longos cabelos castanhos flutuando ao vento. Tinha uma incumbência do pai para resolver na cidade e procurava cumprir sua missão com a mesma presteza de tantas vezes anteriores, mostrando nisso toda a impetuosidade da juventude, pensando apenas em sua tarefa e no modo como a executaria. Os aventureiros empoeirados fitavam-na com espanto e até mesmo os índios impassíveis, envoltos em suas peles, esqueceram o costumeiro estoicismo da raça, maravilhados com a beleza da jovem cara-pálida.

Ela chegava aos arredores da cidade quando viu que a estrada estava bloqueada por uma grande manada, conduzida por meia dúzia de vaqueiros rudes, vindos das pradarias. Em sua impaciência, Lucy tentou ultrapassar o obstáculo, entrando com seu cavalo no que parecia ser um espaço vazio no meio do gado. Entretanto, mal conseguira alcançá-lo quando os animais amontoaram-se à sua retaguarda, e ela se viu inteiramente cercada pela torrente de bois e vacas, com seus chifres compridos e olhos ferozes. Acostumada a lidar com gado, ela não ficou alarmada com a situação e procurou aproveitar todas as oportunidades para avançar com seu cavalo, esperando sair logo do meio daquele turbilhão. Infelizmente, por acaso ou não, os chifres de uma rês espetaram com força o flanco do cavalo, deixando-o excitado e fora de si. No mesmo instante, ele se empinou nas patas traseiras com um relincho de fúria, passando a corcovear de tal maneira que teria jogado no chão um cavaleiro menos experiente. Era uma situação perigosíssima. Cada salto do cavalo alucinado o jogava novamente contra os chifres e isso o deixava ainda mais enlouquecido. Tudo que ela podia fazer era procurar manter-se na sela, pois o menor escorregão significaria uma morte terrível sob as patas dos animais amontoados e atemorizados. Não tendo o hábito de enfrentar emergências repentinas, Lucy sentiu que começava a ficar zonza e sua pressão nas rédeas afrouxou-se.

Asfixiada pela crescente nuvem de poeira que subia do chão e pelo cheiro dos animais que se atropelavam, ela teria desistido de seus esforços, em desespero, se uma voz amiga, soando a seu lado, não lhe garantisse que alguém viera socorrê-la. No mesmo instante, uma mão morena e musculosa conteve o cavalo assustado, segurando-o pelas rédeas, e depois abrindo caminho por entre a manada, até conseguir levá-la para fora dali.

— Espero que não esteja ferida, senhorita — disse respeitosamente seu salvador.

Lucy olhou para o rosto moreno e enérgico, depois riu com vontade.

— Estou com um medo terrível — confessou, ingênua. — Quem diria que Pancho ficaria assustado com um punhado de vacas?

— Graças a Deus conseguiu manter-se na sela — disse o rapaz de um jeito sincero.

Era um jovem alto, de aparência rude, montava um vigoroso ruão e usava roupas típicas de caçador, com um longo rifle pendurado ao ombro.

— A senhorita deve ser a filha de John Ferrier — observou. — Eu a vi quando saía da casa dele, galopando. Quando estiver com ele, pergunte-lhe se ainda se lembra dos Jefferson Hope, de Saint-Louis. Se for o mesmo Ferrier que imagino, ele e meu pai eram grandes amigos.

— Não seria melhor ir até nossa casa e fazer-lhe a pergunta pessoalmente? — sugeriu ela, com seriedade.

O rapaz pareceu gostar da sugestão e seus olhos escuros cintilaram de satisfação.

— Farei isso — respondeu. — Passamos dois meses nas montanhas, de modo que não estamos apresentáveis para uma visita. Ele deverá aceitar-nos como estamos.

— Papai terá muito a agradecer-lhe e eu também — disse ela. — Ele é muito afeiçoado a mim. Se essas vacas me pisoteassem, sei que meu pai nunca mais se recuperaria do choque.

— Nem eu — disse o rapaz.

— Como? Bem, não acho que isso faria alguma diferença para você. Afinal, nem é nosso amigo.

O rosto moreno do caçador ficou tão abatido com esta observação que Lucy Ferrier começou a rir.

— Não quis ofendê-lo — disse. — É claro que agora passa a ser um amigo. Venha visitar-nos. Bem, preciso ir andando, do contrário meu pai nunca mais me confiará nada para fazer. Até logo!

— Até logo! — ele respondeu, erguendo o chapéu de abas largas e curvando-se sobre a mão pequenina da jovem.

Lucy fez o cavalo dar meia-volta, cutucou-o com o chicote e disparou como uma flecha pela estrada larga, envolta em uma nuvem de poeira.

O jovem Jefferson Hope guiou seu cavalo para perto dos companheiros, mas agora estava sério e taciturno. Haviam estado nas Montanhas Nevadas, na prospecção da prata, e agora voltavam a Salt Lake City com a esperança de conseguir capital suficiente para a exploração dos veios que tinham descoberto. Como os outros, seu único interesse era esse negócio, até que o súbito incidente com a jovem desviou-lhe os pensamentos. A visão de Lucy Ferrier, tão franca e saudável como as brisas da montanha, agitara as profundezas de seu coração vulcânico e indomável. Quando ela desapareceu de sua vista, Jefferson Hope compreendeu que estava começando uma crise em sua vida, e que nem as especulações com a prata nem qualquer outro assunto teriam tanta importância para ele como esse problema novo e absorvente. O amor que brotava em seu coração não era o capricho volúvel de um garoto, mas aquela paixão feroz e selvagem do homem de vontade férrea e temperamento dominador. Estava acostumado a ser bem-sucedido em todos os seus empreendimentos. Jurou para si mesmo que não haveria de falhar agora, se a vitória dependesse do esforço e da perseverança humanos.

Visitou John Ferrier nessa mesma noite e repetiu a visita muitas vezes, até seu rosto se tornar familiar na propriedade. Preso naquele vale e absorvido em seu trabalho, Ferrier tivera poucas oportunidades de tomar conhecimento do que se passava no mundo exterior nos últimos 12 anos. Jefferson Hope podia deixá-lo a par de tudo isso, de uma maneira que interessava a ambos, pai e filha. Havia sido um pioneiro na Califórnia, e assim pôde relatar muitos casos estranhos de fortunas adquiridas e perdidas naquela época turbulenta. Também fora guia, caçador com armadilha, explorador de prata e vaqueiro. Onde quer que surgisse a aventura, lá estava Jefferson Hope. Em pouco tempo se tornava o amigo predileto do velho rancheiro, que falava com eloquência sobre as suas qualidades. Nessas ocasiões, Lucy ficava calada, mas as faces ruborizadas e os olhos brilhantes de felicidade indicavam claramente que seu jovem coração não lhe pertencia mais. O pai, sério e sem malícia, podia não ter observado esses sintomas, mas eles certamente não passavam despercebidos ao homem que conquistara a afeição dela.

Numa tarde de verão, ele chegou galopando pela estrada e fez o cavalo parar junto ao portão. Lucy estava na entrada da casa e foi ao seu encontro. Hope jogou as rédeas por cima da cerca e caminhou pela trilha em largas passadas.

— Vou partir, Lucy — disse, tomando-lhe as mãos e fitando seu rosto com ternura. — Não lhe peço para vir comigo agora, mas estará disposta a acompanhar-me, quando eu voltar?

— E quando voltará? — perguntou ela, rindo e enrubescendo.

— Dentro de uns dois meses. Virei para buscá-la, minha querida. Ninguém poderá separar-nos.

— E quanto a meu pai?

— Ele já consentiu, desde que tenhamos aquelas minas dando rendimento. Quanto a isso, não tenho medo.

— Então... se você e meu pai já trataram de tudo, não há mais nada para ser dito — ela sussurrou, com o rosto apoiado no peito largo do rapaz.

— Graças a Deus! — exclamou ele em voz rouca, inclinando a cabeça para beijá-la. — Então, está tudo resolvido. Quanto mais tempo eu ficar aqui, mais difícil será a partida. Os outros estão à minha espera no *canyon*. Adeus, minha querida... adeus! Tornará a ver-me dentro de dois meses.

Afastou-se dela e, saltando para a sela do cavalo, galopou furiosamente, sem ao menos olhar em torno, como se receasse que sua decisão fraquejasse ao ver o que estava deixando. Ela ficou no portão, contemplando-o, até que ele desapareceu. Então, voltou para casa, sentindo-se a garota mais feliz de todo o Utah.

3

JOHN FERRIER FALA COM O PROFETA

Três semanas se passaram desde que Jefferson Hope e seus companheiros haviam partido de Salt Lake City. John Ferrier sentia o coração apertado quando pensava na volta do rapaz e na perda iminente de sua filha adotiva. No entanto, o rosto radioso e feliz da jovem, mais que qualquer outro argumento, fazia com que ele se conformasse com essa ideia. No fundo do seu coração decidido, ele sempre achara que nada o levaria a permitir que ela se casasse com um mórmon. Na sua opinião, aquilo em nada se assemelhava a um casamento, sendo, isso sim, uma vergonha e uma infâmia. Independentemente do que pensasse a respeito da doutrina mórmon, ele era inflexível nesse ponto. No entanto, teve que permanecer de boca fechada sobre o assunto porque, naqueles tempos, era muito perigoso manifestar uma opinião heterodoxa na Terra dos Santos.

Realmente, era perigoso. Tão perigoso que até os mais virtuosos mal ousavam sussurrar suas opiniões religiosas às escondidas, temendo que essas palavras pudessem ser mal-interpretadas e resultassem em rápida vingança contra eles. As antigas vítimas da perseguição haviam se transformado em perseguidores da pior espécie. Nem a Inquisição de Sevilha, o Vehmgericht alemão ou as sociedades secretas da Itália seriam capazes de pôr em movimento um mecanismo mais terrível do que aquele que estendia sua sombra sobre o estado de Utah.

A invisibilidade e o mistério inerentes a essa organização a tornavam duplamente terrível. Parecia onisciente e onipotente, embora não fosse vista nem ouvida. O homem que se levantasse contra a Igreja desaparecia sem que ninguém soubesse para onde fora ou o que lhe acontecera. A esposa e os filhos esperavam-no em casa, mas nenhum pai jamais voltou para contar como fora tratado nas mãos de seus juízes secretos. Uma palavra imprudente ou um ato irrefletido eram seguidos da aniquilação e, mesmo assim, ninguém sabia qual era a natureza daquele terrível poder que pairava sobre todos. Assim, não era de estranhar que os homens vivessem trêmulos de medo, sem ousar murmurar as dúvidas que os oprimiam nem mesmo no coração do deserto.

A princípio, esse poder vago e terrível era exercido apenas contra os recalcitrantes que, tendo adotado a crença mórmon, mais tarde manifestavam o desejo de abandoná-la ou a pervertiam. Mas, em pouco tempo, seu raio de ação se ampliou. A quantidade de mulheres adultas escasseava, de modo que a poligamia se tornara realmente uma doutrina estéril, sem uma população feminina à qual recorrer. Então, começaram a surgir estranhos rumores que falavam de imigrantes assassinados e campos devastados em regiões onde nunca tinham sido vistos índios. Surgiam novas mulheres nos haréns dos Anciãos, mulheres que definhavam e choravam, e que traziam no rosto os traços de um horror sem fim. Andarilhos que a noite surpreendia nas montanhas comentavam sobre bandos de homens armados, encapuzados e furtivos, que passavam silenciosamente por eles na escuridão. Esses relatos e rumores ganharam corpo e formato, afirmados e confirmados, até finalmente se traduzirem em um nome definido. Até hoje, nos ranchos isolados do oeste, o nome do Bando dos Danitas, ou Anjos Vingadores, permanece como algo sinistro e agourento.

Um conhecimento maior da organização que produzia consequências tão terríveis seria mais para aumentar do que para diminuir o horror que ela inspirava no povo. Ninguém sabia quem pertencia a essa sociedade impiedosa. Os nomes dos que participavam dos atos sangrentos e brutais, cometidos em nome da religião, eram mantidos no mais absoluto segredo. O próprio amigo a quem se confiasse as dúvidas em relação ao Profeta e sua missão bem podia ser um daqueles que surgiriam à noite, para executar uma vingança terrível a ferro e fogo. Por isso, cada homem temia o seu vizinho e nenhum deles manifestava seus temores secretos.

Em uma bela manhã, John Ferrier se dispunha a sair para seus trigais quando ouviu o estalido do ferrolho e, espiando pela janela, avistou um homem de meia-idade, corpulento e de cabelos cor de areia, subindo pela trilha. O coração lhe subiu à boca porque o visitante era nada mais nada menos que o grande Brigham Young em pessoa. Trêmulo, porque sabia que essa visita não prenunciava nada de bom, Ferrier correu à porta, a fim de apresentar as boas-vindas ao chefe mórmon. Este, no entanto, recebeu friamente os cumprimentos e, com uma expressão consternada, seguiu o dono da casa até a sala.

— Irmão Ferrier, os verdadeiros crentes se têm mostrado bons amigos seus — disse ele, sentando-se e encarando fixamente o fazendeiro, por baixo dos cílios muito claros. — Nós o recolhemos quando morria de fome no deserto e dividimos nossa comida contigo, trazendo-o são e salvo para o Vale Escolhido. Demos a você um excelente pedaço de terra e permitimos que enriquecesse sob a nossa proteção. Não é verdade?

— Sem dúvida — respondeu John Ferrier.

— Como retribuição por tudo isso, só impusemos uma condição, isto é, que abraçasse a verdadeira fé e a seguisse em todos os pontos. Tivemos a sua promessa de que assim seria, mas, se é certo o que dizem, essa promessa foi negligenciada.

— De que modo a negligenciei? — exclamou John Ferrier, erguendo as mãos para o alto em sinal de protesto. — Não contribuí para o fundo comunitário? Não tenho comparecido ao Templo? Não tenho...?

— Onde estão suas esposas? — perguntou Young, olhando em volta. — Chame-as, para que eu as cumprimente.

— É verdade que não me casei, mas a quantidade de mulheres era pequena, e havia muitos irmãos com direitos maiores do que eu — respondeu Ferrier. — Mas eu não sou um homem solitário; tenho uma filha, que cuida de minhas necessidades.

— É justamente sobre essa filha que quero falar com você — disse o líder dos mórmons. — Ela cresceu e se transformou na flor do Utah; agora agrada a muitos que têm posição elevada nessa terra.

John Ferrier sufocou um gemido.

— Correm histórias sobre ela em que prefiro não acreditar... histórias que dizem que ela está prometida a um incréu. Imagino que isso não passe de mexericos das línguas ociosas. Qual é o 13º mandamento do santificado Joseph Smith? Que toda donzela da verdadeira fé despose um dos eleitos; unindo-se a um infiel, estará cometendo um grave pecado. Assim sendo, se o irmão professa a verdadeira religião, é impossível permitir que sua filha cometa esse pecado.

John Ferrier brincou nervosamente com seu rebenque, sem responder.

— Toda a sua fé será testada nesse único ponto. Assim ficou decidido pelo Sagrado Conselho dos Quatro. Sua filha é jovem e não queremos que se case quando tiver cabelos grisalhos, mas tampouco a privaremos de escolha. Nós, os Anciãos, já temos muitas novilhas,[3] mas nossos filhos também devem ter as suas. Stangerson é pai de um filho e Drebber de outro, qualquer um dos quais receberia com satisfação sua filha em casa. Que ela escolha entre os dois. São jovens e ricos, e ambos professam a verdadeira fé. O que diz a isso?

Ferrier continou calado por alguns minutos, com o cenho franzido.

— Conceda-nos algum tempo — disse afinal. — Minha filha ainda é muito nova... mal chegou à idade de casar.

— Ela terá um mês para decidir — disse Young, levantando-se. — Terminando esse prazo, deverá dar sua resposta.

Quando já ia cruzar a porta, ele se virou, com o rosto vermelho e os olhos fuzilando.

— Seria muito melhor, John Ferrier, que você e sua filha fossem agora dois esqueletos calcinados, no alto da Sierra Blanca, em vez de estarem enfrentando, com suas vontades insignificantes, as ordens dos Quatro Sagrados! — vociferou.

Com um gesto ameaçador, Young cruzou a porta, e Ferrier ouviu a areia do jardim rangendo sob suas pesadas passadas.

Ainda estava sentado, com os cotovelos sobre os joelhos e meditando na maneira de dar a notícia a Lucy, quando sentiu o toque de uma mão macia sobre a sua e, erguendo os olhos, viu-a de pé a seu lado. Ao olhar para aquele rostinho pálido e amedrontado, percebeu que ela ouvira o que fora dito ali.

— Não pude deixar de ouvir — disse Lucy, em resposta ao olhar do pai. — A voz dele ecoava por toda a casa. Oh, pai, pai, o que faremos?

[3] Num de seus sermões, Haber C. Kemball empregou esse epíteto afetuoso, quando se referiu às suas cem esposas (N.T.).

— Não se assuste — ele respondeu, puxando-a para si e acariciando-lhe os cabelos castanhos com a mão calejada. — Daremos um jeito, de um modo ou de outro. Continua com as mesmas ideias sobre aquele rapaz, não?

Um soluço e um aperto em sua mão foram a única resposta.

— Sei muito bem que não mudou de ideia. E, se me dissesse o contrário, eu não acreditaria. Hope é um belo rapaz e, além disso, também é cristão, o que o torna muito superior à gente daqui, apesar de todas as suas rezas e sermões. Amanhã, uma expedição vai partir para Nevada, e darei um jeito de enviar uma mensagem a ele, explicando o dilema em que nos encontramos. Se conheço bem o rapaz, garanto que ele virá com mais rapidez que o telégrafo.

Lucy sorriu por entre as lágrimas ao ouvir a comparação de seu pai.

— Quando chegar, Hope nos aconselhará sobre a melhor coisa a fazer. Mas é com você que me preocupo, pai. A gente ouve... ouve histórias terríveis sobre aqueles que se opõem ao Profeta. Sempre lhes acontece alguma coisa horrível.

— Ainda não nos opusemos a ele — respondeu Ferrier. — Quando isso ocorrer, então será hora de nos precavermos contra o perigo. Temos todo um mês pela frente. Findo esse prazo, no entanto, acho que teremos de dar o fora do Utah.

— Ir embora do Utah?

— Não temos outra saída.

— E a propriedade?

— Juntaremos a maior quantidade de dinheiro que pudermos, deixando o resto para trás. Se quer saber, Lucy, não é a primeira vez que penso em fazer isso. Não me agrada ficar rastejando para homem nenhum, como faz essa gente daqui, com seu maldito Profeta. Sou um cidadão americano livre e gosto de ser assim. Talvez esteja velho demais para mudar de opinião. Se ele começar a intrometer-se em minha propriedade, pode bem dar de cara com uma carga de chumbo quente.

— Eles não nos deixarão partir — objetou sua filha.

— Vamos esperar que Jefferson chegue e então discutiremos o que fazer. Nesse meio-tempo, não se preocupe mais, minha querida, nem fique de olhos inchados, ou ele virá pedir-me explicações assim que a vir. Não há nada a temer e, por ora, ainda não existe nenhum perigo.

John Ferrier disse essas palavras de consolo em tom confiante, mas Lucy percebeu que ele teve mais cuidado ao fechar as portas naquela noite, além de limpar e carregar a carabina antiga e enferrujada que ficava pendurada na parede de seu quarto.

4
FUGA DESESPERADA

Na manhã seguinte à entrevista com o Profeta mórmon, John Ferrier foi a Salt Lake City e, encontrando o conhecido que seguiria para as Montanhas Nevadas, confiou-lhe uma mensagem para Jefferson Hope. Ali, ele relatava ao rapaz o perigo iminente que os ameaçava e explicava o quanto era importante que regressasse. Feito isso, sentiu--se mais tranquilo e voltou para casa com outro ânimo.

Mas, ao aproximar-se da casa, ficou surpreso ao ver que havia dois cavalos presos às traves do portão. Sua surpresa aumentou quando, ao entrar, viu dois rapazes em sua sala de estar. Um deles, de rosto comprido e pálido, acomodara-se na cadeira de balanço e tinha os pés apoiados sobre a estufa. O outro, um rapaz de pescoço taurino, feições congestionadas e grosseiras, estava de pé diante da janela, com as mãos enfiadas nos bolsos, assobiando uma canção popular. Ambos cumprimentaram Ferrier com um movimento de cabeça e a conversa foi iniciada pelo que ocupava a cadeira de balanço.

— Talvez não nos conheça — disse ele. — Este aqui é o filho do Ancião Drebber e eu sou Joseph Stangerson. Viajamos juntos pelo deserto, quando o Senhor estendeu-lhe a mão e o chamou para o rebanho verdadeiro.

— Como fará com todos os povos, quando achar que chegou a hora — disse o outro, em voz anasalada. — Ele mói lentamente, mas sua farinha é finíssima.

John Ferrier assentiu friamente. Já adivinhava quem eram seus visitantes.

— Viemos aqui, a conselho de nossos pais, pedir a mão de sua filha para um de nós dois, o que preferirem, o senhor e ela — continuou Stangerson. — Como só tenho quatro esposas e o Irmão Drebber, aqui presente, tem sete, creio que sou o mais conveniente.

— Nada disso, Irmão Stangerson! — exclamou o outro. — A questão não é quantas esposas temos, mas quantas podemos sustentar. Meu pai acaba de me dar seus moinhos e, de nós dois, sou o mais rico.

— No entanto, minhas perspectivas são melhores — replicou o outro com veemência. — Quando o Senhor levar meu pai, herdarei o seu curtume e sua indústria de couros. Além disso, sou o mais velho e de posto mais elevado na Igreja.

— Deixemos que a moça decida — disse o jovem Drebber, sorrindo afetadamente para a própria imagem refletida na vidraça. — Isso mesmo, vamos deixar que ela decida!

Durante esse diálogo, John Ferrier ficara parado perto da porta, fervendo de ódio, mal contendo o impulso de chicotear as costas de seus visitantes.

— Um momento — disse por fim, aproximando-se dos dois. — Voltem quando minha filha chamá-los, podem voltar, mas até lá não quero vê-los novamente.

Os dois jovens mórmons o fitaram com espanto. Para eles, a disputa pela mão de Lucy era a maior honra que poderiam conceder a ela e a seu pai.

— Há duas saídas nessa sala! — gritou Ferrier. — Ali está a porta e ali a janela. Qual delas preferem usar?

Sua expressão se tornara tão selvagem e as mãos descarnadas tão ameaçadoras que seus visitantes se ergueram rapidamente, batendo em retirada. O velho fazendeiro os seguiu até a porta.

— Avisem-me quando decidirem quem será o noivo! — disse ele, em tom sarcástico.

— Pagará caro por isso! — gritou Stangerson, lívido de raiva. — Desafiou o Profeta e o Conselho dos Quatro! Eu lhe digo que se arrependerá do que fez até o fim de seus dias!

— A mão do Senhor lhe pesará! — gritou o jovem Drebber. — Ela se erguerá para destruí-lo!

— Eu mesmo começarei a destruição! — exclamou Ferrier, furioso.

E ele teria corrido para apanhar sua carabina se Lucy não o segurasse pelo braço e o contivesse. Antes que ele pudesse se libertar, o ruído dos cascos dos cavalos indicaram que os dois visitantes já estavam fora do seu alcance.

— Os grandes patifes! — exclamou Ferrier, enxugando o suor da testa. — Eu preferiria vê-la na sepultura, minha pequena, que como esposa de um deles.

— Eu também, pai — respondeu ela, decidida. — Felizmente, Jefferson logo estará aqui.

— Sem dúvida. Ele não deve demorar muito a chegar. E quanto antes, melhor, porque ignoro o que essa gente fará em seguida.

Na verdade, aquele era o momento mais propício para que alguém em condições de aconselhar e ajudar fosse em socorro do velho e rijo fazendeiro e de sua filha adotiva. Em toda a história da colônia, jamais houvera um caso de desobediência explícita à autoridade dos Anciãos. Se erros insignificantes eram punidos com tanta severidade, qual seria o destino daquele arquirrebelde? Ferrier sabia que sua riqueza e posição não seriam obstáculo ao castigo. Outros tão prestigiados e tão ricos quanto ele já haviam desaparecido antes, e seus bens foram doados à Igreja. Ferrier era corajoso, mas estremecia ao pensar nos terrores vagos e sombrios que pairavam sobre sua cabeça. Era capaz de enfrentar qualquer perigo conhecido de peito aberto, mas aquele suspense era exasperante. No entanto, procurou esconder seus temores da filha, fingindo dar pouca importância ao incidente. Mas ela, com o olho atento do amor filial, percebia nitidamente que ele estava apreensivo.

Ferrier esperava receber alguma mensagem ou reclamação do chefe mórmon por sua conduta, e ela chegara de modo inesperado. Para sua surpresa, quando se levantou na manhã seguinte, deparou-se com um pequeno retângulo de papel preso por um alfinete às cobertas de sua cama, bem à altura do peito. Nele estava escrito, em letras de fôrma, grandes e desajeitadas:

FALTAM 29 DIAS
PARA QUE SE CORRIJA, E DEPOIS...

As reticências eram mais atemorizantes que qualquer outra ameaça. O modo como aquele aviso chegara a seu quarto deixava John Ferrier absolutamente perplexo, já que seus empregados dormiam em uma casa separada, e todas as portas e janelas haviam sido bem--trancadas. Ele amarfanhou o papel e não disse nada à filha, mas aquilo o deixara com o coração gelado de pavor. Evidentemente, os 29 dias eram o que restava do mês prometido por Young. Que tipo de força ou coragem poderia usar contra um inimigo armado de poderes tão misteriosos? A mão que espetara aquele alfinete poderia tê-lo golpeado no coração sem que ele jamais soubesse quem o liquidava.

Ele ficou ainda mais abalado na manhã seguinte. Estavam sentados à mesa para a primeira refeição quando Lucy apontou para cima, com uma exclamação de surpresa. No meio do forro havia sido rabiscado, aparentemente, com um tição apagado, o número 28. Para sua filha, aquilo era incompreensível, mas ele não lhe deu nenhuma explicação. Naquela noite, Ferrier ficou de guarda, com sua carabina. Não viu nem ouviu nada, mas, mesmo assim, na manhã seguinte havia um enorme 27 pintado na folha externa da porta.

Assim se passaram os dias e, pontualmente, toda manhã Ferrier descobria que seus inimigos mantinham o registro, assinalando, de alguma forma visível, quantos dias ainda lhe restavam daquele mês de graça. Às vezes os números fatais surgiam nas paredes, em outras no assoalho e, ocasionalmente, em pequenos cartazes, pregados no portão ou nas grades do jardim. Apesar de toda a sua vigilância, John Ferrier não conseguia descobrir como eram postos os avisos diários em sua casa. Um horror quase supersticioso o dominava ao vê-los. Tornou-se agitado e macilento, e seus olhos adquiriram a expressão perturbada da criatura perseguida. Agora só tinha uma esperança na vida: a chegada do jovem caçador que estava em Nevada.

Os vinte dias se reduziram a 15, depois a dez, mas ainda não havia notícias do ausente. Um por um, os números iam ficando cada vez mais baixos e ainda não havia o menor sinal de Jefferson. Sempre que um cavaleiro passava galopando pela estrada ou um carreteiro gritava para sua parelha, o velho fazendeiro corria para o portão, pensando que finalmente chegava o socorro. Por fim, quando viu o número cinco reduzir-se a quatro e depois a três, perdeu o ânimo, abandonando toda esperança de salvação. Sozinho e conhecendo pouco as montanhas que cercavam sua propriedade, Ferrier sabia que estava impotente. As estradas mais movimentadas eram atentamente vigiadas e guardadas, e ninguém podia passar sem ordem expressa do Conselho. Para qualquer lado que se virasse, parecia impossível escapar do golpe que o aguardava. Ainda assim, o velho nunca hesitou em sua decisão de preferir perder a vida a permitir o que considerava uma desonra para sua filha.

Uma noite, estava sozinho e meditando profundamente sobre seus problemas, procurando em vão a maneira de evitá-los. Nessa manhã, o número 2 surgira escrito na parede da casa e o dia seguinte seria o último do tempo que lhe fora concedido. O que aconteceria então? Sua imaginação se encheu dos mais vagos e terríveis pressentimentos. E quanto a Lucy, o que aconteceria com ela após o seu desaparecimento? Não haveria como escapar à rede invisível que se erguia em torno deles? Ferrier deixou a cabeça cair sobre a mesa e começou a soluçar ao pensar na própria impotência.

O que era aquilo, de repente? No silêncio da noite, ele ouviu um leve rumor de madeira arranhada, muito leve, mas perfeitamente perceptível no silêncio noturno. Vinha da porta da casa. Ferrier esgueirou-se para o corredor e ficou ouvindo atentamente. Houve uma pausa de alguns momentos e então o rumor leve e insidioso repetiu-se. Sem dúvida, alguém estava batendo muito de leve na folha da porta. Seria o assassino, que chegava no meio da noite para cumprir as ordens criminosas do tribunal secreto? Ou algum emissário viera lembrar que chegara o último dia do prazo? John Ferrier concluiu que a morte instantânea seria melhor do que a expectativa que abalava seus nervos e lhe gelava o sangue nas veias. De um salto, puxou o ferrolho e escancarou a porta.

Do lado de fora, tudo estava calmo e silencioso. Era uma bela noite, com estrelas brilhantes no céu. Ele olhou para o pequeno jardim, delimitado pelo portão e pelas grades, mas não havia ninguém à vista, nem ali nem na estrada. Com um suspiro aliviado, ele olhou para a direita e para a esquerda, até que, olhando para baixo, viu, com o maior espanto, um homem estendido de bruços, com braços e pernas abertos.

Ficou tão assustado com aquilo que se recostou na parede e levou a mão à garganta, sufocando o ímpeto de gritar: seu primeiro pensamento foi de que o homem prostrado estaria ferido ou agonizando, mas, ao observar melhor, notou que ele rastejava rente ao solo, para em seguida entrar no corredor, rápido e silencioso como uma serpente. Já dentro da casa, o homem levantou-se de repente, fechou a porta e mostrou ao fazendeiro atônito o rosto corajoso e decidido de Jefferson Hope.

— Santo Deus! — balbuciou John Ferrier. — Você me assustou! Por que tinha que chegar aqui dessa maneira?

— Dê-me alguma coisa para comer — pediu o outro, com a voz rouca. — Há 48 horas que nada ponho na boca.

Ao falar, ele se precipitou para a carne fria e o pão ainda sobre a mesa, após o jantar de Ferrier, e devorou-os com voracidade.

— E Lucy, como está? — perguntou, depois de saciada a fome.

— Bem. Eu não lhe contei do perigo que corremos — respondeu o fazendeiro.

— É melhor assim. A casa está sendo vigiada de todos os lados. Foi por isso que eu tive que rastejar até aqui. Eles podem ser muito espertos, mas não o bastante para agarrar um caçador Washoe.

John Ferrier se sentia outro homem agora, ao perceber que contava com um aliado dedicado. Tomou a mão calosa do jovem e a apertou firmemente.

— Você é um homem de quem me orgulho — disse. — Muito poucos tiveram a coragem de se expor ao perigo e às dificuldades que enfrentamos.

— Talvez tenha razão — respondeu o jovem caçador. — Eu o respeito, mas, se estivesse sozinho nessa enrascada, eu pensaria duas vezes antes de enfiar minha cabeça nesse vespeiro. É por causa de Lucy que estou aqui e, antes que lhe aconteça algum mal, acho que haverá um a menos na família Hope em Utah.

— O que devemos fazer?

— Amanhã é o seu último dia e, se não começar a agir esta noite, estará perdido. Tenho uma mula e dois cavalos esperando na Ravina da Águia. De quanto dinheiro dispõe?

— Dois mil dólares em ouro e cinco em notas.

— Isto basta. Tenho mais ou menos isso comigo. Podemos seguir para Carson City pelas montanhas. É melhor acordar Lucy. Ainda bem que os criados não dormem na casa!

Enquanto Ferrier saía para falar com a filha sobre a jornada iminente, Jefferson Hope fez um pequeno pacote com todos os comestíveis que encontrou e encheu um garrafão de água, sabendo por experiência que as fontes nas montanhas eram escassas e distantes uma da outra. Mal havia terminado seus preparativos quando Ferrier voltou com Lucy, já vestida e pronta para partir. O encontro dos dois enamorados foi caloroso, mas rápido, porque os minutos eram preciosos e havia muita coisa a fazer.

— Devemos partir imediatamente — disse Jefferson Hope, falando em voz baixa mas decidida, como alguém que percebe a enormidade do perigo, mas está disposto a tudo para enfrentá-lo. — As entradas da frente e dos fundos estão guardadas mas, com cautela, podemos sair pela do lado e cruzar os campos. Quando chegarmos à estrada, estaremos a apenas três quilômetros da ravina onde deixei os animais. Ao amanhecer, já estaremos em plena montanha.

— E se formos detidos? — perguntou Ferrier.

Hope bateu na coronha do revólver, preso à sua cintura e escondido pela túnica.

— Se eles forem muitos para nós, levaremos dois ou três conosco — disse com um sorriso sinistro.

Todas as luzes da casa foram apagadas e, pela janela escura, Ferrier ficou olhando os campos que eram seus e que ele estava prestes a abandonar para sempre. Há muito tempo ele vinha se preparando para o sacrifício, de modo que a ideia da honra e da felicidade de sua filha superava qualquer pesar pela fortuna arruinada. Tudo parecia tão tranquilo e feliz, as árvores farfalhantes e a vasta e silenciosa área do trigal, que seria difícil imaginar-se uma ameaça mortal pairando sobre o lugar. No entanto, o rosto pálido e apreensivo do jovem caçador indicava que, ao aproximar-se da casa, pudera ver o suficiente para saber o que os esperava.

Ferrier carregou a bolsa com o dinheiro em ouro e notas; Jefferson Hope cuidou das escassas provisões e da água, enquanto Lucy levava um pequeno embrulho com seus pertences mais valiosos. Abrindo a janela lenta e cautelosamente, eles esperaram até que uma nuvem escura deixasse a noite mais sombria e então, um por um, passaram para o pequeno jardim. Mal ousando respirar, cruzaram a estreita faixa de terra agachados até chegarem ao abrigo da sebe, junto à qual se foram esgueirando até uma abertura que dava para os campos de trigo. Tinham acabado de chegar a esse ponto quando o jovem caçador segurou seus dois companheiros e os puxou para uma parte mais escura, onde ficaram trêmulos e calados.

Era uma sorte que a vida nas pradarias tivesse dotado Jefferson Hope de um ouvido apuradíssimo. Assim que ele e seus amigos se encolheram na sombra, ouviram um pio melancólico do mocho da montanha a alguns metros deles, que foi respondido imediatamente por outro pio, a curta distância. No mesmo instante, um vulto indefinido e escuro surgiu pela abertura que quase tinham usado, repetindo o pio lamentoso, e um segundo homem destacou-se da escuridão.

— Amanhã à meia-noite — disse o primeiro, em tom que indicava autoridade. — Quando o mocho piar três vezes.

— Certo — replicou o outro. — Devo informar o Irmão Drebber?

— Sim. Conte a ele, e que ele conte aos outros. Nove por sete!

— Sete por cinco — disse o outro, e as duas sombras desapareceram em direções opostas.

Evidentemente, suas últimas palavras eram uma espécie de senha e contrassenha. Assim que o ruído dos passos sumiu na distância, Jefferson Hope levantou-se rapidamente e, ajudando os companheiros na passagem pela abertura, conduziu-os através dos campos de plantação com a maior velocidade possível, amparando e quase carregando Lucy quando as forças da jovem pareciam falhar.

— Depressa! Depressa! — ele dizia de vez em quando, com a voz ofegante. — Estamos cruzando a linha de sentinelas. Tudo depende de nossa rapidez. Depressa!

Quando chegaram à estrada, os avanços foram maiores. Só uma vez encontraram alguém, mas então esgueiraram-se para um campo de cultivo e assim evitaram ser reconhecidos. Mas antes de chegarem à cidade, o caçador embrenhou-se por uma trilha acidentada e estreita que conduzia às montanhas. Dois picos escuros surgiram acima deles, em meio à escuridão da noite. Agora, passavam pelo desfiladeiro entre os dois picos, rumando para a Ravina da Águia, onde os cavalos os esperavam. Com instinto certeiro, Jefferson Hope foi seguindo o caminho em meio aos gigantescos penhascos, ao longo do leito de um rio seco, até chegar ao recanto isolado que as rochas ocultavam, onde estavam os animais. Lucy foi colocada sobre a mula e o velho Ferrier montou um dos cavalos, com sua sacola de dinheiro. Jefferson Hope saltou para a sela do outro animal e começou a guiar seus companheiros ao longo da passagem perigosa e escarpada.

Era um caminho complicado para quem não estivesse habituado a enfrentar a natureza em seus piores aspectos. A um lado, elevava-se um paredão rochoso com mais de trezentos metros de altura, negro e ameaçador, com longas colunas basálticas que surgiam na superfície áspera, como as costelas de algum monstro petrificado. Do lado oposto, uma confusão selvagem de rochas e pedregulhos tombados impossibilitava qualquer avanço. No meio passava a trilha irregular, tão estreita em alguns pontos que eles eram obrigados a seguir em fila indiana, e tão acidentada que só cavaleiros muito experientes conseguiriam atravessá-la. No entanto, apesar de todos os perigos e dificuldades, os fugitivos sentiam o coração aliviar-se, porque cada passo à frente aumentava mais e mais a distância entre eles e o terrível despotismo do qual fugiam.

Mas em pouco tempo tiveram a prova de que ainda estavam dentro da jurisdição dos Santos. Haviam chegado à parte mais agreste e desolada da passagem quando a jovem deixou escapar um grito de susto e apontou para o alto.

Em uma rocha que dominava a trilha, destacando-se escura e nítida contra o céu, havia uma sentinela solitária, vigiando os arredores. Como eles também haviam sido detectados ao mesmo tempo, a interpelação militar soou imediatamente no silêncio da ravina.

— Quem vem lá?

— Viajantes a caminho de Nevada — respondeu Jefferson Hope, com a mão sobre o rifle pendurado na sela.

Eles puderam ver o guardião solitário erguendo a arma e perscrutando a escuridão mais abaixo, como se não estivesse satisfeito com a resposta.

— Com permissão de quem? — perguntou.

— Dos Quatro Sagrados — respondeu Ferrier.

Sua experiência com os mórmons lhe ensinara que era aquela a maior autoridade à qual poderia referir-se.

— Nove por sete! — gritou a sentinela.

— Sete por cinco! — disse Jefferson Hope rapidamente, recordando a contrassenha que ouvira no jardim.

— Passem, e que o Senhor os acompanhe! — gritou a voz que vinha de cima.

Depois daquele ponto, a trilha alargava-se e os cavalos puderam prosseguir a trote. Olhando para trás, os fugitivos viram o vigilante solitário apoiado na carabina e compreenderam que haviam passado pelo último posto de guarda do povo escolhido, e que a liberdade estava diante deles.

5

OS ANJOS VINGADORES

Durante toda a noite eles passaram por desfiladeiros intrincados e trilhas irregulares, cobertas de cascalho. Por várias vezes se perderam, mas o grande conhecimento que Hope tinha das montanhas permitiu que reencontrassem a trilha. Quando amanheceu, surgiu diante deles um cenário de beleza fantástica, embora selvagem. Em todas as direções, os cumes nevados pareciam barrar-lhes o caminho, despontando um atrás do outro até desaparecerem nas brumas da distância. As encostas rochosas de cada lado deles eram tão íngremes que os pinheiros e os larícios pareciam suspensos acima de suas cabeças, bastando apenas uma rajada de vento para despencarem sobre eles. Esse temor não era apenas uma ilusão, porque o vale estéril estava entulhado de árvores e rochas, caídas de maneira semelhante. No momento em que passavam por ali, uma enorme rocha rolou pelas encostas íngremes com um estrondo enrouquecido que provocou ecos nas gargantas silenciosas do lugar e assustou os cavalos fatigados, fazendo-os galopar.

Quando o sol subiu lentamente acima do horizonte, os picos das gigantescas montanhas foram se iluminando, um após outro, como lâmpadas em um festival, até ficarem todos vermelhos e cintilantes. O magnífico espetáculo animou o coração dos três fugitivos, dando-lhes nova energia.

Pararam junto a uma torrente impetuosa que brotava de uma ravina e deram de beber aos cavalos, enquanto eles aproveitavam a ocasião para um desjejum apressado. Lucy e o pai gostariam de demorar um pouco mais, porém Jefferson Hope foi inflexível.

— A essa altura, eles já estão no nosso rastro — disse o rapaz. — Tudo dependerá de nossa velocidade. Quando estivermos a salvo em Carson, poderemos descansar pelo resto da vida.

Durante todo aquele dia, continuaram a difícil travessia pelos desfiladeiros e, ao anoitecer, acreditavam ter uns cinquenta quilômetros de vantagem sobre seus perseguidores. À noite, escolheram a base de um morro, onde os rochedos os protegiam do vento gelado. Ali, aconchegados uns aos outros para se aquecerem, dormiram algumas horas. Mas antes do amanhecer já estavam de pé e novamente a caminho. Não tinham visto nenhum sinal de perseguidores, o que levou Jefferson Hope a concluir que já estavam praticamente fora do alcance da terrível organização, cuja ira haviam despertado. Ele não podia imaginar a que distância chegava aquela mão de ferro, nem com que rapidez ela desceria para aniquilá-los.

Mais ou menos na metade do segundo dia de fuga, as poucas provisões que haviam levado começaram a escassear. Mas esse era um detalhe que pouco preocupava Jefferson Hope, porque havia muita caça nas montanhas e, com frequência, em ocasiões anteriores, ele dependera de seu rifle para garantir o próprio sustento. Escolhendo um recanto abrigado, ele empilhou alguns galhos secos e fez uma boa fogueira para aquecer os companheiros, já que agora estavam a uns 1.500 metros acima do nível do mar, e o ar era frio e cortante naqueles lugares. Após amarrar os animais, despediu-se de Lucy, jogou o rifle no ombro e partiu em busca da caça que aparecesse diante dele. Olhando para trás, viu o velho e a jovem acocorados junto ao fogo vivo, enquanto os três animais permaneciam imóveis mais ao fundo. Depois, os rochedos impediram que ele continuasse a vê-los.

Caminhou por uns três quilômetros, subindo e descendo uma ravina após a outra sem nenhuma sorte, embora achasse que havia muitos ursos nas imediações, a julgar pelas marcas deixadas na casca das árvores e por outras indicações. Por fim, após duas ou três horas de busca inútil, quando já estava se desesperando e pensando em voltar, ergueu os olhos por acaso e avistou algo que encheu seu coração de satisfação. Na borda de um penhasco inclinado, uns cem metros acima, viu algo que parecia um carneiro, mas com chifres enormes. O chifre comprido, pois é chamado assim, certamente estava ali guardando um rebanho que o caçador não podia ver; por sorte, o animal estava indo na direção oposta, por isso não o pressentiu. Deitando-se de bruços, Jefferson Hope apoiou o rifle em uma rocha e fez uma pontaria cuidadosa antes de apertar o gatilho. O animal deu um salto, tropeçou na borda do precipício e depois rolou para o vale mais abaixo.

Era um animal pesado demais para ser carregado, de modo que o caçador contentou-se em cortar-lhe um quarto e parte do flanco. Com seu troféu sobre o ombro, apressou-se a voltar, porque a noite se aproximava rapidamente. Entretanto, mal começara a caminhar quando percebeu a dificuldade em que se encontrava. Em sua ansiedade, ultrapassara as ravinas que ele conhecia e agora tinha problemas em encontrar o caminho por onde chegara até ali. O vale em que estava era dividido e subdividido em inúmeras gargantas, tão parecidas que era quase impossível distinguir uma da outra. Embrenhou-se em uma delas por um quilômetro e meio ou pouco mais, até chegar a um rio de montanha que, tinha certeza, nunca vira antes. Achando que tomara a direção errada, tentou outro rumo, com o mesmo resultado. A noite caía rapidamente e estava quase escuro quando, finalmente, viu-se em um desfiladeiro que lhe era familiar. Mesmo assim, não foi fácil seguir o caminho certo, porque a lua ainda não despontara e os altos penhascos das margens tornaram a escuridão ainda mais profunda. Sobrecarregado com a parte da caça abatida, cansado pelo esforço, ele seguia cambaleando, animado pela ideia de que cada passo o levava para mais perto de Lucy e que carregava o suficiente para garantir a alimentação pelo resto da jornada.

Finalmente chegou a entrada do desfiladeiro em que deixara seus companheiros. Mesmo na escuridão, pôde reconhecer o perfil dos penhascos que o cercavam. Imaginou que pai e filha deviam estar esperando ansiosamente por ele, pois ficara ausente por quase cinco horas. Cheio de alegria, levou as mãos à boca e gritou um forte "olá", que reboou por todo o vale, avisando que já se aproximava. Fez uma pausa e ficou esperando uma resposta. Nada chegou até ele a não ser seu próprio grito, que ecoou nas ravinas profundas e silenciosas e voltou aos seus ouvidos em incontáveis repetições. Gritou novamente, mais alto que antes e, pela segunda vez, não ouviu nenhum sussurro dos amigos que ali deixara tão pouco tempo antes. Um terror vago, indescritível, apoderou-se dele, fazendo com que corresse freneticamente e, em sua agitação, deixasse cair o alimento precioso.

Quando dobrou a curva da trilha, teve uma visão total do lugar onde a fogueira fora acesa. Ali ainda havia uma pilha de tições cintilantes, mas era evidente que o fogo não fora reavivado desde a sua partida. O mesmo silêncio mortal reinava nos arredores. Com o temor transformado em certeza, ele continuou a correr. Não havia um único ser vivo perto dos restos da fogueira: animais, homem e mulher haviam desaparecido. Era óbvio que algum desastre terrível e repentino ocorrera em sua ausência, uma catástrofe que atingira todos eles, mas que não deixara o menor vestígio.

Atordoado, perturbado por aquele golpe, Jefferson Hope sentiu a cabeça girar e precisou apoiar-se no rifle para não cair. Logo se recuperou da passageira impotência porque era, essencialmente, um homem de ação. Pegando um pedaço de lenha meio consumido da fogueira, soprou-o até conseguir uma chama e, com ela, começou a examinar o pequeno acampamento. O solo aparecia pisoteado por vários cascos de cavalos, indicando que um grande grupo de cavaleiros dominara os fugitivos; a direção das pegadas revelava que, depois disso, tinham todos voltado a Salt Lake City. Será que seus dois companheiros tinham sido levados com eles? Jefferson Hope já quase se convencera disso quando seus olhos perceberam algo e cada nervo de seu corpo estremeceu. Um pouco adiante, a um lado do acampamento, havia um montículo de terra avermelhada que, disso ele tinha certeza, não estava ali antes. Não havia dúvida de que era uma sepultura recente. Ao aproximar-se, ele reparou que um pedaço de madeira fora cravado sobre o monte de terra, com um papel enfiado na bifurcação da madeira. A inscrição no papel era curta, mas dizia tudo:

JOHN FERRIER,
QUE FOI DE SALT LAKE CITY.
FALECIDO NO DIA 4 DE AGOSTO DE 1860

Então, o vigoroso velho que deixara ali tão pouco tempo antes havia desaparecido, e aquele era o seu único epitáfio! Jefferson Hope olhou em torno, desesperado, à procura de uma segunda sepultura. Não encontrou. Lucy fora levada por seus terríveis perseguidores para cumprir o destino que lhe tinham traçado: o de pertencer ao harém do filho de um Ancião. Quando o jovem caçador compreendeu que esse seria o destino inevitável da moça e que era incapaz de evitá--lo, também desejou estar deitado do lado do velho fazendeiro em sua última e silenciosa morada.

Entretanto, seu espírito combativo mais uma vez sacudiu a letargia provocada pelo desespero. Já que nada mais lhe restava, pelo menos poderia dedicar sua vida à vingança. Além de paciência e perseverança, ele também aprendera, talvez com os índios com os quais convivera, a persistir no espírito de vingança. Enquanto permanecia de pé ao lado do fogo que se extinguia, sentiu que a única coisa capaz de amenizar sua dor seria uma vingança total e absoluta, executada por suas próprias mãos contra os inimigos. Naquele momento, decidiu que sua vontade férrea e sua energia inesgotável seriam dedicadas exclusivamente a essa finalidade. Com o rosto pálido e taciturno, voltou até onde deixara cair o pedaço de carne e, depois de atiçar o fogo agonizante, cozinhou o suficiente para durar alguns dias. Fez um fardo com aquele alimento e, embora cansado, recomeçou a caminhar de volta às montanhas, seguindo o rastro dos Anjos Vingadores.

Durante cinco dias, com os pés doloridos e caindo de cansaço, percorreu os desfiladeiros já cruzados no lombo do cavalo. À noite, deitava-se para dormir algumas horas entre as rochas; mas antes de o dia romper já percorrera um bom caminho. No sexto dia, chegou à Ravina da Águia, local em que começara aquela fuga infeliz. Dali, podia ver a terra dos Santos. Exausto e enfraquecido, apoiou-se no rifle e ergueu o punho descarnado contra a cidade silenciosa, que se estendia mais abaixo. Enquanto a observava, notou que havia bandeiras desfraldadas em algumas das ruas principais e outros sinais de festa. Ainda estava imaginando o que poderia ser aquilo quando ouviu o ruído de cascos de cavalo e viu um cavaleiro que vinha na sua direção. Quando o homem chegou mais perto, Jefferson Hope reconheceu um mórmon chamado Cowper, a quem prestara serviços em várias ocasiões. Aproximou-se dele com o objetivo de perguntar o que acontecera com Lucy Ferrier.

— Sou Jefferson Hope — disse. — Lembra-se de mim, não?

O mórmon olhou para ele com indisfarçável espanto. Na verdade, era difícil reconhecer naquele andarilho sujo e esfarrapado, de rosto encovado e olhos febris, o jovem e garboso caçador de dias passados. Mas quando teve certeza da identidade do homem, a surpresa do mórmon transformou-se em consternação.

— É loucura vir aqui! — exclamou ele. — Minha vida estará em perigo, se me virem falando com você. Os Quatro Sagrados expediram uma ordem para capturá-lo, por ter ajudado os Ferrier a fugir.

— Não tenho medo deles nem de sua ordem — respondeu Hope com sinceridade. — Você deve saber alguma coisa sobre este assunto, Cowper. Por tudo que lhe é mais sagrado, peço que responda a algumas perguntas. Sempre fomos amigos. Por Deus, não me recuse esse pedido!

— De que se trata? — perguntou o mórmon, inquieto. — Seja rápido. As próprias rochas têm ouvidos e as árvores têm olhos.

— O que aconteceu a Lucy Ferrier?

— Ela se casou ontem com o jovem Drebber. Coragem, homem, coragem! Não lhe sobra muita vida, pelo que estou vendo...

— Não se importe comigo — disse Hope, fracamente. Até seus lábios haviam perdido a cor e ele se deixou cair sobre a rocha em que se encostava. — Casou-se, foi o que disse?

— Exatamente. Ontem. É por isso que a Casa dos Donativos está toda embandeirada. Houve uma discussão entre Drebber e Stangerson, porque não chegavam a um acordo sobre quem ficaria com ela. Ambos estavam no grupo que os perseguiu e Stangerson baleou o pai da moça, o que parecia dar-lhe mais direito de tê-la. Mas quando o caso foi levado ao Conselho, o Profeta decidiu-se por Drebber, que era apoiado por um grupo mais forte. De qualquer modo, nenhum deles a teria por muito tempo, porque ontem eu vi a morte no rosto da moça. Ela parece mais um fantasma do que uma mulher. Já vai embora?

— Sim, vou — respondeu Jefferson Hope, que se levantara.

Seu rosto parecia esculpido em mármore, tão duras e imóveis eram as feições, enquanto os olhos ardiam com um brilho funesto.

— Para onde vai?

— Não interessa — ele respondeu.

Pendurou o rifle no ombro, começou a caminhar a passos largos pelo desfiladeiro e rumou para o coração das montanhas, onde ficavam os covis dos animais ferozes. Mas nenhum desses animais era mais feroz e perigoso que ele próprio.

A previsão do mórmon foi cumprida com incrível rapidez. Fosse pela morte terrível do pai ou pelos efeitos do odioso casamento a que fora obrigada, a pobre Lucy nunca mais levantou a cabeça, e foi definhando até morrer um mês depois. O brutal Drebber, que a desposara principalmente por causa dos bens de John Ferrier, não pareceu nem um pouco abalado pela morte, mas suas outras esposas lamentaram e velaram seu corpo na véspera do sepultamento, segundo os costumes mórmons. Ainda estavam reunidas em volta do ataúde, nas primeiras horas da manhã, quando, para seu assombro, a porta foi escancarada e elas viram o homem de expressão selvagem que invadia o recinto, abatido, com as roupas em farrapos. Sem um olhar ou uma palavra às aturdidas mulheres, ele se aproximou da figura branca e silenciosa que abrigara a alma pura de Lucy Ferrier. Inclinando-se, pousou reverentemente os lábios na testa gelada da morta e, tomando-lhe a mão, retirou a aliança de seu dedo.

— Ela não será sepultada com isso! — gritou com ferocidade.

E antes que alguém pudesse dar o alarme, ele desceu rapidamente a escada e sumiu. O incidente foi tão rápido e estranho, que as próprias testemunhas poderiam duvidar do que viram ou teriam dificuldade em convencer alguém do que acontecera, se não fosse o fato inegável de que Lucy Ferrier não tinha mais no dedo a aliança de esposa.

Durante alguns meses, Jefferson Hope perambulou pelas montanhas, levando uma existência selvagem e acalentando o feroz desejo de vingança que o dominara. Na cidade, contavam-se histórias sobre a fantasmagórica figura que era vista vagando pelos subúrbios ou esgueirando-se pelos desfiladeiros desertos da montanha. Certa vez, uma bala atravessou a janela de Stangerson e cravou-se na parede, a poucos centímetros dele. Em outra ocasião, quando Drebber passava sob um penhasco, um enorme pedregulho despencou de grande altura e ele só escapou de uma morte terrível porque jogou-se no chão. Os dois jovens mórmons descobriram em pouco tempo os motivos desses atentados contra suas vidas e organizaram sucessivas expedições às montanhas na esperança de capturar ou matar o inimigo, mas sempre sem sucesso. Então, passaram a adotar a precaução de nunca saírem desacompanhados ou depois de anoitecer, além de manterem suas casas sob vigilância. Após algum tempo, como nada mais fora ouvido sobre seu adversário e ninguém o vira, eles acabaram relaxando essas medidas, e esperavam que o tempo tivesse acalmado o furor vingativo de Jefferson Hope.

Ao contrário dessa expectativa, o ódio do jovem caçador só aumentara. Seu caráter era firme e implacável, e a ideia da vingança o dominava de tal modo que não deixava espaço para nenhuma outra emoção. Mas, acima de tudo, ele era um homem prático. Logo percebeu que nem mesmo sua vigorosa constituição física suportaria a tensão permanente a que era submetida. A vida ao relento e a falta de uma alimentação sadia o estavam desgastando. Se morresse como um cão entre as montanhas, o que seria de sua ansiada vingança? No entanto, tudo indicava a iminência de uma morte assim, se continuasse a levar aquele tipo de vida. Compreendeu que assim estava fazendo o jogo do inimigo e, com relutância, voltou às velhas minas de Nevada, para recuperar a saúde e conseguir dinheiro suficiente para atingir seu objetivo sem passar privações.

Sua intenção fora a de ausentar-se por um ano, no máximo, mas uma série de circunstâncias inesperadas fez com que permanecesse nas minas por quase cinco anos. Findo esse tempo, no entanto, a lembrança do que sofrera e a sede de vingança estavam tão vivas como naquela noite inesquecível em que permaneceu junto à sepultura de John Ferrier. Disfarçado e com um nome falso, voltou a Salt Lake City, sem se preocupar com o que pudesse acontecer com ele, desde que obtivesse o que considerava justiça. Entretanto, lá o esperavam más notícias. Alguns meses antes houvera um cisma entre o Povo Eleito, com alguns membros mais novos da Igreja rebelando-se contra a autoridade dos Anciãos. Em consequência, houve o afastamento de certo número de descontentes, que deixaram Utah e abandonaram a crença. Entre estes estavam Drebber e Stangerson, e ninguém sabia dizer onde eles estavam. Havia rumores de que Drebber conseguira converter em dinheiro grande parte de suas propriedades e partira de lá como um homem rico, ao passo que seu companheiro Stangerson era relativamente pobre. Mas não havia a menor pista sobre o rumo que haviam tomado.

Muitos homens, por mais vingativos que fossem, teriam desistido da ideia de vingança diante dessa dificuldade, mas Jefferson Hope não vacilou nem um momento. Com os escassos recursos que possuía, mais o que conseguia ganhar em empregos temporários, ele viajou de cidade em cidade, pelo país, perseguindo seus inimigos. Os anos foram passando, seus cabelos negros ficaram grisalhos, mas ele persistia em sua decisão, como um cão de caça humano, a mente concentrada inteiramente no único objetivo ao qual dedicara toda a vida. Por fim, sua persistência foi recompensada. Foi apenas o vislumbre de um rosto em uma janela, mas foi o suficiente para mostrar que os homens perseguidos estavam em Cleveland, no Ohio. Quando voltou ao seu alojamento miserável, tinha um plano de vingança já pronto. Aconteceu, no entanto, que, ao olhar pela janela, Drebber reconhecera o vagabundo que passava pela rua e lera a intenção homicida em seus olhos. Acompanhado de Stangerson, que se tornara seu secretário particular, procurou imediatamente um juiz, e contou a ele que sua vida e a do amigo estavam em perigo, por causa do ódio e do ciúme de um antigo rival. Jefferson Hope foi detido nessa mesma noite e, não conseguindo fiança, ficou algumas semanas na prisão. Quando finalmente foi libertado, ficou sabendo que a casa de Drebber estava vazia, porque ele e o secretário tinham viajado para a Europa.

Mais uma vez o vingador ficou frustrado e, de novo, o ódio concentrado o impeliu a continuar a perseguição. Mas estava sem dinheiro e precisou voltar a trabalhar por algum tempo, poupando cada dólar que podia para a viagem iminente.

Por fim, tendo juntado o mínimo indispensável para se sustentar, Jefferson Hope embarcou para a Europa e seguiu a pista de seus inimigos de cidade em cidade, e trabalhando, enquanto isso, em serviços braçais, mas ainda sem alcançar os fugitivos. Quando chegou a São Petersburgo, os dois haviam partido para Paris; e quando chegou, ficou sabendo que eles tinham acabado de viajar para Copenhague. Também chegou à capital dinamarquesa com alguns dias de atraso, porque Drebber e Stangerson já haviam partido para Londres, onde finalmente conseguiu encontrá-los.

Quanto ao que ocorreu na capital inglesa, o melhor que podemos fazer é citar o próprio relato do agora velho caçador, como ficou registrado no diário do dr. Watson, a quem já devemos tanto.

6

CONTINUAÇÃO DAS MEMÓRIAS DO DR. JOHN WATSON

A FURIOSA RESISTÊNCIA POR PARTE DO NOSSO PRISIONEIRO não parecia indicar nenhuma animosidade dele para conosco porque, ao se ver impotente, sorriu de modo afável e disse que esperava não ter machucado nenhum de nós durante a luta.

— Acho que pretendem levar-me para o posto policial — disse ele a Sherlock Holmes. — Meu cabriolé está aí na porta. Se soltarem minhas pernas, irei caminhando até lá. Não sou mais tão leve como antigamente.

Gregson e Lestrade entreolharam-se, como se considerassem a proposta um tanto temerária, mas Holmes aceitou imediatamente a palavra do prisioneiro e afrouxou a toalha com que amarrara os tornozelos dele. O homem levantou-se e esticou as pernas, como para certificar-se de que estavam livres novamente. Ao observá-lo, lembro-me de ter dito para mim mesmo que raramente vira um homem de constituição mais robusta. Além disso, havia em seu rosto moreno e queimado de sol uma expressão tão decidida e enérgica que, em intensidade, podia ser comparada à sua formidável força física.

— Se houver uma vaga para chefe de polícia, reconheço que você é o mais indicado — disse ele, fitando meu companheiro de moradia com indisfarçada admiração. — O modo como seguiu minha pista é garantia suficiente.

— É melhor que venham comigo — disse Holmes aos dois detetives.

— Eu posso levá-los — ofereceu-se Lestrade.

— Ótimo. E Gregson ficará comigo dentro do cabriolé. Venha também, doutor. Já que se interessou pelo caso, que o acompanhe até o final.

Concordei satisfeito, e descemos todos juntos. Nosso prisioneiro não tentou fugir, mas entrou tranquilamente no cabriolé que lhe pertencera, seguido por nós. Lestrade subiu para a boleia, chicoteou o cavalo, e em pouco tempo conduziu-nos ao nosso destino. Fomos levados até uma sala pequena, onde um inspetor de polícia anotou o nome de nosso prisioneiro e os dos homens de cuja morte era acusado. O inspetor era um homem imperturbável, de rosto pálido, que cumpriu seu dever de modo apático e indiferente.

— O prisioneiro comparecerá perante os magistrados no decorrer desta semana — declarou. — Nesse meio-tempo, sr. Jefferson Hope, deseja fazer alguma declaração? Devo avisá-lo de que suas palavras ficarão registradas e poderão ser usadas contra o senhor.

— Tenho muita coisa a declarar — disse lentamente o prisioneiro. — Quero contar toda a história aos cavalheiros.

— Não seria melhor reservar-se para o julgamento? — sugeriu o inspetor.

— Talvez eu nem seja julgado — respondeu ele. — Não se alarmem. Não estou pensando em suicidar-me. O senhor é médico?

Ao fazer a pergunta, Jefferson Hope virou para mim seus olhos escuros e febris.

— Sim, sou médico — respondi.

— Então, ponha a mão aqui — disse ele com um sorriso, apontando as mãos algemadas para o peito.

Assim fiz e imediatamente percebi sua pulsação cardíaca descontrolada. As paredes do peito pareciam vibrar e estremecer como uma edificação frágil, em cujo interior funcionasse um poderoso maquinismo. No silêncio da sala, pude também ouvir um zumbido seco que vinha do mesmo lugar.

— Ora! — exclamei. — Você está com um aneurisma da aorta!

— É esse o nome que lhe dão os médicos — disse ele, placidamente. — Consultei um na semana passada, e ele me disse que isso está para estourar em poucos dias. Fui piorando com o passar dos anos. Fiquei assim por levar uma vida ao relento e sem alimentação adequada, entre as montanhas de Salt Lake. Mas agora meu trabalho já está concluído e não fará muita diferença se morrer hoje ou amanhã. De qualquer modo, gostaria de deixar um relato de tudo o que aconteceu. Não quero ser lembrado como um assassino comum.

O inspetor e os dois detetives tiveram uma rápida discussão sobre a conveniência de permitirem que ele narrasse sua história.

— Em sua opinião, doutor, há perigo de vida imediato? — perguntou o inspetor.

— Tudo leva a crer que sim — respondi.

— Nesse caso, visando ao interesse da justiça, nosso dever é tomar o seu depoimento — disse o inspetor.

— Pode fazer o seu relato, sr. Hope, mas torno a avisar que suas palavras serão registradas.

— Com sua licença, gostaria de sentar-me — disse o prisioneiro, passando das palavras à ação. — Esse aneurisma me deixa cansado com facilidade e a briga que tivemos há meia hora não melhorou em nada a situação. Estou à beira da sepultura, de modo que não iria mentir para os senhores. Cada palavra minha será a absoluta expressão da verdade e para mim não faz diferença o modo como irão usar o que eu disser.

Ao falar, Jefferson Hope recostou-se na cadeira e então teve início uma narrativa extraordinária. Ele se expressava em voz tranquila e metódica, como se os acontecimentos relatados fossem absolutamente corriqueiros. Posso atestar a precisão do que foi dito, porque tive acesso ao caderno de notas de Lestrade, no qual ficaram registradas as palavras do prisioneiro, exatamente como foram proferidas.

— Não lhes interessa muito o motivo pelo qual eu odiava aqueles homens — disse ele. — Basta saber que eram culpados da morte de dois seres humanos, pai e filha, e que por isso haviam perdido o direito à própria vida. Após todo o tempo decorrido desde que cometeram seu crime, seria impossível para mim apresentar acusação contra eles em qualquer tribunal. Mas eu sabia que eram culpados, de modo que decidi ser juiz, jurados e executor ao mesmo tempo. Os senhores agiriam da mesma forma, como homens de brio, se estivessem em meu lugar.

"A moça de quem falei ia casar-se comigo há vinte anos, mas foi obrigada a casar-se com esse Drebber, o que lhe despedaçou o coração e a matou. Tirei a aliança de seu dedo quando ela já estava no ataúde, jurando que os olhos agonizantes de Drebber se fechariam contemplando o anel, que seus últimos pensamentos seriam sobre o crime pelo qual era castigado. Levei a aliança sempre comigo e segui os dois, ele e seu cúmplice, através de dois continentes, até agarrá-los. Eles esperavam que eu me cansasse e desistisse, mas não conseguiram. Se eu morrer amanhã, o que é bem provável, morrerei sabendo que cumpri minha missão nesse mundo e que a cumpri bem. Os dois morreram, e pelas minhas mãos. Não espero nem desejo mais nada.

"Os dois eram ricos e eu era pobre, de modo que não era fácil segui-los. Quando cheguei a Londres, estava com os bolsos vazios e percebi que precisava fazer alguma coisa para sobreviver. Conduzir cavalos e montá-los sempre foi tão natural para mim como caminhar, de modo que me apresentei ao dono de uma cocheira e logo consegui emprego. Deveria entregar-lhe uma determinada quantia semanal, e ficava com o dinheiro que sobrasse. Raramente sobrava grande coisa, mas dava para ir vivendo. O pior foi aprender a movimentar-me; confesso que, de todos os labirintos já inventados, o das ruas dessa cidade é o mais confuso. Mas eu tinha sempre comigo um mapa de Londres, e quando fiquei conhecendo a localização dos principais hotéis e estações, saí-me muito bem.

"Demorou algum tempo até que eu descobrisse onde moravam meus dois cavalheiros, mas fui perguntando, aqui e ali, até que finalmente os encontrei. Estavam hospedados em uma pensão em Camberwell, do outro lado do rio. Assim que os descobri, soube que estavam à minha mercê. Eu havia deixado a barba crescer e não havia possibilidade de me reconhecerem. Decidi rastreá-los e segui-los até chegar a minha oportunidade. Não os deixaria escapar dessa vez.

"Estiveram bem perto disso, mas onde quer que fossem em Londres, eu estava sempre nos seus calcanhares. Às vezes eu os seguia no meu cabriolé, outras vezes a pé, mas era melhor da primeira forma, porque assim não se distanciavam muito de mim. Só nas primeiras horas da manhã ou tarde da noite é que eu conseguia ganhar alguma coisa, de modo que comecei a ficar atrasado nos pagamentos ao dono da cocheira. Mas isso não me preocupava, desde que eu conseguisse pôr as mãos nos homens que perseguia.

"Mas os dois eram espertos. Devem ter imaginado que havia uma possibilidade de serem seguidos, porque nunca saíam sozinhos nem à noite. Fiquei atrás deles durante duas semanas, dia após dia, e nunca os vi separados. Drebber ficava embriagado a maior parte do tempo, mas Stangerson estava sempre vigilante. Continuei a vigiá-los, de manhã à noite, sem jamais encontrar a menor oportunidade. Mas isso não me desanimou, porque algo me dizia que a hora estava próxima. Meu único receio era que essa coisa em meu peito pudesse estourar um pouco antes do tempo, impedindo que eu terminasse o trabalho.

"Uma noite, finalmente, quando eu subia e descia a Torquay Terrace, que é o nome da rua onde estavam hospedados, vi um cabriolé parar à porta da pensão. Pouco depois, algumas bagagens foram levadas para fora e, momentos mais tarde, surgiam Drebber e Stangerson. Os dois entraram no cabriolé e afastaram-se. Chicoteei meu cavalo, sem perdê-los de vista e bastante aborrecido, temendo que fossem mudar de pouso. Os dois saltaram na Euston Station. Deixei um garoto tomando conta de meu cavalo e os segui até a plataforma. Ouvi quando perguntaram pelo trem de Liverpool; o guarda respondeu que acabara de partir e que só haveria outro algumas horas mais tarde. Stangerson pareceu irritado com o contratempo, mas Drebber, pelo contrário, até parecia satisfeito. Cheguei tão perto deles, em meio à movimentação de passageiros, que ouvi cada palavra trocada entre os dois. Drebber disse que tinha um assunto particular para resolver e que se o outro o esperasse, logo se encontraria com ele. Seu companheiro não gostou da ideia, discutiu, lembrando que haviam decidido ficar sempre juntos, mas Drebber argumentou que o tal assunto era delicado e que precisava resolvê-lo sozinho.

"Não entendi o que Stangerson respondeu, mas o outro começou a praguejar, lembrando que ele não passava de um empregado assalariado, cuja função era apenas servi-lo, e não dizer-lhe o que devia fazer. O secretário compreendeu que não adiantava insistir, ficando então combinado que se Drebber perdesse o último trem, deveria ir encontrá-lo no Hotel Halliday. Drebber respondeu que estaria na estação antes das 23 horas, e foi embora.

"Finalmente chegara o momento pelo qual eu tanto esperara. Os inimigos estavam em meu poder. Juntos, poderiam proteger-se um ao outro, mas, separados, ficavam à minha mercê. Ainda assim, não agi precipitadamente. Já tinha tudo planejado e não há satisfação na vingança, a menos que a vítima tenha tempo de saber quem o ataca e por quê. Eu tramara uma maneira de fazer meu inimigo compreender que estava recebendo o justo pagamento por seu antigo pecado. Por acaso, alguns dias antes um cavalheiro que fora ver algumas casas na Brixton Road esquecera a chave de uma delas em meu cabriolé. Na mesma tarde ele a reclamou e ela lhe foi devolvida, mas no intervalo pude tirar o molde da chave e mandar fazer uma duplicata. Dessa forma, eu teria acesso a pelo menos um lugar nessa grande cidade, onde poderia agir sem ser interrompido. Como atrair Drebber àquela casa era um problema difícil que eu teria que resolver.

"Ele desceu a rua e entrou em dois ou três bares, permanecendo no último por quase meia hora. Quando saiu, caminhava com passos pouco firmes, sinal de que exagerara na bebida. Um cupê ia logo à frente do meu cabriolé e Drebber o fez parar. Passei a segui-lo tão de perto que o focinho do meu cavalo nunca ficou a menos de um metro de seu cocheiro durante todo o trajeto. Cruzamos a ponte de Waterloo e percorremos quilômetros e quilômetros de ruas até que, para meu espanto, estávamos de volta à rua da pensão onde ele se hospedara. Eu não podia imaginar qual era a sua intenção ao voltar àquela casa, mas segui em frente e estacionei meu cabriolé a uns cem metros dali. Ele entrou no prédio e seu cupê foi embora. Por favor, deem-me um copo d'água. Estou com a boca seca de tanto falar."

Estendi-lhe o copo e ele bebeu todo o conteúdo.

— Assim está melhor — disse. — Bem, fiquei ali esperando durante uns 15 minutos mais ou menos, quando, de repente, ouvi um ruído como de pessoas lutando dentro da casa. Em seguida, a porta escancarou-se e surgiram dois homens. Um deles era Drebber, o outro, um rapaz que eu nunca vira antes. O jovem agarrava Drebber pela gola e, chegando ao alto da escada, deu-lhe um empurrão e um pontapé que o lançaram quase no meio da rua. "Patife!", gritou o rapaz, brandindo a bengala. "Eu lhe mostro como se insulta uma moça honesta!" Estava tão enfurecido que poderia ter moído Drebber a bengaladas, se o canalha não se apressasse a descer a rua, cambaleando o mais depressa que lhe permitiam as pernas sem firmeza. Correu assim até a esquina e, vendo meu cabriolé, fez sinal e embarcou. "Leve-me para o Hotel Halliday", disse ele.

"Quando ele entrou no meu cabriolé, senti o coração pulsar no peito com tamanha alegria, que receei que naquele último momento meu aneurisma não suportasse a tensão. Segui lentamente pela rua, pensando na melhor atitude a tomar. Poderia levá-lo diretamente para o campo e, em alguma estrada deserta, ter minha última entrevista com Drebber. Já estava quase decidido a fazer isso, quando ele próprio resolveu o problema para mim. Novamente dominado pela ânsia de beber, ordenou-me que parasse diante de um bar. Ele desceu e entrou, recomendando que ficasse à sua espera. Ficou ali até a hora em que a casa fechou. Ao sair, estava tão embriagado que tive certeza de que não haveria possibilidade de me escapar.

"Não pensem que minha intenção era matá-lo a sangue-frio. Agindo assim, estaria cumprindo a mais estrita justiça, mas não me conformava com tão pouco. Há muito tempo eu decidira dar-lhe uma oportunidade de lutar pela vida, caso assim escolhesse. Entre os muitos ofícios que exerci na América durante minha vida de andarilho, uma ocasião fui porteiro e varredor do laboratório da Universidade de York. Um dia, o professor deu uma aula sobre venenos e mostrou aos alunos alguns alcaloides, como os chamava, que extraíra de determinado veneno para flechas da América do Sul, e disse que ele era tão potente que a menor dose provocava a morte imediata. Localizei o frasco em que era guardado aquele preparado e peguei uma pequena quantidade depois que todos se retiraram. Eu tinha alguma prática como farmacêutico, de modo que transformei aquele alcaloide em duas pequenas pílulas solúveis. Pus cada uma delas em uma caixinha, juntamente com uma pílula idêntica, mas feita sem o veneno. Decidi que quando chegasse momento do encontro com meus dois cavalheiros, cada um escolheria a sua pílula e eu ficaria com a restante. Seria um método igualmente mortal e muito menos barulhento que um revólver disparado através de um lenço. Daquele dia em diante, sempre carreguei comigo as caixinhas com as pílulas, e agora chegara o momento de usá-las.

"Estava mais perto de uma hora que de meia-noite. Era uma noite horrível, gelada, com um vento furioso, e chovia a cântaros. No entanto, por pior que fosse o tempo lá fora, por dentro eu estava eufórico, a ponto de desejar gritar de pura exultação. Se algum dos senhores já sonhou ardentemente com uma coisa durante vinte longos anos e, de repente, a tem ao alcance da mão, compreenderá como eu me sentia naquele momento. Acendi um charuto e dei algumas baforadas para acalmar os nervos, mas minhas mãos tremiam e as têmporas latejavam de excitação. Enquanto dirigia o cabriolé, podia ver o velho John Ferrier e a doce Lucy sorrindo para mim, do meio das trevas, tão nitidamente como agora eu os vejo aqui nessa sala. Durante todo o trajeto eles permaneceram na minha fente, um de cada lado do cavalo, até que parei diante da casa em Brixton Road.

"Não havia vivalma por perto e não se ouvia som algum, a não ser o da chuva caindo. Quando olhei pela janelinha do cabriolé, vi Drebber encolhido no assento, dormindo seu sono de bêbado. Eu o sacudi por um braço.

"'Está na hora de descer', avisei.

"'Muito bem, cocheiro', respondeu.

"Acho que ele pensou que tínhamos chegado ao hotel que mencionara, porque saiu sem dizer mais nada e me seguiu pelo jardim. Tive que caminhar a seu lado para ampará-lo, porque não se sustentava direito nas pernas. Quando chegamos à porta, eu a abri e o fiz entrar na sala da frente. Dou-lhes a minha palavra de que, durante o tempo todo, pai e filha iam caminhando à nossa frente.

"'Está escuro como o diabo', disse ele, arrastando os pés.

"'Logo teremos luz', falei, riscando um fósforo e acendendo uma vela de cera que levara comigo. 'E agora, Enoch Drebber', acrescentei, virando-me para ele e erguendo a vela à altura do meu rosto, 'quem sou eu?'

"A princípio, ele me fitou com uma expressão apática e embriagada, mas depois o horror brotou em seus olhos e distorceu suas feições, sinal de que me identificara. Recuou, com o rosto lívido, enquanto eu notava o suor que lhe pontilhava a testa e ouvia seus dentes batendo. Diante daquele quadro, encostei-me na porta e caí na gargalhada. Eu sempre imaginara que a vingança seria doce, mas nunca esperara ser dominado por tanta satisfação.

"'Cão asqueroso!', exclamei. 'Segui seu rastro de Salt Lake City a São Petersburgo, mas sempre me escapou. Agora, finalmente, suas andanças terminaram, porque um de nós dois não verá o sol nascer amanhã.'

"O sangue martelava nas minhas têmporas e acho que teria tido algum tipo de ataque, se parte dele não esguichasse pelo meu nariz, deixando-me aliviado.

"'O que pensa agora de Lucy Ferrier?', gritei, trancando a porta e sacudindo a chave diante de seu rosto. 'O castigo custou a chegar, mas finalmente o alcançou!'

"Vi como os lábios do covarde tremiam enquanto eu falava. Drebber teria implorado por sua vida, mas sabia perfeitamente que seria inútil.

"'Vai me assassinar?', ele gaguejou.

"'Não haverá nenhum assassinato', disse. 'Desde quando matar um cão danado é assassinato? Que piedade você teve com a minha infeliz noiva, quando a arrancou de perto do túmulo do pai trucidado e a levou para o seu harém amaldiçoado e indecente?'

"'Não fui eu que matei o pai dela!', exclamou ele.

"'Mas foi você que despedaçou o coração inocente dela!', vociferei, estendendo a caixinha para ele. 'Que Deus julgue entre nós dois. Escolha uma e engula. Há morte em uma delas e vida na outra. Ficarei com a que você rejeitar. Vejamos se existe justiça na Terra ou se somos governados pelo acaso!'

"Acovardado, ele tentou fugir, entre gritos alucinados e súplicas por misericórdia, mas puxei minha faca e a encostei em sua garganta até ele obedecer-me. Engoli a pílula restante e ficamos de pé, frente a frente, por um minuto ou mais, esperando para saber quem viveria e quem morreria. Jamais poderei esquecer a expressão que surgiu no rosto dele, ao sentir as primeiras pontadas de dor, anunciando que o veneno estava em seu organismo! Ri quando vi aquilo, e então suspendi a aliança de Lucy diante de seus olhos. Foi apenas por um rápido instante, porque a ação do alcaloide é fulminante. Um espasmo de agonia contorceu-lhe as feições; ele estendeu as mãos para a frente, cambaleou e, então, com um grito rouco, caiu pesadamente no chão. Virei-o com o pé e pus a mão sobre seu coração. Não senti nada. Drebber estava morto!

"O sangue estivera correndo do meu nariz, mas eu nem percebera. Não sei a que atribuir a ideia que tive de usá-lo para escrever na parede. Talvez fosse o desejo malicioso de lançar a polícia em uma pista falsa, porque me sentia alegre, bem-humorado. Recordei o caso de um alemão encontrado morto em Nova York, com a palavra *RACHE* escrita acima dele. Na ocasião, os jornais atribuíram aquilo a sociedades secretas. Imaginei que, como aquilo confundira os nova-iorquinos, confundiria também os londrinos. Então, molhando o dedo em meu sangue, escrevi a mesma palavra em um lugar conveniente da parede. Voltei depois para meu cabriolé. A rua continuava deserta, porque era uma noite horrível. Já havia percorrido uma certa distância quando, ao pôr a mão no bolso onde costumava guardar a aliança de Lucy, dei pela falta dela. Fiquei completamente aturdido, porque era a única recordação que restara dela. Imaginando que devia tê-la deixado cair quando me debrucei sobre o corpo de Drebber, voltei, deixei o cabriolé numa rua lateral e, numa atitude ousada, fui até a casa, porque eu estava disposto a tudo, menos a ficar sem aquela aliança. Ao chegar lá, quase esbarro em um policial que ia saindo, e só consegui afastar-lhe as suspeitas fingindo estar completamente embriagado.

"Foi assim que Enoch Drebber morreu. Agora, tudo que eu tinha a fazer era dar o mesmo castigo a Stangerson, para que ele pagasse sua dívida com John Ferrier. Eu sabia que ele estava hospedado no Hotel Halliday, e perambulei pelos arredores o dia inteiro, mas ele não saiu nem uma vez. Imagino que suspeitasse de algo, quando Drebber deixou de ir ao seu encontro. Stangerson era esperto, nunca afrouxava a guarda. Mas se pensava que podia livrar-se de mim ficando dentro do hotel, estava redondamente enganado. Logo descobri qual era a janela de seu quarto. Na manhã seguinte, usando uma das escadas que eram deixadas na alameda atrás do hotel, entrei no seu quarto quando o dia mal clareava. Acordei-o e disse-lhe que chegara a hora de prestar contas pela vida que tirara, tanto tempo antes. Descrevi-lhe a morte de Drebber e dei a ele a mesma possibilidade de escolha das pílulas envenenadas. Em vez de aceitar a oportunidade de salvação que eu lhe oferecia, saltou da cama e pulou no meu pescoço. Para defender-me, dei-lhe uma punhalada no coração. De qualquer maneira, seu fim havia chegado, porque a Providência jamais permitiria que sua mão homicida pegasse uma pílula que não fosse a envenenada.

"Tenho pouca coisa a acrescentar, felizmente, porque estou no fim das forças. Continuei trabalhando em meu cabriolé por mais um ou dois dias, esperando juntar o dinheiro suficiente para voltar aos Estados Unidos. Estava parado no pátio da cocheira quando apareceu um garoto maltrapilho perguntando por um cocheiro chamado Jefferson Hope e dizendo que um cavalheiro precisava do meu cabriolé no 221 B da Baker Street. Fui até lá sem desconfiar de nada. Sei apenas que, no momento seguinte, esse jovem aqui me punha as algemas nos pulsos com uma eficiência que nunca vi na vida. Aí está toda a minha história, senhores. Talvez me considerem um assassino, mas garanto que sou um instrumento da justiça tanto quanto os senhores."

A narrativa daquele homem havia sido tão emocionante e seus modos tão impressionantes que ficamos sentados calados e absortos. Os próprios investigadores profissionais, apesar de experientes em todos os aspectos do crime, mostravam-se francamente interessados na história de Jefferson Hope. Quando ele terminou, ficamos alguns minutos imóveis e num silêncio rompido apenas pelo ruído do lápis de Lestrade correndo pelo papel, enquanto dava o retoque final às suas notas taquigrafadas.

— Há apenas um ponto sobre o qual gostaria de ter mais informação — disse Sherlock Holmes, finalmente. — Quem era o cúmplice que você enviou para recuperar a aliança, em resposta ao meu anúncio?

O prisioneiro deu uma piscadela irônica para o meu amigo.

— Posso revelar-lhe os meus segredos, mas não gosto de criar problemas para outras pessoas — respondeu. — Li o seu anúncio e pensei que tanto poderia ser uma cilada como poderia ser realmente a aliança que eu perdera. Meu amigo ofereceu-se para verificar em meu lugar. Sem dúvida, tem que admitir que ele se saiu muito bem.

— Sem sombra de dúvida! — exclamou Holmes com veemência.

— E agora, cavalheiros, devemos cumprir as formalidades legais — observou gravemente o inspetor. — Na quinta-feira, o detido será levado ao tribunal e, naturalmente, deverão estar todos presentes. Até lá, serei o responsável por ele.

Tocou uma sineta enquanto falava e Jefferson Hope foi levado por dois guardas, enquanto eu e meu amigo deixávamos o posto policial e tomávamos um cabriolé para voltarmos a Baker Street.

7
CONCLUSÃO

Todos nós havíamos sido convocados a comparecer perante os magistrados na quinta-feira. Mas quando esse dia chegou, não houve mais necessidade dos nossos depoimentos. Um juiz mais elevado se encarregara do assunto e Jefferson Hope fora convocado a um tribunal que o julgaria com a mais absoluta justiça. Na própria noite após sua captura, seu aneurisma estourou e, de manhã, ele foi encontrado caído no chão da cela, com um sorriso plácido nos lábios. Era como se, enquanto agonizava, tivesse podido recapitular sua vida e concluíra que ela fora útil, que pudera desempenhar bem a sua missão.

— Gregson e Lestrade ficarão furiosos com essa morte — observou Holmes, enquanto comentávamos o caso na noite seguinte. — Acabou-se a grande publicidade que esperavam conseguir.

— Que eu saiba, os dois tiveram pouco a ver com a captura de Hope — respondi.

— O que fazemos nesse mundo não tem muita importância — comentou meu companheiro em tom amargo. — A questão é o que os outros acham que fizemos. De qualquer modo, eu não perderia essa investigação por nada — acrescentou ele, mais animado, após uma pausa. — Que me lembre, ainda não houve um caso melhor. Apesar de simples, teve muitos pontos instrutivos.

— Simples? — exclamei.

— Bem, na verdade, dificilmente poderíamos considerá-lo de outra forma — disse Sherlock Holmes, sorrindo da minha surpresa. — A prova de sua simplicidade intrínseca é que, sem dispor de outra ajuda além de algumas deduções bastante comuns, pude pegar o criminoso em três dias.

— Isso é verdade — concordei.

— Como já expliquei antes, qualquer coisa fora do comum em geral constitui mais uma orientação do que propriamente um obstáculo. Quando se resolve um problema desse tipo, é essencial saber-se raciocinar de modo retroativo. É um processo muito útil, além de bastante fácil, apesar de ser pouco empregado. Para os assuntos corriqueiros do dia a dia, o mais conveniente é o raciocínio para adiante, em termos de futuro, e assim o contrário acaba sendo negligenciado. Para cinquenta pessoas que podem raciocinar sinteticamente, há uma capaz de raciocinar analiticamente.

— Confesso que não entendo bem o que quer dizer — falei.

— Não esperava que entendesse. Vejamos se consigo ser mais claro. De modo geral, quando se descreve a algumas pessoas uma série de acontecimentos, elas são capazes de imaginar qual o resultado provável. Mentalmente, alinhavam esses acontecimentos e assim conseguem deduzir o que poderá acontecer em consequência. No entanto, há um número reduzido de pessoas que, se informadas de um resultado, têm a capacidade de dissecá-los interiormente e deduzir que conjunto de fatores levou a esse resultado. É a essa faculdade que me refiro quando falo em raciocínio retroativo ou analítico.

— Compreendo — falei.

— O caso atual foi um desses em que temos o resultado e precisamos descobrir o resto por nós mesmos. Agora, tentarei explicar-lhe as diferentes fases de meu raciocínio. Como bem sabe, cheguei àquela casa a pé e com a mente inteiramente isenta de todas as impressões. Naturalmente, comecei pelo exame da rua, e lá, como já lhe expliquei, vi as marcas nítidas deixadas por um cabriolé, que, como confirmei pelas perguntas que fiz, devia ter estado lá durante a noite. Tive certeza de que era um carro de aluguel e não um particular, por causa da bitola estreita das rodas. A geringonça comum de Londres é bem mais estreita do que o cupê de um cavalheiro.

"Este foi o primeiro tento. Depois, caminhei lentamente pela trilha do jardim, de solo argiloso e muito adequado para guardar marcas. Para você, aquilo deve ter parecido um lamaçal pisoteado, mas, para meus olhos treinados, cada marca deixada ali tinha um significado. Nenhum ramo da ciência da investigação é tão importante e tem sido tão negligenciado quanto a arte de identificar pegadas. Por sorte, sempre tive um carinho especial por esse ponto, que a prática constante transformou em uma segunda natureza para mim. Notei as pegadas pesadas do policial, mas também reparei nas de dois homens que haviam passado primeiro por aquele jardim. Era fácil afirmar que tinham estado lá antes dos outros, porque em alguns lugares suas pegadas haviam sido inteiramente apagadas pelas posteriores. Com isso, formei o segundo elo de minha cadeia, que me indicou que os visitantes noturnos eram dois, um deles notável pela altura (como calculei pelo comprimento de suas passadas) e o outro elegantemente vestido, a julgar pelas marcas pequenas e delicadas deixadas por suas botinas.

"Ao entrar na casa, foi confirmada essa última suposição. O homem de calçado fino estava diante de mim. Então, fora o outro, o alto, que cometera o assassinato, se é que houvera crime. Não havia ferimentos aparentes na vítima, embora a expressão dramática de seu rosto me garantisse que ele pressentira o próprio destino, antes que este o abatesse. Homens que morrem em consequência de doenças cardíacas ou por qualquer outra causa súbita e natural jamais ficam com as feições contraídas daquele jeito.

"Ao cheirar os lábios do morto, percebi um leve odor acre, o que me indicou que ele fora obrigado a ingerir veneno. Tornei a afirmar que fora forçado por causa do ódio e do medo estampados em suas feições. Cheguei a esse resultado baseando-me no método de exclusão, porque nenhuma outra hipótese se encaixaria nos fatos. Não pense que foi uma ideia sem precedentes, algo inédito. A ingestão forçada de veneno não é, nem de longe, uma coisa nova nos anais do crime. Um toxicologista recordaria imediatamente os casos de Dolsky, em Odessa, e de Leturier, em Montpellier.

"Agora vinha o ponto principal: o motivo. Roubo era algo fora de cogitação, já que nada fora levado. Seria então algo ligado à política? Mulheres? Foi essa a questão com que me defrontei. Desde o início, optei pela segunda hipótese. Os assassinos políticos fazem o seu serviço e dão logo o fora. Aquele assassinato, no entanto, havia sido cometido com a máxima deliberação e o criminoso deixara pistas por toda a sala, indicando que permanecera ali o tempo todo. Devia ser algo relacionado com um caso pessoal, e não político, para exigir uma vingança tão metódica. Quando foi descoberta a inscrição na parede, fiquei mais convencido ainda de que minha opinião estava certa. Evidentemente, aquilo era um despistamento. Mas quando a aliança foi encontrada, a questão foi resolvida. Era evidente que o assassino a usara para que sua vítima recordasse alguma mulher morta ou ausente. Foi nessa ocasião que perguntei a Gregson se no telegrama enviado a Cleveland ele solicitara informações sobre algum ponto específico da vida do falecido sr. Drebber. Como pode lembrar-se, ele respondeu com uma negativa.

"Passei então a fazer uma revista cuidadosa do aposento, o que serviu para confirmar minha ideia sobre a altura do assassino, além de fornecer detalhes adicionais, como o charuto Trichinopoly e o comprimento de suas unhas. Como não havia sinais de luta, eu já chegara à conclusão de que o sangue espalhado no assoalho escorrera do nariz do assassino, em consequência de sua excitação. Pude notar que a trilha do sangue salpicado coincidia com a de seus pés. É raro que um homem, a menos que tenha constituição sanguínea, deite tanto sangue em consequência da tensão do momento, e então pensei na hipótese de que o criminoso provavelmente seria um homem robusto e de rosto corado. Os fatos provaram que eu tinha razão.

"Após deixar a casa, fiz o que Gregson tinha deixado de fazer. Telegrafei ao chefe de polícia de Cleveland, pedindo informações apenas sobre as circunstâncias relacionadas com o casamento de Enoch Drebber. A resposta foi conclusiva. Segundo ele, Drebber já solicitara a proteção da lei contra um antigo rival num caso de amor, chamado Jefferson Hope, acrescentando que esse Hope estava na Europa. Fiquei sabendo então que já tinha a chave do mistério nas mãos, e só faltava agarrar o assassino.

"Eu já estava convencido de que quem entrara na casa com Drebber era o homem que dirigira o cabriolé. Os sulcos na rua indicavam que o cavalo estivera vagando de um lado para outro, o que seria impossível se alguém tivesse permanecido na boleia. Onde, então, estaria o cocheiro, a não ser no interior da casa? Novamente, seria absurdo supor que qualquer homem, em seu juízo perfeito, cometesse um crime deliberadamente na presença, por assim dizer, de uma terceira pessoa, que certamente o denunciaria. Finalmente, supondo-se que um indivíduo quisesse seguir outro através da cidade, nada mais conveniente do que transformar-se em cocheiro de aluguel! Todas essas ponderações levaram-me à conclusão irresistível de que Jefferson Hope deveria ser procurado entre os cocheiros da metrópole.

"Se ele adotara o disfarce de cocheiro, não havia motivos para crer que já o tivesse abandonado. Pelo contrário. Analisando-se a situação desse ponto de vista, qualquer mudança repentina certamente chamaria a atenção para ele. Em vista disso, era provável que, pelo menos durante algum tempo, continuasse exercendo a mesma profissão. Também não havia motivos para supor que ele estivesse usando um nome trocado. Por que mudá-lo em um país onde ninguém o conhecia? Assim pensando, organizei a minha patrulha de detetives, formada por garotos de rua, cuja missão seria investigar sistematicamente cada proprietário de cabriolé de aluguel em Londres, até encontrarem o homem que me interessava. Ainda deve se lembrar como eles foram bem-sucedidos e com que rapidez tirei proveito disso. O assassinato de Stangerson foi um acidente inteiramente inesperado, mas que, de qualquer modo, dificilmente poderia ser evitado. E foi por causa desse homicídio, como bem sabe, que me apoderei das pílulas, de cuja existência, aliás, eu já havia suspeitado. Assim, como vê o meu amigo, toda a situação foi um encadeamento lógico de sequências, sem a menor falha ou interrupção."

— É maravilhoso! — exclamei. — Seus méritos deviam ser reconhecidos publicamente. Devia mesmo publicar um relato do caso. Se não o fizer, faço-o eu!

— Fica a seu critério, meu caro doutor — disse ele. — Veja isto! — acrescentou, estendendo-me o jornal. — Leia o que diz aí!

Era um exemplar do *Echo* daquele dia, e o parágrafo que ele indicou fazia comentários sobre o caso. Dizia o jornal:

O público perdeu a rara oportunidade de assistir a um julgamento sensacional, por causa da morte súbita de Hope, suspeito dos assassinatos de Enoch Drebber e Joseph Stangerson. Provavelmente, os detalhes do caso jamais chegarão a ser conhecidos, embora tenhamos informações seguras de que o crime foi o desfecho de uma antiga disputa sentimental, em que o amor e o mormonismo tiveram seu papel. Parece que, quando jovens, as duas vítimas pertenceram à religião dos Santos dos Últimos Dias, e que Hope, o prisioneiro falecido, também provinha de Salt Lake City. Embora o caso não tivesse prosseguimento, pelo menos serviu para evidenciar, de maneira notável, a eficiência de nossa força policial, e poderá ainda ser uma lição a todos os estrangeiros, mostrando que é melhor resolverem suas divergências nos respectivos países de origem, em vez de transferi-las para solo britânico. Não é nenhum segredo que o mérito por essa brilhante captura cabe inteiramente aos conhecidos investigadores da Scotland Yard, senhores Lestrade e Gregson. Ao que parece, o acusado foi detido na residência de um certo sr. Sherlock Holmes, ele próprio um detetive amador que demonstrou algum talento nessa especialidade. Aliás, dispondo de mestres assim, é provável que, com o tempo, ele venha a adquirir certo grau da habilidade demonstrada pelos dois. Seria justo que os dois dedicados funcionários fossem agraciados com algum prêmio especial, em reconhecimento por seus relevantes serviços.

— Não foi justamente o que lhe disse desde o início? — exclamou Sherlock Holmes, com uma risada.

— Aí temos o resultado do nosso *Estudo em Vermelho*: conferir a eles o reconhecimento público!

— Que diferença faz? — observei. — Tenho todos os fatos registrados em meu diário e serão levados ao conhecimento do público. Até lá, você deverá contentar-se com a convicção íntima de ter sido o vitorioso, como aquele avarento romano:

Populus me sibilat, at mihi plaudo
Ipse domi simul ac nummos contemplar in arca.[4]

[4] "O povo me vaia, mas eu me aplaudo quando contemplo meu dinheiro no cofre." (N.T.)

O SINAL DOS QUATRO

1

A CIÊNCIA DA DEDUÇÃO

Sherlock Holmes pegou o frasco de cocaína no consolo da lareira e tirou a seringa de injeções hipodérmicas do estojo de marroquim. Com os dedos longos, brancos e nervosos, ajustou a agulha delicada e arregaçou a manga esquerda da camisa. Ficou pensativo por algum tempo, olhando para as marcas e cicatrizes no antebraço, causadas pelas contínuas picadas. Finalmente, introduziu a ponta fina, apertou o êmbolo e recostou-se na poltrona com um suspiro prolongado de satisfação.

Três vezes por dia, durante muitos meses, eu tinha assistido a essa operação, mas não conseguia me acostumar a ela. Pelo contrário, cada dia eu ficava mais irritado com esse espetáculo, e todas as noites a minha consciência me acusava de covarde por não protestar.

Mil vezes eu dissera a mim mesmo que lavava as mãos nesse caso. Havia no ar indolente do meu amigo tamanha frieza, que ninguém ousaria permitir-se a menor liberdade. As suas grandes qualidades, o seu jeito superior e o conhecimento que eu tinha das suas faculdades extraordinárias me intimidavam e me faziam recuar.

Mesmo assim, naquela tarde, fosse por causa do Beaune que eu tinha tomado no almoço ou por uma irritação maior diante do seu desembaraço, senti de repente que devia protestar.

— O que é hoje: morfina ou cocaína? — perguntei.

Ele ergueu os olhos languidamente do velho livro em letra gótica que abrira, e respondeu:

— É cocaína, em solução de 7%. Quer experimentar?

— Não — respondi asperamente. — O meu organismo ainda não se recuperou da campanha no Afeganistão. Não aguenta esses excessos.

Ele sorriu da minha veemência e disse:

— Talvez você tenha razão, Watson. Parece-me que sua influência no físico é nefasta. Mas é tão estimulante para o espírito e deixa a mente tão clara que os efeitos secundários não têm muita importância.

— Mas pense no que isso vai lhe custar — observei com seriedade. — O seu cérebro pode, como diz, ser estimulado, mas por um processo patológico e mórbido que envolve uma alteração nos tecidos e pode, no mínimo, provocar uma fragilidade permanente. Você bem sabe como a reação é terrível. É uma coisa que não vale a pena. Por que é que você deveria, por causa de um prazer passageiro, arriscar-se a perder a grande capacidade com que foi dotado? Lembre-se de que não lhe falo apenas como um camarada, mas como um médico que tem uma certa responsabilidade pela sua saúde.

Ele não pareceu ofendido. Pelo contrário, juntou as pontas dos dedos e apoiou os cotovelos nos braços da poltrona, como se estivesse saboreando a conversa.

— O meu espírito rebela-se contra a estagnação — disse ele. — Deem-me problemas, muito trabalho, o mais complicado criptograma ou a mais intrincada análise e eu estarei no meu meio. Então, dispensarei todos os estimulantes artificiais. Detesto a rotina monótona da existência. Anseio pela exaltação mental. Foi por isso que escolhi a minha profissão especial. Ou melhor, eu a criei, porque sou o único no mundo.

— O único detetive particular? — perguntei, erguendo as pálpebras.

— O único detetive consultor particular — respondeu. — Eu sou o último e supremo recurso nos casos criminais. Quando Gregson, Lestrade ou Athelney Jones ficam desorientados, o que, aliás, é o estado normal deles, trazem-me o caso para que eu o examine. Verifico os dados como um perito, e dou uma opinião de especialista. Nesses casos, não reivindico o mérito. Meu nome não aparece nos jornais. O trabalho em si e o prazer de descobrir uma área para exercitar as minhas faculdades são a minha maior recompensa. Você mesmo teve ocasião de observar o meu método de trabalho no caso de Jefferson Hope.

— Isso é verdade! — eu disse, com lealdade. — Nunca em minha vida houve algo que me impressionasse tanto. Eu até transformei esse caso numa pequena brochura, com o título um tanto fantástico de *Um estudo em vermelho*.

Ele abanou a cabeça tristemente:

— Eu dei uma olhada nesse trabalho e, na verdade, não posso felicitá-lo por ele. A investigação é, ou deveria ser, uma ciência exata e, portanto, deve ser tratada da mesma forma fria, sem emoção. Você tentou dar-lhe um sabor romântico, e o efeito é o mesmo que transformar uma história de amor, ou uma fuga romântica, na quinta proposição de Euclides.

— Mas o romance lá está — reagi. — Eu não posso desprezar os fatos.

— Alguns fatos deviam ter sido suprimidos, ou, pelo menos, devia ter observado um sentido correto de proporção ao tratar deles. O único ponto da questão que merecia ser mencionado era o curioso raciocínio analítico dos efeitos para as causas, por meio do qual consegui desvendar tudo.

Fiquei magoado com essa crítica a um trabalho que eu fizera especialmente para agradar-lhe. Confesso também que me irritava a vaidade, que parecia exigir que cada linha do meu folheto fosse dedicada a exaltar seus feitos. Por mais de uma vez eu tinha observado que havia vaidade por trás do modo tranquilo e didático do meu companheiro.

Entretanto, não fiz nenhuma observação, e fiquei sentado afagando minha perna ferida. Algum tempo antes ela fora atingida por uma bala Jezail e, embora não me impedisse de andar, doía sempre que o tempo mudava.

— Minha atividade ampliou-se recentemente até o continente — disse Holmes depois de um silêncio, enchendo de novo o cachimbo. — Na semana passada fui consultado por François le Villard, que, como você provavelmente sabe, passou a dirigir há pouco tempo o serviço policial francês. Tem a capacidade céltica da intuição rápida, mas tem deficiências quanto aos conhecimentos essenciais ao desenvolvimento supremo da sua arte. O caso dizia respeito a um testamento e tinha algumas características interessantes. Mencionei-lhe dois casos semelhantes, um ocorrido em Riga, em 1857, e o outro em Saint Louis, em 1871, que sugeriram a ele a verdadeira solução. Aí está a carta que recebi dele esta manhã, agradecendo-me o auxílio.

Estendeu-me uma folha de papel estrangeiro dobrada. Num relance, vi uma profusão de pontos de exclamação entre alguns *magnifique coup-de-maître e tours de force,* que demonstravam a grande admiração do francês.

— Fala como um discípulo dirigindo-se ao mestre — comentei.

— Oh! ele exagera o meu auxílio — disse Holmes com displicência. — Ele próprio tem um talento considerável. Tem duas das três qualidades essenciais ao detetive perfeito: capacidade de observação e de dedução. Faltam-lhe conhecimentos, mas isso virá com o tempo. Ele está agora traduzindo os meus pequenos trabalhos para o francês.

— Seus trabalhos?

— Ah, não sabia? — disse ele, rindo. — É verdade, cometi o delito de escrever várias monografias. Todas sobre assuntos técnicos. Aqui tem uma, por exemplo: é sobre a *Diferença entre as cinzas dos vários tipos de tabaco*. Eu relaciono 140 tipos de fumo de charuto, cigarro e cachimbo, com ilustrações mostrando a diferença das cinzas. É um ponto sempre controverso nos casos criminais, e que muitas vezes constitui o fio da meada. Se você puder determinar com segurança que um assassinato foi cometido por um homem que estava fumando um *lunkah* indiano, isso obviamente restringe o campo de investigações. Para o olho treinado, há tanta diferença entre as cinzas de dois fumos distintos como entre um repolho e uma batata.

— Você tem um talento especial para os detalhes — observei.

— Dou-lhes um valor muito grande. Esta é a minha monografia sobre pegadas, com algumas observações sobre o uso do gesso para conservar as *impressões*. Aqui está também um trabalhinho curioso sobre a influência do ofício na forma da mão, com reproduções das mãos de revestidores de telhados, marinheiros, calafates, compositores, tecelões e lapidadores. É um assunto de grande interesse prático para a investigação científica, principalmente nos casos de corpos não reclamados, ou para descobrir os antecedentes dos criminosos. Mas eu estou cansando você com esta minha mania.

— De modo algum — respondi com sinceridade. — Isso me interessa muito, principalmente desde que o vi aplicar os seus métodos. Mas falou há pouco sobre observação e dedução. Acho que, até um certo ponto, uma influi na outra.

— Sim, talvez... — respondeu, encostando-se voluptuosamente na poltrona e tirando do cachimbo baforadas azuladas. — Por exemplo: a observação me mostra que você esteve esta manhã na agência postal da Wigmore Street e a dedução indica que foi passar um telegrama.

— Exato! Perfeito nos dois pontos! Mas confesso que não sei como chegou a essa conclusão. Foi uma resolução repentina, e não falei sobre isso a ninguém.

— Pois é a própria simplicidade — observou ele, rindo da minha surpresa. — Tão absurdamente simples que qualquer explicação é supérflua; mas, mesmo assim, serve para definir os limites da observação e da dedução. A observação me diz que no peito do seu pé há um pouco de terra avermelhada. Exatamente em frente à agência de Wigmore Street retiraram o calçamento e jogaram terra para fora, que ficou acumulada de uma forma que é impossível passar por ali sem que ela entre pelo sapato. A cor avermelhada da terra, que eu saiba, não se encontra em nenhum outro lugar da vizinhança. Até aqui é a observação. O resto foi dedução.

— E por que deduziu que era um telegrama?

— Porque eu sabia que você não escrevera nenhuma carta, já que fiquei sentado aqui na sua frente a manhã inteira. Estou vendo na sua escrivaninha um grande maço de cartões-postais e uma folha de selos. O que iria fazer no correio, a não ser passar um telegrama? Eliminando todos os outros fatores, o que sobra tem que ser o verdadeiro.

— Neste caso, acertou inteiramente — disse depois de alguns minutos de reflexão. — Mas, como você disse muito bem, o caso é bastante simples. Acha que seria impertinência minha se eu quisesse testar suas teorias num caso mais difícil?

— Pelo contrário — respondeu-me. — Vai até evitar que eu tome uma segunda dose de cocaína. Eu adoraria examinar algum outro problema que você queira me apresentar.

— Ouvi você dizer que é difícil uma pessoa ter um objeto de uso constante sem deixar nele a marca de sua individualidade de tal modo que um bom observador não a descubra. Bem, tenho aqui um relógio que passou a me pertencer há pouco tempo. Quer ter a bondade de dar a sua opinião sobre o caráter ou os hábitos do seu último dono?

Entreguei-lhe o relógio, intimamente divertido com a experiência que eu julgava impossível, e que serviria para dar-lhe uma lição, devido ao tom dogmático que adotava quase sempre. Ele examinou o relógio, olhou atentamente o mostrador, abriu-o e examinou o mecanismo, primeiro a olho nu e depois com uma poderosa lente convexa. Eu mal podia conter o riso diante de sua expressão desanimada, até que fechou a tampa e devolveu-me o relógio.

— Há muito poucos dados — observou. — Limparam o relógio recentemente, e isso me subtraiu o que havia nele de mais sugestivo.

— Tem razão, fizeram uma limpeza nele antes de o mandarem para mim.

No meu íntimo, eu acusava o meu amigo de dar uma desculpa fraca e pouco convincente para encobrir o seu fracasso. Que informações ele poderia obter se não tivessem limpado o relógio?

— Apesar de incompleta, a minha pesquisa não foi totalmente inútil — observou ele, olhando para o teto com olhos opacos e sonhadores. — Talvez eu esteja errado, mas acho que o relógio pertencia a seu irmão mais velho, que o herdou de seu pai.

— Isto, sem dúvida, você descobriu pelas iniciais *H.W.* da tampa.

— Exatamente. O *W* sugeriu-me o seu próprio nome. A data do relógio é de uns cinquenta anos atrás e as iniciais têm o mesmo tempo que o relógio; portanto, foi feito para a última geração. Em geral, as joias pertencem ao filho mais velho, que quase sempre tem o mesmo nome do pai. O seu pai, se me lembro bem, já morreu há anos. O relógio estava, portanto, com o seu irmão.

— Até aí, tudo bem — disse eu. — Mais alguma coisa?

— O seu irmão era um homem desorganizado, muito desorganizado e descuidado. Recebeu recursos para ter um belo futuro, mas jogou fora suas oportunidades. Viveu alguns anos na pobreza com alguns intervalos curtos de prosperidade, e, por fim, adquiriu o hábito de embriagar-se e morreu. Foi o que pude concluir.

Levantei-me da cadeira e comecei a andar pelo quarto, agitado e muito magoado.

— Isto é indigno de você, Holmes — eu disse. — Não acreditaria nunca que fosse capaz de chegar a esse ponto. Pelo que vejo, andou indagando a respeito da história do meu irmão infeliz e quer me fazer crer que são deduções feitas a partir de bases imaginárias. Você quer que eu acredite que descobriu tudo isso no relógio? Isto é cruel e, para falar com franqueza, tem um toque de charlatanismo.

— Meu caro doutor, peço que aceite minhas desculpas — disse ele gentilmente. — Olhando o caso como um problema abstrato, esqueci que é uma coisa pessoal e dolorosa para você. Porém, garanto-lhe que nem sabia que você tinha um irmão até o momento em que me mostrou este relógio.

— Nesse caso, como soube de todas essas coisas? São absolutamente corretas nos menores detalhes!

— Então tive muita sorte! Tudo o que disse era para mim apenas provável. Não pensei que fosse tão preciso.

— Mas não foi simples adivinhação?

— Ah! não, nunca adivinho. É um péssimo hábito, que destrói a capacidade lógica. Parece-lhe extraordinário porque você não seguiu o encadeamento de pensamentos nem observou os pequenos fatos dos quais dependem as consequências maiores. Por exemplo: comecei verificando que o seu irmão era descuidado. Observando a parte inferior da caixa do relógio, vê-se que ele não só está amassado em dois lugares, como também está muito arranhado porque ele tinha o hábito de pôr no mesmo bolso, junto com o relógio, outros objetos, como chaves ou moedas. Certamente não é uma grande façanha presumir que um homem que trata assim um relógio caro é descuidado. Nem é absurdo achar que quem herda um objeto desse valor dispõe de recursos.

Balancei a cabeça para mostrar que acompanhava seu raciocínio.

— Na Inglaterra, os agiotas que recebem um relógio como garantia do empréstimo costumam raspar o número da etiqueta com a ponta de um alfinete dentro da caixa. Com a minha lente, vi quatro desses números na caixa, e concluí que por várias vezes o seu irmão esteve em dificuldades financeiras, e que também teve momentos de prosperidade, do contrário não teria podido retirar o objeto empenhado. Finalmente, peço-lhe que olhe para a chapa interna onde está o buraco da chave. Veja as centenas de arranhões em volta do buraco; são marcas das vezes em que a chave escorregou. A chave de um homem sóbrio nunca produziria todos esses arranhões, ao passo que os relógios dos homens que se embriagam têm essas marcas. Dão corda à noite e, assim, deixam os vestígios da mão vacilante. Onde está o mistério disso?

— Está claro como a luz do sol — respondi. — Lamento a minha injustiça com você. Devia ter confiado mais na sua capacidade fantástica. Está investigando algum caso no momento?

— Nenhum. Daí a cocaína. Não posso viver sem uma atividade cerebral. A que mais se deve dedicar a vida? Olhe pela janela. Pode haver um mundo mais triste, horrendo e inútil? Veja como o nevoeiro amarelado corre pela rua e é impelido para as casas sombrias. O que poderá haver de mais irremediavelmente prosaico e material? Para que servem os poderes, doutor, quando não há campo para exercê-los? O crime é comum, a existência é comum, e as qualidades não têm função na Terra, a não ser as comuns.

Eu ia dar uma resposta a esse comentário quando a nossa senhoria, com uma batida seca, entrou na sala trazendo um cartão numa bandeja de metal.

— Uma moça quer falar com o senhor — disse ela, dirigindo-se ao meu companheiro.

— Srta. Mary Morstan — ele leu. — Hum! Não me lembro desse nome. Peça para subir, sra. Hudson. Não vá, doutor, prefiro que fique.

2

A EXPOSIÇÃO DO CASO

A SRTA. MORSTAN ENTROU COM PASSO FIRME E UMA APARÊNCIA de seriedade. Era uma jovem loura, pequena, delicada, de luvas e vestida com apuro. Apesar disso, havia uma simplicidade e uma sobriedade no seu traje que sugeriam que ela era uma pessoa de poucos recursos. O vestido era de um bege-acinzentado escuro, liso e sem enfeites, e usava um chapéu da mesma cor sombria, só realçado por uma pena branca de um lado. O rosto não tinha feições regulares nem traços de beleza, mas sua expressão era doce e amável, e os seus grandes olhos azuis transmitiam simpatia e espiritualidade. Com a experiência a respeito de mulheres de muitos países de três diferentes continentes, nunca tinha visto uma fisionomia em que transparecesse tão claramente uma natureza refinada e sensível. Quando ela se sentou, no lugar que Holmes lhe indicava, tremiam os lábios e as mãos, e ela exibia todos os sinais de uma grande agitação interior.

— Procurei-o, sr. Holmes, porque uma vez o senhor conseguiu resolver uma pequena complicação doméstica que atormentava a minha patroa, a sra. Forrester — disse ela. — Ela ficou bem impressionada com sua bondade e sua perícia.

— Sra. Cecil Forrester — repetiu Holmes, pensativo. — Creio que lhe prestei um pequeno serviço. Em todo caso, se não me engano, o problema era dos mais simples.

— Ela não pensava assim. Mas, pelo menos, o senhor não dirá o mesmo do meu. É difícil imaginar alguma coisa mais estranha, mais totalmente inexplicável do que a situação em que me encontro.

Holmes esfregou as mãos e seus olhos brilharam. Inclinou-se na cadeira com uma expressão de intensa concentração no rosto de traços nítidos como os de um falcão.

— Conte o seu caso — disse ele num tom vivo, entusiasmado.

Senti que estava numa situação desconfortável e levantei-me, desculpando-me.

Para meu grande espanto, ela fez um gesto com a mão e disse:

— Se o seu amigo quiser ter a bondade de ficar, me prestará um grande serviço.

Voltei para a minha cadeira.

— Em resumo, os fatos são estes: meu pai era oficial no regimento da Índia — continuou ela. — Mandou-me para cá quando eu era pequena, após a morte de minha mãe. Mas eu não tinha parentes na Inglaterra. Puseram-me num colégio interno em Edimburgo, e fiquei lá até os 17 anos. Em 1878, meu pai, que era o oficial mais antigo do regimento, obteve um ano de licença e veio para a Inglaterra. Telegrafou-me de Londres, dizendo que tinha chegado são e salvo e que eu viesse logo. Deu o endereço do Hotel Langham. A mensagem, lembro-me bem, estava cheia de bondade e amor. Logo que cheguei a Londres, fui ao Langham e me informaram que o capitão Morstan estava hospedado lá, mas que saíra na noite anterior e ainda não voltara. Esperei o dia inteiro sem ter notícias dele. Nessa noite, a conselho do gerente do hotel, comuniquei o fato à polícia, e na manhã seguinte publicamos um anúncio em todos os jornais. As nossas indagações não deram nenhum resultado, e desde esse dia nunca mais ouvi uma palavra a respeito de meu pai. Ele voltou à pátria com o coração cheio de esperança, pensando que ia encontrar um pouco de paz e conforto, e, em vez disso...

Ela pôs a mão na garganta, e um soluço sufocado interrompeu a frase.

— Quando foi isso? — perguntou Holmes, abrindo seu caderno de anotações.

— Ele desapareceu no dia 3 de dezembro de 1878, há quase dez anos.

— E a bagagem?

— Ficou no hotel. Não se encontrou nada ali que fornecesse uma pista: roupas, livros e uma porção de coisas das ilhas Andamã. Ele era um dos oficiais encarregados da guarda dos degredados ali.

— Ele tinha amigos aqui?

— Que eu saiba, só um, o major Sholto, do mesmo regimento, o 34º de infantaria de Bombaim. O major viera algum tempo antes e morava no Alto Norwood. É claro que entramos em contato com ele, mas o major nem sabia que seu colega estava na Inglaterra.

— Um caso singular — observou Holmes.

— Ainda não lhe falei do detalhe mais estranho do caso. Há mais ou menos seis anos, para ser mais exata, no dia 4 de maio de 1882, apareceu um anúncio no *Times* pedindo o endereço da srta. Mary Morstan e afirmando que era um assunto do interesse dela. Não dava nome nem endereço. Nessa época, eu tinha começado a trabalhar na casa da sra. Cecil Forrester como preceptora. Aconselhada por ela, publiquei o meu endereço na coluna de anúncios. No mesmo dia, recebi pelo correio uma caixinha de papelão que continha uma pérola muito grande e lustrosa. Mas não havia nada escrito. Desde então, todo ano, na mesma data, recebo uma pérola igual dentro de uma caixa igual sem a menor indicação do remetente. Foram examinadas por um perito, que disse serem de um tipo raríssimo e de valor considerável. Podem verificar que são belíssimas — disse.

Ela abriu uma caixinha e mostrou-me seis pérolas, das mais bonitas que eu já vira.

— A sua exposição é interessantíssima — disse Holmes. — Aconteceu mais alguma coisa?

— Sim, senhor. Hoje mesmo. E foi por isso que eu vim até aqui. Essa manhã recebi esta carta, talvez seja melhor que o senhor mesmo a leia.

— Obrigado — disse Holmes. — O envelope também, por favor. Carimbo postal Londres, S. W. Data 7 de julho. Uuh! A marca de um polegar no canto. Provavelmente do carteiro. Papel da melhor qualidade. Envelope de seis pence o pacote. Homem cuidadoso no seu papel de carta. Nenhum endereço.

Esteja na terceira pilastra do lado esquerdo do Lyceum Theatre essa noite, às 19 horas. Se estiver desconfiada, traga duas pessoas amigas. Você tem sido lesada, mas lhe será feita justiça. Não traga a polícia. Se trouxer, estragará tudo. Seu amigo desconhecido.

— Na verdade, isso é um belo misteriozinho. O que pretende fazer, srta. Morstan?

— É exatamente o que eu queria lhe perguntar.

— Neste caso, certamente devemos ir, a senhora e eu, e... sim, o dr. Watson é o homem ideal. A carta diz dois amigos. Ele e eu já trabalhamos juntos antes.

— Mas será que ele vai querer ir? — ela perguntou com uma súplica na voz e no olhar.

— Ficarei muito orgulhoso e feliz se puder ser-lhe útil — eu disse com veemência.

— Vocês são muito bons — ela respondeu. — Vivo muito isolada e não tenho amigos a quem recorrer. Devo estar aqui às seis horas, não?

— Sim, mas não pode se atrasar. Há um outro ponto ainda. A letra da carta é a mesma das caixas das pérolas?

— Tenho-as aqui — disse, mostrando seis pedaços de papel.

— A senhora é uma cliente modelo. Tem a verdadeira intuição das coisas. Deixe-me ver. — Holmes espalhou os papéis sobre a mesa, olhou alternadamente para todos eles. — As letras estão disfarçadas, menos a da carta, mas não se pode haver dúvida quanto ao autor. Veja como o irresistível *"y"* sai natural e a volta do *"s"* final. Sem dúvida, foram feitos pela mesma pessoa. Eu não gostaria de dar falsas esperanças, srta. Morstan, mas existe alguma semelhança entre esta letra e a de seu pai?

— Não pode haver nada mais diferente.

— Imaginava ouvir isso mesmo. Bem, estaremos esperando às 18 horas. Deixe que estes papéis fiquem comigo. Até lá, vou examinar a questão; são apenas 15h30. Até logo.

— Até logo — disse a nossa visita, e com um olhar bondoso e inteligente para nós, tornou a guardar no seio a caixinha das pérolas e saiu apressada.

Fiquei à janela vendo-a caminhar rapidamente pela rua, até que o chapéu bege de pena branca desapareceu no meio da multidão.

— Que mulher atraente — eu disse ao meu companheiro quando voltei.

Ele enchera de novo o cachimbo e estava recostado com os olhos fechados.

— É?... — disse indolentemente. — Eu não reparei...

— Na verdade, você é um autômato, uma máquina de calcular. Às vezes, há em você alguma coisa positivamente desumana.

Ele sorriu tranquilamente.

— É muito importante não deixar que as características pessoais influenciem o nosso julgamento. Para mim, um cliente é uma unidade, apenas um dado de um problema. Os fatores emocionais são adversários da clareza de raciocínio. Eu asseguro-lhe que a mulher mais encantadora que já conheci foi enforcada por ter envenenado três criancinhas para receber o seguro de vida. E o homem mais repelente que conheço é um filantropo que já gastou quase meio milhão com os mendigos de Londres.

— Mas neste caso...

— Eu nunca faço exceções. Uma exceção contesta a regra. Já teve oportunidade de estudar o caráter pela escrita? O que acha das garatujas deste sujeito?

— É uma letra legível e regular — respondi. — Um homem ocupado com certa força de caráter.

Holmes meneou a cabeça.

— Olhe para as letras de haste; mal chegam à altura das pequenas. Aquele *"d"* podia ser um *"a"* e o *"i"* podia ser um *"e"*. Pessoas de caráter sempre diferenciam as letras de haste, por mais ilegível que seja a sua caligrafia. Há hesitação no *"k"* e autoestima nas maiúsculas. Vou sair agora, tenho de obter algumas informações. Recomendo-lhe este livro, um dos mais notáveis já escritos: *Martyrdom of Man*, de Winwood Reade. Estarei de volta dentro de uma hora.

Sentei-me junto à janela com o livro na mão, mas meus pensamentos estavam muito distantes das especulações ousadas do autor. Meu espírito foi atrás da nossa visita, o seu sorriso, o tom quente e profundo da sua voz, o estranho mistério que pesava sobre a sua vida. Se ela estava com 17 anos na época do desaparecimento do pai, devia ter agora 27. Doce idade, quando a mocidade perde sua inibição e torna-se mais sensata pela experiência. Então sentei-me e fiquei meditando até que os meus pensamentos se tornaram tão perigosos que corri para a minha escrivaninha e mergulhei furiosamente no mais recente tratado de patologia. Quem era eu (um cirurgião do Exército, com uma perna fraca e uma conta bancária ainda mais fraca) para ousar pensar em coisas assim? Ela era uma unidade, o dado do problema, nada mais. Se meu futuro era negro, seria melhor encará-lo como um homem do que tentar iluminá-lo apenas com castelos no ar.

3

EM BUSCA DA SOLUÇÃO

Já eram cinco e meia quando Holmes voltou. Vinha alegre, entusiasmado, de excelente humor, um estado de ânimo que, no seu caso, se alternava com crises terríveis de depressão.

— Não há grande mistério nesse caso — disse ele, tomando o chá que eu servira. — Os fatos parecem admitir uma única explicação.

— O quê? Já achou a solução?

— Bem, isto seria um exagero. Apenas descobri um dado sugestivo, mas é muito sugestivo. Ainda faltam detalhes. Acabo de descobrir, consultando os números atrasados do *Times*, que o major Sholto, do Alto Norwood, que pertencera ao 34º Regimento de Infantaria de Bombaim, morreu no dia 28 de abril de 1882.

— Talvez eu seja obtuso, Holmes, mas não consigo ver o que isso sugere.

— Não? Você me surpreende. Então veja. O capitão Morstan desaparece. A única pessoa em Londres que ele pode ter visitado é o major Sholto, que afirmava que nem sabia que ele havia chegado. Quatro anos depois, Sholto morre. Passada uma semana, a filha do capitão Morstan recebe um presente de grande valor que se repete todos os anos, e agora vem esta carta dizendo que ela foi prejudicada. A que prejuízo ela se refere, a não ser o de terem-na privado do pai? E por que os presentes começaram a aparecer logo depois da morte de Sholto? Será que o herdeiro de Sholto sabe alguma coisa do mistério e deseja compensá-la de alguma forma? Você acha que pode haver outra alternativa que explique os fatos?

— Mas que compensação estranha! E feita de uma maneira singular! E por que ele escreveria agora e não há seis anos? E a carta ainda fala em fazer justiça! Que justiça deve ser feita? Seria demais supor que o pai dela ainda vive. Que se saiba, essa é a única injustiça que sofreu.

— Há dificuldades, é claro que há dificuldades, mas a nossa excursão noturna deverá resolvê-las — disse Holmes, pensativo. — Aí vem o cupê com a srta. Morstan dentro. Está tudo pronto? Então é melhor descermos, porque já está passando da hora.

Apanhei o meu chapéu e a bengala mais pesada, mas notei que Holmes apanhara o revólver na gaveta e metera-o na algibeira. Era claro que ele esperava que nossa noite fosse importante...

A srta. Morstan vinha agasalhada num casaco escuro e seu rosto expressivo estava calmo, embora pálido. Não seria mulher se não se sentisse embaraçada numa situação tão estranha como aquela. Mas, ainda assim, o seu autocontrole era perfeito, e respondeu prontamente às perguntas adicionais que Holmes lhe fez.

— O major Sholto era um grande amigo de meu pai. As cartas que me escrevia estavam cheias de referências a ele. Ele e meu pai comandaram as tropas nas ilhas Andamã e por isso tiveram grande convivência. Encontrei entre os documentos de meu pai um papel muito curioso, mas que ninguém conseguiu entender. Acho que não tem a menor importância, mas lembrei-me de que poderia gostar de vê-lo e trouxe-o comigo. Está aqui...

Holmes desdobrou o papel com cuidado e estendeu-o sobre os joelhos. Então, examinou-o metodicamente com a lente dupla.

— Este papel é de fabricação indiana — observou. — Esteve pregado numa tábua durante algum tempo. Parece ser a planta de parte de um grande edifício, com muitas salas, corredores e passagens. Num certo ponto há uma cruzinha feita com tinta vermelha e acima está escrito a lápis "3,37 a partir da esquerda", já meio apagado. No canto esquerdo há um curioso hieróglifo como quatro cruzes numa linha com os braços encostando uns nos outros. Ao lado está escrito em letras grosseiras "*O sinal dos quatro:* Jonathan Small, Mahomet Singh, Abdullah Khan, Dost Akbar." Não me parece realmente que isto tenha relação com a sua história. No entanto, é, evidentemente, um documento importante. Foi conservado cuidadosamente num caderno de notas, porque os dois lados estão limpos.

— Foi no caderno dele que o encontramos.

— Então guarde-o com cuidado, srta. Morstan, porque talvez seja útil, mais tarde. Começo a suspeitar que o nosso caso pode ser mais profundo e sutil do que julguei a princípio. Preciso rever as minhas suposições.

Recostou-se no carro e percebi, pelas pálpebras semicerradas e pelo olhar vago, que estava concentrado em seus pensamentos. A srta. Morstan e eu tagarelávamos em voz baixa a respeito da nossa expedição e do seu possível resultado; mas nosso companheiro manteve a mais impenetrável reserva até o fim do trajeto.

Ainda não eram 19 horas de uma tarde de setembro. O dia tinha sido sombrio e um nevoeiro úmido e denso envolvia a cidade toda. Nuvens cor de chumbo desciam tristemente sobre as ruas enlameadas. No Strand, os lampiões pareciam borrões de luz difusa que projetavam pequenos círculos brilhantes na calçada escorregadia. O brilho amarelo que vinha das vitrinas espalhava-se no ar úmido e lançava uma luz sombria e vacilante na rua cheia de gente.

Eu tinha a impressão de que havia algo de sobrenatural e fantasmagórico naquela procissão infindável de rostos que flutuavam por aquelas estreitas faixas de luz, algumas caras tristes, outras alegres, umas felizes, outras sofredoras... Como toda a humanidade, iam da sombra para a luz, e depois voltavam para a sombra. Eu não sou muito impressionável, mas a tarde pesada e triste, e o estranho caso em que estávamos envolvidos, deixavam-me nervoso e deprimido. E bastava olhar para a srta. Morstan para ver que sofria como eu. Só Holmes conseguia ficar imune a influências insignificantes. De vez em quando, abria o caderno de notas sobre os joelhos e, à luz da lanterna de bolso, escrevia notas ou números.

À entrada do Lyceum Theatre a multidão era compacta. Havia um contínuo vaivém de cabriolés e cupês livrando-se da sua carga de homens de camisas reluzentes e mulheres cobertas de brilhantes. Mal chegamos à terceira coluna, que era a do nosso encontro, fomos abordados por um sujeito baixo, escuro, vivo, vestido de cocheiro.

— São os senhores que acompanham a srta. Morstan? — perguntou.

— Eu sou a srta. Morstan, e estes dois senhores são meus amigos.

Ele pousou sobre nós um par de olhos admiravelmente penetrantes e inquiridores.

— Desculpe-me, senhorita, mas tenho de pedir-lhe que me dê a sua palavra de que nenhum destes senhores é da polícia — disse ele num tom rabugento.

— Dou-lhe a minha palavra.

Ele deu um assobio agudo e surgiu um garoto que trouxe um cupê e abriu a porta. O homem que falara conosco subiu para a boleia e nós entramos. Mal acabávamos de nos acomodar quando o cocheiro deu uma chicotada no cavalo, e passamos a correr pelas ruas cobertas de neblina.

A situação era curiosíssima. Íamos para um lugar desconhecido, com um fim também desconhecido. Ou o convite era um perfeito logro, o que era uma hipótese inconcebível, ou a nossa jornada teria um resultado importantíssimo. O comportamento da srta. Morstan continuava a ser resoluto e tranquilo. Tentei entretê-la e diverti-la com as minhas reminiscências do Afeganistão, mas, para dizer a verdade, eu próprio estava tão excitado com a situação e tão curioso sobre o que ia acontecer, que as minhas histórias foram se arrastando. Ela diz agora que naquela noite contei uma história sobre um mosquete que surgiu na entrada da minha barraca de madrugada e que eu atirei com uma espingarda de dois canos num filhote de tigre. No início eu tinha uma ideia do lugar para onde nos dirigíamos, mas em pouco tempo, com a pressa, o nevoeiro e o pouco conhecimento que eu tinha de Londres, perdi a noção e só sabia que estávamos indo para longe.

Mas Sherlock Holmes nunca se confundia, e, enquanto o cupê passava por praças e tortuosas ruas secundárias, ele ia dizendo os nomes de todas elas.

— Rochester Row, Vincent Square — disse ele. — Agora vamos sair na Vauxhall Bridge Road. Parece que estamos indo para os lados do Surrey. Eu imaginava isso. Agora estamos na ponte. Podemos ver uns trechos do rio.

Víamos de fato uns pedaços do Tâmisa com os lampiões brilhando na água silenciosa; mas o carro voava e logo entramos num labirinto de ruas do outro lado do rio.

Holmes ia dizendo os nomes.

— Wordsworth Road, Priory Road, Lark Hall Lane, Stockwell Place, Robert Street, Cold Harbour Lane. Não me parece que estejam nos levando para regiões muito elegantes.

De fato, tínhamos chegado a um bairro suspeito e repugnante. Longas filas de casas de tijolos sombrias eram iluminadas apenas pela claridade difusa e fraca das tabernas nas esquinas. Em seguida, surgiram fileiras de *villas* de dois andares com um pequeno jardim na frente, e outra vez mais filas de construções novas de tijolos, os tentáculos do monstro que a cidade gigantesca impele para os arredores.

Por fim, o cupê parou na terceira casa de um loteamento novo. Nenhuma das outras casas estava habitada e aquela diante da qual paramos estava tão escura como as vizinhas, vendo-se apenas um filete de luz na janela da cozinha. Quando batemos, um criado hindu, vestido com túnica branca, um turbante amarelo na cabeça e uma larga faixa também amarela, abriu imediatamente a porta. Havia uma estranha incoerência nessa figura oriental ali à porta de uma casa ordinária num subúrbio de terceira classe.

— O *sahib* os espera — disse ele, e, enquanto falava, ouvimos uma voz esganiçada que vinha do interior da casa.

— Traga-os, *khitmutgar* — exclamou. — Traga-os já.

4
A HISTÓRIA DO HOMEM CALVO

Seguimos o hindu por um corredor sórdido, mal-iluminado e mal mobiliado, até uma porta do lado direito, que ele abriu. Um clarão amarelado iluminou-nos. No centro do foco de luz estava um homem de pequena estatura, cabeça grande com ralos cabelos avermelhados em volta, sobre as orelhas, e o crânio descoberto, reluzente como o cume de uma montanha no meio do arvoredo. Ele torcia as mãos, e seu rosto mudava constantemente de expressão, ora rindo, ora contraindo as feições. A natureza lhe dera um lábio pendente e uma fila de dentes amarelos salientes, que ele procurava disfarçar passando repetidamente a mão pela parte inferior do rosto. Apesar da calvície, dava a impressão de ser jovem. E, realmente, acabara de fazer trinta anos.

— Um seu criado, srta. Morstan — repetia numa voz aguda, fraca. — Um seu criado, meus senhores. Queiram entrar no meu refugiozinho. Pequeno, mas mobiliado a meu gosto. Um oásis de arte no lamentável deserto da parte sul de Londres.

Ficamos todos espantados com a aparência da sala para onde nos tinham levado. Naquela casa triste, parecia tão deslocada como um diamante de primeira água engastado em latão!

Cortinas caras e brilhantes e magníficas tapeçarias cobriam as paredes do aposento, onde havia também vasos orientais e pinturas ricamente emolduradas.

O tapete era preto e âmbar, e tão grosso que os pés se enterravam agradavelmente nele, como num leito de musgo. Duas grandes peles de tigre, atiradas no meio da sala, aumentavam a sugestão do fausto oriental, assim como o enorme narguilé posto a um canto. Uma lâmpada de prata do feitio de uma pomba pendia do centro do teto por um fio dourado quase invisível. Enquanto queimava, enchia o ar com um aroma leve e sutil.

— Eu sou Tadeu Sholto — disse o homenzinho agitado e risonho. — Naturalmente você é a srta. Morstan. E estes senhores...

— Este é o sr. Sherlock Holmes e este é o dr. Watson.

— Um médico, hein? — ele exclamou, excitado. — Trouxe o estetoscópio? Posso pedir-lhe... se quisesse ter a bondade? Tenho sérias dúvidas sobre a minha válvula mitral; se quisesse ter a bondade. Na aorta eu posso confiar, mas queria a sua opinião sobre a válvula.

Auscultei-lhe o coração, como pedia, mas não encontrei nada de anormal; a não ser o fato de que estava num acesso de medo, porque tremia dos pés à cabeça.

— Não há motivo para o seu mal-estar. Tudo parece perfeitamente normal.

— Desculpe a minha ansiedade, srta. Morstan, sofro muito e suspeitava da válvula há muito tempo — ele disse vagamente. — Estou contentíssimo de ouvir que está tudo normal. Se seu pai, srta. Morstan, tivesse poupado o coração da tensão, ainda poderia estar vivo.

Quase esbofeteei o homem por causa da brutalidade com que se referiu a um assunto tão delicado. A srta. Morstan empalideceu até a raiz dos cabelos.

— Meu coração me dizia que ele tinha morrido — disse ela.

— Posso dar-lhe todas as informações sobre isso e, além do mais, fazer justiça. E farei, independentemente do que o meu irmão Bartolomeu possa dizer. Estou muito satisfeito com o fato de que estes seus amigos tenham vindo! Não só para acompanhá-la, mas também para testemunhar o que tenho a dizer-lhe. Nós três podemos enfrentar o meu irmão Bartolomeu, mas sem a presença de estranhos, ninguém da polícia nem funcionários do governo. Podemos resolver tudo de maneira satisfatória entre nós, sem interferências. Nada incomoda mais Bartolomeu do que a publicidade.

Sentou-se num sofá baixo, piscando de modo inquiridor seus olhos de um azul-claro aguado...

— De minha parte, o que quer que você tenha a dizer, daqui não passará — disse Holmes.

Balancei a cabeça para mostrar que concordava.

— Está bem. Está bem! Aceita um cálice de chianti, srta. Morstan? Ou de tócai?[1] Eu não uso outros vinhos. Quer que abra uma garrafa? Não? Bem. Certamente não a incomoda o cheiro do fumo, o aroma balsâmico do fumo oriental. Estou um pouco nervoso e o meu narguilé é incomparável como sedativo.

Pôs-se a fumar, e a fumaça fazia bolhas na água do bojudo narguilé. Nós três nos sentamos em semicírculo, com as cabeças inclinadas para a frente, de mão no queixo, enquanto o sujeitinho esquisito, com a sua grande cabeça reluzente, fumava pouco à vontade no centro.

— Quando decidi fazer-lhe este relato, podia ter-lhe dado logo o meu endereço, mas receei que desconsiderasse o meu pedido e trouxesse consigo gente desagradável. Então tomei a liberdade de arranjar as coisas de modo que o meu criado Williams pudesse vê-la antes de ser visto. Eu tenho absoluta confiança na discrição dele, e ele tinha ordem de não prosseguir se ficasse desconfiado. Você deve me desculpar por estas precauções, mas eu sou um homem muito reservado, devia dizer de gosto apurado, e não há nada mais antiestético do que um policial. Tenho uma repugnância natural por todas as manifestações do materialismo grosseiro. Raramente tenho contato com a multidão. Como vê, vivo envolvido numa atmosfera de elegância. Posso considerar-me um patrono das artes. É o meu fraco. Aquela paisagem é um Corot autêntico, e, embora um especialista possa pôr em dúvida a origem daquele Salvador Rosa, ninguém pode ter a mínima dúvida sobre o Bouguereau. Tenho um fraco pela escola francesa moderna.

— Desculpe-me, sr. Sholto — disse a srta. Morstan. — Pediu-me que viesse porque tinha alguma coisa para me contar. Já é tarde e eu desejaria que a entrevista fosse a mais curta possível.

— Com certeza vai levar algum tempo, porque teremos de ir a Norwood para falar com Bartolomeu — ele disse. — Iremos todos para convencê-lo. Ele está zangado porque tomei a atitude que me pareceu justa. Tive uma discussão violenta com ele ontem à noite. Não imaginam que sujeito terrível ele é quando se zanga.

— Se temos de ir a Norwood, é melhor irmos de uma vez — atrevi-me a dizer.

Ele riu tanto que as orelhas ficaram vermelhas.

---

[1] Vinho licoroso produzido na Hungria.

— Isso daria certo. Não sei o que ele diria se aparecêssemos lá de repente, sem saberem de certos detalhes. Tenho de dizer-lhes que há alguns pontos da história que eu próprio ignoro e só posso dizer-lhes o que sei. Meu pai, como certamente já adivinharam, era o major John Sholto, do Exército da Índia. Voltou há uns 11 anos e veio morar em Pondicherry Lodge, no Alto Norwood. Tinha prosperado na Índia e, quando voltou, trouxe uma fortuna considerável, uma grande coleção de curiosidades de valor e uma porção de criados indianos. Pôde comprar uma casa para ele e viver com muito luxo. O meu irmão gêmeo, Bartolomeu, e eu éramos os únicos filhos. Lembro-me perfeitamente da sensação que o desaparecimento do capitão Morstan causou. Lemos nos jornais todos os detalhes e, sabendo que era um amigo do nosso pai, discutimos abertamente o caso na sua presença. Ele costumava participar das especulações que fazíamos sobre o que poderia ter acontecido. Nem por um momento suspeitamos que ele trazia escondido no coração o tremendo segredo: que ele era a única pessoa que conhecia o destino de Arthur Morstan. Mas sabíamos que alguém, que algum mistério, algum perigo real ameaçava nosso pai. Ele tinha medo de sair sozinho e tinha sempre como porteiros dois lutadores profissionais em Pondicherry Lodge. Williams, que os trouxe aqui esta noite, era um deles. Ele já foi campeão de pesos-leves na Inglaterra. Nosso pai nunca nos disse o que o amedrontava, mas tinha uma evidente aversão por homens com pernas de pau. E uma vez atirou num homem com uma perna de pau, que provou depois ser um negociante honrado e inofensivo em busca de encomendas. Ele teve que pagar uma grande indenização para abafar o caso. Nós pensávamos que era simplesmente uma mania dele, mas os acontecimentos nos fizeram mudar de opinião. No início de 1882, meu pai recebeu uma carta da Índia que o deixou muito abalado. Ele quase desmaiou quando a abriu na hora do almoço, e desde esse dia ficou doente, até que morreu. Nunca soubemos o que dizia a carta, mas vi, quando estava com ela na mão, que era curta e escrita numa letra muito ruim. Ele sofria há muito tempo de uma dilatação no baço, mas desse dia em diante ele piorou rapidamente e no final de abril soubemos que não havia mais esperança, e que ele desejava fazer-nos uma confidência. Quando entramos no seu quarto, ele estava reclinado sobre almofadas e respirava com dificuldade. Pediu que trancássemos a porta e que ficássemos ao lado da cama. Então, segurando nossas mãos, com a voz entrecortada pela emoção e pela dor, fez uma revelação importante. Vou tentar repetir suas palavras:

"'Só há uma coisa que me pesa na consciência neste momento supremo. A maneira como procedi para com a órfã do infeliz Morstan. A maldita avareza, que tem sido minha companheira durante a vida, impediu-me de entregar-lhe o tesouro que devia pertencer-lhe. Mas eu mesmo não me utilizei dele, de tão cega e insensata que é a avareza. O mero sentimento da posse tinha tanto valor para mim que eu não podia tolerar a ideia de partilhá-lo com outra pessoa. Nem aquele fio de pérolas que está ao lado do vidro de quinino eu tive coragem de repartir com ela, embora eu tenha deixado ali com a intenção de enviá-lo para ela. Mas vocês, meus filhos, darão a ela uma boa parte do tesouro de Agra. Mas, antes de eu morrer... nada. Não mandem nada, nem as pérolas... Afinal, muitos homens tão doentes quanto eu acabaram se recuperando.

"'Vou dizer-lhes como Morstan morreu. Ele sofria do coração há muitos anos, mas escondia de todos. Só eu sabia. Quando estávamos na Índia, por uma série notável de circunstâncias, chegamos a ter um tesouro considerável. Trouxe-o para a Inglaterra e, na noite em que Morstan chegou, ele veio imediatamente para cá reclamar a sua parte. Veio a pé da estação e foi recebido pelo meu velho e fiel Lal Chowdar, que já morreu. Morstan e eu divergimos quanto à divisão e chegamos a trocar palavras ásperas. Morstan pulou da cadeira num paroxismo de raiva, e, de repente, pôs a mão sobre o coração, o rosto ficou escuro e caiu para trás, batendo com a cabeça na quina do cofre que continha o tesouro. Quando me aproximei dele, verifiquei horrorizado que estava morto.

"'Durante muito tempo fiquei sem ação, pensando no que deveria fazer. O meu primeiro impulso, é claro, foi tentar conseguir socorro; mas lembrei-me de que tudo era contra mim e que eu seria imediatamente acusado de assassinato. A sua morte no momento em que discutíamos e a pancada que ele levou na cabeça quando caiu seriam provas contra mim. Uma investigação oficial com certeza iria revelar fatos sobre o tesouro, a respeito do qual eu queria guardar segredo. Ele me dissera que ninguém sabia para onde ele tinha ido. Achei que não era necessário que alguém viesse a saber. Ainda estava meditando sobre o assunto quando, ao erguer os olhos, vi Lal Chowdar na porta. Entrou silenciosamente e fechou a porta. "Não tenha medo, *sahib*", disse ele, "ninguém precisa saber que o senhor o matou. Vamos escondê-lo, que é o mais seguro." "Mas eu não o matei", eu disse. Lal Chowdar balançou a cabeça e sorriu: "Eu ouvi tudo, *sahib*, eu ouvi a discussão e ouvi a pancada. Mas a minha boca nunca se abrirá para revelá-lo. Todos estão dormindo na casa. Vamos levá-lo." Isto foi o suficiente para que eu me decidisse. Se o meu próprio criado não podia acreditar na minha inocência, como eu haveria de esperar que acreditassem nela 12 negociantes idiotas que formariam o júri? Lal Chowdar e eu cuidamos do corpo naquela noite, e alguns dias depois os jornais de Londres falavam do misterioso desaparecimento de Morstan. Pelo que eu estou contando, vocês podem ver que não posso ser considerado culpado neste caso. Meu erro está no fato de ter ocultado não só o corpo, mas também o tesouro, e ter conservado a parte de Morstan como se fosse minha. Mas desejo que a restituam. Cheguem os ouvidos perto dos meus lábios. O tesouro está escondido no...'

"Nesse instante, houve uma transformação medonha no seu rosto: os olhos ficaram fixos, com uma expressão selvagem; o queixo caiu, e ele gritou numa voz que nunca pude esquecer: 'Não o deixem entrar. Por Cristo, não o deixem entrar.' Ambos olhamos espantados para a janela atrás de nós, para onde ele dirigia o olhar esgazeado. Lá de fora, no escuro, um rosto olhava para nós. Via-se bem o nariz apertado contra a vidraça. Era uma cara barbuda, os olhos ferozes, selvagens, e uma expressão de maldade. Corremos até a janela, mas o homem fugira. Quando voltamos, a cabeça de meu pai pendia para o lado e o pulso tinha parado de bater. Vasculhamos o jardim naquela noite, mas não descobrimos o menor sinal do intruso, a não ser uma única pegada debaixo da janela, nitidamente visível no canteiro. Mas como só havia aquele único vestígio, achamos que tínhamos imaginado aquele rosto na janela. Entretanto, pouco tempo depois, tivemos uma prova de que havia agentes secretos agindo em volta de nós. A janela do quarto de meu pai foi encontrada aberta de manhã, todos os armários e gavetas haviam sido remexidos e sobre o seu peito havia um pedaço de papel rabiscado com as palavras *O sinal dos quatro*. Nunca soubemos o que significava a frase nem quem era o intruso.

Pelo que pudemos verificar, não roubaram nada do que pertencia a meu pai, apesar de tudo ter sido revirado. Como era natural, eu e meu irmão associamos esse incidente ao medo que perseguira meu pai durante sua vida, mas isto ainda é um mistério absoluto para nós."

O homenzinho fez uma pausa para tornar a acender o narguilé e ficou pensando durante alguns minutos. Estávamos todos absorvidos em sua extraordinária narrativa. No momento em que ele falou da morte do pai dela, a srta. Morstan ficou mortalmente pálida e pensei que ia desmaiar. Mas ela dominou-se bebendo um copo d'água, que eu, discretamente, enchera com o líquido de uma garrafa de cristal de Veneza que estava numa mesa próxima. Sherlock Holmes estava recostado em sua cadeira com uma expressão abstrata e as pálpebras caídas sobre os olhos brilhantes. Quando olhei para ele, lembrei-me de que naquele mesmo dia ele se queixara amargamente da rotina vulgar da vida. Agora, ele tinha de resolver um problema que exercitaria ao máximo sua sagacidade. Tadeu Sholto olhava para nós, orgulhoso do efeito que sua história produzira, e depois continuou, entre as baforadas que tirava do narguilé.

— Meu irmão e eu ficamos muito excitados com a história do tesouro. Durante semanas e meses cavamos e revolvemos todo o jardim sem resultado. Era enlouquecedor lembrar que nosso pai ia dizer o lugar do esconderijo no momento em que morreu. Podíamos imaginar o esplendor das riquezas desaparecidas pelo colar de pérolas que ele tirara. Tivemos uma pequena discussão sobre esse colar. As pérolas eram, evidentemente, de grande valor, e ele não desejava reparti-las porque, aqui entre nós, ele tinha um pouco do defeito de meu pai. Ele achava que, se repartíssemos as pérolas, suscitaríamos desconfianças que acabariam nos trazendo problemas. Só consegui que me deixasse procurar o endereço da srta. Morstan e que lhe mandasse, a intervalos regulares, uma pérola de cada vez, para que ela, pelo menos, ficasse com a parte que lhe cabia.

— Foi uma boa ideia — disse a nossa companheira com sinceridade. — Foi muita bondade da sua parte.

O homenzinho moveu a mão, num gesto de desaprovação.

— Nós éramos os seus depositários. Foi deste ponto de vista que eu encarei o caso, ainda que não fosse esta a opinião do meu irmão Bartolomeu. Nós tínhamos uma boa fortuna. Eu não desejava mais.

Além disso, seria de péssimo gosto tratar uma moça de modo tão vil. *"Le mauvais goût mène au crime."* Os franceses têm uma maneira muito clara de dizer estas coisas. Divergimos a tal ponto nessa questão, que achei melhor ter minha própria casa, e saí de Pondicherry Lodge, trazendo comigo o velho *khitmutgar* e Williams. Mas ontem eu soube que acontecera uma coisa muito importante. O tesouro tinha sido descoberto. Imediatamente entrei em contato com a srta. Morstan, e agora só nos resta ir até Norwood e exigir a nossa parte. Expliquei o meu ponto de vista ao meu irmão ontem à noite, e, se não formos bem-vindos, somos pelo menos esperados por Bartolomeu.

Tadeu Sholto calou-se e ficou se remexendo no seu luxuoso sofá. Ficamos todos em silêncio, pensando no novo rumo que o misterioso caso tomara. Holmes foi o primeiro a levantar-se.

— Procedeu bem do início ao fim — disse ele. — É bem possível que, em troca, possamos esclarecer o que ainda está obscuro. Mas, como a srta. Morstan notou há pouco, já é tarde, e é melhor prosseguir no caso o quanto antes.

Nosso novo amigo apagou imediatamente o narguilé e tirou de trás de uma cortina um sobretudo muito comprido, com colarinho e punhos de astracã. Abotoou-o até embaixo, embora a noite estivesse abafada, e completou a toalete pondo um boné de pele de coelho com abas compridas cobrindo-lhe as orelhas, de modo que, de todo o corpo, só se via o rosto instável e doentio.

— Minha saúde é delicada — disse enquanto nos levava pelo corredor. — Em breve estarei inválido.

Nosso cupê estava esperando e certamente o programa já fora combinado previamente, porque o cocheiro partiu a galope. Tadeu Sholto falou o tempo todo, numa voz que se elevava acima do ruído das rodas.

— Bartolomeu é um rapaz inteligente. Como imaginam que ele descobriu onde estava o tesouro? Ele chegou à conclusão de que ele devia estar dentro de casa; então, passou a procurar na casa inteira, em cada canto, não deixando de examinar nem um centímetro. Entre outras coisas, ele descobriu que a construção tinha 22 metros de altura, mas que, juntando as alturas de todos os quartos e dando os espaços entre eles, o que ele verificou por meio de sondagens, o total não passava de 21 metros; faltava, portanto, um metro. Ele só podia estar no alto do prédio. Fez um buraco no teto do quarto mais alto e lá realmente descobriu um pequeno sótão que tinha sido tapado e que ninguém conhecia. No centro estava o cofre, sobre duas vigas de madeira. Desceu-o pelo buraco e ele está lá. Bartolomeu calcula o valor das joias em meio milhão de libras esterlinas, pelo menos.

Ao ouvir esta soma gigantesca, olhamos estarrecidos uns para os outros. A srta. Morstan, se conseguíssemos garantir os seus direitos, se transformaria de uma modesta professora na herdeira mais rica da Inglaterra.

Um amigo leal se alegraria com uma notícia dessas, mas envergonho-me de confessar que meu egoísmo envolveu a minha alma e o meu coração ficou pesado como chumbo. Procurei algumas palavras de congratulações, mas não consegui dizer nada, deixei cair a cabeça, estonteado com o papaguear do nosso homenzinho. Era sem dúvida um hipocondríaco, e parecia-me que ele desfiava um rosário interminável de sintomas e implorava informações sobre a composição e a ação de inúmeras panaceias, algumas das quais ele trazia numa bolsa de couro. Espero que ele não se lembre das minhas respostas. Holmes contou que me ouviu recomendar-lhe que não tomasse mais de duas gotas de óleo de rícino e ao mesmo tempo receitar como sedativo grandes doses de estricnina. O caso é que fiquei aliviado quando o cupê parou com um solavanco e o cocheiro saltou para abrir a portinhola.

— Estamos em Pondicherry Lodge, srta. Mary Morstan — disse Tadeu Sholto, ajudando-a a descer.

5
A TRAGÉDIA DE PONDICHERRY LODGE

ERAM QUASE 23 HORAS QUANDO CHEGAMOS À ÚLTIMA ETAPA DA nossa aventura daquela noite. Tínhamos deixado para trás o nevoeiro da cidade grande e aqui a noite estava límpida. Um vento morno soprava do oeste e nuvens pesadas moviam-se lentamente pelo céu, com uma meia-lua aparecendo entre elas de vez em quando. A claridade era suficiente para se ver a distância, mas Tadeu tirou uma das lanternas da carruagem para que enxergássemos melhor o caminho.

Pondicherry Lodge ficava no meio de um terreno cercado por um muro de pedra muito alto com cacos de vidro na parte superior. Uma estreita porta de ferro era a única entrada. Foi nela que o nosso guia bateu, com pancadas semelhantes às de um carteiro.

— Quem está aí? — gritou de dentro uma voz áspera.

— Sou eu, McMurdo. Você já devia conhecer a minha maneira de bater!

Ouviu-se um resmungo e um barulho de chaves. A porta abriu-se pesadamente e um homem baixo, de peito robusto, apareceu iluminando-nos com uma lanterna que também iluminava seu rosto protuberante e os olhos que piscavam desconfiados.

— É o sr. Tadeu? Mas quem são os outros? Não tenho ordem do patrão para recebê-los.

— Como não, McMurdo? Isso muito me admira. Eu disse ontem a meu irmão que iria trazer hoje alguns amigos.

— Ele não saiu do quarto hoje o dia inteiro, sr. Tadeu, e eu não tenho ordens para recebê-los. O senhor sabe muito bem que tenho de cumprir as ordens. Posso deixá-lo entrar, mas os seus amigos têm de ficar onde estão.

Era um obstáculo inesperado. Tadeu olhava para todos os lados, desnorteado.

— Isto não está certo, McMurdo. Deve ser suficiente para você que eu me responsabilize por eles. Há uma moça conosco. Não posso deixá-la esperando na estrada a esta hora.

— Sinto muito, sr. Tadeu — disse o porteiro com firmeza. — Podem ser seus amigos e não ser amigos do patrão. Ele me paga bem para cumprir a minha obrigação e hei de cumpri-la. Não conheço nenhum dos seus amigos.

— Oh, sim, você conhece, McMurdo — gritou Sherlock Holmes. — Não creio que você possa ter-se esquecido de mim. Não se lembra do amador que lutou três *rounds* com você no Alison na noite em seu benefício, há quatro anos?

— Oh! sr. Sherlock Holmes — gritou o lutador. — Como pude deixar de reconhecê-lo! Se em vez de ficar aí quieto tivesse me dado um daqueles seus socos no queixo, eu teria logo sabido com quem lidava. Ah, o senhor é um dos que não aproveitam os seus dotes! Podia ir longe se continuasse a lutar.

— Você está vendo, Watson? Se todo o resto falhar, ainda tenho esta profissão científica — disse Holmes, rindo. — Tenho certeza de que o nosso amigo agora não vai nos deixar aqui fora no frio.

— Entre, senhor, entrem todos — ele respondeu. — Sinto muito, sr. Tadeu, mas as ordens são rigorosas. Precisava poder confiar nos seus amigos antes de deixá-los entrar.

Dentro, um caminho de cascalho aberto num terreno abandonado levava a uma habitação enorme, quadrada e prosaica, mergulhada na escuridão, com exceção de um lado, onde batia o luar. O tamanho do prédio sombrio, com o seu silêncio sepulcral, causou um frio no coração. Nem o próprio Tadeu se sentia à vontade e a lanterna balançava na sua mão trêmula.

— Não posso compreender isto — dizia ele. — Deve haver algum engano. Eu disse a Bartolomeu que viria hoje com toda a certeza. E não há luz no quarto dele. Não sei o que fazer.

— Ele costuma proteger a casa assim? — perguntou Holmes.

— Ele segue os hábitos de meu pai. Ele era o filho predileto, e às vezes eu penso que meu pai deve ter contado a ele muito mais coisas do que para mim. Aquela janela onde a lua está batendo é a do quarto de Bartolomeu. Está muito claro, mas acho que a luz não vem de dentro.

— Não, nenhuma! — disse Holmes. — Mas vejo o brilho de uma luz naquela janelinha ao lado da porta.

— Aquele é o quarto da governanta. É onde fica a velha sra. Bernstone. Ela pode nos dizer alguma coisa. Será que se importam de esperar aqui um momento? Porque se entrarmos todos juntos e ela não souber da nossa chegada, pode assustar-se. Mas ouçam, o que é isso?

Ergueu a lanterna. Sua mão tremia tanto que os círculos de luz oscilavam em torno de nós. A srta. Morstan agarrou o meu pulso e ficamos todos com os corações pesados, aguçando os ouvidos. Do casarão escuro vinham, no silêncio da noite, os sons mais tristes e plangentes do mundo, gritos, queixumes entrecortados de uma mulher assustada.

— É a sra. Bernstone — disse Sholto. — É a única mulher na casa. Esperem aqui. Volto já.

Correu até a porta e bateu da sua maneira habitual. Vimos que uma mulher alta o recebeu à porta e que ficou muito contente ao vê-lo.

— Oh, sr. Tadeu, meu senhor, como estou contente por ter vindo; como estou contente, sr. Tadeu, meu senhor!

Nós ouvimos as suas exclamações de alegria até que a porta se fechou e a sua voz se transformou num murmúrio monótono.

O nosso guia tinha nos deixado a lanterna. Holmes girou-a em volta, observou atentamente a casa e examinou os montões de entulho que enchiam o terreno. A srta. Morstan e eu ficamos juntos, de mãos dadas. O amor é uma coisa maravilhosamente sutil, porque ali estávamos nós, que nunca nos víramos antes desse dia, e nenhuma palavra, nem sequer um olhar afetuoso havíamos trocado até então, e mesmo assim, neste momento aflitivo, nossas mãos se aproximaram instintivamente. Fiquei maravilhado depois, mas, naquele momento, parecia a coisa mais natural aproximar-me dela e, como ela me disse muitas vezes depois, havia nela também o instinto de voltar-se para mim em busca de conforto e proteção. De modo que ficamos de mãos dadas como duas crianças e uma grande paz invadiu nossos corações, apesar de todas as coisas obscuras que nos rodeavam.

— Que lugar esquisito — disse ela, olhando em volta. — Parece que soltaram aqui todas as toupeiras da Inglaterra. Eu já vi um lugar parecido num morro perto de Ballarat, onde uns engenheiros estiveram fazendo prospecção.

— E pela mesma razão — disse Holmes. — São os vestígios das buscas ao tesouro. Deve lembrar-se de que eles levaram seis anos procurando. Não admira que o terreno pareça um areal.

Nesse momento a porta abriu-se de repente e Tadeu Sholto saiu correndo com as mãos na cabeça e os olhos cheios de terror.

— Aconteceu alguma coisa com Bartolomeu — gritou. — Estou assustado. Meus nervos não vão suportar isto.

Na verdade, estava quase chorando de medo e a sua fisionomia doentia, repuxada, emoldurada pelo astracã do colarinho, tinha a expressão de desamparo de uma criança horrorizada.

— Vamos entrar — disse Holmes no seu tom firme e brusco.

— Venham, venham — suplicou Tadeu. — Não estou em condições de tomar qualquer providência.

Fomos com ele até o quarto da governanta, que ficava do lado esquerdo do corredor. A velha estava andando de um lado para outro com o olhar assustado e inquieto, apertando os dedos, mas a presença da srta. Morstan pareceu acalmá-la.

— Deus abençoe o seu rosto tranquilo e doce! — exclamou com um suspiro histérico. — Ver você me faz bem. Oh, mas passei por uma prova dolorosa este dia.

Nossa companheira afagou a mão magra e rude da velha, disse-lhe algumas palavras bondosas de conforto que fizeram voltar a cor ao seu rosto.

— O patrão trancou-se e não há meio de me responder — ela explicou. — Fiquei o dia inteiro à espera, porque ele gosta de ficar só com frequência. Uma hora atrás, desconfiei que havia alguma coisa errada e subi para espiar pela fechadura. O senhor deve ir, sr. Tadeu, deve ir e olhar o senhor mesmo. Vi muitas vezes o sr. Bartolomeu triste e alegre durante dez anos, mas nunca, nunca o vi com uma cara daquelas.

Sherlock segurou a lanterna e foi na frente, porque Tadeu Sholto estava tão abalado que os dentes batiam; tive de ampará-lo para subir as escadas porque seus joelhos tremiam tanto que não conseguia andar. Por duas vezes, Holmes tirou a lente para examinar uns sinais que me pareciam simples nódoas de poeira na passadeira de fibra que substituía o tapete da escada. Ele ia devagar, degrau a degrau, segurando a luz baixa, olhando atentamente para os dois lados. A srta. Morstan tinha ficado com a governanta apavorada.

O terceiro lance da escada acabava num corredor estreito e comprido, com um painel de tapeçaria indiana do lado direito e três portas à esquerda. Holmes seguiu por ele do mesmo modo vagaroso e metódico, enquanto nós íamos logo atrás, com as nossas sombras negras que se estendiam pelo corredor. A terceira porta era a que procurávamos. Holmes bateu, mas não se ouviu nenhuma resposta, e então tentou abri-la à força. Mas estava trancada por dentro, e com um ferrolho largo e resistente que pudemos ver quando erguemos a lanterna. Apesar da chave virada, era possível ver pelo buraco da fechadura. Sherlock abaixou-se e logo se levantou, respirando com força.

— Há alguma coisa diabólica nisto, Watson — disse ele, mais emocionado do que eu jamais o vira. — O que acha?

Abaixei-me para espiar e recuei horrorizado. O luar enchia o quarto, que estava claro, com uma luminosidade difusa e vacilante. Olhando diretamente para mim e solta no ar, porque tudo embaixo estava na sombra, via-se uma cara, a mesma cara de Tadeu. Era a mesma cabeça grande e reluzente, a mesma franja de cabelo vermelho, a mesma cor macilenta. Mas as feições estavam imobilizadas num ricto horrível, tinham uma imobilidade anormal, que naquele quarto enluarado e silencioso era mais chocante que qualquer esgar ou contorção.

Era tão parecido com o nosso amigo que me virei para verificar se ele estava ali conosco. Então lembrei-me de que ele nos tinha dito que eram gêmeos.

— Isto é horrível! — disse eu a Holmes. — O que faremos?

— Temos que arrombar a porta — ele respondeu, e jogou-se contra ela com todo o peso do corpo.

A porta rangeu, gemeu, mas não cedeu. Então, todos juntos nos atiramos sobre ela, que cedeu de repente com estrondo, impelindo-nos para dentro do quarto de Bartolomeu Sholto.

Ele parecia ter sido montado como um laboratório químico. Uma fileira dupla de garrafas com tampas de vidro estava arrumada ao longo da parede em frente à porta, e a mesa estava cheia de bicos de Bunsen, tubos de ensaio e retortas. Nos cantos, viam-se garrafas verdes com ácidos, protegidas por invólucros de vime. Uma destas parecia ter sido entornada ou quebrada, porque um líquido escuro escorria pelo chão, enchendo o ar com um cheiro desagradável, semelhante ao do breu. Uma escada de mão estava a um lado do quarto, no meio de um monte de ripas e gesso, e, acima disso, no teto, havia um buraco de tamanho suficiente para deixar passar um homem. No chão, junto à escada, estava jogado um comprido rolo de corda. Ao lado da mesa, numa poltrona de madeira, o dono da casa estava sentado, todo dobrado, a cabeça caída sobre o ombro esquerdo com aquele sorriso impenetrável e sinistro no rosto.

O corpo rígido e frio indicava que estava morto havia algumas horas. Tive a impressão de que não só as feições, mas também todos os seus membros estavam torcidos e virados de uma forma fantástica. Sobre a mesa havia um instrumento muito especial: uma vareta escura com uma cabeça de pedra semelhante a um martelo, toscamente amarrada com barbante grosso. Ao lado, um pedaço de papel com algumas palavras rabiscadas. Holmes olhou para aquilo, e depois mostrou-me.

— Está vendo? — disse, erguendo significativamente as sobrancelhas.

À luz da lanterna, eu li com um estremecimento de horror: *O sinal dos quatro*.

— Pelo amor de Deus, o que significa tudo isto? — perguntei.

— Significa assassinato — disse ele, inclinando-se sobre o cadáver.
— Ah! Eu já esperava! Olhe aqui!

Holmes apontava para uma coisa que parecia um espinho comprido e escuro, enterrado na pele pouco acima da orelha.

— Parece um espinho — eu disse.

— É um espinho. Pode tirá-lo. Mas tenha cuidado, porque está envenenado.

Tirei-o com dois dedos e saiu tão depressa que quase não deixou marca. Uma pequena mancha de sangue mostrava onde tinha sido a perfuração.

— Tudo isto é um mistério insolúvel para mim. Em vez de se esclarecer, torna-se cada vez mais obscuro.

— Pelo contrário — respondeu Holmes. — A cada instante fica mais claro. Eu só preciso de mais alguns elos para completar a corrente.

Desde que entráramos no quarto, tínhamos esquecido completamente da presença de Tadeu. Ele ainda estava parado à porta, a própria imagem do terror, torcendo as mãos e lamentando-se. De repente, rompeu num choro agudo e lastimoso.

— O tesouro sumiu! — dizia. — Roubaram o tesouro. Lá está o buraco por onde nós o descemos. Fui eu que o ajudei! Eu fui a última pessoa a vê-lo. Deixei-o aqui ontem à noite e ouvi a porta ser trancada enquanto eu descia a escada.

— Que horas eram?

— Dez horas. E agora está morto, a polícia virá e vai suspeitar de mim. Oh, sim! Tenho certeza de que vai. Mas os senhores não pensam assim, não é verdade? Certamente não pensam. Se tivesse sido eu, não iria trazê-los aqui, não é? Oh, meu Deus, sinto que vou enlouquecer.

Ele agitava os braços e batia os pés numa espécie de acesso convulsivo.

— Não há nenhum motivo para estar com medo, sr. Sholto — disse Holmes com bondade, pousando a mão no ombro dele. — Siga o meu conselho e vá ao posto contar o caso à polícia. Ofereça-se para ajudá-los em tudo que for possível. Nós o esperaremos aqui.

O homenzinho obedeceu meio espantado e ouvimos seus passos vacilantes quando desceu a escada no escuro.

6

SHERLOCK HOLMES FAZ UMA DEMONSTRAÇÃO

— Agora, Watson, temos meia hora para nós — disse Holmes, esfregando as mãos. — Vamos empregá-la bem. Como lhe disse, o caso está quase todo esclarecido, mas não devemos cometer erros por causa do excesso de confiança. Embora pareça simples agora, o caso pode ter alguma coisa mais profunda por trás.

— Simples! — exclamei.

— Certamente — disse ele, com um certo ar de professor que dá uma explicação aos alunos. — Faça o favor de sentar-se naquele canto, para que suas pegadas não compliquem o caso. E agora, mãos à obra. Em primeiro lugar, como essas pessoas vieram e como foram embora? A porta não foi aberta desde ontem. E a janela?

Levou a lanterna até lá, murmurando suas observações mais para si mesmo do que para mim:

— Janela fechada por dentro, moldura sólida, não há gonzos de lado. Vamos abri-la: nenhum cano de água perto. Telhado inacessível. Apesar disso, um homem entrou pela janela. Choveu um pouco ontem à noite. Temos a marca de um pé no parapeito. E aqui está uma marca redonda de lama, que se repete ali, no chão, e outra vez perto da mesa. Veja aqui, Watson. É realmente uma bela demonstração.

Olhei para os discos nítidos de lama.

— Isso não é uma pegada — eu disse.

— É algo muito mais valioso para nós. É a marca de uma perna de pau. Você pode ver, no parapeito da janela temos a marca da bota. Uma bota pesada com um salto largo de metal e ao lado está a marca do toco de madeira.

— É o homem da perna de pau!

— Exatamente. Mas havia mais alguém, um cúmplice hábil e eficiente. Você poderia escalar aquele muro, doutor?

Olhei para fora pela janela aberta. A lua brilhava ainda sobre o ângulo da casa. Estávamos a uns 18 metros do chão e, para onde quer que se olhasse, não se via nada onde se pudesse pôr o pé, nem sequer uma fenda no muro.

— É completamente impossível.

— Sem auxílio, é. Mas suponha que um amigo lhe atirasse aqui de cima esta boa corda que vejo ali no canto, e a amarrasse naquele enorme gancho na parede. Parece-me que, neste caso, se você fosse ágil, poderia subir com perna de pau e tudo. Voltaria como veio, e o seu cúmplice iria puxar a corda, tirá-la do gancho, fechar a janela por dentro com o trinco e sair como entrou. Como um pequeno detalhe, deve-se observar que o nosso homem da perna de pau, apesar de subir com perfeição, não é um marinheiro de profissão — ele continuou, examinando a corda. — Não tem as mãos calejadas; com a lente, descobri mais de uma mancha de sangue, principalmente no fim da corda, e daí concluí que ele escorregou com tanta velocidade que arrancou pele das mãos.

— Está tudo muito bem, mas a coisa fica cada vez mais ininteligível. E o cúmplice? Como ele entrou?

— Ah, sim, o cúmplice — repetiu Holmes, pensativo. — Há pontos muito interessantes sobre esse cúmplice. É por causa dele que este caso deixa de ser vulgar. Creio que esse cúmplice fez a sua estreia nos anais do crime neste país, pois casos semelhantes inspiram-se na Índia e, se não me falha a memória, na Senegâmbia.

Eu insisti:

— Mas como ele entrou? A porta está trancada, a janela é inacessível. Será que foi pela chaminé?

— A grade é pequena demais — respondeu Holmes. — Eu já tinha pensado nisso.

— Então como foi? — continuei insistindo.

— Você não aplica os meus preceitos — disse, meneando a cabeça. — Quantas vezes já lhe disse que, quando tiver eliminado o impossível, o que fica, *por mais improvável que seja,* deve ser a verdade? Sabemos que ele não entrou pela porta, nem pela janela, nem pela chaminé. Também sabemos que não podia estar escondido no quarto, porque não havia onde se esconder. Logo, por onde ele veio?

— Pelo buraco do teto! — gritei.

— Certamente. Deve ter sido assim... Se tiver a bondade de segurar a lanterna para mim, estenderemos nossas pesquisas ao quarto de cima, o quarto secreto onde foi achado o tesouro.

Subiu pela escada e, segurando uma viga com a outra mão, içou-se até o sótão. Depois, abaixando-se para alcançar a lanterna, segurou-a, enquanto eu subia. O quarto em que entramos tinha mais ou menos três metros de comprimento por dois de largura; o chão era todo de barrotes ligados por ripas e gesso, de modo que para andar era preciso saltar de trave em trave. O teto formava a cimalha e era evidentemente a parte interna do verdadeiro telhado. Não havia nenhum tipo de móvel e uma grossa camada de poeira, acumulada durante anos, cobria o chão.

— Olhe para isto — Holmes pôs a mão na parede e disse: — É um alçapão que leva para fora do telhado. Empurrando-o, temos o próprio telhado acabando num ângulo. Portanto, foi por aqui que entrou o nº 1. Vamos ver se achamos mais vestígios da sua individualidade.

Ele aproximou a lanterna do chão e, pela segunda vez naquela noite, vi surgir no seu rosto uma expressão de espanto. Quando segui seu olhar, fiquei gelado. O chão estava coberto de marcas de pés descalços, nítidas, perfeitamente desenhadas, mas que não chegavam à metade do tamanho do pé de um homem comum.

— Holmes, foi uma criança que fez esta coisa horrenda — eu disse num sussurro.

Ele já tinha recuperado o sangue-frio.

— Eu fiquei atordoado no primeiro momento — disse Holmes. — Mas é perfeitamente natural. A memória falhou-me, senão eu teria adivinhado. Não há mais nada para ver aqui. Vamos descer.

— Mas, afinal, qual é a sua opinião sobre as marcas de pés? — perguntei ansioso quando descemos novamente.

— Meu caro Watson, tente analisar por si mesmo — respondeu-me, ligeiramente impaciente. — Conhece o meu método. Aplique-o, e será instrutivo comparar os resultados.

— Não imagino nada que possa explicar os fatos.

— Muito em breve, tudo parecerá claro para você — disse de modo evasivo. — Acho que não há mais nada importante aqui, mas vou ver.

Pegou a lente e uma fita métrica e percorreu o quarto, medindo, comparando, examinando com o seu nariz fino e comprido quase junto ao chão e os olhos dilatados, cintilantes e atentos como os de um pássaro. Seus movimentos eram tão rápidos, silenciosos e furtivos, semelhantes aos de um cão de caça treinado farejando uma pista, que eu não pude deixar de pensar que ele seria um criminoso terrível se aplicasse sua energia e sagacidade contra a lei, em vez de aplicá-las em sua defesa. Enquanto examinava tudo, resmungava consigo mesmo, e finalmente soltou um grito de satisfação:

— Estamos com sorte. Agora devemos ter muito pouca dificuldade. O nº 1 teve a infelicidade de pisar no alcatrão. Você pode ver a linha da borda do seu pezinho, passando rente a essa coisa malcheirosa. Quebraram a garrafa e o líquido escorreu.

— E então? — perguntei.

— O que temos já é suficiente. Conheço um cachorro que é capaz de seguir este cheiro até o fim do mundo. Se uma matilha conseguir seguir o rastro de um arenque através de um condado, como um cão ensinado não conseguirá seguir um cheiro desagradável como este? É como uma soma em regra de três. A resposta devia dar-nos... Olá! Aqui estão os representantes da lei.

Podíamos ouvir passos pesados e o som de vozes embaixo. A porta do *hall* fechou-se com um estrondo.

— Antes que eles cheguem, ponha a sua mão aqui no braço e na perna deste pobre coitado. O que sente? — disse Holmes.

— Os músculos estão duros como uma pedra — respondi.

— Exatamente. Estão muito mais retesados do que habitualmente em *rigor mortis*. Juntando isso à contorção da face e o riso hipocrático, ou *risus sardonicus*, como chamavam os autores antigos, qual é a conclusão que isso sugere?

— Morte causada por algum poderoso alcaloide vegetal, uma substância semelhante à estriquinina, que provocaria o tétano — respondi.

— Foi o que me ocorreu logo que vi os músculos repuxados do rosto. Quando entramos, procurei saber como o veneno fora introduzido no organismo e descobri o espinho, que tinha sido lançado sem muita força no couro cabeludo. Observe que o lugar atingido é o que estaria virado na direção do buraco do teto se ele estivesse sentado direito na cadeira. Agora, examine o espinho.

Apanhei-o cautelosamente e o examinei perto da lanterna. Era comprido, pontudo e preto, e lustroso na ponta, como se alguma substância pastosa tivesse secado nele. A ponta tinha sido aparada e afilada com um canivete.

— Esse espinho é da Inglaterra? — ele perguntou.

— Não é, com toda certeza.

— Com todos estes dados, você poderia tirar alguma conclusão correta. Mas, como as forças regulares estão chegando, as auxiliares têm de bater em retirada.

Enquanto ele falava, os passos se aproximaram pelo corredor, e um homem muito gordo, com uma roupa e um andar pesado, entrou no quarto. Era muito corado, corpulento e pletórico, mas com um par de olhinhos vivos que surgiam por entre as pálpebras empapuçadas. Atrás dele vinha um inspetor de uniforme e o ainda trêmulo Tadeu Sholto.

— Isto é que é um negócio, um belo negócio — gritou ele com voz áspera. — Mas quem são estes aqui? A casa parece estar cheia como uma coelheira.

— Acho que deve lembrar-se de mim, sr. Athelney Jones — disse Holmes tranquilamente.

— Ah, é claro. É o sr. Sherlock Holmes, o teórico. Lembro-me de você! Jamais esquecerei a lição que nos deu sobre causas, deduções e efeitos no caso do cofre das joias de Bishopgate. É verdade que nos pôs na pista certa, mas foi mais por sorte do que por uma boa orientação.

— Era um caso de raciocínio muito simples.

— Ora, vamos. Não se envergonhe de confessar. Mas por que tudo isto? Não é este o caso. Há fatos positivos aqui, não há lugar para teorias. Foi uma sorte que eu estivesse em Norwood por causa de outro crime. Estava na delegacia quando fui chamado. Na sua opinião, de quê o homem morreu?

— Ah, esse caso não se presta às minhas teorizações — disse secamente.

— Não, não. Ainda assim, não se pode negar que você acerta às vezes. Meu caro! Compreende-se. Porta trancada, desaparecimento de joias no valor de meio milhão. Como estava a janela?

— Fechada, mas há marcas de pés no parapeito.

— Está bem. Se estava fechada, as marcas podem não ter nada a ver com o resto. Isso é trivial. O homem pode ter morrido de um ataque, mas há o desaparecimento das joias. Também tenho a minha teoria. Às vezes tenho estes lampejos. Faça o favor de sair, sargento, e o senhor também, sr. Sholto. O seu amigo pode ficar. O que é que pensa a respeito, Holmes? Sholto diz que esteve com o irmão ontem à noite. O irmão morreu de repente e Sholto fugiu com o tesouro. O que acha?

— E aí o morto, com muita delicadeza, levanta-se e tranca a porta por dentro.

— Unh! Há uma falha aí. Vamos aplicar o bom senso. Este Tadeu Sholto esteve com o irmão, houve uma discussão, disso nós sabemos. O irmão morreu e as joias desapareceram. Disso também sabemos. Ninguém mais viu o irmão depois que Tadeu saiu. Ele não se deitou. Tadeu está, evidentemente, bastante perturbado. O seu aspecto não é nada atraente. Vocês veem que estou lançando os fios em volta de Tadeu e a rede começa a apertá-lo.

— Ainda não tem todos os fatos — disse Holmes. — Esta lasca de madeira, que tenho todos os motivos para acreditar que está envenenada, estava enterrada no couro cabeludo, onde ainda se pode ver a marca. Este bilhete estava na mesa e ao lado havia este curioso instrumento com uma extremidade de pedra. Como tudo isto se encaixa na sua teoria?

— Confirma-a em todos os aspectos — disse o detetive gordo de maneira pomposa. — A casa está repleta de curiosidades da Índia. Foi Tadeu quem trouxe o espeto envenenado e usou-o de maneira criminosa como qualquer outra pessoa o faria. O bilhete é um logro, é uma venda com que querem tapar nossos olhos... A única dúvida é: como ele teria saído? Ora... pelo teto, ali está um buraco.

Com muita agilidade para o seu tamanho, ele subiu a escada e passou para o sótão. Logo em seguida, ouvimos sua voz exultante anunciando a descoberta do alçapão.

— Ele pode descobrir alguma coisa — disse Holmes, sacudindo os ombros. — De vez em quando tem lampejos de razão: *Il n'y a pas des sots si incommodes que ceux qui ont de l'esprit!*

— Estão vendo? — disse Athelney Jones, voltando pelas escadas. — Os fatos são melhores que as teorias, no fim das contas. A minha opinião está confirmada. Há um alçapão que se comunica com o telhado, e está meio aberto.

— Fui eu que o abri.

— Oh!... Então tinha reparado nele? — Ele parecia ter ficado surpreso com a descoberta. — Pois bem, quem quer que o tenha percebido, ele prova que o nosso cavalheiro pôde escapulir. Inspetor!

— Pronto! — responderam do corredor.

— Peça ao sr. Sholto para entrar. Sholto, é meu dever informá-lo de que qualquer coisa que disser será usada contra você. Está preso em nome de S.M., a Rainha, como culpado da morte de seu irmão.

— Estão vendo? Eu bem que tinha dito! — exclamou o pobre homem, levantando as mãos e olhando para nós.

— Não se aflija com isso, sr. Sholto — disse Holmes. — Acho que posso prometer-lhe que o livrarei disso.

— Não prometa demais, sr. Teórico, não vá prometendo demais — interrompeu o detetive. — Pode achar o caso depois mais difícil do que lhe parece agora.

— Sr. Jones, não só livrarei o sr. Sholto, como também darei ao senhor de presente o nome e a descrição de uma das duas pessoas que estiveram neste quarto ontem à noite. O nome, tenho todos os motivos para acreditar que seja o de Jonathan Small. É um homem sem instrução, baixo, ágil, que não tem a perna direita e usa uma perna de pau já gasta na parte interna. A bota que usa no pé esquerdo tem sola quadrada com uma tira de ferro em torno do salto; é um homem de meia-idade, muito queimado de sol. Já foi condenado a trabalhos forçados. Estas poucas indicações podem ajudá-lo, juntamente com o fato de que está com a pele ferida na palma da mão. O outro homem...

— Ah! O outro? — perguntou Athelney Jones num tom de escárnio, mas mesmo assim impressionado, como pude ver facilmente, com a precisão do outro.

— O outro é um personagem curioso — disse Sherlock virando-lhe as costas. — Espero apresentar-lhe o par dentro de pouco tempo. Watson, quero falar com você.

Levou-me para o patamar da escada.

— Esta ocorrência inesperada afastou-nos do objetivo principal da nossa jornada.

— Estava pensando exatamente nisso. Não é justo que a srta. Morstan fique nesta casa amaldiçoada.

— Não, você tem de levá-la para casa. Ela mora com a sra. Cecil Forrester, em Lower Camberwell, que não é muito longe. Fico aqui à sua espera, se quiser voltar. Mas quem sabe está cansado?

— De modo algum. Acho que não poderei descansar enquanto não souber mais sobre este caso fantástico. Tenho assistido a muitas desgraças, mas dou-lhe a minha palavra de que esta sucessão de acontecimentos extraordinários, nesta noite, abalou-me profundamente. E já que chegamos a este ponto, quero acompanhá-lo até o fim.

— A sua presença vai ser de grande utilidade — respondeu Holmes. — Trabalharemos de modo independente, e deixemos que esse pateta do Jones fique exultante com qualquer bobagem que consiga elaborar. Depois que você deixar a srta. Morstan, quero que vá a Pinchin Lane, nº 3, quase à beira-mar, em Lambeth. A terceira casa do lado direito é de um passarinheiro que se chama Sherman. Chame pelo velho Sherman e, com os meus cumprimentos, diga-lhe que preciso de *Toby* imediatamente. E você irá trazer *Toby* no carro.

— É um cão, imagino.

— É um mestiço original que tem um faro admirável. Eu prefiro o auxílio de *Toby* ao de todos os policiais de Londres juntos.

— Então vou trazê-lo. Já é uma hora. Se eu conseguir outro cavalo, estarei aqui antes das três horas.

— E eu vou ver o que consigo saber com a sra. Bernstone e com o criado hindu, que o sr. Tadeu disse que dorme no sótão contíguo ao outro — disse Holmes. — Depois vou estudar os métodos do grande Jones e ouvir os seus sarcasmos pouco delicados. *"Wir sind gewohnt dass die Menschen verhöhen was sie nicht verstehen."* Goethe é sempre vigoroso.

7

O EPISÓDIO DO BARRIL

A POLÍCIA TINHA UM CABRIOLÉ À DISPOSIÇÃO, E NELE LEVEI a srta. Morstan para casa. Como toda mulher angelical, a srta. Morstan suportou tudo serenamente enquanto sentiu que precisava dar apoio a uma pessoa mais fraca que ela, e por isso encontrei-a tranquila ao lado da pobre governanta apavorada. Mas no cabriolé não teve mais forças e desmaiou, e depois chorou descontroladamente, por ter passado por experiências tão terríveis durante as aventuras daquela noite.

Depois ela me disse que me achara frio e distante naquele dia. Ela nem imaginou a luta que se travava no meu íntimo e o esforço para me manter afastado. O meu amor e a minha compreensão se dirigiam para ela como quando, antes, tomara no jardim as suas mãos nas minhas. Senti que anos de uma vida cheia de convenções não poderiam me fazer conhecer melhor a sua natureza doce e corajosa do que esse único dia de experiências estranhas.

Mas havia dois pensamentos que me impediam de confessar-lhe o meu afeto. Ela estava fraca e desamparada, com os nervos e o espírito abalados. Seria um abuso falar de amor naquele momento.

Pior ainda, ela estava rica. Se Holmes fosse bem-sucedido nas suas investigações, ela seria uma das maiores herdeiras da Inglaterra. Seria justo, honesto, que um cirurgião a meio soldo se aproveitasse da intimidade que o acaso lhe proporcionara? Será que ela não iria me ver como a um reles caçador de fortunas? Era intolerável pensar que essa ideia pudesse passar pela sua mente. Esse tesouro de Agra interpôs-se como uma barreira intransponível entre nós.

Eram quase duas horas quando chegamos à casa da sra. Cecil Forrester. As criadas já tinham se recolhido, mas a sra. Forrester se interessara tanto pela mensagem que a srta. Morstan recebera que ficou esperando a sua volta. Foi ela mesma quem abriu a porta; era uma mulher de meia-idade, graciosa, e fiquei contente de vê-la passar um braço em volta da cintura da outra com ternura e falar-lhe num tom maternal.

Estava claro que ela não era apenas uma subordinada paga, mas uma amiga respeitada. Fui apresentado e a sra. Forrester pediu-me que entrasse para lhe contar nossa aventura. Mas expliquei-lhe a importância da minha tarefa e prometi visitá-la e relatar as novidades sobre o caso. Ao retornar ao cabriolé, olhei para trás e ainda hoje tenho a impressão de ver o pequeno grupo na escada formado pelas graciosas figuras unidas, a porta entreaberta, por onde se escoava a luz do *hall*, o barômetro e os prendedores de metal das passadeiras da escada. Era tranquilizador, em meio ao acontecimento tenebroso em que estávamos envolvidos, ter ao menos um rápido vislumbre de um lar inglês tranquilo. E quanto mais eu pensava no que acontecera, mais tenebroso e obscuro aquilo me parecia. Enquanto rodava pelas ruas silenciosas, iluminadas a gás, ia recordando a extraordinária sucessão de acontecimentos. Havia um problema original, que, agora, pelo menos, estava claro. A morte do capitão, a remessa das pérolas, o anúncio, a carta... todos estes fatos estavam esclarecidos. Mas eles nos levaram unicamente a um mistério mais profundo e muito mais trágico.

O tesouro indiano, o curioso plano encontrado nos papéis de Morstan, a cena estranha da morte do major Sholto, a descoberta do tesouro imediatamente seguida do assassinato do descobridor, os detalhes singulares do crime, as pegadas, a arma esquisitíssima, as palavras do bilhete correspondendo às que estavam escritas no mapa de Morstan formavam um labirinto que um homem menos talentoso que o meu companheiro de casa se veria atrapalhado para esclarecer.

Pinchin Lane era uma fila de casas miseráveis de dois andares na parte mais baixa de Lambeth. Tive que bater mais de uma vez até que me atendessem.

Mas, finalmente, vi o brilho de uma vela por trás da rótula e um rosto olhou da janela de cima.

— Vá-se embora, seu vagabundo bêbado. Se bater de novo, eu abro os canis e solto 43 cães em cima de você.

— Se quiser soltar um, é o que me basta.

— Vá-se embora — gritou a voz. — Tenho um chicote aqui e vou usá-lo na sua cabeça se não for embora logo.

— Mas eu quero um cachorro — gritei.

— Eu não quero conversa — berrou o sr. Sherman. — Ouça bem... vou contar até três e então vai sentir o chicote.

— O sr. Sherlock Holmes... — comecei a falar... As palavras mágicas provocaram um efeito imediato. Ele fechou a janela e num minuto a porta se abria.

Sherman era um velho magro, descarnado, de ombros caídos, pescoço musculoso e óculos azuis.

— Um amigo do sr. Sherlock Holmes é sempre bem-vindo. Entre, por favor. Mas não chegue perto desse texugo porque ele morde. Seu malcriado, queria dar uma dentada no cavalheiro?

Falava assim com uma fuinha que enfiara a cabeça de olhos vermelhos pelas grades da gaiola.

— Não ligue, meu senhor, é uma *preguiça*, não tem garras, ela anda pela casa porque liquida com os insetos. O senhor deve me desculpar por ter sido um pouco grosseiro no início, mas a criançada bate muitas vezes aí na porta para me aborrecer. O que é que o sr. Sherlock Holmes quer?

— Quer um dos seus cães.

— Deve ser *Toby*.

— É exatamente esse.

— *Toby* mora no nº 7, aqui à esquerda.

Moveu-se devagar com a sua vela por entre a excêntrica família de animais que reunira em torno dele. À luz vacilante da vela eu notava que havia olhos que nos espreitavam aborrecidos, sonolentos, de todos os lados. Até as vigas acima das nossas cabeças estavam cheias de aves que mudavam preguiçosamente de posição quando as nossas vozes perturbavam seu sono. *Toby* era um bicho feio, de pelo comprido, orelhas caídas, mestiço, pardo e branco, com um andar vacilante e desajeitado.

Depois de hesitar um pouco, aceitou um tablete de açúcar que Sherman me dera, selando assim a nossa aliança, e ele foi comigo no carro sem dificuldade. Tinham acabado de soar três horas no relógio do palácio quando cheguei a Pondicherry Lodge. O ex-lutador McMurdo também tinha sido preso para averiguações, e tanto ele como o sr. Sholto foram levados para o posto policial. Dois guardas estavam no portão, mas deixaram-me entrar com o cachorro quando mencionei o nome de Holmes. Ele estava na porta, com as mãos nos bolsos, fumando seu cachimbo.

— Ah, ah! Você o trouxe. Bom bicho. — Athelney Jones saiu. — Tivemos uma grande exibição de energia depois que você saiu. Ele prendeu não só o pobre Tadeu, mas também o porteiro, a governanta e o criado indiano. O lugar está à nossa disposição, mas há um sargento lá em cima. Deixe o cão aí e venha cá.

Amarramos *Toby* à mesa do vestíbulo e subimos. O quarto estava como o deixamos, e a única diferença era que o cadáver fora coberto com um lençol. Um sargento com um ar enfastiado estava encostado a um canto.

— Empreste-me a sua lente, sargento — disse Sherlock. — Agora prenda este pedaço de cartão no meu pescoço, de modo que fique pendurado na minha frente. Obrigado. Agora tenho de tirar as meias e as botas. Você deve levá-las lá para baixo, Watson; eu vou subir por aí um pouco. Molhe o meu lenço em alcatrão. Pronto. Venha agora ao sótão comigo um instante.

Subimos pelo buraco. Holmes dirigiu a luz para as marcas de pés na poeira.

— Quero que repare bem nestas marcas. Não observa nelas nada de estranho?

— Elas foram feitas por uma criança ou uma mulher baixa.

— Além do tamanho. Vê alguma coisa?

— Parecem pegadas como qualquer outra.

— De jeito nenhum! Veja! Aqui está a marca de um pé direito. Vou marcar agora com o meu. Qual é a diferença?

— Os dedos do seu pé estão juntos e a outra marca mostra os dedos separados uns dos outros.

— Exatamente. Lembre-se disto. Agora vá até aquela janela e cheire o parapeito. Eu fico aqui por causa do lenço que tenho na mão.

Fiz como ele pediu e logo senti um cheiro forte de alcatrão.

— Foi aí que ele pôs o pé ao sair. Se *você* pôde sentir o cheiro, devo pensar que *Toby* não terá dificuldade. Vá lá embaixo, solte o cão e procure *Blondin*.

Quando cheguei lá fora, vi Holmes no telhado como um enorme pirilampo andando de gatinhas pela calha. Eu o perdi de vista quando ele passou atrás de um grupo de chaminés, mas reapareceu logo, para tornar a desaparecer no lado oposto.

Quando dei a volta, achei-o sentado num dos beirais, num canto.

— É você, Watson?

— Sou eu.

— Foi aqui. O que é aquilo preto lá embaixo?

— Um barril de água.

— Está coberto?

— Está.

— Não há sinais de que uma escada tenha sido apoiada nele?

— Não.

— Que patife. É um lugar perigoso. Se ele pôde subir, eu posso descer por aqui. O barril parece bastante firme. Lá vai... de qualquer maneira.

Ouviu-se o ruído dos pés de Holmes se arrastando e a lanterna começou a descer com firmeza pela parede. Depois, com a luz na mão, chegou ao barril, e dali pulou para o chão.

— Era fácil segui-lo — disse, enfiando as meias e as botas. — As telhas estavam soltas em todo o trajeto por onde passou, e na pressa ele perdeu isto, que confirma o meu diagnóstico, como vocês, médicos, dizem.

O que ele me mostrava era um saco pequeno de embira colorida e com umas contas de cores vivas presas em volta. Pelo tamanho e formato, parecia uma cigarreira. Dentro havia seis espinhos de madeira escura, pontudos de um lado, redondos do outro, como o que fora usado para ferir Bartolomeu Sholto.

— São coisas infernais — disse Holmes. — Não vá se arranhar com eles. Estou contente por tê-los encontrado. É provável que ele só tivesse estes. Assim, não precisamos ter muito medo de que sejamos mimoseados com algum na nossa pele. Você é capaz de enfrentar uma caminhada difícil de uns dez quilômetros, Watson?

— Mas com toda certeza — respondi.

— A sua perna aguenta?

— Aguenta.

— Aqui está o cachorrinho. O bom e velho *Toby*. Cheire, *Toby*, cheire...

Ele encostou o lenço embebido em alcatrão no focinho do cão, que estava com as pernas bambas afastadas, aspirando o lenço como um conhecedor aspiraria o *bouquet* de uma boa safra de vinho.

Holmes atirou o lenço longe, amarrou uma corda grossa no pescoço do mestiço e levou-o para perto do barril de água. O bicho começou a dar uma série de latidos agudos, trêmulos e, com o nariz perto do chão e a cauda no ar, começou a seguir o rastro numa rapidez que mal conseguíamos acompanhar.

O céu começara a clarear e já era possível enxergar a uma certa distância na luz fria e cinzenta. A casa quadrada e sólida, com as suas escuras janelas vazias e paredes altas e nuas, se elevava, triste e desamparada, atrás de nós. Atravessamos o terreno da casa rodeando fossos e buracos. O espaço todo, com os seus montes de lixo espalhados e os arbustos raquíticos, tinha um aspecto estéril, abandonado, que combinava bem com a tragédia que ali se desenrolara.

Ao chegar ao muro que cercava o jardim, *Toby* foi andando pela sua sombra, ganindo, e finalmente parou num canto onde havia uma faia nova que o cobria. Do canto formado pelas duas paredes tinham sido tirados vários tijolos, as fendas estavam desgastadas e com as bordas arredondadas, como se tivessem sido usadas como escada. Holmes subiu e, pegando o cão, atirou-o para o outro lado.

— Olhe a marca da mão do perna de pau — ele mostrou quando subi. Veja a leve mancha de sangue na cal branca. Foi uma sorte que não tenha chovido forte desde ontem. O cheiro vai se conservar na estrada, apesar da dianteira de 28 horas que eles têm sobre nós.

Eu confesso que tinha minhas dúvidas quando pensei no tráfego movimentado no caminho para Londres nesse intervalo. Mas meus receios logo desapareceram. *Toby*, sem hesitar nem desviar-se, ia andando no seu bamboleio característico. Era óbvio que o cheiro desagradável do alcatrão se sobrepunha a todos os outros.

— Não pense que o êxito da minha investigação depende do fato de o sujeito ter ou não pisado nessa substância; o que sei agora me permitiria rastreá-los de muitas outras maneiras. Esta é a mais rápida e, já que a sorte a colocou nas nossas mãos, seria condenável desprezá-la. Entretanto, impediu que o caso fosse o belo problema intelectual que prometia ser.

— Garanto-lhe, Holmes, que fico maravilhado com os meios que você usa para obter resultados neste caso, ainda mais do que no assassinato de Jefferson Hope. Este aqui parece mais profundo e inexplicável. Como você pôde, por exemplo, descrever com tanta segurança o homem da perna de pau?

— Ah, meu rapaz, é a própria simplicidade. Não quero ser teatral. É tudo claro e nítido. Dois oficiais que comandam a guarda dos degredados ficam sabendo de um segredo importante a respeito de um tesouro enterrado. Um inglês chamado Jonathan Small desenha um mapa para eles. Deve lembrar que vimos o nome no mapa do capitão; ele assinou em seu próprio nome e nos de seus sócios, *O sinal dos quatro*, como ele o chama de modo um tanto dramático. Ajudados por este mapa, os oficiais, ou um deles, descobrem o tesouro e o trazem para a Inglaterra, deixando, vamos supor, de cumprir alguma das condições. E então por que Jonathan não foi buscar o tesouro? A resposta é óbvia. O mapa tem a data da época em que Morstan teve mais contato com os degredados. Jonathan Small não pegou o tesouro porque ele e seus sócios eram degredados, e não podiam sair.

— Mas isso é pura especulação.

— É mais do que isso. É a única hipótese que pode explicar os fatos. Vamos ver pelo desenrolar dos acontecimentos. O major Sholto vive em paz durante alguns anos, feliz com a posse do tesouro. Então recebe uma carta da Índia, que o deixa muito assustado. O que era?

— Uma carta dizendo que os homens que ele enganara haviam sido libertados.

— Ou tinham fugido. Essa hipótese é muito mais provável, porque ele devia saber quando a pena terminaria. Não teria sido uma surpresa para ele. O que fez então? Pôs-se em guarda contra o homem da perna de pau, um homem branco; note, porque ele quase matou um comerciante branco que pensou ser o outro. Só havia o nome de um homem branco no mapa, os outros são de indianos e maometanos, não há outro branco. Portanto, podemos garantir que o homem da perna de pau é Jonathan Small. Você acha que este raciocínio é falho?

— Não. É claro e conciso.

— Agora ponha-se no lugar de Jonathan Small. Vamos olhar a questão do ponto de vista dele. Small vem para a Inglaterra com a dupla intenção de recuperar o que considerava seu direito e de vingar-se do homem que o enganara. Descobriu onde Sholto morava e, provavelmente, estabeleceu ligações com alguém dentro da casa. Talvez o copeiro, esse Lal Rao, que não vimos. A sra. Bernstone não aprecia o seu caráter. Mas Small não conseguiu saber onde o tesouro estava escondido, porque ninguém sabia de nada, a não ser o major e um criado fiel, que tinha morrido. Um dia, Small fica sabendo que o major está para morrer. Desesperado, com medo de que ele morra levando consigo o segredo, arrisca-se a enfrentar o obstáculo dos guardas até chegar à janela do quarto do moribundo, e só não entra porque os dois filhos estavam presentes. Entretanto, louco de raiva do morto, entra no quarto naquela noite, vasculha os papéis na esperança de descobrir uma indicação qualquer sobre o tesouro e, finalmente, deixa como lembrança da sua visita a curta inscrição naquele papel. Esse ato certamente foi premeditado; ainda que tivesse assassinado o major, ele teria deixado o bilhete como um sinal de que não era um crime comum, mas, do ponto de vista dos quatro sócios, uma espécie de ato de justiça. Conceitos bizarros e extravagantes como este são muito comuns nos anais do crime, e costumam fornecer informações valiosas sobre o criminoso. Está seguindo o meu raciocínio?

— Perfeitamente.

— O que Jonathan podia fazer? Ele só podia continuar a vigiar secretamente as tentativas de encontrar o tesouro. É possível que saísse da Inglaterra e só voltasse de tempos em tempos. Então o sótão é descoberto e ele é logo avisado, o que indica que tinha um aliado dentro da casa. Jonathan, com a sua perna de pau, está totalmente impossibilitado de chegar ao quarto de Bartolomeu Sholto, que fica no alto. Traz consigo um cúmplice curioso, que vence a dificuldade, mas molha o pé descalço em alcatrão. Por isso vem *Toby*, e uma caminhada de dez quilômetros para um cirurgião a meio soldo com um tendão de Aquiles arruinado.

— Mas foi o cúmplice e não Jonathan quem cometeu o crime.

— Exatamente. E contra a vontade de Jonathan, a julgar pelo modo como ele bateu com os pés quando entrou no quarto. Ele não tinha nada contra Bartolomeu e teria preferido que o cúmplice o tivesse amarrado e amordaçado. Não queria matá-lo; mas foi inevitável. O cúmplice não controlou os seus instintos ferozes e o veneno fez o seu trabalho. Jonathan deixou a sua lembrança, desceu o tesouro até o chão e foi atrás. Foi assim que as coisas aconteceram, até onde eu posso imaginar. Naturalmente, ele deve ter a aparência de um homem de meia-idade e deve estar queimado de sol, depois de servir num forno como as ilhas Andamãs. Pode-se calcular a altura pelo comprimento das passadas e sabemos que ele usa barba. Você deve lembrar-

-se de que foi um indivíduo peludo que impressionou Tadeu quando ele o viu à janela. Não sei se há mais alguma coisa.

— E o cúmplice?

— Ah, sim. Também não é um grande mistério. Mas dentro de pouco tempo você saberá tudo sobre isto. Como está agradável a manhã. Veja aquela nuvenzinha que flutua como uma pluma cor-de-rosa de algum gigantesco flamingo. Agora a orla vermelha do sol caminha para o nevoeiro de Londres. Ele brilha sobre muitas pessoas, mas aposto que nenhuma delas está empenhada numa missão mais estranha do que eu e você. Como nos sentimos pequenos com as nossas ambições e lutas insignificantes diante das grandes forças elementares da natureza! Como vai com o seu Jean-Paul?

— Menos mal. Tenho-o estudado por Carlyle.

— Era como seguir o regato até o lago que lhe deu origem. Ele faz uma observação curiosa, mas profunda. Diz ele que a prova principal da verdadeira grandeza no homem é a compreensão da sua mesquinhez. Ele afirma, como vê, um poder de comparação e de apreciação que é, em si mesmo, uma prova de nobreza. Há muito alimento para o espírito em Richter. Você trouxe uma pistola?

— Tenho a minha bengala.

— É possível que tenhamos necessidade de alguma coisa desse tipo se acertarmos a pista. Deixo Jonathan para você, mas se o outro oferecer resistência, terei de matá-lo com um tiro.

Enquanto falava, tirou o revólver e, após carregá-lo, tornou a colocá-lo no bolso do lado direito.

Durante este tempo vínhamos seguindo o rumo de *Toby* pelas estradas meio rurais ladeadas de vilas que levavam à metrópole. Mas agora estávamos começando a atravessar muitas ruas onde trabalhadores e operários das docas já estavam em atividade e mulheres desmazeladas abriam as portas e varriam as escadas da entrada.

As tabernas das esquinas dos quarteirões estavam começando a funcionar e homens mal-encarados apareciam esfregando as mangas nas barbas depois da libação matutina. Uns cachorros esquisitos latiram e olharam espantados para nós, mas o nosso inimitável *Toby* não olhou nem para a esquerda nem para a direita, e foi seguindo com o nariz rente ao chão.

Tínhamos atravessado Streatham, Brixton, Camberwell, e agora estávamos em Kennington Lane, que tínhamos alcançado pelas ruas a leste do Oval. Os homens que perseguíamos pareciam ter feito um caminho em ziguezague; provavelmente para não chamarem atenção. Em nenhum momento seguiram pela rua principal quando havia uma rua paralela secundária que pudesse servir. Ao pé de Kennington Lane, viraram à esquerda para Bond Street e Miles Street. No lugar onde esta rua passa a ser Knight's Place, *Toby* parou, mas começou a correr para trás e para a frente com uma orelha levantada e outra caída, a própria imagem da indecisão canina. Depois passou a andar em círculo, olhando para nós de vez em quando, como se pedisse a nossa compreensão por seu embaraço.

— O que o cão tem? — resmungou Holmes. — Eles certamente não tomaram um cabriolé, nem foram embora num balão.

— Talvez tenham parado aqui durante algum tempo — sugeri.

— Ali, está bem, ele já descobriu a pista outra vez — disse o meu companheiro em tom de alívio.

De fato, depois de fungar em volta novamente, ele se decidiu e partiu de repente com uma energia e uma disposição que ainda não tinha mostrado. O cheiro parecia agora ainda mais forte porque ele nem precisava farejar o chão, mas deu um puxão na corda e saiu correndo. Eu podia ver pelo brilho dos olhos de Holmes que ele achava que estávamos nos aproximando do fim da nossa jornada. Passamos por Nine Elms e chegamos ao depósito de madeira de Broderick e Nelson, logo depois da taberna White Eagle.

Foi então que o cachorro, frenético de excitação, voltou-se para o cercado onde os serradores já estavam trabalhando. *Toby* correu pelo meio das aparas e serragens por uma aleia estreita até uma passagem entre duas pilhas de madeira e, finalmente, com um latido triunfante, saltou sobre um barril que ainda estava no carrinho de mão em que tinha sido trazido. Com os olhos piscando e a língua pendente, *Toby* ficou em cima do barril olhando para nós, à espera de um sinal de aprovação.

Os aros do barril e as rodas do carrinho tinham sido untadas com alcatrão e o ar estava impregnado do cheiro. Sherlock e eu olhamos desconsolados um para o outro e explodimos ao mesmo tempo numa gargalhada incontrolável.

8
OS AUXILIARES DE BAKER STREET

— E AGORA? — PERGUNTEI. — *Toby* PERDEU SUA FAMA DE infalível!

— Ele agiu de acordo com as instruções que recebeu — disse Holmes, tirando-o de cima do barril e levando-o para fora do depósito. — Se lembrarmos a quantidade de alcatrão transportada em carroças em Londres diariamente, não é de admirar que o nosso rastro tenha sido atravessado por outro. É muito usado agora, principalmente para secar a madeira. O pobre *Toby* não deve ser censurado.

— Temos que voltar ao rastro primitivo, suponho.

— Temos, e felizmente não é muito longe — disse Holmes. — Evidentemente, o que confundiu o cachorro na esquina de Knight's Place foi que havia dois rastros indo em direções opostas. Seguimos o caminho errado. Só nos resta seguir o outro.

Não houve dificuldade. No local em que se enganara, *Toby* começou a andar num amplo círculo e finalmente partiu numa nova direção.

— Espero que agora ele não nos leve ao lugar de onde veio o barril — observei.

— Já tinha pensado nisso. Mas repare que ele vai pela calçada e o barril só podia ir pelo meio da rua. Agora estamos no caminho certo.

Toby nos levava agora para a beira do rio, passando por Belmont Place e Prince's Street. No fim da Broad Street, ele correu em direção à beira da água, onde havia um pequeno cais de madeira. *Toby* levou--nos até a extremidade do cais e parou ganindo e olhando para a água escura que corria diante de nós.

— Estamos sem sorte — disse Holmes. — Pegaram um bote aqui.

Havia vários botes e lanchas por ali. Levamos *Toby* a todos eles, porém, por mais que fungasse, não fez o menor sinal de reconhecimento.

Perto do tosco embarcadouro havia uma casa pequena de tijolos com uma placa de madeira pendurada na segunda janela, na qual estava escrito em grandes letras *"Mordecai Smith"*, e mais abaixo *"Embarcações para alugar, por hora ou por dia"*. Uma segunda tabuleta em cima da porta informava que também havia uma lancha a vapor — informação confirmada por uma grande pilha de coque no molhe. Sherlock olhou em torno e seu rosto adquiriu uma expressão sinistra.

— As coisas não vão bem. Esses malandros são muito mais espertos do que eu esperava. Parece que esconderam as suas pistas. Receio que tenha havido algum arranjo prévio por aqui.

Ele estava se aproximando da porta da casa quando ela se abriu e um menino de seis anos, de cabelos encaracolados, saiu correndo, seguido por uma mulher gorda e corada com uma grande esponja na mão, que gritava:

— Vem cá, Jack. Deixa eu te limpar. Vem cá, filhinho. Se teu pai chega e te vê assim, vamos ter de ouvir sermão.

— Oh, amiguinho — disse Holmes espertamente. — Que malandro de faces rosadas. O que é que você gostaria de ter, Jack?

O menino pensou um momento e disse:

— Queria um xelim.

— Você não gostaria mais de outra coisa?

— Gostaria mais de dois xelins — respondeu o prodígio, depois de pensar um pouco.

— Então, aqui está. Pegue! Que bela criança, sra. Smith.

— Deus o abençoe, meu senhor, ele é muito travesso, me dá muito trabalho, principalmente quando o meu marido fica fora por alguns dias.

— O sr. Smith não está? — disse Holmes, desapontado... — Lamento, porque queria muito falar com ele.

— Saiu desde ontem de manhã e, para lhe dizer a verdade, estou começando a ficar preocupada. Mas se é por causa de algum bote, talvez eu possa resolver.

— Desejava alugar a lancha a vapor.

— Ora veja, meu senhor, foi justamente na lancha a vapor que ele saiu. É isso o que me deixa intrigada, porque sei que o carvão que levaram não podia dar para ir a Woolwich e voltar. Se ele tivesse ido na barca, eu não ficaria preocupada, porque muitas vezes ele tem ido a trabalho até Gravesend e, se houvesse muito o que fazer, ficaria por lá. Mas para que serve uma lancha a vapor sem carvão?

— Pode ter comprado carvão por aí, em qualquer cais.

— Poderia, mas não costuma fazer isso. Ele reclama muito dos preços que cobram... Além disso, não gosto daquele homem de perna de pau, de cara feia e fala estrangeira. O que é que ele anda querendo sempre por aqui?

— Um homem de perna de pau? — disse Holmes um tanto surpreso.

— Sim, senhor, um sujeito moreno, com cara de macaco, que procurou o meu marido várias vezes. Foi ele que apareceu ontem à noite. Mas não é só isso: o meu marido sabia que ele vinha, porque já tinha a lancha preparada. Digo-lhe tudo, meu senhor, porque estou preocupada com essas coisas.

— Mas, minha cara sra. Smith, está se assustando à toa — disse Holmes, dando de ombros. — Como a senhora pode dizer que foi o homem da perna de pau que veio ontem à noite? Como pode ter tanta certeza?

— Pela voz, senhor. Eu o reconheci pela voz grossa e tenebrosa. Bateu na janela, mais ou menos às três horas, e disse: "Salta, camarada, é hora de render a guarda." O meu velho acordou o Jim, que é o meu filho mais velho, e foram os dois sem me dizer nada. Eu ouvia perfeitamente a perna de pau batendo nas pedras.

— E o homem estava só?

— Não sei. Mas não ouvi mais ninguém.

— Pois sinto muito, porque eu queria a lancha. Tenho ouvido muitos elogios a respeito dela. Deixe-me lembrar o nome...

— A *Aurora*, meu senhor.

— Não é uma lancha velha, verde, muito larga, com uma listra amarela?

— Claro que não. É a mais elegante que anda pelo rio. Está pintada de novo, é preta, com duas listras vermelhas.

— Obrigado. Espero que tenha logo notícias do sr. Smith. Eu vou descer o rio e se vir a *Aurora*, direi ao sr. Smith que a senhora está preocupada. Chaminé preta, não foi o que disse?

— Não, senhor. Preta com uma faixa branca.

— Ah, é verdade, os lados é que são pretos. Bom dia, sra. Smith. Ali está um barqueiro com uma canoa, Watson. Vamos tomá-la para atravessar o rio.

Quando nos sentamos no banco da canoa, Holmes disse:

— O melhor sistema com esse tipo de gente é não mostrar que a informação é importante para você. Se eles desconfiam que tem importância, fecham-se como uma ostra e não há jeito de tirar-lhes mais nada. Se ficar ouvindo a contragosto, como aconteceu, dirão tudo o que quisermos saber.

— O nosso itinerário agora parece claro — eu disse.

— O que é que faria, então?

— Tomaria uma lancha e iria pelo rio atrás da *Aurora*.

— Meu amigo, isso seria uma empreitada colossal. Ela pode ter ido parar em qualquer cais em um dos lados do rio, daqui até Greenwich. Depois da ponte há um verdadeiro labirinto de desembarcadouros. Levaria dias e dias até descobri-los, se tentássemos sozinhos.

— Chame a polícia, então.

— Não quero. Eu só chamarei Athelney Jones no último momento. Ele não é má pessoa e não gostaria de fazer nada que possa prejudicá-lo profissionalmente. Mas quero resolver o caso por minha conta, agora que já fomos tão longe.

— Poderíamos ao menos pedir informações aos guardas dos cais.

— Seria pior, bem pior. Nossos homens ficariam sabendo que estavam sendo perseguidos de perto e podiam sair do país. É o que estão procurando fazer, mas, enquanto pensarem que estão seguros, não terão pressa. A energia de Jones será útil para divulgar informações para a imprensa. Assim, os fugitivos pensarão que a polícia está na pista errada.

— Então, o que vamos fazer? — perguntei quando desembarcamos perto da penitenciária de Millbank.

— Pegar este cabriolé, ir para casa tomar nosso *breakfast* e dormir uma hora. Está escrito que passaremos em claro esta noite outra vez. Pare numa agência dos correios, cocheiro. Ficaremos com *Toby*, porque ele ainda pode ser útil.

Fomos ao correio de Great Peter Street, e Holmes mandou o seu telegrama.

— Para quem pensa que era? — perguntou quando retomamos nosso trajeto.

— Não tenho a menor ideia.

— Você se lembra do grupo da força policial de Baker Street que utilizei no caso Jefferson Hope?

— Lembro — eu disse rindo.

— Este é um caso em que o seu auxílio será inestimável. Se eles falharem, tenho outros recursos, mas quero experimentá-los primeiro. Aquele telegrama foi para o meu sujo tenentezinho Wiggins, e espero que ele chegue com o seu bando antes de acabarmos o *breakfast*.

Já passava das oito horas, e, depois de todas as coisas excitantes daquela noite, eu esperava uma reação forte. Estava lento e cansado, com o espírito perturbado e o corpo moído. Não tinha o entusiasmo profissional que impulsionava o meu companheiro, nem podia encarar o caso como um problema abstrato, simples e intelectual. Até a morte de Bartolomeu, eu não tinha ouvido nada de bom sobre ele que me fizesse sentir antipatia pelos assassinos. Mas a questão do tesouro modificava o caso. Ele, ou parte dele, pertencia por direito à srta. Morstan. Enquanto houvesse uma possibilidade de recuperá-lo, eu dedicaria todo o meu esforço para conseguir isso. Na verdade, se eu o encontrasse, ele a colocaria fora do meu alcance para sempre.

Mas que amor seria esse, egoísta e inferior, se este pensamento me detivesse? Se Holmes trabalhava para encontrar os criminosos, eu tinha um motivo dez vezes mais forte para encontrar o tesouro de qualquer maneira.

Um bom banho em Baker Street e roupas limpas me reanimaram admiravelmente.

Quando voltei à sala, o *breakfast* já estava na mesa. Holmes servia o café.

— Está aqui — disse ele, rindo e mostrando um jornal aberto. — O enérgico Jones e o onipresente repórter se encarregaram de tudo. Mas você já está farto disto. É melhor que trate primeiro do seu presunto com ovos.

Tirei o jornal da mão dele e li a notícia curta intitulada *"Caso misterioso no Alto Norwood..."*. Dizia o *Standard*:

Por volta da meia-noite de ontem, o sr. Bartolomeu Sholto, de Pondicherry Lodge, Alto Norwood, foi encontrado morto em seu quarto, em circunstâncias que indicam crime e traição. Até onde sabemos, nenhum vestígio de violência foi encontrado no corpo do sr. Bartolomeu, mas uma coleção valiosa de joias da Índia que o morto herdara de seu pai desapareceu. A descoberta foi feita primeiro pelo sr. Sherlock Holmes e pelo dr. Watson, que tinham ido à casa do sr. Bartolomeu com o sr. Tadeu Sholto, irmão do morto. Por uma singular coincidência, o sr. Athelney Jones, o conhecido agente da força da polícia, estava em Norwood, no posto policial, e em meia hora chegava ao local.

Sua habilidade, treinada e experiente, logo se concentrou na detenção dos criminosos, o que resultou na prisão do irmão, Tadeu Sholto, da governanta, sra. Bernstone, um copeiro hindu, Lal Rao, e o porteiro, McMurdo. É fora de dúvida que o ladrão ou ladrões tinham perfeito conhecimento do interior da casa. Com os seus conhecimentos técnicos e sua capacidade de observação rápida, o sr. Jones descobriu logo que os criminosos não podiam ter entrado pela porta nem pela janela, e, portanto, devem ter entrado pelo telhado da casa, e dali passaram por um alçapão para um quarto que se comunicava com o do morto. Este fato foi facilmente esclarecido e provou que o roubo fora premeditado. A ação rápida e enérgica dos representantes da lei demonstra a grande vantagem da presença, nessas ocasiões, de uma mente esclarecida e forte. Isso fornece um argumento àqueles que desejariam ver os nossos detetives mais descentralizados e em contato mais direto e efetivo com os casos que têm o dever de investigar.

— Não está pomposo? — disse Holmes, engolindo o café. — O que você acha?

— Acho que escapamos por um triz de sermos presos também...

— Eu também acho. Mas não responderia pela nossa segurança agora se ele tiver outro de seus acessos de energia.

Nesse momento ouvimos um toque forte da campainha e a voz alta da nossa senhoria, a sra. Hudson, num gemido de consternação e medo.

— Por Deus, Holmes — eu disse, levantando-me um pouco. — Acho que eles estão realmente atrás de nós.

— Não, não é nada tão ruim assim. É a força auxiliar de Baker Street, a não oficial.

Em seguida, ouvimos o ruído de pés descalços que subiam correndo a escada, um tumulto de vozes, e 12 garotos sujos e esfarrapados precipitaram-se na sala. Havia entre eles uma certa disciplina, apesar da entrada tumultuada, porque num instante eles ficaram em fila, olhando para nós com rostos ansiosos.

Um deles, mais alto e mais velho, ficou na frente com um ar de superioridade que era cômico naquele espantalhozinho de má reputação.

— Recebi o seu recado, senhor, e trouxe logo o pessoal — disse ele. — Três xelins e um pence para as passagens.

— Aí está — disse Holmes, dando-lhe umas moedas de prata. — De hoje em diante, você se entende comigo, Wiggins, e eles com você. Não posso ter a casa invadida assim. Em todo o caso, é bom que todos ouçam as instruções. Eu quero saber onde está uma lancha chamada *Aurora*, que pertence a Mordecai Smith, preta com duas listras vermelhas, chaminé preta com uma faixa branca. Está em algum ponto do rio. Quero que um rapaz fique no lugar onde Mordecai Smith mora, no cais em frente a Millbank, para avisar se o barco voltar. Dividam o trabalho entre vocês, de modo que possam fiscalizar as duas margens ao mesmo tempo. Assim que souberem de alguma coisa, venham me avisar. Compreenderam bem?

— Sim, senhor — disse Wiggins.

— O pagamento de costume e um guinéu a mais para quem descobrir a lancha. Aí tem um dia adiantado. Agora podem ir.

Deu um xelim a cada um, e eles sumiram pela escada abaixo. Um minuto depois eu os vi correndo pela rua.

— Se a lancha estiver no rio, eles vão encontrá-la — disse Holmes, levantando-se e acendendo o cachimbo. — Esses garotos podem ir a toda parte, ver tudo, ouvir disfarçadamente todo mundo. Espero ouvir, antes de anoitecer, que eles a descobriram. Enquanto isso, não podemos fazer nada, a não ser esperar. Não podemos retornar à pista interrompida enquanto não encontrarmos a *Aurora* ou o sr. Mordecai Smith.

— *Toby* podia comer estes restos — sugeri. — Vai deitar-se, Holmes?

— Não, não estou cansado. Tenho uma constituição curiosa. Não me lembro de ter ficado alguma vez cansado por causa de trabalho, mas a ociosidade me deixa completamente exausto. Vou fumar e pensar neste caso estranho, em que a nossa loura cliente nos meteu. Se algum dia houve um caso fácil, foi este. Não existem tantos homens com pernas de pau, mas o outro deve ser único!...

— O outro de novo!

— Eu não quero fazer mistério sobre ele. Mas você deve formar a sua própria opinião. Analise os dados que tem. Pegadas pequenas, dedos que nunca foram comprimidos por calçado, pés descalços, um bastão com a ponta de pedra, grande agilidade e pequenos dardos envenenados... O que deduz de tudo isso?

— Já sei... um selvagem! Talvez um dos tais indianos, sócios de Jonathan Small.

— Não me parece — disse Sherlock. — Logo que vi sinais de armas exóticas, tive essa ideia, mas a característica das pegadas me obrigou a rever minha opinião. Alguns habitantes da península indiana são baixos, mas mesmo assim não deixariam aquelas marcas. O hindu tem pés finos e compridos. Os maometanos, que usam sandálias, têm o dedo grande muito separado dos outros porque geralmente a correia passa entre eles. Os dardos também só podiam ter sido atirados por uma zarabatana. Então, onde vamos achar o selvagem?

— Na América do Sul! — arrisquei.

Ele estendeu a mão e apanhou um livro grosso na estante.

— Este é o primeiro volume de um dicionário geográfico, que está sendo publicado agora. Pode ser considerado uma autoridade de primeira ordem. Vejamos o que tem aqui: Andamã, ilhas situadas a 540 quilômetros ao norte de Sumatra, na baía de Bengala. Unh! O que vem a ser isso tudo? Clima úmido, bancos de coral, tubarões, Port-Blair, acampamentos de degredados, Rutland Island, algodoeiros. Ah, aqui está!

Os aborígines das ilhas Andamã podem reivindicar o título de raça de menor estatura da terra, embora alguns antropólogos apontem os aborígines da África, os índios da América e os habitantes da Terra de Fogo. A altura média deles é inferior a 1,20 metro, embora se encontrem muitos adultos bem mais baixos. São atrevidos, rabugentos e intratáveis, mas podem ser amigos quando se consegue conquistar sua confiança.

— Lembre-se disto, Watson. Agora ouça o resto com atenção.

São naturalmente horrendos, têm a cabeça grande e disforme, olhos pequenos e ferozes, e feições deformadas. Têm pés e mãos extraordinariamente pequenos, e são tão ferozes e intratáveis que todas as tentativas de aproximação dos funcionários ingleses falharam em todos os níveis. Eles sempre foram o terror dos náufragos, fazendo saltar os miolos dos sobreviventes com bastões de ponta de pedra ou atirando-lhes os seus dardos envenenados. Esses massacres sempre terminam com um festim de canibais.

— Que povo bonito e amável, Watson! Se esse sujeito tivesse feito as coisas por sua conta, o caso teria sido bem mais horroroso. Imagino, mesmo do jeito que aconteceu, quanto Small não teria dado para ter dispensado a colaboração dele.

— Mas como ele arranjou um companheiro tão singular?

— Isso é querer saber muito! Mas como já sabemos que Small veio das ilhas Andamã, não admira que esse nativo de lá tenha vindo com ele. Quando chegar a ocasião, nós o saberemos. Escute, Watson, você parece estar bem cansado. Deite-se ali no sofá, vou fazê-lo dormir com o meu violino.

Apanhou-o num canto, e eu estava me esticando numa posição cômoda quando ele começou uma ária melodiosa, lenta, sonhadora. Provavelmente era de sua autoria, porque ele tinha um talento notável para improvisar. Lembro-me vagamente dos seus membros descarnados, da expressão séria e dos movimentos do arco. Depois tive a impressão de estar flutuando tranquilamente num mar de sons suaves até que me encontrei na terra dos sonhos, com os olhos doces de Mary Morstan me fitando.

9

A CORRENTE SE QUEBRA

Acordei no fim da tarde, revigorado e com novo ânimo. Sherlock Holmes ainda estava sentado como eu o deixara, com a diferença de que tinha deixado de lado o violino e estava mergulhado num livro.

Ele me olhou quando me mexi e notei que seu rosto estava sombrio e perturbado.

— Você dormiu como um anjo. Receei que a nossa conversa o acordasse.

— Não ouvi nada. Então teve notícias?

— Infelizmente, não. Confesso que estou surpreso e desapontado. A esta hora eu esperava ter alguma informação precisa. Wiggins veio aqui há pouco. Diz que não há o menor sinal da lancha. É um contratempo irritante este, porque cada hora que passa é importante.

— Posso fazer alguma coisa? Agora estou perfeitamente descansado e pronto para outra excursão noturna.

— Não, não podemos fazer nada. Só esperar. Se formos nós mesmos, pode chegar algum aviso na nossa ausência e as coisas se atrasarem ainda mais. Você pode fazer o que quiser, mas eu preciso permanecer no meu posto.

— Então vou a Camberwell visitar a sra. Forrester. Ela me pediu ontem.

— Por causa da sra. Forrester? — perguntou Holmes com um olhar irônico.

— Por causa da srta. Morstan também, é claro. Elas estavam ansiosas por saber o que está acontecendo.

— Eu não lhes contaria muita coisa — disse Holmes. — Não se deve confiar totalmente nas mulheres... nem mesmo nas melhores.

Não parei para discutir este sentimento cruel.

— Estarei de volta daqui a uma ou duas horas.

— Muito bem. Boa sorte. Mas já que você vai atravessar o rio, pode levar *Toby* de volta, porque acho que não vamos mais precisar dele.

Saí levando o cachorro e meia libra para o velho naturalista de Pinchin Lane. Em Camberwell, encontrei a srta. Morstan um tanto cansada depois das emoções da véspera, mas ansiosa para ouvir as novidades. A sra. Forrester também estava curiosa. Contei-lhes o que tínhamos feito, mas suprimindo as partes mais tenebrosas da tragédia. De modo que falei da morte de Sholto, mas sem dizer como tinha sido executada. Apesar de todas as minhas omissões, ainda tiveram muitos motivos de assombro e susto.

— É um romance — exclamou a sra. Forrester. — Uma mulher roubada, um tesouro de meio milhão, um negro canibal e um rufião de perna de pau. Fazem o papel do dragão convencional ou do conde malvado.

— E dois cavaleiros errantes para o salvamento — disse a srta. Morstan, olhando para mim com brilho no olhar.

— A sua fortuna, Mary, depende do resultado desta busca. Mas acho que não está muito entusiasmada. Imagine só o que não valerá ser tão rica e ter o mundo aos seus pés!

Senti uma grande alegria ao constatar que ela não mostrava sinal de orgulho com a perspectiva. Pelo contrário, fez um movimento com a cabeça altiva, como se fosse um assunto que lhe despertasse pouco interesse.

— O que mais me preocupa é o pobre Tadeu! — ela disse. — O resto não é tão grave. Acho que ele procedeu com extrema bondade e honradez em tudo isto. É nosso dever livrá-lo dessa acusação terrível e infundada.

Estava anoitecendo quando saí de Camberwell e já tinha escurecido quando cheguei a casa. O livro e o cachimbo do meu amigo estavam ao lado da cadeira, mas ele tinha desaparecido. Olhei em torno esperando ver um bilhete, mas não havia nada.

— O sr. Holmes saiu? — perguntei à sra. Hudson quando ela veio descer as persianas.

— Não, senhor. Foi para o quarto.

E depois, disse num sussurro:

— Estou preocupada com a saúde dele.

— Por quê, sra. Hudson?

— Veja se não é esquisito. Depois que o senhor saiu, ele começou a andar de um lado para o outro sem parar, a tal ponto que eu fiquei cansada de ouvir seus passos. Depois ele ficou falando sozinho, e toda vez que a campainha tocava, ele vinha perguntar: "O que foi, sra. Hudson?" Agora fechou-se no quarto, mas posso ouvi-lo andando o tempo todo. Espero que não fique doente. Eu me arrisquei a falar-lhe de um calmante, mas zangou-se comigo, porque me olhou de tal maneira que ainda não sei como saí da sala.

— Não acho que tenha motivo para se preocupar, sra. Hudson. Já o vi assim muitas vezes. Ele está preocupado com um assunto, e isso o deixa inquieto.

Tentei falar num tom despreocupado com a nossa senhoria, mas eu mesmo me assustei quando, durante a longa noite, ouvia de vez em quando seus passos pelo quarto, sabendo quanto o seu espírito aguçado ficava irritado com esta inércia involuntária.

Na primeira refeição ele estava abatido e macilento, com umas rosetas de febre nas faces.

— Você está se matando, meu velho. Ficou andando a noite inteira.

— É verdade, não consegui dormir. Este problema infernal está me consumindo. É demais ser frustrado por um obstáculo tão insignificante, depois de se vencer todo o resto. Sei quem são os homens, a lancha, tudo, e não consigo descobri-los. Usei todos os meios à minha disposição e outros agentes, e nada consegui, nem a sra. Smith teve notícias do marido. Daqui a pouco chegarei à conclusão de que afundaram a embarcação. Mas, quanto a isto, há sérias dúvidas.

— Ou a sra. Smith nos indicou uma pista falsa.

— Não, isso pode ser descartado. Andei investigando e a lancha existe.

— Ela poderia ter subido o rio?

— Também pensei nessa hipótese e uma turma de investigadores irá até Richmond. Se não tiver notícias hoje, eu mesmo irei amanhã procurar os homens, em vez da embarcação. Mas estou certo de que hoje saberei alguma coisa.

Mas nada soubemos. Nem uma palavra de Wiggins ou dos outros agentes. Quase todos os jornais mencionavam a tragédia de Norwood. Todos eram hostis ao infeliz Tadeu. Não havia detalhes novos, a não ser a informação de que o inquérito começaria no dia seguinte. De tarde fui a Camberwell levar notícias do nosso insucesso às duas mulheres e, quando voltei, encontrei Holmes desalentado e triste. Mal respondia às minhas perguntas, e ficou a tarde inteira ocupado com uma análise química misteriosa que incluía o aquecimento de retortas e destilação de vapores, que acabou com um cheiro tão horrível que me fez sair da sala.

Nas primeiras horas da manhã ouvi o tinido dos tubos de ensaio, o que me indicava que ele ainda estava às voltas com a sua malcheirosa experiência. Assim que amanheceu, acordei com um sobressalto e fiquei surpreso ao vê-lo ao lado da minha cama com uma roupa ordinária de marinheiro, uma jaqueta grossa e um lenço vermelho no pescoço.

— Vou descer o rio, Watson. Fiquei pensando no assunto e acho que é o único meio. Vale a pena tentar, de qualquer modo.

— Então posso ir com você?

— Não. Você será muito mais útil aqui, como meu substituto. Vou contrariado, pois tenho certeza de que durante o dia virá algum recado, embora Wiggins ontem não tivesse mais qualquer esperança. Quero que abra todos os bilhetes ou telegramas e que proceda como achar melhor. Posso confiar?

— Com certeza.

— Temo que não possa telegrafar para mim porque ainda nem sei onde vou estar. Se tiver sorte, não vou demorar. Mas, antes de voltar, vou saber alguma coisa, seja como for.

Não tive notícias dele até a hora do almoço. Ao abrir o *Standard*, descobri que havia uma nova alusão ao caso.

Com relação à tragédia de Norwood, dizia o jornal, temos motivos para acreditar que seja ainda mais complexa e misteriosa do que parecia a princípio. Novas evidências demonstraram que é impossível que o sr. Tadeu Sholto esteja envolvido no crime. Ele e a governanta, sra. Bernstone, foram postos em liberdade ontem à tarde. Parece, entretanto, que a polícia tem uma pista para descobrir os verdadeiros culpados e que o sr. Athelney Jones, da Scotland Yard, a está seguindo com a sua conhecida energia e sagacidade. Esperam-se novas prisões a qualquer momento.

— É quase satisfatório. Pelo menos, Tadeu está livre. Qual será a nova pista? Mas parece uma desculpa costumeira, usada sempre que a polícia se perde.

Atirei o jornal na mesa, mas nesse instante meus olhos deram com este anúncio:

Desaparecido: — Gratifica-se com cinco libras quem der informações à sra. Smith, no Smith's Wharf, ou em Baker Street 221 B, sobre onde encontrar Mordecai Smith, barqueiro, e seu filho Jim, que saíram de Smith's Wharf às três horas da manhã de terça-feira última, na lancha a vapor Aurora, preta com listras vermelhas, chaminé preta e branca.

Evidentemente, o anúncio era coisa de Holmes. O endereço de Baker Street era a prova.

Fiquei impressionado com a engenhosidade da ideia, porque o anúncio podia ser lido pelos fugitivos, que não veriam nele nada além da ansiedade da esposa pelo desaparecimento do marido.

Que dia longo! Toda vez que batiam na porta ou que eu ouvia um passo mais forte na calçada, imaginava que era Holmes voltando, ou a resposta ao anúncio. Tentei ler, mas o meu pensamento se desviava para a nossa estranha busca e para a dupla de vilões que perseguíamos. Eu me perguntava se haveria por acaso algum erro fundamental no raciocínio do meu amigo. Será que ele não estaria sofrendo uma enorme decepção? Não seria possível que o seu espírito vivo e imaginativo tivesse construído a sua teoria baseado em premissas falsas? Nunca o tinha visto enganar-se, mas mesmo a pessoa de raciocínio mais afiado pode se equivocar.

Ele podia ter-se enganado por causa da sua lógica ultrarrefinada, por sua preferência pelas explicações sutis e bizarras quando uma mais direta e comum lhe caía prontinha nas mãos. Por outro lado, eu mesmo tinha verificado a evidência e ouvido os motivos das suas deduções. Quando recordei a longa cadeia de acontecimentos curiosos, alguns triviais, mas todos tendendo para a mesma direção, não podia negar que, mesmo que a explicação de Holmes fosse incorreta, a teoria verdadeira devia ser igualmente *outrée* e assombrosa.

Às 15 horas, ouvi um toque forte na campainha, uma voz autoritária no saguão e, para meu grande espanto, vi o sr. Athelney Jones em pessoa. Mas ele estava muito diferente do profissional de bom senso, brusco e imperioso, que assumira o caso de Norwood com tanta confiança. Tinha uma expressão abatida e a sua atitude era humilde, quase de quem se desculpa.

— Bom dia, bom dia. Pelo que ouvi, o sr. Holmes não está.

— Não está e não sei quando voltará. Talvez queira esperá-lo. Sente-se e prove um destes charutos.

— Obrigado, não tenho vontade — disse, limpando o rosto com um lenço de seda vermelha.

— E um uísque com soda?

— Bem, meio copo. Está muito quente para a estação, e eu tenho tanta coisa para me aborrecer, para me tirar a paciência. Sabe qual é a minha teoria sobre esse caso de Norwood?

— Lembro-me de ter dito.

— Pois bem, fui obrigado a reconsiderar. Tinha amarrado a minha rede firmemente em torno de Sholto e ele escapou por um buraco no meio. Apresentou um álibi que não pôde ser posto em dúvida. Desde que saiu do quarto do irmão esteve sempre com alguém. Portanto, não podia ser ele quem subiu pelos telhados e alçapões. É um caso obscuro e o meu crédito profissional está em jogo. Gostaria muito de ter um pequeno auxílio.

— Todos precisamos de ajuda às vezes.

— O seu amigo Holmes é um homem admirável — disse ele num tom velado de confidência. — Não se deixa vencer. Tenho-o visto intervir em uma porção de casos e nunca houve nenhum que ele deixasse de esclarecer. Ele é irregular nos seus métodos e talvez apressado em formular teorias, mas, de modo geral, teria sido um agente magnífico, não receio dizê-lo. Recebi essa manhã um telegrama dele, pelo qual deduzo que consegui uma pista desse caso. Veja aí.

Tirou o telegrama do bolso e mostrou-me. Vinha de Poplar, expedido ao meio-dia.

Vá imediatamente para Baker Street. Se não tiver voltado, espere-me. Estou na pista do bando do caso Sholto. Poderá vir conosco esta noite, se quiser acompanhar o final.

— Parece uma boa notícia. É evidente que ele encontrou a pista outra vez — eu disse.

— Ah, então ele também tinha se enganado! — exclamou Jones, com evidente satisfação. — Até os melhores de nós podem ser enganados às vezes. Isso pode ser um rebate falso, mas, como representante da lei, é meu dever não deixar escapar nenhuma oportunidade. Estão batendo. Talvez seja ele.

Ouvimos na escada o passo pesado de alguém que ofegava como se estivesse sem fôlego. Uma ou duas vezes parou, como se a subida lhe fosse muito penosa, mas finalmente chegou à porta e entrou. A aparência correspondia exatamente ao som que ouvimos. Era um homem idoso, vestindo roupa de marinheiro, a velha jaqueta abotoada até o pescoço. As costas eram arqueadas, os joelhos trêmulos e a respiração era penosa como a de um asmático.

Apoiado a um cajado grosso de carvalho, movia os ombros num esforço para respirar. Tinha um lenço colorido em volta do queixo e pouco se podia ver do seu rosto além de um par de olhos vivíssimos sob espessas sobrancelhas brancas e longas suíças brancas também. Deu-me a impressão de um marinheiro de primeira classe que tivesse envelhecido e ficado na miséria.

— Que é que há, meu velho?

Ele olhou em torno lentamente, do jeito próprio de um velho, e perguntou:

— O sr. Sherlock Holmes está?

— Não, mas estou no seu lugar. Pode dar-me qualquer recado que tiver para ele.

— Mas é só com ele que eu queria falar.

— Mas estou lhe dizendo que sou seu substituto. Será sobre a embarcação de Mordecai Smith?

— É. Sei muito bem onde ela está. Também sei onde estão os homens que ele procura, e também sei onde está o tesouro. Sei tudo, tudo.

— Pois diga o que sabe e eu transmitirei a ele.

— Eu queria dizer para ele — repetiu, com a obstinação impertinente de uma pessoa idosa.

— Então espere por ele.

— Não, não. Não posso perder um dia inteiro para ser agradável a ninguém. Se o sr. Holmes não está, ele que trate de descobrir a história sozinho. Eu não simpatizo com nenhum de vocês dois e por isso não direi coisa nenhuma.

Ele virou-se para a porta, mas Athelney Jones ficou na frente dele.

— Espere um pouco, meu amigo. Você tem uma informação importante. Não pode ir embora assim. Você ficará aqui, quer queira quer não, até o nosso amigo voltar.

O velho fez um movimento na direção da porta, mas Jones encostou-se nela e o velho reconheceu a inutilidade da resistência.

— Bonito tratamento este — disse furioso, batendo com o cajado no chão. — Venho para tratar com um cavalheiro e encontro dois sujeitos que nunca vi na minha vida, que me agarram e me tratam desse jeito.

— Não perderá nada — disse-lhe. — Será indenizado pelo dia perdido. Sente-se aqui no sofá e não esperará muito tempo.

Ele foi andando com a cara fechada e sentou-se com o rosto apoiado nas mãos. Jones e eu recomeçamos a fumar os charutos e retomamos a conversa. Mas, de repente, ouvimos a voz de Holmes.

— Acho que deviam me oferecer um charuto também!...

Nós dois estremecemos nas nossas cadeiras: Holmes estava sentado perto de nós, com uma expressão divertida.

— Holmes! — exclamei, atônito — Você aqui? Onde está o velho?

— Aqui está o velho — respondeu, puxando uma cabeleira branca. — Aqui está ele, cabeleira, suíças, sobrancelhas, tudo. Eu achei que meu disfarce estava bom, mas nunca pensei que passaria neste teste.

— Ah, seu malandro! — gritou Jones encantado. — Você daria um ator de mão cheia. A tosse era perfeita e os seus joelhos trêmulos valiam dez libras por semana. Só o brilho dos olhos lembrou-me você. Mas não escapou de nós com facilidade.

— Trabalhei o dia inteiro naquela caçada — disse, acendendo o charuto. — Sabe que uma boa parte da classe dos criminosos já me conhece, sobretudo depois que o nosso amigo aqui deu para publicar alguns dos meus casos. Por isso só posso continuar nessa guerra disfarçado. Recebeu o meu telegrama?

— É por isso que estou aqui.

— Como vai indo o caso?

— Não deu em nada. Tive de soltar dois dos prisioneiros e não há provas contra os outros dois.

— Não há de ser nada. Vamos dar-lhe outros dois para o lugar desses. Mas tem que ficar sob as minhas ordens. Você vai receber todo o crédito oficial, mas tem que seguir as minhas instruções. Está combinado?

— Perfeitamente, se me ajudar a pôr a mão nos homens.

— Bom. Em primeiro lugar, quero uma embarcação da polícia, rápida, uma lancha a vapor, que deve estar nas escadas de Westminster às 19 horas.

— Isso é fácil, porque há sempre uma por lá. Mas posso telefonar para me certificar.

— Quero também dois homens valentes para o caso de resistência.

— Levaremos dois ou três na embarcação. O que mais?

— Quando prendermos os homens, pegaremos o tesouro. Garanto que será um grande prazer para o meu amigo aqui levar a caixa diretamente para a moça a quem metade dele pertence por direito. Deixe que ela seja a primeira a abri-lo. Hein, Watson?

— Seria um grande prazer para mim.

— Isso não será uma maneira correta de proceder — disse Jones meneando a cabeça. — Mas a coisa toda é irregular, e parece-me que o melhor é fechar os olhos. Depois, o tesouro terá de ser entregue às autoridades até a conclusão do inquérito oficial.

— Naturalmente. Não custa nada. Há outro ponto. Eu queria muito saber de alguns detalhes sobre este caso do próprio Jonathan Small. Sabe que eu gosto de estudar os detalhes dos casos que investigo. Não fará objeção a uma entrevista particular com ele, aqui na minha casa ou em qualquer outro lugar, desde que ele seja vigiado?

— Bem, você tem o domínio da situação. Eu ainda não tive nenhuma prova da existência desse Small. Mas se você o apanhar, não vejo como poderei recusar-lhe a entrevista com ele.

— Então está entendido.

— Perfeitamente. Há mais alguma coisa?

— Apenas insisto que jante conosco, o que faremos daqui a meia hora. Tenho ostras e um casal de patos selvagens, com alguns vinhos brancos escolhidos. Watson, você ainda não conheceu os meus méritos como dono de casa.

10

O FIM DO ILHÉU

Nossa refeição foi alegre. Quando estava disposto, Holmes conversava maravilhosamente, e naquela noite estava muito disposto. Parecia estar numa grande excitação nervosa. Nunca o vira tão brilhante. Falou sobre vários assuntos em rápida sucessão: autos sacramentais, cerâmica medieval, violinos Stradivarius, o budismo no Ceilão e sobre os navios de guerra do futuro, tratando de cada um como se tivesse feito um estudo especial.

Seu humor brilhante indicava a reação à depressão dos dias anteriores.

Jones mostrou um temperamento sociável nas suas horas de lazer e tratou de jantar como um *bon vivant*. Eu me sentia feliz com a ideia de que estávamos perto do fim da nossa tarefa e apropriei-me um pouco da alegria de Holmes. Durante o jantar, nenhum de nós mencionou o caso que nos reunira ali.

Depois da refeição, Holmes olhou para o relógio e encheu três cálices de vinho do Porto, dizendo:

— Um brinde ao sucesso da nossa expedição. E há muito que já devíamos ter saído. Tem uma pistola, Watson?

— Tenho o meu velho revólver de serviço na minha escrivaninha.

— É melhor levá-lo. Sempre é bom estar preparado. O cabriolé já está esperando. Pedi que viesse às 18h30.

Quando chegamos ao cais de Westminster, um pouco depois das sete, a lancha já nos esperava. Holmes examinou-a.

— Há alguma coisa que revele que é da polícia?

— A lanterna verde do lado.

— Então mande tirá-la.

Feita a mudança, entramos e partimos. Sentamo-nos à popa. Havia um homem ao leme, um maquinista e dois corpulentos agentes da polícia à frente.

— Para onde vamos? — perguntou Jones.

— Para a Torre. Diga-lhes que parem em frente a Jacobson's Yard.

A embarcação era realmente muito rápida. Passamos pelas filas de barcaças carregadas como se elas estivessem paradas. Holmes sorriu com satisfação quando alcançamos um barco a vapor e o ultrapassamos.

— Acho que somos capazes de pegar qualquer coisa no rio.

— Não digo tanto. Mas poucas lanchas podem competir com esta.

— Temos que pegar a *Aurora* e ela tem fama de ser muito rápida. Vou contar-lhe o que aconteceu, Watson. Lembra-se de que eu estava aborrecido por me sentir tolhido por um obstáculo tão insignificante?

— Lembro.

— Pois bem, dei um descanso à minha mente mergulhando numa experiência química. Um dos nossos maiores estadistas disse que a melhor maneira de descansar era mudar de trabalho. E é mesmo. Quando consegui dissolver o hidrocarbono em que trabalhava, voltei ao problema de Sholto e pensei de novo sobre o caso. Os meus rapazes tinham subido e descido o rio sem resultado. A lancha não estava em nenhum desembarcadouro ou cais, nem tinha voltado. Mas dificilmente iriam afundá-la para apagar seus vestígios, mas ficava de pé a hipótese se todo o resto falhasse. Eu sabia que esse Small era astuto, mas não o julgava capaz de uma ideia sutil. Essas ideias costumam resultar de uma educação apurada. Refleti que, como ele estava em Londres há algum tempo, já que temos prova de que mantinha vigilância constante sobre Pondicherry Lodge, dificilmente poderia sair do país de repente, mas precisaria de algum tempo, mesmo que fosse apenas um dia para organizar suas coisas. Era esta a probabilidade, de qualquer modo.

— O argumento me parece fraco — eu disse. — Certamente ele preparou tudo antes de pôr mãos à obra.

— Não creio. O seu covil deve ser seguro demais para que se desfizesse dele antes de ter concluído o negócio. Mas há outra coisa: Jonathan Small deve ter compreendido que o aspecto peculiar do companheiro, por mais que o tenha vestido e disfarçado, iria levantar suspeitas e possivelmente seria associado à tragédia de Norwood. Ele é bastante esperto para perceber isso. Saíram do esconderijo de noite, protegidos pela escuridão, e ele devia querer estar de volta antes de o dia clarear. Ora, eles foram buscar a lancha depois das três horas, conforme disse a sra. Smith. Eles tinham pouco tempo, e o movimento ia começar dali a uma hora, mais ou menos. Portanto, achei que não deviam ter ido para muito longe. Pagaram bem o silêncio de Smith, reservaram a lancha para o momento de fugir e correram para casa com o cofre. Em duas noites tinham tempo de ver pelos jornais a direção que a polícia tomava, e, se houvesse alguma suspeita, aproveitariam a noite para fugir e pegar algum navio em Gravesend ou em Down, onde sem dúvida já tinham comprado passagens para a América ou para as colônias.

— Mas e a lancha? Não podiam tê-la levado para casa.

— Exatamente. Compreendi que, apesar da sua invisibilidade, a lancha não podia estar longe. Imaginei-me no lugar de Small e pensei no que faria nesse caso. Ele provavelmente achou que mandar a lancha de volta ou guardá-la num cais seriam maneiras de facilitar a perseguição se a polícia estivesse na pista dele. Como poderia escondê-la e tê-la à mão quando precisasse? Então pensei no que eu faria se me visse numa situação dessas. Só havia um meio: levar a lancha a um estaleiro para mudar suas características. Poderia então voltar para o ancoradouro, onde ficaria realmente escondida e, ao mesmo tempo, à minha disposição em poucas horas.

— Parece simples.

— São exatamente essas coisas simples que costumam passar despercebidas. Decidi trabalhar nesse sentido. Parti naquele inofensivo traje de marinheiro e perguntei em todos os estaleiros rio abaixo, e nada consegui saber em 15; mas, no décimo sexto, no Jacobson, eu soube que a *Aurora* lhes fora entregue dois dias antes por um homem de perna de pau, com umas instruções sobre o leme. "Não há nada errado com o leme", disse o mestre. "Lá está ela com as suas listras vermelhas." Naquele instante quem iria aparecer? Mordecai Smith, o dono. Estava meio bêbado. Eu não o conhecia, mas ele berrou seu nome e o da lancha, e disse que precisava dela às vinte horas em ponto. "Não se esqueça", disse ele, "porque tenho dois cavalheiros que não podem ficar esperando". Ele tinha sido bem pago porque nadava em dinheiro, distribuindo xelins aos homens. Eu o segui por algum tempo, mas ele entrou num botequim. Então voltei ao estaleiro e, pegando no caminho um dos meus rapazes, deixei-o de sentinela vigiando a lancha. Ele está na beira do rio e acenará com o lenço quando eles saírem. Nós vamos ficar por aí no rio para agarrar os homens, tesouro e tudo.

— Você planejou tudo muito bem, sejam ou não os nossos homens — disse Jones. — Mas, se o caso estivesse nas minhas mãos, eu deixaria um grupo de policiais no estaleiro Jacobson e prenderia todos eles quando chegassem.

— Isso não ocorreria nunca. Este Small é muito vivo. Mandará alguém na frente e se houver alguma coisa suspeita, adiará a viagem para a outra semana.

— Mas podia ter seguido Mordecai Smith, e assim descobriria o esconderijo.

— E teria perdido o meu dia. Aposto cem contra um como Smith não sabe onde eles estão. Enquanto ele tiver bebida e bom pagamento, por que faria perguntas? Eles mandam recados. Já pensei em todas as possibilidades, e esta é a melhor.

Quando passamos diante do centro financeiro e comercial de Londres, os últimos raios de sol douravam o alto da Catedral de St. Paul. Quando chegamos à Torre, o crepúsculo deixava a cidade na penumbra.

— Lá está Jacobson's Yard — disse Holmes, apontando para um local cheio de mastros e apetrechos de navio para os lados do Surrey. — Vamos cruzar devagarzinho por aqui, encobertos por estas filas de barcaças.

Tirou do bolso um binóculo e ficou observando a margem por algum tempo.

— Estou vendo a minha sentinela no seu posto, mas não há sinal do lenço — observou.

— Se descêssemos um pouco o rio e esperássemos por eles — sugeriu Jones, ansioso.

Nesse momento estávamos todos ansiosos, até os policiais e os tripulantes, que tinham uma ideia muito vaga do que estava para acontecer.

— Não temos o direito de achar que a vitória está garantida — respondeu Holmes. — É quase certo, dez contra um, que eles descerão o rio, mas quem poderá garantir? Daqui nós vemos a entrada do estaleiro e eles não poderão nos ver. A noite será clara e cheia de luzes. Devemos ficar onde estamos. Veja como as pessoas se amontoam em torno do cercado.

— Estão saindo do trabalho no estaleiro.

— Gentinha suja, mas todos eles têm em si uma centelha imortal. Ao olhar para eles, ninguém diria isso. Estranho enigma é o homem.

— Há quem diga que é uma alma escondida num animal — comentei.

— Winwood Reade trata bem do assunto — disse Holmes. — Ele nota que, embora o homem seja individualmente um enigma insolúvel, quando está em grupo torna-se uma certeza matemática. Por exemplo, você não pode nunca prever com exatidão o que um homem vai fazer, mas pode prever o que um grupo fará. Os indivíduos variam, mas as coletividades são constantes. É o que dizem os estatísticos. Não é um lenço? Com toda a certeza vejo uma coisa branca flutuar.

— É o nosso rapaz — gritei. — Posso vê-lo muito bem.

— E ali vai a *Aurora* — exclamou Holmes. — E corre como um demônio. Maquinista, pra frente a todo vapor. Siga aquela lancha de luz amarela. Por Deus, nunca me perdoarei se não a alcançarmos.

Ela tinha deslizado, sem ser vista, pela entrada do estaleiro e passado entre algumas pequenas embarcações, de modo que pôde tomar uma grande dianteira antes que a víssemos. Agora ela descia o rio rente à margem numa corrida vertiginosa. Jones olhava com expressão séria e disse, sacudindo tristemente a cabeça:

— Ela é muito rápida. Duvido que a alcancemos.

— Temos de alcançá-la — rosnou Holmes entre dentes. — Maquinista, força! Força máxima. Nem que tenha de estourar a embarcação, precisamos pegá-los!

Corríamos que era uma beleza!

As fornalhas rugiam e as poderosas máquinas zuniam como um grande coração de metal. A proa pontuda cortava a água mansa do rio e formava duas ondas encrespadas à direita e à esquerda. A cada trepidação das máquinas nós saltávamos e estremecíamos como uma coisa viva. Um grande holofote amarelo na nossa proa iluminava a água à nossa frente. Logo adiante havia uma sombra escura que indicava onde estava a *Aurora* e a espuma branca agitada atrás dela mostrava a velocidade com que corria.

Passamos como um raio por entre barcaças, vapores, navios mercantes de um lado e outro. Vozes gritavam à nossa passagem, mas a *Aurora* avançava e nós a seguíamos de perto.

— Alimentem essa máquina, homens! Não poupem carvão. Força, homens! — gritava Holmes, olhando para a casa das máquinas e recebendo em cheio no seu rosto aquilino e ansioso o clarão das fornalhas.

— Acho que chegamos mais perto — disse Jones sem tirar os olhos da *Aurora*.

— Tenho certeza — eu disse. — Em poucos minutos a alcançaremos.

Mas, nesse momento, a nossa má estrela quis que um vaporzinho, que rebocava três barcaças, se atravessasse na nossa frente. Foi com dificuldade que evitamos a colisão e, até que as contornássemos e voltássemos a correr, a *Aurora* já avançara uns bons duzentos metros. Mas ainda estava bem à vista, e o crepúsculo hesitante se transformava numa noite clara estrelada. As caldeiras estavam no máximo e a nossa frágil embarcação vibrava e rangia com a energia feroz com que estava sendo impelida.

Já tínhamos passado as Docas da West India e chegado a Deptford Reach, e subíamos de novo depois de contornar a Isle of Dogs. Desaparecera a sombra escura que víamos diante de nós e a *Aurora* aparecia nitidamente.

Jones dirigiu o foco do holofote para ela, a fim de ver bem quem estava lá dentro. Havia um homem sentado à popa com um volume preto entre os joelhos, sobre o qual se inclinava. Ao lado estava uma massa negra que parecia um cão da Terra Nova. Um rapazinho segurava o leme, e ao clarão da fornalha pude ver o velho Smith nu até a cintura, ativando o vapor na luta pela vida. No início eles talvez não soubessem com certeza se nós os estávamos perseguindo ou não, mas, agora, vendo que acompanhávamos todos os seus movimentos, não podiam mais duvidar.

Em Greenwich, estávamos uns duzentos metros atrás deles; em Blackwell, já a uns 150. Eu tinha perseguido muita gente, em muitos países, durante a minha carreira movimentada, mas nunca tive sensação igual à que me deu essa doida caçada humana pelo Tâmisa. Com firmeza fomos chegando perto, metro a metro. No silêncio da noite podíamos ouvir o resfolegar da máquina deles. O homem que estava sentado na popa continuava inclinado movendo os braços, como se estivesse fazendo alguma coisa, e de vez em quando levantava-se como para medir a distância que nos separava deles, e que era cada vez menor. Jones deu-lhes ordem de parar. Estávamos a uma distância de quatro botes deles. As duas embarcações continuavam numa corrida vertiginosa. Era um trecho desimpedido no rio, que tinha Barking Level de um lado e a melancólica Plumstead Marshes na outra margem. Quando ouviu nosso grito, o homem que estava na popa levantou-se ameaçador e sacudiu os punhos cerrados para nós, praguejando em voz alta.

Era um homem alto e forte, e, na posição ereta em que estava, pude ver que a perna de pau começava na coxa direita. Ao som de seus gritos estridentes e furiosos, houve um movimento na massa preta que estava na coberta. Um homenzinho preto levantou-se: o menor homem que eu já vira, com uma cabeça grande e disforme, e um tufo de cabelos desgrenhados. Holmes já tinha puxado o seu revólver e eu peguei o meu ao ver aquela criatura deformada e selvagem.

Ele estava embrulhado num manto escuro, uma espécie de cobertor que o envolvia e só deixava o rosto de fora. Mas aquele rosto era suficiente para que um homem passasse uma noite em claro.

Nunca tinha visto uma fisionomia tão profundamente marcada pela bestialidade e por traços de crueldade. Os olhos pequenos brilhavam, ardendo numa luz sombria, e os lábios grossos e revirados mostravam os dentes arreganhados, ameaçando-nos com uma fúria meio animal.

— Se ele fizer um movimento, atirem — disse Holmes.

Para chegarmos até eles faltava apenas a distância de um bote. Parece que os estou vendo: o homem branco com as pernas abertas praguejando e o maldito anão, com a sua cara horrenda e rangendo os dentes enormes e amarelos, iluminados pela luz do nosso holofote.

Foi bom que pudéssemos vê-los tão nitidamente. Nesse instante, o anão tirava de sob o manto que o cobria uma peça redonda de madeira e a colocava na boca. As nossas pistolas ressoaram juntas. Ele rodopiou, estirou os braços e caiu na água com um soluço. Ainda vi seu olhar venenoso, ameaçador, entre as ondulações das águas.

Na mesma hora o homem da perna de pau atirou-se ao leme e moveu-o com força, dirigindo a embarcação para a margem sul enquanto nós passávamos a poucos metros de sua popa. Demos a volta rapidamente e ficamos atrás dela, mas a *Aurora* já estava perto da margem. Era um lugar deserto, onde a lua iluminava um extenso trecho pantanoso com grandes poças d'água estagnada e camadas de vegetação apodrecida.

A lancha, com um ruído surdo, foi de encontro ao banco de lama com a proa levantada e a popa dentro da água. O fugitivo saltou, mas a perna de pau afundou no solo movediço. Ele lutava e se debatia em vão. Não conseguia dar um passo, nem para trás nem para a frente.

Ele gritava numa raiva impotente e batia freneticamente com o outro pé na lama, mas todos os seus esforços e movimentos só o faziam enterrar-se cada vez mais na areia viscosa. Quando a nossa lancha encostou, ele já estava enterrado tão fundo que foi preciso puxá-lo com uma corda amarrada nos seus ombros, como se fosse um tubarão. Os dois Smith, pai e filho, estavam sentados, com expressão taciturna, na sua lancha, mas vieram para o nosso barco, obedientemente, quando os chamamos.

Tiramos a *Aurora* da areia e a rebocamos.

Um sólido cofre de ferro, de artesanato indiano, estava na coberta. Era, sem dúvida, o mesmo que continha o tesouro fatal dos Sholto. Estava sem chave e era pesadíssimo. Nós o levamos com cuidado para a nossa cabine. Quando subimos lentamente o rio, vasculhamos a água com o holofote em todas as direções, mas não descobrimos sinal do ilhéu.

Olhem aqui — disse Holmes, mostrando a escotilha. — Se não tivéssemos atirado depressa com os revólveres... ali, exatamente atrás do lugar onde ficávamos, estava cravado um daqueles dardos assassinos que nós conheciamos bem. Ele deve ter passado entre nós no momento em que atiramos.

Holmes sorriu e sacudiu os ombros com a sua habitual indiferença, mas eu confesso que fiquei aterrado só de pensar na morte horrível que passara tão perto de nós naquela noite.

11

O FABULOSO TESOURO DE AGRA

Nosso prisioneiro estava sentado na cabine diante da caixa de ferro que lhe dera tanto trabalho e que ele esperara tanto para conseguir. Era um sujeito muito queimado de sol, de olhos atrevidos, com o rosto cor de mogno marcado por uma rede de linhas e rugas, que indicavam uma vida dura ao ar livre.

Havia uma singular proeminência do seu queixo barbudo, indicando um homem que não desiste facilmente dos seus objetivos. Devia ter mais ou menos cinquenta anos, porque o cabelo preto encaracolado já estava entremeado de fios brancos. A sua fisionomia, quando estava relaxada, não era repulsiva, embora as sobrancelhas grossas e o queixo agressivo lhe dessem, no momento da raiva, uma expressão terrível. Estava sentado agora com as mãos algemadas no colo, a cabeça inclinada sobre o peito, olhando para a caixa que fora a causa de todos os seus crimes. Pareceu-me que na sua atitude contida havia mais tristeza do que raiva. Num momento em que olhou para mim vi nos seus olhos um brilho que parecia de troça.

— Então, Jonathan Small, lamento que tenhamos chegado a este ponto — disse Holmes, acendendo um charuto.

— Eu também — respondeu com franqueza. — Não creio que possa me livrar desta embrulhada. Juro-lhe, pela Bíblia, que nunca levantei a mão contra Sholto. Foi aquele cão do inferno, o Tonga, que lhe atirou um dardo envenenado. Eu não tive nada com isso. Senti tanto como se fosse um parente meu. Eu ainda procurei deter o demônio puxando a corda, mas não dava para desfazer o que já estava feito.

— Pegue um charuto — disse Holmes. — E é melhor tomar um gole, pois você está muito molhado. Como você podia esperar que um homem tão pequeno e fraco pudesse dominar o sr. Sholto enquanto você subia pela corda?

— Parece que o senhor viu tudo! A verdade é que eu esperava encontrar o quarto vazio. Conhecia bem os hábitos da casa e era a hora de o sr. Sholto descer para cear. Não tenho necessidade de guardar segredo. Só posso defender-me dizendo a verdade. Se fosse o velho major, eu o teria matado sem piedade. Eu o esfaquearia com a mesma despreocupação com que fumo este charuto. Mas estava escrito que eu tinha de esbarrar neste Sholto filho, com quem nunca tive nenhuma desavença.

— Você está sob as ordens do sr. Athelney Jones, da Scotland Yard. Ele vai levá-lo até a minha casa, onde me contará tudo exatamente como aconteceu. Deve falar com toda a clareza, porque, se o fizer, talvez eu possa ser útil a você. Acho que posso provar que o veneno agiu com tamanha rapidez que, quando você entrou no quarto, o homem já estava morto.

— E foi isso mesmo. Nunca tive na minha vida um choque igual, no momento em que o vi com os dentes arreganhados e a cabeça caída sobre o ombro, quando entrei pela janela. Aquilo me abalou muito. Acho que eu teria matado Tonga se ele não tivesse fugido. Foi por isso que ele deixou lá o bastão e os dardos, o que ajudou a pôr vocês na nossa pista. O que não sei é como conseguiram nos descobrir. Não sinto animosidade em relação aos senhores por causa disso. Mas é bem curioso que eu, que podia reivindicar meio milhão, tenha gastado metade da minha vida construindo um quebra-mar nas Andamãs e provavelmente passe a outra metade cavando esgotos em Dartmoor — disse ele com um sorriso amargo. — Maldito o dia em que encontrei o negociante Achmet e fiquei sabendo da existência do tesouro de Agra, que só tem trazido maldições aos que o possuem. Trouxe a morte para ele, medo e culpa para o major Sholto e, para mim, escravidão pela vida inteira.

Jones enfiou a cabeça e os ombros na cabine e observou:

— Uma festa em família. Holmes, vou tomar um gole do seu frasco. Bem, acho que devemos nos felicitar uns aos outros. É uma pena não termos apanhado o outro vivo, mas não tivemos escolha. Confesse, Holmes, que foi duro. Mas não se podia fazer mais.

— Tudo está bem quando acaba bem — disse Holmes. — Mas eu não sabia que a *Aurora* corria tanto.

— Smith diz que é uma das lanchas mais rápidas do rio e que se ele tivesse outro homem para ajudá-lo, jamais o pegaríamos. Ele jura que não sabia nada do negócio de Norwood.

— Não sabia mesmo. Nem uma palavra — exclamou nosso prisioneiro. — Escolhi a lancha dele porque soube que era rápida. Não lhe dissemos nada, pagamos bem e ele ia receber uma bela quantia se tivéssemos chegado ao *Esmeralda*, em Gravesend, que vai para o Brasil.

— Se ele não procedeu mal, nada de mal acontecerá com ele. Embora sejamos rápidos na captura de quem procuramos, não temos a mesma rapidez em condená-los.

Era divertido notar como o vaidoso Jones já começava a assumir ares de importância na captura. Pelo ligeiro sorriso que brincava nos lábios de Sherlock, via-se que o discurso não fora desperdiçado.

— Vamos primeiro a Vauxhall Bridge, onde o dr. Watson desembarcará com o cofre — disse Jones. — Não preciso dizer-lhe que assumo uma grande responsabilidade consentindo isso. É extremamente irregular, mas trato é trato. Mas sou obrigado, por força do dever, a mandar um inspetor para acompanhá-lo, já que está com uma carga tão valiosa. É uma pena que não tenhamos a chave para fazermos primeiro o inventário. Teremos de arrombá-lo. Onde está a chave, homem?

— No fundo do rio — disse Small secamente.

— Não precisava nos dar esse trabalho desnecessário. Você já nos deu trabalho suficiente. Não preciso recomendar-lhe o máximo de cuidado, doutor. Volte a Baker Street com o cofre. Você nos encontrará lá, a caminho da delegacia.

Deixaram-me em Vauxhall com o pesado cofre, acompanhado por um agente mal-humorado e maleducado. Um quarto de hora depois eu estava na casa da sra. Cecil Forrester. A criada pareceu surpresa com uma visita tão tarde. A sra. Forrester tinha saído e ainda não voltara. Mas a srta. Morstan estava na sala; então fui até a sala com o cofre nos braços, deixando o prestativo inspetor no cabriolé. A srta. Morstan estava sentada perto da janela aberta, com um vestido branco de um tecido diáfano, levíssimo, com um leve toque de vermelho no pescoço e na cintura.

A luz suave de um abajur iluminava a moça recostada numa cadeira de palha, brincando no seu rosto grave e doce, e dando um brilho metálico dos cachos de sua farta cabeleira.

Um braço alvo pendia ao lado da cadeira e a sua postura mostrava a melancolia que a envolvia. Mas, ao ouvir os meus passos, levantou-se rapidamente, corando de surpresa e prazer.

— Ouvi um cabriolé chegar e parar, mas pensei que fosse a sra. Forrester que tivesse voltado mais cedo. Nem sonhava que pudesse ser o senhor. Que notícias me trouxe?

— Trouxe mais do que notícias — eu disse, pousando a caixa sobre a mesa e falando num tom exuberante e jovial, embora meu coração estivesse pesado. — Trouxe-lhe uma coisa que vale todas as notícias do mundo. Trouxe-lhe uma fortuna!

— Então é este o cofre? — ela perguntou friamente, olhando a caixa de ferro.

— É... este é o grande tesouro de Agra. Metade pertence a você e a outra metade a Tadeu Sholto. Terão alguns milhares cada um. Pense nisto. Uma renda anual de dez mil libras. Deve haver poucas moças mais ricas na Inglaterra. Não é glorioso?

Acho que exagerei o meu entusiasmo, e que ela percebeu um tom pouco sincero nas minhas congratulações, porque ela ergueu as sobrancelhas e olhou-me com curiosidade.

— Se tenho isso tudo, devo a você.

— Não, a mim não, ao meu amigo Sherlock Holmes. Ainda que tivesse toda a vontade do mundo, eu jamais conseguiria descobrir uma pista que pôs à prova até o gênio analítico dele. Apesar disso, quase o perdíamos no último momento.

— Peço-lhe que se sente e me conte como tudo aconteceu, dr. Watson — ela disse.

Fiz um resumo do que tinha acontecido desde o nosso último encontro: o novo método de Holmes para encontrar a *Aurora* e o êxito; o aparecimento de Athelney Jones, a nossa expedição à tarde e a caçada feroz pelo Tâmisa. Ela ouviu o relato das nossas aventuras com os lábios entreabertos e os olhos cintilantes. Quando falei do dardo que por um triz não nos atingira, ela ficou tão pálida que temi que desmaiasse.

— Não é nada — disse ela quando eu quis ir buscar água para borrifar-lhe o rosto. — Já estou bem. Foi um choque saber do perigo que correram por minha causa!

— Está tudo acabado, não foi nada. Não lhe contarei mais detalhes tenebrosos. Vamos falar agora de coisas mais alegres. Aqui está o tesouro. Tive licença para trazê-lo, pensando que gostaria de ser a primeira a vê-lo.

— Seria do maior interesse para mim — ela disse.

Mas não havia ansiedade na sua voz. Ela compreendeu que seria indelicado de sua parte não demonstrar interesse por um prêmio que custara tanto para ser conquistado.

— Que cofre bonito — disse, examinando-o. — É um trabalho indiano?

— É trabalho em metal feito em Benares.

— E como é pesado! — exclamou, tentando levantá-lo. — Só a caixa deve valer muito. Onde está a chave?

— Small atirou-a no Tâmisa — eu respondi. — Dê-me o atiçador do fogão.

Na frente da caixa havia uma imagem de Buda sentado. Enfiei por baixo da figura a ponta do ferro e levantei a tampa. A fechadura partiu-se com um estrondo. Com as mãos tremendo, ergui a tampa. Ficamos atônitos. O cofre estava vazio!

Não admirava que fosse pesado. O trabalho de ferro tinha quase dois centímetros de espessura em toda a volta. Era maciço, bem-feito e sólido; um cofre feito para carregar objetos de grande valor. Mas não havia nenhum sinal de joias dentro; estava completamente vazio.

— O tesouro está perdido — disse a srta. Morstan calmamente.

Quando ouvi estas palavras e compreendi o que elas significavam, tive a impressão de que uma grande sombra se afastava da minha alma. Eu não sabia o mal que esse tesouro me fizera até este momento, quando finalmente eu me livrava deste peso. Não há dúvida de que era egoísta, desleal, errado; mas a única coisa que eu percebia agora era que aquela barreira de ouro não estava mais entre nós.

— Graças a Deus! — suspirei do fundo da alma.

Ela me olhou com um sorriso repentino e inquiridor:

— Por que diz isso?

— Porque agora você está ao meu alcance novamente — eu disse, segurando-lhe a mão. Ela não a retirou. — Porque a amo, Mary, tão sinceramente quanto se pode amar uma mulher. Porque esse tesouro, essas riquezas fechavam meus lábios. Agora que se foram, posso dizer quanto a amo! Por isso eu disse "Graças a Deus".

— Então, eu também direi graças a Deus — ela murmurou quando a puxei para perto de mim.

Alguém pode ter perdido um tesouro, mas o que sabia é que eu ganhara um naquela noite.

12

A ESTRANHA NARRATIVA DE JONATHAN

O INSPETOR QUE FICOU ESPERANDO ERA MUITO PACIENTE, porque me demorei um tempo infinito.

Seu rosto tornou-se sombrio quando eu lhe mostrei que o cofre estava vazio.

— Lá se vai a recompensa — disse ele com tristeza. — Quando não há dinheiro, não há pagamento. Esta noite de trabalho valeria uma nota de dez libras para mim e para Sam Brown, se o tesouro fosse encontrado.

— O sr. Tadeu Sholto é um homem rico, esteja certo de que será gratificado, com tesouro ou sem tesouro.

Mas o agente sacudiu a cabeça, desapontado:

— É um mau negócio, e o sr. Jones também vai pensar assim.

A sua previsão estava correta porque o policial empalideceu quando lhe mostrei o cofre vazio em Baker Street. Tinham acabado de chegar, ele, Holmes e o prisioneiro, porque tinham parado no caminho. O meu companheiro estendeu-se na sua poltrona com a sua expressão apática habitual e Small sentou-se em frente e, imperturbável, cruzou a perna de pau sobre a outra. Quando mostrei a caixa vazia, recostou-se na cadeira e caiu na gargalhada.

— Isso é coisa sua, Small — disse Jones, irritado.

— É. Eu o escondi num lugar onde nunca poderão ir buscá-lo — disse exultante. — O tesouro é meu, e já que não posso ter a minha parte, ninguém terá coisa alguma dele. Já disse que nenhum ser vivo tem direito a ele, além de três homens que moram nas barracas dos degredados nas Andamã e eu. Sei agora que não posso usá-lo, e eles também não. Fiz tudo para mim mesmo e para eles. Nós agimos sempre juntos sob *O sinal dos quatro*. Tenho a certeza de que eles teriam feito exatamente o que eu fiz. Joguei o tesouro no Tâmisa para que não fosse parar nas mãos de descendentes ou parentes de Sholto ou de Morstan. Não foi para enriquecê-los que demos cabo de Achmet. Podem achar o tesouro no lugar onde estão a chave e o pequeno Tonga. Quando vi que a sua lancha ia nos alcançar, pus tudo em lugar seguro. Para o trabalhinho de hoje não há rubis.

— Você está nos enganando, Small — disse Jones asperamente. — Se você quisesse jogar o tesouro no rio, teria sido mais fácil jogar com a caixa e tudo.

— Seria mais fácil para mim jogar e mais fácil para vocês o recuperarem — ele respondeu, olhando de soslaio. — O homem que foi suficientemente inteligente para me caçar daquele jeito também o seria para pegar uma caixa de ferro no fundo do rio. Agora que as joias estão espalhadas por cinco milhas ou mais, será muito mais difícil. Custou-me muito fazer isso, quase enlouqueci quando vi que estavam nos perseguindo. Mas não vale a pena afligir-me. Tive altos e baixos na minha vida, e aprendi que não se deve chorar pelo leite derramado.

— Este é um assunto muito sério, Small — disse o policial. — Se tivesse colaborado com a justiça em vez de prejudicá-la dessa maneira, teria atenuantes no julgamento.

— Justiça! — rosnou o ex-degredado. — Uma bela justiça! De quem é esta riqueza, se não é nossa? Seria justo que eu desistisse em favor de outros que nunca esperaram por isso? Veja quanto tempo eu esperei. Vinte longos anos naquele pântano cheio de febres, o dia inteiro trabalhando debaixo daqueles mangues, a noite inteira acorrentado nas cabanas imundas dos degredados, picado pelos mosquitos, torturado pela malária, ameaçado o tempo todo pelos malditos policiais negros que gostam de fazer mal aos brancos. Foi assim que eu vivi esperando a posse do meu tesouro, e vem o senhor me falar de justiça, porque acho insuportável a ideia de que paguei este preço para outros o desfrutarem! Preferiria ser atingido por um dos dardos de Tonga do que viver numa cela de condenado, sabendo que outro homem está num palácio desfrutando o dinheiro que deveria ser meu.

Small tinha deixado cair a máscara de estoicismo e tudo isso saiu num turbilhão de palavras enquanto seus olhos queimavam e as algemas batiam com o movimento febril das mãos.

Compreendi, ao ver a fúria e a paixão do homem, que o terror do major, ao saber que o degredado ludibriado estava na sua pista, não fora exagerado nem injustificado.

— Você se esquece de que não sabemos nada desta história — disse Holmes tranquilamente. — Ainda não ouvimos a sua história e não podemos avaliar até que ponto a justiça inicialmente estava do seu lado.

— O senhor me fala sempre com muita gentileza, embora seja ao senhor que eu devo agradecer estes braceletes que estão nos meus pulsos. Mas não guardo ressentimento por isso. É tudo justo e feito abertamente. Se quer ouvir a minha história, eu não pretendo escondê-la. Tudo o que eu disser é a pura verdade, como Deus manda que se diga. E ficarei muito agradecido se puser um copo perto de mim para molhar os beiços quando ficar com sede.

"Sou de Worcestershire, nascido perto de Pershore. Acho que ainda vai encontrar um grupo de Smalls morando por lá, se os procurar. Pensei muitas vezes em ir dar uma olhada por lá, mas o certo é que nunca fui muito benquisto na família e duvido que a minha visita lhes desse prazer. São todos gente séria que vai à missa, pequenos agricultores, conhecidos e respeitados na terra, enquanto eu sempre fui um tanto vadio. Mas, quando estava com 18 anos, deixei de lhes dar trabalho porque me meti numa embrulhada com uma moça, de que só pude me livrar alistando-me como soldado e juntando-me ao 3º Buffs que estava indo para a Índia. Mas eu não estava destinado a ser soldado por muito tempo. Eu mal tinha aprendido a segurar o mosquetão quando, imprudentemente, fui nadar no Ganges. Por sorte o sargento John Holder, da minha companhia, estava lá na mesma hora. Ele era um dos melhores nadadores da tropa. Um crocodilo veio na minha direção quando estava bem no meio do rio e arrancou minha perna direita com a mesma eficácia com que o faria um bom cirurgião, bem acima do joelho. Com o susto e o sangue que perdi, desmaiei e teria morrido afogado se Holder não me agarrasse e me levasse para a margem. Fiquei cinco meses no hospital por causa disto, e quando finalmente pude sair com esta perna de pau presa à minha coxa, estava inválido para o Exército e incapacitado para exercer qualquer atividade que exigisse movimento.

"Como podem imaginar, eu estava completamente sem sorte nessa época, um aleijado e inútil, embora ainda não tivesse vinte anos! Mas a minha desventura logo se transformou numa bênção. Um homem chamado Abel White, que tinha ido para lá cultivar anil, queria um feitor para vigiar os carregadores e fazê-los trabalhar. Por acaso ele era amigo do nosso coronel, que tinha se interessado por mim desde o acidente. Para encurtar a história, o coronel me recomendou para a função. Como a maior parte do trabalho tinha de ser feita a cavalo, a minha perna não era obstáculo, porque podia me firmar na sela com a coxa.

"O que eu tinha de fazer era percorrer as plantações, vigiar os homens no trabalho e informar sobre os vadios. O pagamento era muito bom, tinha alojamentos confortáveis e me contentava em passar o resto da minha vida numa plantação de anil. O sr. Abel White era um homem bondoso e às vezes entrava na minha cabana para fumar um cachimbo comigo, porque ali as pessoas brancas se sentem mais próximas umas das outras do que na terra natal.

"Nunca fiquei muito tempo no caminho da sorte. De repente, sem nenhum indício prévio, estourou uma grande revolta. Um dia a Índia vivia aparentemente tranquila e pacífica como Surrey ou Kent; no dia seguinte estava transformada num perfeito inferno, com duzentos mil demônios negros soltos. É claro que os *senhores* sabem o que aconteceu, e melhor do que eu, porque leram *e eu não sei ler*. Eu só sei o que vi com os meus próprios olhos. A nossa plantação era num lugar chamado Mutra, perto da divisa das províncias do noroeste. Todas as noites eram iluminadas pelos incêndios nos bangalôs e todos os dias passavam pelas nossas propriedades grupos de europeus com mulheres e filhos para Agra, onde ficavam mais perto das tropas. O sr. Abel White era teimoso. Meteu na cabeça que tinham exagerado a dimensão do caso e que a revolta acabaria tão subitamente como tinha começado, e lá ficava ele sentado na varanda, bebendo uísque e fumando charutos, enquanto o país pegava fogo em volta.

"Claro que ficamos ao lado dele, eu e Dawson, que, auxiliado pela esposa, cuidava da escrituração e da administração.

"Bem, um belo dia a coisa estourou em casa. Eu tinha passado o dia numa plantação distante e voltava para casa devagar, à tardinha, quando vi de repente uma coisa confusa no fundo de um precipício, onde corria um regato. Fui até lá para ver o que era e senti o coração gelado quando descobri que era a esposa de Dawson cortada em tiras e meio devorada por chacais e hienas. Um pouco mais adiante estava o próprio Dawson de bruços, morto, com um revólver descarregado na mão, com quatro soldados hindus mortos uns sobre os outros diante dele. Puxei as rédeas do cavalo, perguntando a mim mesmo para que lado eu deveria ir. Mas nesse instante vi nuvens negras de fumaça saindo do bangalô de Abel White, e as chamas que começavam a irromper pelo telhado. Eu sabia que não poderia ajudar o meu patrão e que com certeza seria massacrado. Do lugar onde eu estava podia ver centenas de demônios negros com jaquetas vermelhas dançando e rugindo em volta da casa queimada. Alguns me viram e fizeram fogo, e as balas passaram por cima da minha cabeça. Meti-me então pelas plantações de arroz e de madrugada vi-me a salvo dentro dos muros de Agra.

"Mas, como ficou provado, ali também a segurança não era grande. Toda a população estava agitada como uma colmeia de abelhas. Em qualquer lugar onde os ingleses podiam se juntar em grupos, eles mantinham apenas o terreno que ocupavam. Em todos os outros lugares, eles eram fugitivos desamparados. Era uma luta de milhões contra centenas; e a parte mais cruel daquilo era que aqueles homens contra os quais lutávamos (peões, cavaleiros e atiradores) eram as nossas próprias tropas que tínhamos ensinado e treinado, que ali estavam manejando as nossas armas, soprando as nossas cornetas. Em Agra estava o 3º regimento dos fuzileiros de Bengala, alguns *sikhs*, duas tropas a cavalo e uma bateria de artilharia. Um corpo de voluntários de empregados e negociantes tinha sido organizado e eu juntei-me a eles com perna de pau e tudo. Saímos ao encontro dos rebeldes em Shahgunge no início de julho e os obrigamos a recuar durante algum tempo, mas a nossa pólvora acabou e tivemos que voltar à cidade.

"Recebíamos as piores notícias de todos os lados, o que não era de espantar, porque, se olharmos para o mapa, veremos que estávamos mesmo no centro da revolta. Lucknow fica a uns 150 quilômetros a leste e Cawnpore, mais ou menos o mesmo ao sul. Por toda parte só havia torturas, afrontas e assassinatos. A cidade de Agra era um lugar grande, formigando de fanáticos e ferozes adoradores de todos os demônios. Os nossos poucos homens perdiam-se naquelas ruas estreitas e sinuosas.

"O nosso comandante atravessou o rio e tomou posição no velho forte de Agra. Não sei se algum dos senhores já leu ou ouviu alguma coisa sobre esse forte. É um lugar muito estranho, o mais estranho que já vi, e olhe que já me meti em cantos muito esquisitos.

"Em primeiro lugar, é enorme. Acho que o terreno murado tem muitos acres e acres. Há uma parte construída recentemente que abrigou a nossa guarnição, além de mulheres, crianças, mantimentos e tudo o mais, e ainda sobrou muito espaço. Mas essa parte não é nada se comparada ao tamanho da antiga, onde ninguém vai e que está abandonada aos escorpiões e bichos de toda espécie. Tem enormes salas desertas, corredores sinuosos, compridos lá dentro, de modo que as pessoas podem se perder facilmente ali. É por isso que raramente alguém entra lá. Mas, de vez em quando, um grupo com tochas ia até lá para exploração.

"O rio banha a frente do forte e assim o protege, mas dos lados e atrás existem muitas entradas que precisavam ser vigiadas, tanto no forte antigo como no novo, onde estavam aquarteladas as nossas tropas. Tinham pouca gente, uma quantidade de homens que mal dava para vigiar os cantos dos prédios e para usar os rifles. Portanto, era impossível manter uma guarda eficiente em cada um dos inúmeros portões. O que fizemos foi organizar uma casa de guarda central no meio do forte e deixar cada portão sob a responsabilidade de um branco e de dois ou três nativos. Eu tinha sido escolhido para fazer sentinela durante certas horas da noite numa porta isolada no lado sudoeste do prédio. Dois *sikhs* estavam sob o meu comando e eu tinha ordem de atirar à menor suspeita, para que viesse logo um auxílio da guarda central. Mas, como a guarda ficava a uns duzentos passos de distância e ainda havia entre nós um labirinto de passagens e corredores, eu duvidava que chegassem a tempo de fazer alguma coisa em caso de ataque.

"Eu estava muito orgulhoso de ter esse pequeno comando, já que eu era um recruta inexperiente e, além do mais, aleijado. Durante duas noites fiquei de sentinela com os meus dois hindus. Eram altos, rapagões de aparência feroz, Mahomet Singh e Abdullah Khan, ambos guerreiros experientes que tinham pegado em armas contra nós em Chilian Wallah. Falavam inglês razoavelmente bem, mas pouca coisa conseguia arrancar deles. Preferiam ficar juntos e bater papo a noite inteira no seu estranho dialeto *sikh*.

"Eu costumava ficar do lado de fora do portão olhando o rio largo e sinuoso lá embaixo e as luzes trêmulas da grande cidade. O rufar dos tambores, o ruído dos tantãs hindus e os gritos dos rebeldes, bêbados de ópio e fumo, eram suficientes para lembrar-nos durante a noite inteira dos perigosos vizinhos do outro lado do rio. De duas em duas horas, o oficial de serviço costumava fazer a ronda dos postos para ver se estava tudo bem.

"A terceira noite de sentinela estava escura e suja, com uma chuva miúda impertinente. Era muito maçante ficar em pé no portão horas e horas num tempo daqueles.

"Tentei várias vezes fazer os *sikhs* falarem, mas sem muito sucesso. Às duas horas as rondas passaram e quebraram por um momento a monotonia da noite. Vendo que os meus companheiros não queriam conversa, peguei o meu cachimbo e pousei o mosquete para acender um fósforo.

"Num instante fui subjugado pelos dois *sikhs*. Um deles pegou a minha arma e apontou-a para a minha cabeça enquanto o outro encostou um punhal na minha garganta e jurou entre dentes que o enterraria se eu desse um passo.

"O meu primeiro pensamento foi que eles estavam combinados com os rebeldes e que aquilo era o início de um assalto.

"Se a porta caísse nas mãos dos soldados hindus, o local teria de se render e as mulheres e crianças seriam tratadas como em Cawnpore. Talvez os senhores estejam pensando que quero me justificar, mas dou-lhes a minha palavra de que quando pensei nisso, mesmo sentindo na garganta a ponta do punhal, abri a boca para gritar e chamar a guarda, ainda que aquele fosse o último som que me saísse da garganta. O homem que me segurava parece que adivinhou o meu pensamento, porque, mesmo enquanto eu tentava me livrar dele, murmurou:

"'Não faça nenhum barulho. O forte está bastante seguro. Não há cães rebeldes deste lado do rio.' Suas palavras pareciam sinceras, e eu sabia que, se levantasse a voz, eu seria um homem morto. Portanto, esperei em silêncio para saber o que eles queriam de mim.

"'Escute, *sahib'*, disse o mais alto e feroz, o que se chamava Abdullah Khan, 'ou você se torna um dos nossos agora ou tem de ser silenciado para sempre. O negócio é grande demais para que hesitemos. Ou você passa para o nosso lado, de corpo e alma, jurando pela cruz dos cristãos, ou o seu corpo esta noite vai ser jogado no fosso e nós passaremos por cima dele para nos juntarmos aos nossos irmãos do exército rebelde. Não há meio-termo. Escolha: viver ou morrer? Só podemos dar-lhe mais três minutos para decidir, porque o tempo está passando e tudo tem de ser feito antes que a ronda passe de novo.'

"'Como posso decidir?', perguntei. 'Vocês não disseram o que querem de mim. Mas desde já lhes digo que se for alguma coisa contra a segurança do forte, não vão conseguir nada. Pode guardar a faca e tratar da vida.'

"'Não é nada contra o forte', disse ele. 'Apenas lhe pedimos que faça aquilo que os seus patrícios vêm fazer aqui. Queremos torná-lo rico. Se quiser ser um dos nossos esta noite, nós lhe juramos, pela faca nua e pelo triplo juramento que nenhum *sikh* pode quebrar que você terá um belo quinhão na partilha. A quarta parte do tesouro será sua. Está bem claro?'

"'Mas que tesouro é esse? É claro que estou pronto para enriquecer, mas preciso saber o que farei para isso.'

"'Jure, então', disse ele, 'pelos ossos de seu pai, pela honra de sua mãe, pela cruz da sua fé, que não erguerá a mão nem abrirá a boca contra nós, nem agora nem depois.'

"'Juro', respondi, "contanto que o forte não corra perigo.'

"'Então meu companheiro e eu juramos também que você terá a quarta parte do tesouro, que será dividido igualmente entre nós quatro.'

"'Mas somos três', eu disse.

"'Não. Dost Akbar também deve ter a sua parte.'

"'Enquanto esperamos por eles, podemos contar-lhe a história. Mahomet Singh fica no portão para nos avisar quando chegarem.'

"'A coisa foi assim, *sahib*, eu conto para você porque sei que um juramento obriga um *feringhee* e que podemos confiar em você. Se fosse um hindu mentiroso, podia jurar por todos os deuses dos seus falsos templos que o seu sangue iria manchar a minha faca e o seu corpo ir acabar na água. Mas o *sikh* conhece os ingleses e o inglês conhece o *sikh*. Ouça o que tenho para lhe dizer.'

"'Há um rajá nas províncias do Norte que possui imensas riquezas, embora seu território seja pequeno. Herdou muita coisa do pai e tem conseguido juntar ainda mais. Mas prefere guardar seu ouro em vez de gastá-lo.'

"'Quando estourou a revolta, ele estava em cima do muro, de boa vontade com uns e com outros; com os soldados hindus e com o comandante dos ingleses.'

"'Mas em pouco tempo ele achou que chegara o dia dos brancos, porque por toda parte ele só ouvia falar das mortes e derrotas deles. Ainda assim, como é precavido, fez lá os seus planos de modo que, independentemente do que acontecesse, pelo menos metade do seu tesouro ficaria para ele. O que era constituído de prata e ouro ele guardou nos subterrâneos do palácio. Mas as pedras mais preciosas e as pérolas mais lindas ele guardou num cofre de ferro e mandou, por um servo de confiança disfarçado de mercador, para o forte de Agra para ficar ali até que a paz fosse restabelecida.'

"'Assim, se os rebeldes vencessem, ele teria o seu dinheiro, mas se fossem os ingleses, suas joias estariam salvas. Mas, dividindo assim a fortuna, ele aderiu à causa dos soldados hindus quando sentiu que eram mais fortes.'

"'Note bem, *sahib*, que, ao fazer isso, o que lhe pertence passa a ser um direito daqueles que ficaram fiéis às suas ideias. Esse falso mercador, que viaja sob o nome de Achmet, está agora em Agra e quer chegar até o forte. Como companheiro de viagem ele traz o meu irmão de criação, Dost Akbar, que sabe do segredo. Akbar prometeu trazê-lo esta noite por este lado do forte, escolhido propositadamente. Deve vir por aí, e aqui vai encontrar Mahomet e eu. O lugar é deserto e ninguém deve saber da sua chegada. Ninguém mais no mundo saberá de Achmet e o grande tesouro do rajá será dividido entre nós. O que acha disto, *sahib*?'

"Em Worcestershire, a vida de um homem parece ser uma coisa importante e sagrada. Mas é muito diferente quando em torno da gente só há fogo e sangue e você já se acostumou a ver mortos a todo instante. Que Achmet vivesse ou morresse era indiferente para mim, como a luz ou o ar; mas, ao ouvir falar do tesouro, meu coração bateu forte, e pensei no que faria com ele na minha terra e como a minha gente ficaria estarrecida quando visse o vagabundo voltar com os bolsos cheios de moedas de ouro. Eu já tinha decidido. Mas Abdullah, pensando que eu hesitava, falou de novo.

"'Lembre, *sahib*, que se este homem for apanhado pelo comandante, será enforcado ou fuzilado, e as joias irão para o governo, e ninguém terá uma rupia.'

"'As joias ficarão tão bem conosco como nos cofres do estado. Há o suficiente para nos enriquecer e fazer de nós chefes poderosos. Ninguém saberá de nada porque aqui estamos afastados de todos. Diga novamente, *sahib*, se devemos considerá-lo um dos nossos ou se devemos encará-lo como nosso inimigo.'

"'Estarei com vocês de corpo e alma.'

"'Está bem', ele respondeu, devolvendo-me a arma. 'Bem vê que confiamos em você, porque a sua palavra, como a nossa, não pode ser quebrada. Agora, só precisamos esperar meu irmão e o mercador.'

"'O seu irmão sabe dessas intenções?', perguntei.

"'O plano é dele. Foi ele quem pensou em tudo. Agora vamos para a porta e dividimos a vigilância com Mahomet.'

"A chuva continuava, porque era o começo da estação das chuvas. Nuvens pesadas e escuras cruzavam o céu, e pouco se podia ver. Havia um fosso profundo bem diante da nossa porta, mas em alguns lugares a água quase secara e era fácil atravessá-lo. Parecia-me estranho estar ali com aqueles dois indianos selvagens esperando um homem que caminhava confiante para a morte.

"De repente percebi o brilho de uma lanterna encoberta do outro lado do fosso, que desapareceu atrás das trincheiras e depois apareceu de novo, vindo lentamente na nossa direção.

"'Aí estão eles', exclamei.

"'Dê o alerta, *sahib*, como de costume', murmurou Abdullah. 'Não devem desconfiar. Mande-nos entrar com eles e nós faremos o resto enquanto você fica aqui de sentinela.'

"'Prepare a lanterna para reconhecê-lo e verificar que é realmente o homem.'

"A luz movia-se sempre, ora parando, ora avançando, até que vimos no fosso duas figuras escuras. Deixei que descessem a ribanceira, patinhassem no atoleiro e subissem até a metade do caminho antes de gritar o alerta.

"'Quem vem lá?', eu disse num tom meio baixo.

"'Amigos', foi a resposta.

"Levantei a lanterna e projetei a luz sobre eles. O primeiro era um *sikh* enorme com uma barba preta que ia até a cintura. A não ser em exposição, nunca vi homem daquela altura. O outro era um sujeito baixo, gordo, redondo, com um grande turbante amarelo e um embrulho na mão coberto com um xale. Parecia tremer de medo, porque as mãos se agitavam como se ele estivesse com malária e virava a cabeça para a esquerda e para direita, com os olhinhos brilhantes piscando como um rato quando se arrisca a sair do seu buraco.

"Fiquei arrepiado ao pensar que iam matá-lo, mas lembrei-me do tesouro e o meu coração ficou duro como uma pedra. Quando ele viu que eu era branco, deu um gritinho de alegria e veio correndo na minha direção.

"'Imploro a sua proteção, *sahib*, a sua proteção para o infeliz mercador Achmet. Atravessei toda a Rajpootana em busca de abrigo no forte de Agra. Fui roubado, espancado e enganado por ser amigo da companhia. Bendita seja esta noite em que mais uma vez consigo segurança para mim e para minhas poucas posses.'

"'O que tem nesse embrulho?', eu perguntei.

"'Uma caixa de ferro com umas lembranças de família, que não têm valor para as outras pessoas, mas que eu lamentaria perder. Mas não sou um mendigo e eu o recompensarei, *sahib*, e ao seu governador também, se quiserem dar-me a proteção que imploro.'

"Eu não conseguiria me conter se falasse mais tempo com o homem. Quanto mais olhava para a sua cara gorda assustada, mais difícil me parecia assassiná-lo a sangue-frio. Era melhor acabar com aquilo.

"'Levem-no à casa da guarda', eu disse.

"Os dois *sikhs* ficaram ao lado dele e o gigante foi andando atrás, e entraram pelo portão escuro. Nunca vi ninguém caminhar para a morte tão calmamente! Fiquei no portão com a lanterna.

"Eu podia ouvir os passos ressoando pelos corredores desertos. De repente, os passos cessaram e ouvi vozes, ruído de luta e de pancadas. Pouco depois ouvi, aterrorizado, o barulho de uma correria vindo na minha direção e a respiração ofegante de um homem que corria. Virei a minha lanterna para a passagem e vi o homem gordo correndo como o vento, com a cara ensanguentada, e atrás dele, saltando como um tigre, o *sikh* grande de barba preta, com uma faca reluzindo nas mãos. Nunca tinha visto alguém correr tanto como aquele homenzinho. Ele estava quase escapando do *sikh* e eu vi que se conseguisse passar por mim e chegar do lado de fora, ele fugiria. Senti que meu coração amolecia outra vez de piedade, mas novamente a lembrança do tesouro voltou a endurecê-lo.

"Quando ele passou correndo por mim, meti-lhe o rifle entre as pernas e ele rolou como um coelho abatido. Antes que pudesse levantar-se, o *sikh* estava sobre ele e enterrava a faca duas vezes no coração. O homem não deu um gemido nem moveu um músculo. Ficou onde caíra. Talvez tivesse quebrado o pescoço na queda. Os senhores veem que estou cumprindo a minha promessa. O que estou contando a vocês foi o que aconteceu, palavra por palavra, mesmo que seja contra mim."

Small parou e estendeu as mãos algemadas para pegar o uísque com água que Holmes tinha preparado para ele.

Eu estava horrorizado com o homem, não só pelo caso tenebroso que ele narrava, como também pelo cinismo e petulância com que o fazia. Qualquer que fosse o castigo que o aguardasse, eu sabia que ele nunca teria a minha benevolência.

Sherlock e Jones estavam sentados com as mãos nos joelhos, profundamente interessados na história, mas as suas fisionomias revelavam o mesmo horror. Small deve ter notado, porque daí em diante eu percebi um tom de desconfiança na sua voz, e sua atitude também mudou.

— Foi tudo muito ruim, não há dúvida — continuou ele. — Mas eu queria saber quem no meu lugar recusaria uma parte de um tesouro sabendo que essa recusa significaria uma facada no pescoço. Além do mais, era a minha vida ou a dele. Se o tivesse deixado sair, tudo teria sido descoberto e eu teria sido submetido a uma corte marcial e fuzilado, porque as pessoas não eram muito indulgentes numa época como aquela.

— Continue — disse Holmes secamente.

— Nós três o carregamos. Ele era muito pesado, apesar de ser baixo. Mahomet ficou de guarda na porta. Nós o levamos para um lugar previamente preparado pelos *sikhs*. Era um pouco distante, com uma passagem sinuosa que levava a um salão vazio com as paredes em ruínas. O chão tinha afundado num canto, formando uma sepultura natural. Atiramos o corpo ali, cobrimos com tijolos soltos e quebrados e voltamos em busca do tesouro. Ele estava onde o homem o deixara cair quando fora atacado pela primeira vez. É a mesma caixa que está aí sobre a mesa. Tinha uma chave pendurada num cordão de seda. Quando a abrimos, a luz da lanterna fez brilhar uma coleção de pedras preciosas de que eu só tinha ideia pela leitura dos romances quando era rapazinho em Pershore. Seu brilho cegava! Depois de admirar as joias, nós as tiramos da caixa e fizemos uma lista. Havia 143 brilhantes de primeira água, incluindo um que era chamado de "Grão-Mogol" e dizem que era o segundo maior do mundo; havia 97 finíssimas esmeraldas, 170 rubis, alguns pequenos, quarenta diamantes, 210 safiras, 61 ágatas e uma grande quantidade de ônix olho-de-gato, turquesas e outras pedras, cujos nomes eu nem sabia. Além disso, havia quase trezentas pérolas finíssimas, 12 das quais montadas numa pequena coroa. Aliás, não encontrei essas pérolas no cofre quando o recuperei. Depois que contamos a nossa fortuna, guardamos tudo de novo no cofre e fomos mostrá-lo a Mahomet. Renovamos o juramento de continuar juntos e sermos fiéis ao nosso segredo. Concordamos em esconder o cofre num lugar seguro até que o país ficasse em paz novamente, e então dividi-lo igualmente entre nós. Achamos inútil dividir naquela hora, porque, se pedras tão valiosas fossem encontradas em nosso poder, provocariam suspeita. Além disso, não havia lugar no forte para guardar tudo aquilo. Levamos o cofre para o mesmo salão onde tínhamos deixado o cadáver e ali, sob alguns tijolos da parede mais bem conservada, fizemos um buraco e guardamos o tesouro. Marcamos com atenção o lugar e no dia seguinte fiz quatro mapas, um para cada um, com *O sinal dos quatro* no fim, porque tínhamos jurado agir sempre unidos para que nenhum ficasse prejudicado. Foi este juramento que, com a mão no coração, garanto nunca ter quebrado.

"Não vale a pena contar aos senhores sobre a revolta. Depois que Wilson tomou Délhi e sir Colin libertou Lucknow, o resto aconteceu depressa.

"Chegaram novas tropas e Nana Sahib desapareceu na fronteira. Um destacamento de atiradores foi para Agra e expulsou os *pandies*. Parecia que o país ia se pacificando e nós quatro começávamos a ver se aproximar a hora em que poderíamos dar o fora com nosso tesouro em segurança. Mas, quando menos esperávamos, fomos presos pelo assassinato de Achmet. Foi assim: quando o rajá entregou as joias a Achmet, sabia que ele era um homem de toda a confiança, mas como as pessoas no Oriente são muito desconfiadas, o rajá destacou um segundo servo ainda mais fiel para vigiar o primeiro. O segundo homem tinha ordem de não perder Achmet de vista, e seguiu-o como uma sombra. Naquela noite, ele o viu entrar por aquele portão sob a minha guarda. Pensou que ele tivesse se refugiado no forte e entrou também no dia seguinte, mas não conseguiu descobrir nenhum vestígio de Achmet. Achou aquilo tão estranho que falou sobre isso com o sargento, que o repetiu ao comandante. Foi feita uma busca completa e descobriram o cadáver. Assim, quando pensávamos estar seguros, fomos presos e julgados por assassinato, nós três porque éramos as sentinelas de guarda no portão naquela noite, e o quarto porque souberam que estava junto com a vítima. Não foi dita nem uma palavra a respeito das joias durante o julgamento porque o rajá havia sido deposto e fora expulso da Índia. Ninguém se interessava mais por ele.

"Mas o assassinato foi esclarecido e os quatro dados como coniventes no crime. Os três *sikhs* foram condenados a trabalhos forçados perpétuos, enquanto eu fui condenado à morte, mas depois minha pena foi comutada e passou a ser igual à dos meus camaradas. A situação em que ficamos era singular: os quatro amarrados por uma perna, com muito poucas possibilidades de sair, embora cada um de nós tivesse um segredo que nos permitiria viver num palácio se pudéssemos utilizá-lo. Era desesperador ter de sofrer as provocações e maldades de qualquer burocrata insignificante, comer arroz e beber água, com uma fortuna fantástica esperando do lado de fora.

"Não sei como não enlouqueci. Mas sempre fui teimoso e por isso me submeti e fui aguentando e esperando uma oportunidade.

"Finalmente, ela parecia ter chegado. Fui transferido de Agra para Madras, e de lá para Blair Island, nas Andamãs. Há muito poucos degredados brancos nesta guarnição e, como desde o início me comportei bem, em pouco tempo passei a gozar de certos privilégios. Deram-

-me uma cabana em Hope Town, que é um lugarejo na encosta de Mount Harriett, e muita liberdade. Era um lugar terrível, um foco de febres, em torno do qual viviam os canibais, sempre prontos a lançar uns dardos envenenados contra nós quando viam uma oportunidade. Tínhamos de cavar fossos, plantar inhame e fazer mais uma dúzia de coisas, e com isso ficávamos ocupados o dia inteiro; mas no fim da tarde tínhamos um pouco de tempo livre. Entre outras coisas, aprendi a preparar remédios com o médico e absorvi um pouco dos conhecimentos dele. O tempo todo eu procurava uma oportunidade de fugir, mas o lugar ficava a centenas de quilômetros e quase não havia vento naqueles mares, de modo que era dificílimo sair de lá. O médico, dr. Somerton, era um rapaz divertido e os outros oficiais, jovens como ele, reuniam-se no alojamento dele à tarde para jogar cartas. O gabinete onde eu costumava preparar os remédios ficava contíguo à sala dele, separado apenas por uma pequena janela. Quando me sentia muito só, ia para lá, apagava a luz e ficava ali vendo-os jogar e ouvindo a conversa. Eu gosto muito de jogo, e ver outros jogarem já era para mim um prazer. Havia o major Sholto, o capitão Morstan e o tenente Brown, que comandavam as tropas nativas, além do médico e de dois ou três empregados da prisão, que se divertiam num jogo bom, astuto, mas inofensivo.

"Uma coisa logo me deixou impressionado. Os civis sempre ganhavam, enquanto os militares perdiam. Eu não estou dizendo que havia alguma coisa errada, mas era isso que acontecia. Esses sujeitos das prisões quase não faziam outra coisa a não ser jogar, de modo que conheciam o jogo como profissionais, enquanto os outros, que jogavam como passatempo, atiravam as cartas sem pensar. Noite após noite os militares iam empobrecendo, e quanto menos tinham, mais jogavam. O major era o que mais perdia. A princípio pagava em notas e ouro, mas em pouco tempo o ouro foi escasseando e ele passou a pagar somas grandes em notas de pequeno valor. Às vezes ganhava um pouco e criava ânimo, mas depois a sorte mudava e ele perdia ainda mais.

"Seu humor piorava a cada dia, e ele começou a beber mais do que lhe convinha. Uma noite perdeu muito mais do que habitualmente. Eu estava sentado na minha cabana quando ele e o capitão Morstan passaram cambaleando a caminho de seus alojamentos. Eles eram amigos íntimos e nunca se separavam. O major estava desesperado com os prejuízos.

"'Está tudo perdido, Morstan', ele disse quando passou pela minha cabana. 'Estou arruinado.'

"'Tolices, meu velho', disse o outro, batendo-lhe no ombro. 'Eu também já estive em dificuldades terríveis, mas...'

"Isto foi tudo o que eu ouvi, mas fora o bastante para fazer-me pensar. Dois dias depois o major Sholto estava passeando pela praia e aproveitei para falar com ele.

"'Eu queria o seu conselho, major', eu disse.

"'O que é, Small?', perguntou, tirando o charuto da boca.

"'Queria perguntar-lhe a quem deve ser entregue um tesouro escondido. Eu sei onde está um que vale meio milhão, e como não posso utilizá-lo, pensei que o melhor seria entregá-lo às autoridades e talvez isso servisse para a redução da minha pena.'

"'Meio milhão, Small?', disse ofegante, olhando-me fixamente para verificar se eu falava a sério.

"'Exatamente, senhor, em joias e pérolas. Ele está lá esperando que alguém ponha a mão nele. E o interessante é que o dono é um fora da lei e não pode reclamar a propriedade, de modo que pertence a quem o achar.'

"'Ao governo, Small', ele suspirou, 'pertence ao governo.'

"Mas falou isto de uma maneira indecisa e intimamente eu sabia que tinha despertado seu interesse.

"'Então acha que devo dar a informação ao governador-geral?', perguntei com toda a calma.

"'Bem, bem, não vá fazer nada com precipitação para não se arrepender. Preciso primeiro saber de tudo, Small. Conte-me o que aconteceu.'

"Contei-lhe a história toda com pequenas alterações para que ele não identificasse os lugares. Quando acabei, ele ficou absorto nos seus pensamentos. Pelo tremor dos seus lábios eu via que estava sendo travada uma luta interior.

"'Isto é um caso grave, Small', disse por fim. 'Não deve falar sobre isto a ninguém, e conversaremos em breve.'

"Duas noites mais tarde, ele e o seu amigo Morstan vieram à minha cabana já alta noite com uma lanterna.

"'Eu quero que o capitão Morstan ouça a história diretamente de você, Small.'

"Repeti o que já contara.

"'Parece verdade, não acha? Pode haver confiança?'

"O capitão Morstan fez um sinal afirmativo.

"'Bem, Small", disse o major. 'Nós estivemos conversando a respeito, Morstan e eu; e chegamos à conclusão de que este seu segredo não é um assunto do governo; afinal de contas, é uma questão particular sua, e você tem o direito de agir como achar melhor. Resta agora saber quanto você pede por ele. Nós estamos dispostos a fazer a transação, ou pelo menos estudá-la, se pudermos chegar a um acordo.'

"Ele tentava falar de maneira fria e desinteressada, mas seus olhos brilhavam de cobiça e excitação.

"'Quanto a isso, cavalheiros', respondi, também tentando mostrar frieza, mas tão entusiasmado quanto ele; 'só há um acordo possível para um homem na minha situação. Quero que ajudem a libertar-me e aos meus três companheiros. Passarão então a ser nossos sócios e nós lhes daremos um quinto do lote para dividirem entre si.'

"'Ora, a quinta parte. Não é muito tentador.'

"'Daria cinquenta mil libras por cabeça.'

"'Mas como obter a sua liberdade? Bem sabe que o que pede é impossível.'

"'Nem tanto', respondi. 'Pensei em tudo, nos menores detalhes. O único obstáculo à nossa fuga é não podermos obter uma embarcação adequada para a viagem e provisões para tanto tempo. Há muitos iates e barcos em Calcutá e em Madras que serviriam ao nosso objetivo. Podem conseguir-nos um. Daremos um jeito de embarcar à noite, e, se nos deixarem em qualquer lugar da costa indiana, terão cumprido a sua parte no acordo.'

"'Se fosse só um', ele disse.

"'Ou tudo ou nada', respondi. 'Nós juramos. Sempre juntos, os quatro.'

"'Como você vê, Morstan, Small é homem de palavra. Não quer trair os amigos. Acho que podemos confiar nele.'

"'É um negócio sujo', respondeu o outro. 'Mas, como você diz, o dinheiro vai proteger nosso trabalho.'

"'Está bem, Small', disse o major, 'o melhor é ver. Em primeiro lugar, naturalmente, precisamos verificar a veracidade da história. Diga-me onde o cofre está escondido e conseguirei uma licença para ir à Índia no navio deste mês verificar tudo.'

"'Mais devagar', eu disse, esfriando à medida que ele se entusiasmava. 'Primeiro preciso do consentimento dos meus três camaradas. Já lhe disse que tem de ser assim: ou para os quatro ou para nenhum.'

"'Que absurdo! O que esses três negros têm a ver com o nosso acordo?'

"'Pretos ou azuis', eu disse, 'são meus sócios e continuarão sendo.'

"Acabamos combinando um segundo encontro, do qual participaram Mahomet Singh, Abdullah Khan e Dost Akbar. Discutimos novamente o assunto e por fim chegamos a um acordo.

"Combinamos dar aos oficiais plantas da parte do forte de Agra e marcar o lugar na parede onde o tesouro estava escondido. O major Sholto iria à Índia para confirmar a veracidade da nossa história. Se encontrasse a caixa, ele a deixaria lá, mandaria para nós um pequeno iate equipado e abastecido para a viagem, que nos esperaria perto de Rutland Island e com o qual seguiríamos, e depois voltaria ao seu posto. Então o capitão Morstan pediria licença, iria encontrar-se conosco em Agra, onde dividiríamos o tesouro, e ele levaria o seu quinhão e o do major. Tudo isto foi selado com os juramentos mais solenes que a mente podia imaginar e os lábios podiam pronunciar. Passei a noite toda fazendo as duas plantas, que ficaram prontas de manhã e foram assinadas com *O sinal dos quatro*.

"Eu já estou cansando vocês com a minha longa história e sei que o meu amigo Jones está impaciente para trancafiar-me. Encurtando: o vilão Sholto foi para a Índia e nunca mais voltou. O capitão Morstan mostrou-me o nome dele numa lista de passageiros de um vapor que partiu pouco tempo depois. Morrera um tio dele, deixando-lhe uma fortuna, e ele abandonou o Exército. Foi assim que tratou daquela maneira cinco homens que confiaram nele. Morstan foi pouco depois a Agra e confirmou o desaparecimento do tesouro. O velhaco tinha-o roubado e não cumpriu as condições em troca das quais nós lhe tínhamos vendido o segredo. A partir daí passei a viver para a vingança. Pensava nela dia e noite. Tornou-se uma obsessão para mim. Não me importava com a lei nem com as galés. Fugir, encontrar Sholto, apertar-lhe o pescoço eram o meu único pensamento. Até o tesouro de Agra passara a ser secundário. O principal era matar Sholto.

"Já me propus a muita coisa na minha vida e sempre levei o meu objetivo até o fim. Passaram-se anos enfadonhos até que chegasse o meu dia. Eu disse a vocês que tinha aprendido algumas noções de medicina. Um dia, o dr. Somerton ficou de cama, com febre, e um nativo foi agarrado na floresta por um bando de forçados. Estava à morte e tinha fugido para um lugar isolado, a fim de morrer tranquilo. Tratei dele, embora fosse peçonhento como uma cobra, e ao fim de alguns meses ele estava bom e já andava. Ele desenvolveu uma espécie de afeição por mim. Não tinha vontade de voltar às suas florestas e ficava sempre rondando a minha cabana. Aprendi a falar um pouco o seu dialeto e isto fez com que ele gostasse ainda mais de mim.

"Tonga — era este o seu nome — era um ótimo marinheiro e tinha uma canoa grande. Quando vi que era muito dedicado e faria tudo para me agradar, tive esperança de poder fugir. Conversei com ele a respeito. Combinamos que ele traria a canoa numa determinada noite até um velho cais que nunca era vigiado e ele me apanharia ali. Recomendei que trouxesse várias cabaças de água e uma porção de inhames, cocos e batatas-doces.

"Ele era fiel e sincero, o pequeno Tonga. Nenhum homem jamais teve camarada mais fiel. Na noite combinada, a canoa estava no cais. Mas, por acaso, havia uma sentinela ali — um *pathan* perverso que nunca perdia uma oportunidade de me insultar ou prejudicar. Sempre desejei vingar-me e agora surgia a ocasião. Era como se o destino o tivesse posto no meu caminho naquela noite para que eu me vingasse antes de ir embora da ilha. Ele estava na praia, de costas para mim, com a carabina no ombro. Eu olhei em volta procurando uma pedra para estourar seus miolos, mas não achei. Então, tive uma ideia singular, que me indicou onde eu poderia obter uma arma. Sentei-me na escuridão e desamarrei a minha perna de pau. Em três pulos, estava perto dele, que ainda tentou pôr a carabina em posição de tiro, mas eu dei-lhe uma pancada em cheio, que lhe afundou o crânio. Vocês podem ver que a madeira ficou rachada. Caímos juntos, porque eu não consegui equilibrar-me, mas quando me levantei, ele estava imóvel. Saltei para a canoa e em uma hora estávamos em alto-mar. Tonga tinha trazido tudo quanto possuía: armas e deuses. Entre outras coisas, tinha um arpão comprido de bambu e algumas esteiras de coco de Andamã, que usei para fazer uma espécie de vela. Durante dez dias ficamos vagando, confiando na sorte, e no décimo primeiro fomos recolhidos por um navio mercante que ia de Cingapura para Jidá, levando peregrinos malaios. Era um grupo singular e em pouco tempo fizemos camaradagem com eles. Tinham uma grande qualidade: deixavam-nos à vontade e não faziam perguntas. Se eu fosse contar todas as minhas aventuras e incidentes de viagem, ficaríamos aqui até de manhã. Andamos de um lado para o outro, e sempre acontecia alguma coisa que nos afastava de Londres. Mas nunca deixei de pensar no meu objetivo. Chegava a sonhar com Sholto. Mil vezes o matei em sonho. Finalmente, há uns quatro anos, chegamos à Inglaterra. Não foi difícil descobrir onde ele morava e tratei de saber se ele tinha vendido o tesouro ou se ainda o conservava. Fiz amizade com uma pessoa que podia me ajudar — evito dizer nomes porque não quero deixar mais ninguém em apuros — e descobri que as joias ainda estavam com ele. Tentei aproximar-me de Sholto, mas ele vivia muito bem protegido por dois capangas, além dos filhos e do *khitmutgar*.

"Mas um dia eu soube que ele estava à morte. Corri imediatamente para o jardim, com medo de que ele morresse com o seu segredo. Olhei pela janela e o vi na cama, com os filhos ao seu lado.

"Eu teria entrado pronto para lutar com os três, mas quando olhei para ele, o queixo estava caído e vi que tinha morrido. Entrei no quarto nessa mesma noite para ver se nos seus papéis havia alguma indicação do lugar onde as joias estavam escondidas.

"Não havia uma linha. Voltei desesperado, como era natural. Antes de ir embora, lembrei-me de que se algum dia me encontrasse com os meus amigos *sikhs*, eles teriam ao menos a satisfação de saber que eu tinha deixado algum sinal do nosso ódio. Assim, rabisquei o sinal de nós quatro, como estava na planta, e preguei-o no peito dele. Era demais que ele fosse para o túmulo sem uma lembrança dos homens que tinha roubado e atraiçoado.

"Vivemos durante esse tempo todo do dinheiro que ganhava nas feiras exibindo o pobre Tonga como canibal, fazendo-o comer carne crua e dançando as suas danças de guerra. Eu ia acompanhando, mesmo de longe, o que acontecia em Pondicherry Lodge e durante alguns anos não houve novidades, a não ser o fato de que andavam procurando o tesouro. Mas, finalmente, chegou a notícia que eu esperava há tanto tempo.

"O tesouro fora encontrado. Estava no alto da casa, no laboratório de Bartolomeu Sholto.

"Fui logo até lá e dei uma olhada no local. Mas não sabia como eu iria subir com a minha perna de pau.

"Entretanto, eu soube que havia um alçapão no telhado, e também a hora da ceia do sr. Sholto. Achei que podia servir-me de Tonga. Levei-o comigo e também uma corda comprida que ele enrolou na cintura. Ele subia como um gato e num instante entrou pelo telhado, mas, por azar, Bartolomeu Sholto ainda estava no quarto e Tonga achou que matá-lo era uma atitude muito inteligente, porque quando subi pela corda, encontrei-o todo empertigado, orgulhoso como um pavão. Ficou espantadíssimo quando bati nele com a corda e o censurei pela sua sede de sangue.

"Peguei o cofre, atirei-o para fora e escorreguei pela corda, deixando antes sobre a mesa *o sinal dos quatro*, para mostrar que as joias tinham finalmente voltado para aqueles que tinham mais direito a elas.

"Tonga então puxou a corda, fechou a janela e voltou por onde entrara.

"Acho que não tenho mais nada para contar. Eu tinha ouvido um marinheiro falar da velocidade da lancha de Smith, a *Aurora*, e pensei logo que seria a embarcação ideal para a nossa fuga.

"Combinei com o velho Smith e prometi-lhe uma soma considerável se nos pusesse a salvo no navio.

"Ele desconfiou de que havia alguma coisa suspeita no caso, mas não sabia do que se tratava. Tudo isto é a verdade, e se a contei não foi para diverti-los, porque, afinal de contas, me apanharam, mas por achar que a minha melhor defesa é justamente não ocultar coisa alguma, mas fazer com que todos saibam como fui ludibriado pelo major Sholto e que sou inocente no caso da morte do filho dele."

— Um relato notável — disse Holmes. — Uma conclusão conveniente para um caso extremamente interessante. Não há nada novo para mim na última parte da sua narrativa, a não ser o fato de que trouxe sua própria corda. Não sabia disto. A propósito, eu esperava que Tonga tivesse perdido todos os dardos, mas ele conseguiu atirar um contra nós no barco.

— Ele perdeu todos, realmente. O único que restou foi o que estava na zarabatana.

— Ah, claro. Não tinha pensado nisso — disse Holmes.

O degredado perguntou gentilmente a Holmes se não queria interrogá-lo sobre algum outro detalhe.

— Obrigado, acho que não — respondeu o meu companheiro.

— Bem, Holmes — disse Athelney Jones —, você é um homem que merece condescendência. Todos nós sabemos que você é um grande conhecedor do crime; mas dever é dever, e eu já fui longe demais fazendo o que você e o seu amigo me pediram. Eu me sentirei mais tranquilo quando o nosso contador de histórias estiver trancafiado. O cabriolé está esperando e dois agentes lá embaixo. Agradeço-lhes muito a ajuda. Naturalmente, serão necessários no julgamento. Boa noite.

— Boa noite, cavalheiros — disse Small.

— Passe na frente, Small — ordenou Jones quando saíram. — Tomarei cuidado para que você não me bata com a sua perna de pau como fez com o amigo das ilhas Andamã...

— Aí está o fim do nosso pequeno drama — observei depois de fumar durante algum tempo em silêncio. — Receio que seja a última oportunidade de estudar de maneira prática os seus métodos. A srta. Morstan concedeu-me a honra de me aceitar como futuro marido.

Ele rosnou, sombrio:

— Eu também já receava isso — mas não posso felicitá-lo.

Fiquei um tanto magoado e perguntei:

— Tem algum motivo para não gostar da minha escolha?

— Não tenho nenhum. Acho que ela é uma das moças mais encantadoras que conheci e que foi muito útil nesta questão. Teve uma intuição decisiva, e a prova disso foi o cuidado com que conservou a planta de Agra e a separou dos outros papéis do pai. Mas o amor é uma coisa emocional, e tudo que é emocional opõe-se à fria razão, que eu coloco acima de tudo. Eu não me casarei nunca, a menos que perca a razão.

— Acredito — eu disse rindo — que a minha razão sobreviverá à prova. Você parece cansado.

— E estou. É a reação a essa tensão. Vou ficar mole como um trapo durante uma semana.

— É extraordinário como aquilo que em outro homem eu chamaria de preguiça pode se alternar com seus acessos de esplêndida energia e vigor.

— É verdade — ele respondeu. — Tenho tendências de um refinado vadio e também as de um sujeito ativíssimo. Penso com frequência nestes versos de Goethe:

Schade dass die Natur nur einen Mensch aus dir schuf, Denn zum würdigen Mann war und zum Schelmen der Stoff.

— Aliás, a propósito desse caso de Norwood, você viu que eles tinham um aliado dentro de casa, que só podia ser Lal Rao, o copeiro, de modo que Jones realmente teve a honra exclusiva de apanhar um peixe na sua rede.

— A divisão não me parece justa. Foi você que fez o trabalho todo. Eu arranjei nele uma esposa; Jones fica com o mérito. O que sobra para você, Sherlock?

— Para mim fica a garrafa de cocaína que está ali — disse ele, estendendo sua comprida mão branca para apanhá-la.

AS AVENTURAS DE SHERLOCK HOLMES

ESCÂNDALO NA BOÊMIA

Primeira parte

Para Sherlock Holmes, ela é sempre a mulher. Poucas vezes eu o ouvi referir-se a ela de outra maneira. Aos seus olhos, ela ofusca e predomina no seu sexo. Não é que ele sentisse uma emoção parecida com amor por Irene Adler. Todas as emoções, e esta em particular, eram abomináveis para a sua mente fria e precisa, mas extraordinariamente equilibrada. Ele era, na minha opinião, a máquina mais perfeita de raciocínio e observação que o mundo já viu — mas, como amante, ele estaria numa posição falsa. Nunca se referia às paixões sem zombar e escarnecer delas. Eram coisas admiráveis para o observador, excelentes para arrancar o véu que encobre as motivações e as ações dos homens. Mas para um raciocinador treinado, admitir essas intromissões em seu temperamento delicado e bem ajustado seria o mesmo que introduzir um fator perturbador que poderia pôr em dúvida todas as suas conclusões racionais. Areia em um instrumento sensível ou uma rachadura em uma de suas poderosas lentes não seriam mais perturbadores do que uma emoção forte em uma natureza como a sua. No entanto, só havia uma mulher para ele, e essa mulher era a falecida Irene Adler, uma recordação meio duvidosa e suspeita.

Eu vira Holmes muito pouco ultimamente. Meu casamento nos afastara. Minha felicidade completa e os interesses concentrados no lar que envolvem o homem que pela primeira vez se vê senhor de sua própria casa eram suficientes para ocupar toda a minha atenção; ao passo que Holmes, que detestava qualquer forma de sociedade com toda a força de sua alma boêmia, continuava em nossos aposentos na Baker Street, cercado por seus velhos livros, passando alternadamente, de semana em semana, da cocaína à ambição, da sonolência da droga à energia feroz de sua natureza intensa. Como sempre, ainda se sentia profundamente atraído pelo estudo do crime, e ocupava seu imenso talento e seus extraordinários poderes de observação seguindo pistas e esclarecendo os mistérios que haviam sido considerados insolúveis pela polícia oficial. De vez em quando eu ouvia algum relato vago sobre suas aventuras: fora chamado a Odessa por causa do assassinato de Trepoff, esclarecera a tragédia singular dos irmãos Atkinson em Trincomalee e, finalmente, cumprira com êxito uma missão delicada para a família real da Holanda. Mas, além desses sinais de atividade que eu apenas compartilhava com todos os leitores da imprensa diária, eu sabia muito pouco sobre o meu ex-companheiro e amigo.

Uma noite — foi em 20 de março de 1888 —, eu voltava de uma visita a um doente (pois me dedicara novamente à medicina) e meu caminho me levou à Baker Street. Ao passar em frente à porta tão familiar, que mentalmente sempre associo ao meu namoro e aos acontecimentos sombrios do *Estudo em vermelho*, fui dominado pelo desejo de rever Holmes e de saber como estava utilizando os seus poderes extraordinários. Seus aposentos estavam iluminados e, ao olhar para cima, vi sua figura alta e magra passar duas vezes, uma silhueta escura contra a cortina. Andava de um lado para outro, rápido e impaciente, o queixo afundado no peito e as mãos cruzadas nas costas. Para mim, que conhecia todos os seus estados de espírito e os seus hábitos, essa atitude revelava tudo. Estava trabalhando novamente. Emergira dos sonhos criados pela droga e estava seguindo com entusiasmo a pista de algum novo mistério. Toquei a campainha e conduziram-me à sala que antigamente fora minha também.

Ele não foi efusivo — raramente era. Mas acho que ficou contente de me ver. Quase sem dizer nada, mas com um olhar amistoso, indicou-me uma poltrona, jogou-me sua carteira de charutos e mostrou uma garrafa de bebida e um sifão a um canto. Depois, ficou de pé diante da lareira e olhou para mim com aquele seu jeito introspectivo.

— O casamento lhe fez bem — comentou. — Acho que você engordou três quilos e meio desde a última vez que o vi.

— Três — respondi.

— É mesmo? Pensei que fosse um pouco mais. Um pouquinho mais, eu acho, Watson. E estou vendo que voltou a exercer a medicina. Não me disse que pretendia voltar a trabalhar.

— Então, como sabe?

— Vi, deduzi. Como é que sei que recentemente você se molhou muito e que tem uma empregada muito desajeitada e descuidada?

— Meu caro Holmes — eu disse —, isso é demais. Na certa teria sido queimado vivo se tivesse vivido alguns séculos atrás. É verdade que fui passear no campo quinta-feira passada e voltei para casa encharcado. Mas como mudei de roupa, não posso imaginar como você descobriu isso. Quanto a Mary Jane, é mesmo incorrigível, e minha esposa já a despediu. Mas não sei como você adivinhou isso também.

Ele deu uma risadinha e esfregou as mãos de dedos sensíveis, longos e nervosos.

— É muito simples — disse. — Meus olhos me dizem que no lado direito do sapato de seu pé esquerdo, exatamente onde a luz da lareira está batendo, o couro está arranhado por seis cortes quase paralelos. Obviamente esses arranhões foram feitos por alguém que tentou raspar a lama que secara em volta da sola, e que não foi muito cuidadoso. Daí minha dupla dedução de que você saíra com mau tempo e que tinha em casa um espécime particularmente maligno, cortador de botas, de criada londrina. Quanto ao fato de você clinicar, se um cavalheiro entra em meus aposentos cheirando a iodo, com uma mancha negra de nitrato de prata no indicador direito e uma saliência no lado do chapéu mostrando onde escondeu o estetoscópio, eu seria muito burro se não o identificasse logo como membro ativo da profissão médica.

Não pude deixar de rir diante da facilidade com que ele explicava seu processo de dedução.

— Quando ouço você enumerar suas razões — comentei —, tudo me parece tão ridiculamente simples que eu poderia com facilidade fazer o mesmo, mas a cada exemplo sucessivo do seu raciocínio, eu fico completamente confuso até você explicar o processo. No entanto, acho que meus olhos são tão bons quanto os seus.

— Isso mesmo — ele respondeu, acendendo um cigarro e jogando-se numa poltrona. — Você vê, mas não observa. A diferença é clara. Por exemplo, você viu muitas vezes os degraus que levam do hall a esta sala, não é?

— Sim.

— Quantas vezes?

— Bem, algumas centenas.

— Então quantos são?

— Quantos? Não sei.

— Aí está. Você não observou. No entanto, você viu. Era isso que eu queria dizer. Sei que há 17 degraus porque vi e observei. Por falar nisso, já que está interessado nesses pequenos problemas, e teve a bondade de registrar uma ou duas das minhas experiências, talvez se interesse por isto. — Estendeu uma folha grossa de papel rosado que estava aberta sobre a mesa. — Veio na última entrega de correspondência — disse. — Leia em voz alta.

Não havia data, nem assinatura, nem endereço. Li:

Hoje à noite, às 19h45, receberá a visita de um cavalheiro que deseja consultá-lo sobre um assunto da maior importância. Os serviços que prestou recentemente a uma das Casas Reais da Europa mostraram que é pessoa a quem se pode confiar assuntos de extrema importância. Essa informação sua foi por muitas pessoas dada. Em casa a essa hora esteja então e não leve a mal se uma máscara o visitante usar.

— É realmente um mistério — comentei. — O que acha que significa isso?

— Ainda não tenho os fatos. É um erro grave formular teorias antes de se conhecerem os fatos. Sem querer, começamos a distorcer os fatos para se adaptarem às teorias, em vez de formular teorias que se ajustem aos fatos. Mas, quanto ao bilhete, o que deduz dele?

Examinei com cuidado a caligrafia e o papel.

— O homem que escreveu isso — comentei, tentando imitar o método de meu companheiro — era provavelmente uma pessoa de recursos. Papel dessa qualidade custa pelo menos meia coroa o pacote. É excepcionalmente grosso.

— Excepcional, é isso mesmo — disse Holmes. — Este papel não é inglês. Segure-o contra a luz.

Fiz o que ele mandava e vi um *E* maiúsculo com um *g* pequeno, um *P* e um *G* grandes com um *t* pequeno tecidos no papel.

— O que deduz disso? — perguntou Holmes.

— Deve ser o nome do fabricante, sem dúvida; ou melhor, seu monograma.

— Nada disso. O *G* com o *t* pequeno quer dizer *Gesellschaft*, que em alemão significa *Companhia*. É uma abreviatura, como nossa *Cia.* *P*, é claro, é *Papier*. E agora o *Eg*. Vamos olhar no *Dicionário Geográfico*. — Tirou um volume marrom pesado da estante. — Eglow, Eglonitz... aqui está, Egria. Fica em país de língua alemã... na Boêmia, não muito longe de Carlsbad. “Notável por ter sido o cenário da morte de Wallenstein, e por numerosas fábricas de vidro e de papel.” Ha, ha, meu amigo, o que diz disso? — Seus olhos brilhavam, e ele soprou uma grande nuvem azul triunfante do cigarro.

— O papel foi feito na Boêmia — respondi.

— Exatamente. E o homem que escreveu o bilhete é alemão. Repare na construção peculiar da frase “Essa informação sua foi por muitas pessoas dada.” Um francês ou um russo nunca escreveriam isso. É uma construção tipicamente alemã. Portanto, só resta descobrir o que deseja esse alemão que escreve em papel da Boêmia e prefere usar uma máscara a mostrar o rosto. E aí vem ele, se não estou enganado, para esclarecer todas as nossas dúvidas.

Enquanto falava, ouviu-se o som áspero de cascos de cavalos e rodas rangendo no meio-fio, seguido do ruído insistente da campainha. Holmes assobiou.

— Uma parelha, pelo barulho — disse. — É — ele continuou, olhando pela janela. — Uma caleche elegante e uma linda parelha. Cento e cinquenta guinéus cada animal. Há muito dinheiro nesse caso, Watson, mesmo que não haja nada mais.

— Acho melhor eu sair, Holmes.

— Nada disso, doutor. Fique onde está. Fico perdido sem meu Boswell.[1] E isto parece ser interessante. Seria uma pena não assistir.

— Mas seu cliente...

— Não se preocupe. Posso precisar do seu auxílio e ele também. Aí vem ele. Sente-se naquela poltrona, doutor, e dê-nos toda a sua atenção.

Um passo lento e pesado, que ouvimos na escada e no corredor, parou em frente à porta. Seguiu-se uma pancada forte e autoritária.

---

[1] Referência a James Boswell, famoso biógrafo escocês, já que Watson, como cronista de seus casos, era também seu biógrafo. (N.T.)

— Entre! — disse Holmes.

Entrou um homem que não podia ter menos de 1,95 metro de altura, com o tronco e os membros de um Hércules. Suas roupas eram de uma riqueza que, na Inglaterra, era considerada prova de mau gosto. Largas tiras de astracã riscavam horizontalmente as mangas e a frente do casaco, e o manto azul-escuro jogado sobre os ombros era forrado de seda cor de fogo e preso no pescoço por um broche feito de um berilo flamejante. Botas que cobriam a metade das pernas, enfeitadas no alto com luxuosa pele marrom, completavam a imagem de opulência rude. Segurava em uma das mãos um chapéu de abas largas e usava na parte superior do rosto uma meia máscara preta que aparentemente colocava naquele momento, pois os dedos ainda a tocavam ao entrar. Pelo que se via da parte inferior do rosto, parecia ser um homem de personalidade forte, com um lábio grosso, pendente, e um queixo comprido que sugeria uma determinação que chegava ao ponto da obstinação.

— Recebeu meu bilhete? — perguntou numa voz grave e áspera, com forte sotaque alemão. — Disse que viria vê-lo. — Olhou de um para o outro, como se não soubesse a quem se dirigir.

— Tenha a bondade de sentar-se — disse Holmes. — Este é meu amigo e colega, dr. Watson, que ocasionalmente faz a gentileza de me ajudar em meus casos. Com quem tenho a honra de falar?

— Pode me tratar de conde Von Kramm, um nobre da Boêmia. Espero que este cavalheiro, seu amigo, seja um homem de honra e discrição, em quem posso confiar a respeito de um assunto da maior importância. Do contrário, prefiro comunicar-me com o senhor a sós.

Levantei-me para sair, mas Holmes segurou meu braço e empurrou-me de volta para a poltrona.

— Ou nós dois, ou ninguém — disse. — Pode dizer na frente deste cavalheiro tudo que quer dizer a mim.

O conde sacudiu os ombros largos.

— Então, devo começar — disse — pedindo a ambos absoluto segredo durante dois anos; depois disso, o assunto não terá nenhuma importância. No momento, não é exagero dizer que é tão importante que pode influir na história da Europa.

— Prometo — disse Holmes.

— Eu também.

— Perdoem esta máscara — continuou o estranho visitante. — A augusta pessoa a quem sirvo deseja que seu intermediário não seja conhecido pelos senhores, e devo confessar desde já que o título com que acabo de me apresentar não é exatamente o meu.

— Percebi isso — disse Holmes secamente.

— As circunstâncias exigem extrema delicadeza e devem ser tomadas todas as precauções para abafar o que pode se transformar num escândalo imenso e comprometer seriamente uma das famílias reinantes da Europa. Para falar claramente, o assunto envolve a grande Casa de Ormstein, herdeiros do trono da Boêmia.

— Também percebi isso — murmurou Holmes, acomodando-se na poltrona e fechando os olhos.

Nosso visitante lançou um olhar surpreso para a figura lânguida e relaxada do homem que sem dúvida havia sido descrito como dono do raciocínio mais incisivo e o agente mais ativo da Europa. Holmes abriu os olhos devagar e fitou o gigantesco cliente com impaciência.

— Se Sua Majestade se dignar a expor seu caso — comentou —, eu teria condições de ajudá-lo.

O homem saltou da cadeira e ficou andando de um lado para outro, visivelmente perturbado. Então, com um gesto de desespero, arrancou a máscara do rosto e atirou-a no chão.

— Você está certo — exclamou —, eu sou o rei. Por que tentar esconder?

— Realmente, por quê? — murmurou Holmes. — Antes de Sua Majestade dizer qualquer coisa, eu já sabia que era Wilhelm Gottsreich Sigismond von Ormstein, grão-duque de Cassel-Felstein e herdeiro do trono da Boêmia.

— Mas o senhor deve compreender — disse nosso estranho visitante, sentando-se outra vez e passando a mão pela testa ampla e branca —, o senhor deve compreender que não estou habituado a tratar desses negócios pessoalmente. Mas o assunto era tão delicado que não podia confiá-lo a um intermediário sem me colocar totalmente em suas mãos. Vim de Praga incógnito para consultá-lo.

— Então, por favor, consulte-me — respondeu Holmes, fechando novamente os olhos.

— Em resumo, os fatos são os seguintes: há uns cinco anos, durante uma longa visita a Varsóvia, conheci a famosa aventureira Irene Adler. Sem dúvida conhece esse nome.

— Tenha a bondade de procurar em meu arquivo, doutor — murmurou Holmes sem abrir os olhos.

Por muitos anos colecionara resumos de informações sobre pessoas e coisas, e era difícil mencionar uma pessoa ou um assunto sobre o qual não pudesse fornecer dados imediatamente. Neste caso, encontrei a biografia dela entre a de um rabino hebreu e a de um comandante que escrevera uma monografia sobre os peixes do fundo do mar.

— Deixe-me ver — disse Holmes. — Hum! Nasceu em Nova Jersey em 1858. Contralto... hum! La Scala, hum! Prima-dona da Ópera Imperial de Varsóvia... Sim! Abandonou o palco... Ah! Mora em Londres... muito bem! Sua Majestade, pelo visto, envolveu-se com esta jovem, escreveu-lhe algumas cartas comprometedoras e agora quer reavê-las.

— Exatamente. Mas como...

— Houve um casamento secreto?

— Não.

— Nenhum contrato ou compromisso legal?

— Não.

— Então não compreendo, Sua Majestade. Se essa jovem quisesse usar as cartas para fazer chantagem, ou com outros objetivos, como poderia provar sua autenticidade?

— Pela caligrafia.

— Tolice! Podia ser falsificada.

— Meu papel de cartas pessoal.

— Roubado.

— Meu sinete.

— Imitado.

— Minha fotografia.

— Comprada.

— Ela também estava na fotografia.

— Oh! Que pena! Sua Majestade realmente foi indiscreto.

— Estava louco... fora de mim.

— Comprometeu-se seriamente.

— Eu era apenas o príncipe herdeiro nessa época. Era jovem. Só tenho trinta anos agora.

— É preciso recuperá-la.
— Tentamos e fracassamos.
— Sua Majestade precisa pagar. Temos de comprá-la.
— Ela não a venderá.
— Roubá-la, então.
— Foram feitas cinco tentativas. Duas vezes ladrões pagos por mim revistaram sua casa. Uma vez desviamos sua bagagem quando viajava. Duas vezes armamos uma emboscada para ela. Não conseguimos nada.
— Nenhum sinal da fotografia?
— Absolutamente nenhum.
Holmes deu uma risada.
— É um probleminha bem interessante — disse.
— Mas muito grave para mim — retorquiu o rei, em tom de repreensão.
— Bastante grave, realmente. E o que ela pretende fazer com a fotografia?
— Arruinar-me.
— Mas como?
— Estou prestes a me casar.
— Já sabia.
— Com Clotilde Lothman von Saxe-Meningen, a segunda filha do rei da Escandinávia. Talvez conheça os princípios rígidos de sua família. Ela mesma é a essência da delicadeza. A sombra de uma dúvida quanto à minha conduta seria o suficiente para terminar tudo.
— E Irene Adler?
— Ameaça mandar-lhe a fotografia. E é capaz de fazê-lo. Sei que o fará. O senhor não a conhece, mas ela tem uma alma de aço. Tem o rosto da mais bela das mulheres, e a mente do mais resoluto dos homens. Para me impedir de casar com outra mulher, não há nada que hesite em fazer, absolutamente nada.
— Tem certeza de que ainda não a mandou?
— Tenho.
— Por quê?
— Porque disse que iria mandá-la no dia em que fosse anunciado o noivado. Isso será na próxima segunda-feira.
— Bem, então ainda temos três dias — disse Holmes, bocejando. — Ainda bem, porque tenho um ou dois assuntos importantes para

tratar no momento. Sua Majestade certamente ficará em Londres por enquanto?

— Claro. Pode me encontrar no Langham, sob o nome de conde Von Kramm.

— Então lhe mandarei um bilhete para informá-lo sobre o andamento das coisas.

— Por favor. Ficarei ansioso.

— E quanto a dinheiro?

— Tem carta branca.

— Totalmente?

— Garanto-lhe que daria uma das províncias do meu reino para conseguir aquela fotografia.

— E quanto às despesas imediatas?

O rei tirou uma bolsa de camurça que estava sob o manto e a depositou na mesa.

— Contém trezentas libras em ouro e setecentas em notas — disse.

Holmes rabiscou um recibo em uma página do seu caderno de notas e entregou-o ao rei.

— E o endereço dela? — perguntou.

— Briony Lodge, na Serpentine Avenue, em St. John's Wood.

Holmes anotou-o.

— Mais uma pergunta — disse. — De que tamanho era a fotografia?

— Aproximadamente 15 por dez centímetros.

— Então, boa noite, Majestade, e espero ter boas notícias em breve. E boa noite, Watson — acrescentou, quando as rodas da caleche começaram a descer a rua. — Se tiver a bondade de vir aqui amanhã à tarde, às 15 horas, gostaria de discutir este assunto com você.

Segunda parte

Exatamente às 15 horas eu estava na Baker Street, mas Holmes ainda não havia voltado. A senhoria informou-me que ele saíra de casa pouco depois das oito horas. Sentei-me junto à lareira decidido a esperá-lo pelo tempo que fosse necessário. Já estava muito interessado na investigação porque, embora não apresentasse os aspectos sombrios e estranhos dos dois crimes que relatei anteriormente, a natureza do caso e a importância do cliente davam-lhe um caráter todo especial.

Na verdade, fora a natureza da investigação que meu amigo tinha pela frente, havia algo em sua perfeita compreensão de uma situação, e em seu raciocínio aguçado e incisivo, que fazia com que, para mim, fosse um prazer estudar seu sistema de trabalho e acompanhar os métodos rápidos e sutis com que desvendava os mistérios mais complicados. Estava tão acostumado a seus constantes sucessos que a possibilidade de fracasso nem me passava pela cabeça.

Eram quase 16 horas quando a porta se abriu e entrou um cavalariço que parecia embriagado, sujo e barbado, com o rosto inflamado e roupas vergonhosas. Embora acostumado com a espantosa capacidade de meu amigo se disfarçar, tive de olhar três vezes antes de me convencer de que era ele mesmo. Com um movimento de cabeça, desapareceu no quarto, de onde saiu cinco minutos depois, novamente respeitável em um terno de *tweed*. Com as mãos nos bolsos, esticou as pernas diante da lareira e ficou rindo por alguns minutos.

— Realmente! — exclamou. Então engasgou e riu de novo até ser obrigado a se recostar na cadeira, exausto.

— O que foi?

— É muito engraçado. Tenho certeza de que você não consegue adivinhar como passei a manhã e o que acabei fazendo.

— Não posso nem imaginar. Suponho que estava observando os hábitos e talvez a casa da srta. Irene Adler.

— Isso mesmo, mas os acontecimentos foram bastante insólitos. Vou lhe contar. Saí de casa pouco depois das oito horas esta manhã, com a aparência de um cavalariço desempregado. Existe grande compreensão e união entre homens que lidam com cavalos. Seja um deles, e saberá tudo que está acontecendo. Localizei Briony Lodge sem dificuldade. É uma vila pequena e requintada, de dois andares, com um jardim nos fundos, com a frente rente à rua. Uma boa fechadura na porta. Grande salão à direita, bem mobiliado, com janelas altas indo quase até o chão e aqueles ferrolhos ingleses ridículos que até uma criança consegue abrir. Nos fundos não havia nada especial, só que a janela da passagem pode ser alcançada do telhado da cocheira. Andei em volta e examinei-a de todos os lados, mas não vi mais nada de interessante.

"Então desci a rua e encontrei, como esperava, uma estrebaria numa vila que passa ao lado de um dos muros do jardim. Ajudei os cavalariços a tratar dos cavalos e recebi em troca dois pence, um copo de cerveja, dois pacotes de fumo picado e todas as informações que poderia desejar sobre a srta. Adler, para não mencionar uma meia dúzia de pessoas da vizinhança que não me interessavam nem um pouco, mas cujas biografias tive de ouvir em detalhe."

— E quanto a Irene Adler? — perguntei.

— Ah, enlouqueceu todos os homens por aqueles lados. É a coisa mais linda do planeta. Assim dizem todos os homens da Estrebaria Serpentina. Vive pacatamente, canta em concertos, sai para dar um passeio todas as tardes às 17 horas e volta às 19 horas em ponto para jantar. Pouquíssimas vezes sai em outros horários, a não ser quando está cantando. Tem apenas um visitante, mas esse é muito frequente. É moreno, bonito e arrojado; vai lá todos os dias pelo menos uma vez, quase sempre duas. É o sr. Godfrey Norton, advogado da corte. Veja a vantagem de fazer amizade com um cocheiro de aluguel. Levou-o a casa uma dúzia de vezes e sabia tudo sobre ele. Depois de ouvir tudo que tinha a dizer, comecei a andar de um lado para outro perto de Briony Lodge mais uma vez e a elaborar meu plano.

"Esse Godfrey Norton era evidentemente um fator importante no caso. É advogado. Isso parece de mau agouro. Qual seria a relação entre os dois e qual o objetivo das visitas constantes? Ela seria sua cliente, sua amiga ou sua amante? Se fosse a primeira hipótese, provavelmente teria transferido a fotografia para ele. Se fosse a última, isso era menos provável. A resposta a essa pergunta decidiria se eu devia continuar meu trabalho em Briony Lodge ou desviar minha atenção para os aposentos do cavalheiro. Era uma questão delicada, e ampliava o campo de investigação. Receio aborrecê-lo com todos esses detalhes, mas tenho de mostrar-lhe esses pequenos problemas para que você compreenda a situação."

— Estou acompanhando com atenção — respondi.

— Ainda pesava os fatos mentalmente quando um cabriolé parou diante de Briony Lodge e dele saltou um cavalheiro. Era um homem muito bonito, moreno, de feições aquilinas e bigode... evidentemente o homem que haviam mencionado. Parecia estar com pressa, gritou para o cocheiro que esperasse e, com ar de quem estava totalmente à vontade, passou, rápido, pela empregada que abrira a porta.

"Ficou na casa aproximadamente meia hora e pude vê-lo de relance pelas janelas do salão, andando de um lado para outro, falando, excitado, e gesticulando muito. Não consegui vê-la. Finalmente ele saiu, parecendo mais apressado que antes. Ao entrar no cabriolé, puxou um relógio do bolso e consultou-o. 'Dirija como um demônio!', gritou. Primeiro para Gross & Hankey, na Regent Street, e depois para a Igreja de Santa Mônica, na Edgeware Road. 'Meio guinéu se fizer isso em vinte minutos!'

"Lá se foram, e eu estava pensando se devia segui-los quando surgiu na viela um pequeno e elegante landau, o cocheiro com o casaco ainda meio desabotoado, a gravata completamente torta e as pontas dos arreios fora das fivelas. Nem chegou a parar, quando ela saiu correndo pela porta e entrou no carro. Só a vi de relance, mas era uma mulher linda, com um rosto que faria um homem morrer de bom grado por ele. 'A Igreja de Santa Mônica, John!', gritou. 'E uma libra em ouro se chegar lá em vinte minutos.'

"Era bom demais para perder, Watson. Eu avaliava se devia sair correndo ou me empoleirar atrás de seu landau quando surgiu um cabriolé na rua. O cocheiro olhou desconfiado para um passageiro tão maltrapilho, mas entrei rapidamente, antes que ele pudesse fazer objeções. 'Para a Igreja de Santa Mônica', eu disse. 'E uma libra em ouro se chegar lá em vinte minutos.' Faltavam 25 minutos para as 12 horas, e era evidente o que estava acontecendo.

"O cocheiro foi a toda a velocidade. Nunca andei tão depressa, mas os outros chegaram antes de nós. O cabriolé e o landau com os cavalos cobertos de suor estavam diante da porta quando cheguei. Paguei o homem e entrei na igreja às pressas. Lá dentro só havia os dois que eu seguira e um sacerdote de sobrepeliz, que parecia discutir com eles. Os três estavam em frente ao altar. Subi devagar a nave lateral como qualquer pessoa que entrasse casualmente em uma igreja. De repente, para meu espanto, os três viraram-se e Godfrey Norton veio correndo na minha direção.

"'Graças a Deus!', exclamou. 'Você serve. Venha! Venha!'

"'O que há?', perguntei.

"'Venha, homem, venha, só temos três minutos, ou não será legal.'

"Fui quase arrastado até o altar, e antes de saber onde estava, vi-me murmurando respostas que eram sopradas em meu ouvido e afirmava coisas que desconhecia por completo, ajudando, de modo geral, a unir Irene Adler, solteira, a Godfrey Norton, solteiro. Tudo levou só alguns instantes, e lá estava o cavalheiro me agradecendo de um lado e a dama de outro, enquanto o sacerdote sorria para mim, na nossa frente. Foi a situação mais absurda em que já me encontrei e foi por isso que ri tanto há pouco. Parece que havia alguma irregularidade na licença e o sacerdote recusou-se a casá-los sem uma testemunha, e surgi a tempo de evitar que o noivo tivesse de sair pelas ruas à procura de um padrinho. A noiva deu-me uma libra em ouro e pretendo usá-la na corrente do relógio como lembrança dessa ocasião."

— Isso foi totalmente inesperado — eu disse. — E agora?

— Bem, meus planos estavam seriamente ameaçados. O par poderia partir a qualquer momento e era necessário tomar medidas imediatas e enérgicas. Mas, na porta da igreja, eles se separaram; ele voltou aos seus aposentos e ela voltou para casa. 'Irei passear no parque às 17 horas, como de costume', ela disse ao se despedir dele. Não ouvi mais nada. Partiram em direções opostas, e eu fui tomar minhas providências.

— Quais?

— Carne fria e um copo de cerveja — ele respondeu, tocando a campainha. — Estava ocupado demais para pensar em comida, e provavelmente estarei mais ocupado ainda hoje à noite. Por falar nisso, doutor, vou precisar de sua ajuda.

— Será um prazer.

— Não se importa de desrespeitar a lei?

— Nem um pouco.

— Nem de correr o risco de ser preso?

— Não, se for por uma boa causa.

— Ah, a causa é excelente!

— Então estou às suas ordens.

— Sabia que podia contar com você.

— Mas que deseja que eu faça?

— Depois que a sra. Turner trouxer a bandeja explicarei tudo. Agora — disse, servindo-se com entusiasmo da comida simples que a senhoria trouxera — tenho de falar enquanto como, porque não tenho muito tempo. São quase 17 horas. Dentro de duas horas devemos estar no local da ação. A srta. Irene, ou melhor, senhora, volta de seu passeio às 19 horas. Devemos estar em Briony Lodge à sua espera.

— E então?

— Deixe isso por minha conta. Já providenciei o que vai acontecer. Só há uma coisa em que devo insistir. Você não pode interferir, aconteça o que acontecer. Entende?

— Devo ficar neutro?

— Não deve fazer nada. Provavelmente haverá algum pequeno distúrbio. Não interfira. No fim, serei levado para dentro da casa. Quatro ou cinco minutos depois, a janela do salão se abrirá. Você deve se colocar perto dessa janela aberta.

— Sim.

— Fique me olhando, pois estarei visível para você.

— Sim.

— E quando eu erguer a mão... assim... você jogará dentro da sala o que eu lhe der para jogar e, ao mesmo tempo, gritará “Fogo!”. Compreendeu?

— Perfeitamente.

— Não é nada demais — disse, tirando do bolso um rolo do tamanho de um charuto. — É uma pequena bomba de fumaça com uma espoleta em cada ponta para que exploda sozinha. Sua tarefa é apenas essa. Quando der o grito de fogo, este será repetido por várias pessoas. Deve então andar até o fim da rua, e eu o encontrarei lá em dez minutos. Fui bem claro?

— Devo ficar neutro, perto da janela, olhar para você e, quando der o sinal, atirar para dentro este objeto, gritar “Fogo!” e esperar por você no fim da rua.

— Exatamente.

— Então, pode confiar inteiramente em mim.

— Excelente. Acho que está na hora de me preparar para o novo papel que tenho de desempenhar.

Desapareceu no quarto e voltou poucos minutos depois disfarçado como um clérigo protestante afável e simplório. O chapéu preto de abas largas, as calças frouxas, a gravata branca, o sorriso simpático e a aparência geral de benevolência eram totalmente convincentes. Holmes não mudava apenas de roupa; sua expressão, sua atitude, sua própria alma pareciam variar com qualquer papel que representasse.

O palco perdeu um grande ator, assim como a ciência perdeu um raciocinador de primeira quando ele se tornou um especialista em crimes.

Eram 18h15 quando saímos da Baker Street e eram 18h50 quando chegamos à Serpentine Avenue. Já estava escurecendo e as lâmpadas se acendiam enquanto andávamos de um lado para outro em frente a Briony Lodge, esperando a chegada de sua ocupante. A casa era exatamente como a imaginara pela descrição sucinta de Holmes, mas o local parecia menos isolado do que eu esperava. Para uma rua pequena em um bairro pacato, era excepcionalmente animada. Havia um grupo de homens maltrapilhos fumando e rindo em uma esquina, um amolador de facas com sua roda, dois guardas flertando com uma ama e vários rapazes bem-vestidos que passeavam fumando charutos.

— Veja — disse Holmes enquanto passávamos lentamente diante da casa —, esse casamento simplifica muito as coisas. A fotografia agora é uma arma de dois gumes. É provável que ela não queira que seja vista pelo sr. Godfrey Norton, assim como o nosso cliente não quer que sua princesa a veja... O problema é... onde vamos encontrar a fotografia?

— Realmente, onde?

— Não é provável que ela a carregue consigo. É grande demais para isso. Não seria fácil escondê-la num vestido. Sabe que o rei é capaz de armar-lhe uma cilada e mandar revistá-la. Já foram feitas duas tentativas. Podemos ter certeza de que não a leva consigo.

— Então, onde?

— Seu banqueiro ou seu advogado. Há essa dupla possibilidade. Mas acho que não é nenhuma das duas. As mulheres têm tendência a segredos e gostam de seus próprios esconderijos. Por que ela a entregaria a outra pessoa? Pode confiar em sua própria guarda, mas não pode evitar que alguma influência indireta ou política seja exercida sobre um homem de negócios. Além disso, lembre-se de que decidira usá-la dentro de poucos dias. Deve estar num lugar onde possa pegá-la facilmente. Deve estar em sua própria casa.

— Mas a casa foi revistada duas vezes.

— Não quer dizer nada. Não sabiam onde procurar.

— E onde você vai procurar?

— Não vou precisar procurar.

— O que vai fazer então?

— Vou deixar que ela me mostre.

— Mas ela se recusará.

— Não poderá recusar. Mas ouço o ruído de rodas. É a carruagem dela. Agora obedeça às minhas ordens ao pé da letra.

Enquanto falava, vimos o brilho das lanternas de uma carruagem fazendo a curva da avenida. Era um landau pequeno e elegante que parou à porta de Briony Lodge. Ao parar, um dos homens da esquina correu para abrir a porta na esperança de ganhar uma moeda, mas foi empurrado por outro, que acorrera com a mesma intenção. Começou uma briga violenta, aumentada pelos dois guardas que tomaram o partido de um dos homens, e pelo amolador, que ficou do lado do outro. Houve troca de golpes, e em um segundo a senhora, que descera da carruagem, era o centro de um monte de homens que se batiam ferozmente, usando os punhos e pedaços de pau. Holmes se atirou no meio do grupo para proteger a senhora; mas ao chegar junto dela, deu um grito e caiu no chão, com o sangue escorrendo pelo rosto. Ao vê-lo caído, os guardas fugiram em uma direção e os homens na outra, enquanto várias pessoas bem-vestidas, que olhavam a briga sem tomar parte nela, se aproximaram para ajudar a senhora e o homem machucado. Irene Adler, como eu ainda a chamarei, subira os degraus correndo; mas parou no alto da escada, sua figura magnífica delineada contra as luzes do hall, olhando para a rua.

— O cavalheiro está muito machucado? — perguntou.

— Está morto — disseram várias vozes.

— Não, não, ainda vive — gritou alguém. — Mas estará morto antes que consigam levá-lo para o hospital.

— É um homem muito corajoso — disse uma mulher. — Teriam tirado a bolsa e o relógio da moça se não fosse ele. Era um bando perigoso. Ah, ele está respirando.

— Não pode ficar aqui na rua. Podemos levá-lo lá para dentro, senhora?

— Claro. Podem levá-lo para o salão. Há um sofá confortável. Por aqui, por favor!

Lenta e solenemente, ele foi levado para Briony Lodge e colocado na sala principal enquanto eu observava os acontecimentos do meu posto perto da janela. Acenderam as lâmpadas, mas não correram as cortinas, de modo que eu podia ver Holmes deitado no sofá. Não sei se ele sentia remorsos naquele momento pelo papel que representava, mas sei que nunca me senti mais envergonhado em toda a minha vida do que quando vi a linda criatura contra a qual eu conspirava, e a graça e a bondade com que tratava do homem acidentado. Entretanto, seria uma traição a Holmes se eu me recusasse agora a desempenhar o papel de que ele me encarregara. Endureci meu coração e tirei a bomba escondida no casaco. Afinal de contas, pensei, não iremos magoá-la. Estamos apenas evitando que magoe outra pessoa.

Holmes sentara-se no sofá e o vi fazer um gesto como se precisasse de ar. Uma empregada correu para abrir a janela. No mesmo instante vi que ele erguia a mão, e a este sinal atirei minha bomba na sala, gritando: "Fogo!" Mal dera o grito e toda a multidão de espectadores, bem e malvestidos, cavalheiros, cavalariços e empregadas, unira-se num único brado de "Fogo!". Nuvens espessas de fumaça encheram a sala e saíram pela janela. Vislumbrei vultos correndo e um momento depois ouvi a voz de Holmes assegurando a todos que havia sido um alarme falso. Deslizando por entre a multidão, caminhei até a esquina e dez minutos depois alegrei-me ao sentir o braço de meu amigo no meu e ao me afastar da cena da confusão. Ele andou rapidamente e em silêncio por alguns minutos, até que entramos em uma das ruas desertas que dão na Edgeware Road.

— Você se saiu muito bem, doutor — observou. — Não podia ter sido melhor. Está tudo bem.

— Está com a fotografia?

— Sei onde está.

— E como descobriu?

— Ela me mostrou, como eu disse que faria.

— Ainda não entendi.

— Não quero fazer mistério — disse, rindo. — Foi muito simples. Você viu, certamente, que todo mundo na rua era meu cúmplice. Foram todos contratados por uma noite.

— Imaginei isso.

— Então, quando houve a briga, eu tinha um pouco de tinta vermelha na palma da mão. Avancei, caí, esfreguei a mão no rosto e tornei-me um espetáculo digno de pena. É um truque antigo.

— Isso eu também imaginei.

— Então levaram-me para dentro. Ela teve que concordar. O que mais poderia fazer? E para a sala, que era exatamente onde eu suspeitava que estivesse a fotografia. Era isso ou seu quarto, e eu estava decidido a descobrir o local. Colocaram-me no sofá, fiz um gesto pedindo mais ar, foram obrigados a abrir a janela e você teve a sua oportunidade.

— E como isso ajudou você?

— Era muito importante. Quando uma mulher pensa que sua casa está pegando fogo, seu instinto é correr imediatamente para a coisa que considera mais valiosa. É um impulso incontrolável e mais de uma vez já me aproveitei dele. Foi muito útil no caso do Escândalo Darlington e também no do Castelo Arnsworth. Uma mulher casada agarra seu bebê, uma solteira pega sua caixa de joias. Era claro para mim que a nossa jovem dama prezava acima de tudo aquilo que nós procurávamos. Correria para ver se estava em segurança. O alarme foi perfeito. A fumaça e os gritos eram suficientes, para abalar nervos de aço. Ela reagiu admiravelmente. A fotografia está em um nicho atrás de um painel móvel, logo acima do cordão da campainha à direita. Foi direto para lá e eu a vi de relance quando ela a puxou para fora. Quando gritei que era um alarme falso, tornou a colocá-la no lugar, lançou um olhar para a bomba, saiu correndo da sala e não a vi mais. Levantei-me, pedi desculpas e saí da casa. Fiquei na dúvida se deveria tentar apanhar logo a fotografia ou não; mas o cocheiro entrara na sala e me observava atentamente. Achei mais seguro esperar. A precipitação poderia prejudicar tudo.

— E agora? — perguntei.

— Nossa busca está praticamente terminada. Irei lá amanhã com o rei e com você, se quiser nos acompanhar. Ficaremos na sala esperando a senhora, mas é provável que quando ela chegar não irá nos encontrar, nem a fotografia. Talvez seja um prazer para Sua Majestade recuperá-la com suas próprias mãos.

— E quando voltará lá?

— Às oito horas. Ela não estará de pé, e teremos toda a liberdade. Precisaremos agir depressa, pois esse casamento pode mudar por completo sua vida e seus hábitos. Vou telegrafar imediatamente para o rei.

Havíamos chegado à Baker Street e parado em frente à porta. Holmes procurava a chave nos bolsos quando alguém passou e disse:

— Boa noite, sr. Sherlock Holmes.

Havia várias pessoas na calçada no momento, mas a voz parecia vir de um esbelto jovem encasacado que passara apressadamente.

— Já ouvi essa voz antes — comentou Holmes, olhando a rua sombria. — Que diabo, quem poderia ser?

Terceira parte

Dormi na Baker Street aquela noite, e estávamos ocupados com nosso café e as torradas quando o rei da Boêmia entrou às pressas.

— Você conseguiu! — exclamou, segurando os ombros de Sherlock Holmes e olhando-o no rosto com ansiedade.

— Ainda não.

— Mas tem esperanças?

— Tenho.

— Então vamos. Estou impaciente.

— Precisamos de uma carruagem.

— Não, a minha está esperando.

— Isso simplifica tudo.

Descemos e fomos mais uma vez para Briony Lodge.

— Irene Adler casou-se — disse Holmes.

— Casou-se! Quando?

— Ontem.

— Mas com quem?

— Com um advogado inglês chamado Norton.

— Mas não pode amá-lo.

— Espero que sim.

— Por que espera isso?

— Porque Sua Majestade não precisaria mais ter receio de qualquer problema futuro. Se essa senhora ama seu marido, não ama Sua Majestade. Se não ama Sua Majestade, não há motivo para interferir nos planos de Sua Majestade.

— É verdade. No entanto... Bem! Gostaria que ela fosse da mesma classe que eu. Que rainha ela seria! — Ele permaneceu num silêncio melancólico até chegarmos à Serpentine Avenue.

A porta de Briony Lodge estava aberta e uma mulher idosa estava no alto da escada. Ficou nos observando com olhos sarcásticos quando saltamos da carruagem.

— O sr. Sherlock Holmes, não é?

— Sim, eu sou o sr. Holmes — respondeu meu companheiro, olhando-a com curiosidade e espanto.

— Muito bem! Minha patroa disse que era provável que o senhor viesse. Ela partiu esta manhã com o marido, pelo trem das 5h15, da estação de Charing Cross, para o continente.

— O quê! — Sherlock Holmes deu um passo atrás, pálido de surpresa e desgosto. — Quer dizer que deixou a Inglaterra?

— Para nunca mais voltar.

— E os papéis? — perguntou o rei com voz rouca. — Está tudo perdido.

— Veremos.

Holmes entrou pela casa, correu para o salão, seguido pelo rei e por mim. A mobília estava espalhada pela sala, estantes desmontadas, gavetas abertas, como se ela tivesse revirado tudo antes de sua fuga. Holmes correu para o cordão da campainha, afastou um pequeno painel e, metendo a mão ali dentro, puxou uma fotografia e uma carta. A fotografia era de Irene Adler em traje a rigor, a carta era endereçada ao "sr. Sherlock Holmes. Para ser guardada até virem buscá-la". Meu amigo abriu-a e nós três a lemos juntos. Era datada da meia-noite anterior e dizia o seguinte:

Meu caro sr. Sherlock Holmes:

Realmente, o senhor foi formidável. Enganou-me por completo. Não tive a menor suspeita até o alarme de fogo. Mas então, quando vi como tinha me traído, comecei a pensar. Fui avisada a seu respeito há meses. Disseram-me que se o rei empregasse um agente, certamente seria o senhor. E deram-me seu endereço. Apesar de tudo isso, o senhor fez com que eu revelasse o que queria saber. Mesmo quando fiquei desconfiada, achei difícil pensar mal de um clérigo tão amável e tão bondoso. Mas sabe que também sou uma atriz profissional. Vestir-me de homem não é novidade para mim. Frequentemente tiro proveito da liberdade que isso me dá. Mandei John, o cocheiro, vigiá-lo, fui lá em cima, vesti minhas roupas de passeio, como as chamo, e desci exatamente quando o senhor saía.

Eu o segui até a porta de sua casa e verifiquei que eu era realmente objeto do interesse do célebre sr. Sherlock Holmes. Então, de modo bastante imprudente, desejei-lhe boa-noite e fui procurar meu marido nas salas da Corte.

Nós dois achamos que a fuga era o melhor recurso, quando estamos sendo perseguidos por um adversário tão extraordinário; de modo que encontrará o nicho vazio quando chegar amanhã. Quanto à fotografia, seu cliente pode ficar descansado. Amo e sou amada por um homem melhor que ele. O rei pode fazer o que quiser sem nenhum empecilho por parte de uma pessoa que ele enganou cruelmente. Só guardo a fotografia para me proteger, e para preservar uma arma que sempre me garantirá contra qualquer atitude que ele possa vir a tomar no futuro. Deixo uma fotografia que ele talvez goste de possuir.

Atenciosamente,

Irene Norton, née Adler

— Que mulher... oh, que mulher! — exclamou o rei da Boêmia quando terminamos a leitura. — Não lhe disse que era esperta e decidida? Não teria dado uma rainha maravilhosa? Não é uma pena que não fosse do meu nível?

— Pelo que vi dessa dama, ela parece realmente ser de um nível muito diferente do de Sua Majestade — disse Holmes friamente. — Lamento não ter podido concluir o negócio de Sua Majestade de maneira mais satisfatória.

— Pelo contrário, meu caro senhor! — exclamou o rei. — Não poderia ser mais satisfatório. Sei que a palavra dela é inviolável. A fotografia está tão segura como se estivesse queimando na lareira.

— Fico contente de ouvir Sua Majestade dizer isso.

— Sou-lhe eternamente grato. Diga-me como posso recompensá-lo. Este anel... — Tirou um anel de esmeralda em forma de serpente do dedo e ofereceu-o na palma da mão.

— Sua Majestade tem uma coisa que prezo ainda mais — disse Holmes.

— Basta dizer.

— Essa fotografia!

O rei olhou-o com espanto.

— A fotografia de Irene! — exclamou. — Certamente, se quiser.

— Agradeço a Sua Majestade. Então, não há mais nada a fazer. Tenho a honra de desejar-lhe um bom-dia. — Inclinou-se num cumprimento e, virando-se sem notar a mão que o rei lhe estendera, saiu junto comigo e dirigiu-se para casa.

E foi assim que um grande escândalo ameaçou abalar o reino da Boêmia, e que os melhores planos do sr. Sherlock Holmes foram destruídos pela inteligência de uma mulher. Ele costumava troçar da esperteza das mulheres, mas ultimamente não o tenho ouvido fazer isso. E quando fala de Irene Adler, ou quando se refere à sua fotografia, é sempre com o título honroso de *a* mulher.

A LIGA DOS RUIVOS

Fui visitar meu amigo Sherlock Holmes num dia de outono do ano passado, e encontrei-o numa conversa animada com um senhor idoso, muito gordo, de rosto corado e cabelos cor de fogo. Com uma desculpa pela minha intromissão, ia me retirar quando Holmes puxou-me para dentro da sala e fechou a porta.

— Não poderia ter vindo em hora melhor, meu caro Watson — disse cordialmente.

— Pensei que estivesse ocupado.

— E estou. Muito ocupado.

— Então posso esperar na sala ao lado.

— De modo algum. Este cavalheiro, sr. Wilson, tem sido meu companheiro e assistente em muitos dos meus casos de maior sucesso e não tenho dúvida de que será muito útil no seu também.

O cavalheiro gordo ergueu-se em sua cadeira e cumprimentou-me ligeiramente com a cabeça, lançando um rápido olhar curioso com seus olhinhos rodeados de gordura.

— Experimente o sofá — disse Holmes, voltando à sua poltrona e juntando as pontas dos dedos, como costumava fazer quando avaliava um problema. — Sei, meu caro Watson, que você também gosta de tudo que é bizarro e fora das convenções e da rotina. Demonstrou sua apreciação por meio do entusiasmo com que relatou e, se me perdoa, até embelezou tantas aventuras minhas.

— Seus casos realmente têm sido muito interessantes para mim — observei.

— Deve lembrar-se de que comentei outro dia, pouco antes de nos envolvermos no problema muito simples apresentado pela srta. Mary Sutherland, que para obter efeitos estranhos e combinações extraordinárias temos que apelar para a própria vida, que é sempre muito mais ousada do que qualquer esforço da imaginação.

— Uma proposição em relação à qual tomei a liberdade de duvidar.

— Sim, doutor, mas, apesar disso, você tem de adotar o meu ponto de vista, do contrário ficarei amontoando fato em cima de fato até que seu raciocínio desmorone sob seu peso e reconheça que estou certo. Bem, o sr. Jabez Wilson, aqui presente, teve a bondade de vir ver-me esta manhã e começar uma narrativa que promete ser das mais singulares que ouvi nos últimos tempos. Já me ouviu comentar que as coisas mais estranhas estão quase sempre ligadas não aos grandes, mas aos menores crimes e, às vezes, na verdade, à dúvida de que algum crime tenha sido realmente cometido. Pelo que ouvi até agora, é impossível dizer se este caso é ou não um exemplo de crime, mas o curso dos acontecimentos sem dúvida é um dos mais estranhos que já ouvi. Talvez, sr. Wilson, o senhor possa ter a bondade de recomeçar sua narrativa. Peço isso não só porque meu amigo dr. Watson não ouviu o princípio, mas também porque a natureza peculiar da história deixa-me ansioso para obter todos os detalhes possíveis de seus lábios. Em geral, quando tenho alguma indicação do curso dos acontecimentos, posso guiar-me pelos milhares de outros casos semelhantes que me vêm à memória. Neste caso, sou obrigado a admitir que os fatos são, pelo que sei, únicos.

O corpulento cliente estufou o peito com certo orgulho e tirou um jornal sujo e amarrotado do bolso interno do sobretudo. Enquanto olhava a coluna de anúncios com a cabeça esticada para a frente e o jornal aberto nos joelhos, examinei-o cuidadosamente e tentei, como faz meu companheiro, ler as indicações apresentadas por suas roupas e sua aparência.

Mas não consegui muita coisa com essa inspeção. Nosso visitante parecia um comerciante inglês comum, obeso, pomposo e lerdo. Usava calças cinzentas quadriculadas meio largas, um paletó preto não muito limpo, aberto, e um colete com uma corrente de metal amarelo com um pedaço quadrado de metal pendurado como ornamento. Um chapéu gasto e um sobretudo marrom desbotado com gola de veludo enrugado repousavam em uma cadeira a seu lado. Por mais que olhasse, não havia nada de especial sobre o homem, exceto os cabelos vermelhos flamejantes e uma expressão de profundo desgosto e descontentamento em seu rosto.

Sherlock Holmes percebeu o que eu fazia e sacudiu a cabeça com um sorriso quando notou meu olhar inquisitivo.

— Além dos fatos óbvios de que em alguma ocasião ele fez trabalhos braçais, que cheira rapé, que pertence à Maçonaria, que esteve na China e que tem escrito muito ultimamente, não posso deduzir nada mais.

O sr. Jabez Wilson ergueu-se um pouco na cadeira, com o indicador no jornal e os olhos fixos em meu companheiro.

— Como, em nome dos céus, o senhor sabe tudo isso, sr. Holmes? — perguntou. — Como sabe, por exemplo, que fiz trabalhos braçais? É verdade, comecei como carpinteiro de bordo.

— Suas mãos, meu caro senhor. Sua mão direita é bem maior que a esquerda. Trabalhou com ela, e os músculos são mais desenvolvidos.

— Bem, o rapé, então, e a Maçonaria?

— Não insultarei sua inteligência contando como deduzi isso, especialmente porque, contra as regras rígidas de sua ordem, o senhor usa um arco e um compasso no alfinete de gravata.

— Ah, sim, esqueci isso. E quanto ao negócio de escrever?

— O que mais poderia significar um punho direito tão lustroso e a manga esquerda gasta perto do cotovelo, onde o senhor a apoia na mesa?

— Bem, e a China?

— O peixe tatuado logo acima de seu pulso direito só poderia ter sido feito na China. Fiz um pequeno estudo de marcas de tatuagem e até contribuí para a literatura sobre o assunto. Esse cor-de-rosa delicado das escamas dos peixes só existe na China. Quando, além disso, vejo uma moeda chinesa pendurada em sua corrente de relógio, tudo fica ainda mais simples.

O sr. Jabez Wilson riu gostosamente.

— Ora, ora! — disse. — No início pensei que era uma verdadeira façanha mental, mas estou vendo que é tudo muito fácil.

— Estou começando a acreditar, Watson — disse Holmes —, que é um erro eu explicar. *Omne ignotum pro magnifico*, você sabe, e a minha pobre reputação ficará arrasada se eu continuar a ser tão franco. Encontrou o anúncio, sr. Wilson?

— Sim, encontrei — respondeu, com o dedo grosso e vermelho plantado no meio da coluna. — Aqui está. Isso foi o começo de tudo. Leia, por favor.

Peguei o jornal e li o seguinte:

À LIGA DOS RUIVOS:

Por doação do finado Ezekiah Hopkins, de Lebanon, Pensilvânia, EUA, existe agora outra vaga que dá direito a um membro da Liga a receber um salário de quatro libras por semana por serviços puramente nominais. Todos os homens ruivos de perfeita saúde física e mental, com mais de 21 anos, podem candidatar-se. Apresente-se pessoalmente na segunda-feira, às 11 horas, a Duncan Ross, nos escritórios da Liga, Pope's Court, 7, Fleet Street.

— Que diabo significa isto? — exclamei, depois de ler duas vezes este anúncio extraordinário.

Holmes deu uma risadinha e remexeu-se na cadeira, como era seu hábito quando achava algo muito engraçado.

— É um pouco fora do comum, não é? — comentou. — E agora, sr. Wilson, comece a falar e conte tudo sobre si mesmo, sua família e o efeito que esse anúncio teve em sua vida. Primeiro, doutor, anote o nome do jornal e a data.

— É *The Morning Chronicle* de 27 de abril de 1890. Dois meses atrás.

— Muito bem. E agora, sr. Wilson?

— Bem, é como eu estava lhe contando, sr. Sherlock Holmes — disse Jabez Wilson, enxugando a testa —, tenho uma pequena loja de penhores na praça Coburg, perto do Centro. Não é muito grande, e nos últimos anos só deu para viver. Antigamente eu tinha dois ajudantes, mas agora só tenho um. E seria um problema pagar seu ordenado, mas ele concordou em ganhar só a metade, para aprender o negócio.

— Como se chama esse rapaz tão prestativo? — perguntou Sherlock Holmes.

— Seu nome é Vincent Spaulding, e não é nenhum rapaz. É difícil dizer quantos anos tem. Não poderia querer um assistente melhor, sr. Holmes. E sei muito bem que ele poderia estar numa situação muito melhor e ganhar o dobro do que lhe pago. Mas, afinal de contas, se está satisfeito, por que botar ideias na cabeça dele?

— Realmente, por quê? O senhor é um felizardo por ter um empregado que aceita ganhar um salário abaixo do mercado. Não é uma experiência muito comum nos dias de hoje. Acho que seu assistente é tão notável quanto esse anúncio.

— Ah, ele tem seus defeitos também — continuou o sr. Wilson. — Nunca vi um sujeito tão louco por fotografia. Agarrado com a máquina quando devia estar melhorando seus conhecimentos e depois se afundando no porão para revelar fotografias, como um coelho em sua toca. É seu maior defeito. Mas, de modo geral, é um bom empregado. Não tem vícios.

— Continua trabalhando com o senhor?

— Sim, senhor. Ele e uma moça de 14 anos, que cozinha um pouco e faz a limpeza. É só o que tenho em casa, pois sou viúvo e nunca tive família. Vivemos muito pacatamente, os três. Mantemos a casa, pagamos as contas, e nada mais.

"A primeira coisa que nos abalou foi esse anúncio. Spaulding entrou no escritório, exatamente há oito semanas, com este jornal na mão e disse:

"'Daria tudo para ser ruivo, sr. Wilson.'

"'Por quê?', perguntei.

"'Ora', disse, 'há outra vaga na Liga dos Ruivos. Vale uma pequena fortuna para quem a ocupar e parece que há mais vagas do que candidatos, e os membros do Conselho estão atropelados sem saber o que fazer com o dinheiro. Se pudesse mudar a cor dos cabelos, aqui está um ninho maravilhoso prontinho para mim.'

"'Mas de que se trata, então?', perguntei. Sabe, sr. Holmes, sou um homem muito caseiro, e como meus negócios vêm a mim e não preciso sair à procura deles, às vezes passo semanas a fio sem pôr o pé na rua. Por isso não sei o que está acontecendo lá fora e sempre gosto de ouvir as notícias.

"'Nunca ouviu falar na Liga dos Ruivos?', ele perguntou, de olhos esbugalhados.

"'Nunca.'

"'Estou surpreso, pois o senhor podia ser candidato a uma das vagas.'

"'E quanto vale uma vaga?', perguntei.

"'Oh, somente umas duzentas libras por ano, mas o trabalho é leve e não ia interferir nas outras ocupações.'

"Bem, isso me fez prestar atenção, pois os negócios não têm sido muito bons nos últimos anos e esse dinheiro extra viria a calhar.

"'Conte-me tudo que sabe sobre isso', eu disse.

"'Bem', ele continuou, mostrando o anúncio, 'pode ver aqui que há uma vaga na Liga, e aqui está o endereço onde deve ir para obter maiores detalhes. Pelo que sei, a Liga foi fundada por um milionário americano, Ezekiah Hopkins, que era um homem muito peculiar. Ele era ruivo e tinha muita simpatia por todos os ruivos, e quando morreu descobriram que deixara sua imensa fortuna nas mãos de curadores, com instruções para que aplicassem os juros de modo a proporcionar empregos fáceis para homens de cabelos ruivos. Pelo que ouvi dizer, pagam muito bem e há muito pouco para fazer.'

"'Mas', comentei, 'há milhões de homens ruivos que devem se candidatar.'

"'Não tantos assim', respondeu. 'Repare, é limitado a londrinos de mais de 21 anos. Esse americano começou em Londres, quando era jovem, e queria beneficiar a cidade. E também ouvi dizer que não adianta se candidatar se seu cabelo for ruivo-claro, ou ruivo-escuro, tem de ser o verdadeiro vermelho-vivo, cor de fogo. Se o senhor quisesse, sr. Wilson, bastava o senhor se apresentar, mas talvez não valha a pena se incomodar por umas poucas centenas de libras.'

"Bem, é verdade, cavalheiros, como podem ver, que meu cabelo é bem cor de fogo. Então achei que, se houvesse concorrência, eu teria tanta possibilidade de ganhar quanto qualquer outro. Vincent Spaulding parecia saber tanto sobre o assunto que achei que podia ser útil, então mandei que fechasse a loja e viesse comigo. Ele estava querendo tirar um dia de folga, de modo que fechamos tudo e fomos ao endereço indicado no anúncio.

"Espero nunca voltar a ver um espetáculo desses, sr. Holmes. Do norte, do sul, do leste e do oeste, todos os homens com um vestígio de vermelho nos cabelos vieram à cidade, em resposta ao anúncio. A Fleet Street estava entupida de homens de cabelos vermelhos e a Pope's Court parecia um caminhão cheio de laranjas. Nunca pensei que houvesse tantos ruivos no país inteiro. Eram de todos os tons possíveis: cor de palha, de limão, de laranja, de tijolo, de barro... mas, como Spaulding disse, não havia muitos da legítima cor de fogo. Quando vi quantos estavam esperando, quis desistir, mas Spaulding não deixou. Não sei como conseguiu, mas empurrou e deu cotoveladas até que atravessamos a multidão e subimos os degraus que levavam ao escritório. Havia duas filas na escada, uma subindo, esperançosa, outra descendo, desanimada. Metemo-nos no meio e logo chegamos ao escritório."

— Sua experiência foi muito interessante — comentou Holmes, quando seu cliente parou e refrescou a memória com uma generosa pitada de rapé. — Por favor, continue sua narrativa.

— O escritório tinha apenas duas cadeiras de madeira e uma mesa de pinho, atrás da qual estava sentado um homenzinho de cabelos ainda mais vermelhos que os meus. Dizia algumas palavras a cada candidato que se aproximava e sempre conseguia encontrar alguma coisa errada que os desqualificava. Obter uma vaga não parecia ser assim tão fácil. Mas quando chegou a nossa vez, o homenzinho foi mais benevolente comigo do que com os outros e fechou a porta quando entramos, para termos alguma privacidade.

"'Este é o sr. Jabez Wilson', disse meu assistente, 'que deseja ocupar uma vaga na Liga.'

"'Muito apropriado', respondeu o outro. 'Tem todos os requisitos. Não me lembro de ter visto outro assim.' Deu um passo para atrás, inclinou a cabeça e observou meu cabelo até eu ficar encabulado. De repente avançou, segurou minha mão e me congratulou pelo meu sucesso.

"'Seria uma injustiça hesitar', disse. 'Mas vai me perdoar, tenho certeza, por tomar uma precaução óbvia.' Dizendo isso, segurou meus cabelos com ambas as mãos e puxou até eu gritar de dor. 'Seus olhos estão cheios de lágrimas', disse, me soltando. 'Tudo está como devia ser. Mas precisamos ter cuidado, pois já fomos enganados duas vezes com perucas e com tinta. Eu poderia contar-lhes histórias que os deixariam desiludidos com a natureza humana.' Foi até a janela e gritou em voz alta que a vaga havia sido preenchida. As exclamações de desapontamento subiram até nós e a multidão se dispersou em direções diferentes, até que não restou mais nenhum ruivo, a não ser o gerente e eu.

"'Meu nome', disse ele, 'é Duncan Ross, e sou um dos beneficiários do fundo deixado por nosso nobre benfeitor. O senhor é casado, sr. Wilson? Tem família?'

"Respondi que não.

"'Ah!', disse, muito sério. 'Isso é mau, muito mau! Sinto muito ouvi-lo dizer isso. O fundo é, naturalmente, para a propagação dos ruivos, assim como para sua manutenção. É extremamente lamentável que seja solteiro.'

"Fiquei triste com isso, sr. Holmes, pois pensei que não ia conseguir a vaga. Mas depois de pensar alguns minutos, ele disse que não fazia mal.

"'Se fosse outra pessoa', disse, 'isso poderia ser fatal, mas devemos fazer uma concessão, considerando a cor de seus cabelos. Quando poderá assumir seu cargo?'

"'Bem, é um pouco difícil, porque tenho o meu negócio', respondi.

"'Ora, não se preocupe, sr. Wilson!', disse Vincent Spaulding. 'Posso tomar conta disso para o senhor.'

"'Qual seria o horário?', perguntei.

"'Das dez às 14 horas.'

"O negócio de penhores, sr. Holmes, funciona mais à noite, principalmente às quintas e sextas, perto do dia de pagamento; portanto, seria conveniente para mim ganhar alguma coisa durante as manhãs. Além disso, eu sabia que meu assistente era bom e que poderia resolver qualquer problema que surgisse.

"'Isso me convém', disse. 'E quanto ao pagamento?'

"'Quatro libras por semana.'

"'E o trabalho?'

"'É puramente nominal.'

"'O que chama de puramente nominal?'

"'Bem, tem de estar no escritório, ou pelo menos no prédio, o tempo todo. Se sair, perde seu cargo para sempre. O testamento é muito claro neste ponto. Não preencherá as condições se se ausentar do prédio nesse período.'

"'São apenas quatro horas por dia, e eu não pensaria em sair', respondi.

"'Nenhuma desculpa será aceita', disse o sr. Duncan Ross, 'nem doença, nem negócios, nem qualquer outra coisa. Tem de ficar aqui, ou perde seu cargo.'

"'E o trabalho?'

"'É copiar a *Enciclopédia Britânica*. O primeiro volume está ali. O senhor fornece tinta, canetas e papel e nós fornecemos essa mesa e cadeira. Pode começar amanhã?'

"'Certamente', respondi.

"'Então, até logo, sr. Jabez Wilson, e deixe-me cumprimentá-lo mais uma vez pela posição importante que teve a sorte de conseguir.' Levou-me até a porta e fui para casa com meu assistente, sem saber o que dizer ou fazer, de tão contente que eu estava com minha sorte.

"Pensei no assunto o dia inteiro e à noite estava deprimido, porque me convenci de que tudo isso devia ser uma grande fraude, embora não pudesse imaginar qual o motivo. Parecia totalmente impossível que alguém tivesse feito tal testamento e que pagassem essa quantia apenas para copiar a *Enciclopédia Britânica*. Vincent Spaulding fez tudo para me animar, mas na hora de dormir eu tinha decidido cancelar tudo. Entretanto, de manhã resolvi que ia dar uma olhada, de qualquer modo, e comprei um vidrinho de tinta e uma pena, sete folhas de papel almaço, e fui para Pope's Court.

"Para minha surpresa, tudo estava certinho. A mesa estava pronta para mim e o sr. Duncan Ross estava lá para me ver começar a trabalhar. Deixou-me na letra A e saiu, mas voltava de vez em quando para ver como eu estava indo. Às 14 horas desejou-me um bom-dia, cumprimentou-me pelo que tinha feito até então e trancou a porta do escritório quando saí.

"Isso continuou por vários dias, sr. Holmes, e no sábado o gerente entrou e colocou quatro libras de ouro na mesa pelo trabalho de uma semana. O mesmo aconteceu na semana seguinte, e na outra. Todo dia eu chegava às dez e saía às 14 horas. Aos poucos o sr. Duncan Ross começou a vir só uma vez de manhã, e depois de algum tempo, nem isso. Mas é claro que eu não ousava sair da sala nem por um minuto, pois não sabia quando ele viria, e o lugar era tão bom e tão conveniente para mim que não arriscaria perdê-lo.

"Passaram-se oito semanas assim, e eu escrevera sobre Abades, Arqueiros, Arte, Arquitetura, e esperava entrar no B em pouco tempo. Gastei um bocado em papel e quase enchera uma prateleira, quando, de repente, tudo terminou."

— Terminou?

— Sim, senhor. Esta manhã. Fui trabalhar, como de costume, às dez horas, mas a porta estava fechada e trancada, e havia um pedaço de papel preso com uma tacha. Aqui está, pode ver.

Estendeu um papel que dizia:

A LIGA DOS RUIVOS FOI EXTINTA.

9 de outubro de 1890

Sherlock Holmes e eu analisamos o texto curto e o rosto tristonho do cliente, até que o lado cômico do caso superou todos os outros aspectos, e nós dois começamos a rir.

— Não vejo nada de engraçado — disse nosso cliente, com o rosto tão vermelho quanto seus cabelos de fogo. — Se só podem rir de mim, vou procurar auxílio em outro lugar.

— Não, não — exclamou Holmes, fazendo-o sentar-se novamente. — Não perderia seu caso de maneira nenhuma. É maravilhosamente original. Mas me perdoe se disser que há alguma coisa um pouquinho engraçada em tudo isso. Diga-me, o que fez quando viu o papel na porta?

— Fiquei estatelado, senhor. Não sabia o que fazer. Perguntei nas salas ao lado, mas ninguém sabia de nada. Finalmente, fui procurar o senhorio, é um contador que mora no andar térreo, e perguntei se podia me dizer o que tinha acontecido com a Liga dos Ruivos. Ele disse que nunca ouvira falar nisso. Então perguntei quem era o sr. Duncan Ross. Respondeu que não conhecia o nome.

"'Bem', eu disse, 'o cavalheiro da sala nº 4.'

"'Ora, o homem de cabelos vermelhos?'

"'Sim.'

"'Ah!', respondeu. 'Seu nome era William Morris. Era um advogado e estava usando a sala temporariamente até seu escritório ficar pronto. Mudou-se ontem.'

"'Onde posso encontrá-lo?'

"'No seu novo endereço. Ele me deu, sim. King Edward Street, 17, perto de St. Paul.'

"Fui até lá, sr. Holmes, mas, quando cheguei, vi que era uma fábrica de rótulas artificiais, e ninguém ali ouvira falar do sr. William Morris ou do sr. Duncan Ross."

— O que fez então? — perguntou Holmes.

— Fui para casa e pedi a opinião de meu assistente, mas ele não pôde me ajudar. Só disse que esperasse e talvez soubesse alguma coisa pelo correio. Mas isso não era suficiente, sr. Holmes. Não queria perder esse cargo sem lutar, por isso vim aqui procurar o senhor, pois sabia que dá conselhos a pessoas em apuros.

— E fez muito bem — disse Holmes. — Seu caso é bastante original e terei muito prazer em estudá-lo. Pelo que me contou, acho possível que isso tenha consequências muito mais graves do que pode parecer.

— Já são bastante graves! — exclamou o sr. Jabez Wilson. — Perdi quatro libras por semana.

— No que lhe diz respeito — comentou Holmes — não acho que possa reclamar dessa extraordinária Liga. Pelo contrário, o senhor ganhou umas trinta libras, além de ter aprendido alguma coisa copiando a letra A. Não perdeu nada.

— Não, senhor. Mas quero descobrir quem são e qual era seu objetivo ao fazer essa brincadeira, se é que era brincadeira, comigo. Custou bem caro a eles, exatamente trinta e duas libras.

— Vamos tentar esclarecer isso, sr. Wilson. Primeiro, deixe-me fazer-lhe umas perguntas. Esse seu assistente que chamou sua atenção para o anúncio... quanto tempo está com o senhor?

— Naquela ocasião, mais ou menos um mês.

— Como o conheceu?

— Respondeu a um anúncio.

— Foi o único candidato?

— Não, havia uma dúzia.

— Por que o escolheu?

— Porque tinha boa vontade e seria barato.

— Pela metade do preço, na verdade.

— Sim.

— Como é esse Vincent Spaulding?

— Baixo, gorducho, de movimentos muito rápidos, rosto sem pelos, apesar de ter pelo menos trinta anos. Tem uma mancha branca de ácido na testa.

Holmes empertigou-se na cadeira, visivelmente excitado.

— Foi o que pensei — disse. — Por acaso notou se tem as orelhas furadas para brincos?

— Sim, senhor. Ele disse que uma cigana fizera isso quando ele era criança.

— Hum! — disse Holmes recostando-se, pensativo. — Ainda está com o senhor?

— Ah, sim. Acabei de deixá-lo.

— E seus negócios correram bem em sua ausência?

— Não posso me queixar. Nunca há muito movimento na parte da manhã.

— Muito bem, sr. Wilson. Terei o prazer de lhe dar uma opinião sobre esse assunto dentro de um ou dois dias. Hoje é sábado, espero já ter chegado a uma conclusão na segunda-feira.

"Bem, Watson", disse Holmes, quando nosso visitante saiu, "o que acha disso tudo?"

— Não acho nada — respondi com toda a franqueza. — É um negócio muito misterioso.

— Em geral — comentou Holmes — quanto mais bizarra é uma coisa, menos misteriosa ela é. Os crimes comuns é que são realmente difíceis, da mesma maneira que um rosto comum é o mais difícil de identificar.

— O que vai fazer? — perguntei.

— Fumar — respondeu. — É problema para três cachimbos, e peço que não fale comigo durante cinquenta minutos. — Enroscou-se na cadeira, com os joelhos encostando no nariz adunco, e lá ficou, de olhos fechados, com o cachimbo de barro preto se projetando da boca como o bico de um pássaro estranho. Cheguei à conclusão de que adormecera, e eu mesmo cabeceava de sono quando, de repente, ele saltou da cadeira com a atitude de um homem que tomou uma decisão, e colocou o cachimbo na prateleira acima da lareira.

— Sarasate vai tocar no St. James' Hall hoje à tarde — disse. — O que acha, Watson? Seus doentes podem dispensá-lo por algumas horas?

— Não tenho nada para fazer hoje. Minha clientela nunca me absorve muito.

— Então pegue seu chapéu e venha. Vou passar pelo centro da cidade primeiro e podemos almoçar no caminho. Notei que há muitas peças alemãs no programa, que me agradam muito mais do que a música italiana ou francesa. É introspectiva, e quero ser introspectivo. Vamos!

Fomos de metrô até Aldersgate e depois de uma curta caminhada chegamos à praça Saxe-Coburg, cenário da história singular que ouvíramos de manhã. Era um lugar pequeno, mesquinho, onde quatro filas de casas de tijolo de dois andares, encardidas, davam para uma área cercada, onde um gramado cheio de mato e umas moitas de rododendros desbotados lutavam heroicamente contra a atmosfera carregada de fumaça. Três bolas douradas e uma placa marrom onde estava escrito "Jabez Wilson" em letras brancas, na casa da esquina anunciavam o lugar onde nosso cliente ruivo tinha seu negócio. Sherlock Holmes parou diante da casa e a examinou detalhadamente, com a cabeça inclinada e os olhos brilhando entre pálpebras semicerradas. Depois seguiu rua acima e voltou, olhando atentamente para as casas. Por fim voltou para a loja de penhores e, após bater vigorosamente na calçada com a bengala duas ou três vezes, foi até a porta e bateu. Ela foi aberta de imediato por um rapaz de ar esperto, imberbe, que o convidou a entrar.

— Obrigado — disse Holmes —, só queria saber o caminho para o Strand.

— Terceira à direita, quarta à esquerda — respondeu o assistente, e fechou a porta.

— Rapaz esperto, esse — observou Holmes enquanto nos afastávamos. — Na minha opinião, ele é o quarto homem mais esperto de Londres, e não aposto que não seja o terceiro. Sei alguma coisa sobre ele.

— Evidentemente — eu disse —, o assistente do sr. Wilson é responsável por grande parte desse mistério da Liga dos Ruivos. Tenho certeza de que você perguntou o caminho só para vê-lo.

— Ele não.

— Ver o quê, então?

— Os joelhos de suas calças.

— E o que viu?

— O que esperava ver.

— Por que bateu na calçada?

— Meu caro doutor, está na hora de observar, não de falar. Somos espiões em território inimigo. Sabemos algo sobre a praça Saxe-Coburg. Vamos agora explorar as áreas atrás dela.

A estrada em que nos encontramos quando viramos a esquina da isolada praça Saxe-Coburg fazia um contraste tão grande com ela quanto a frente e as costas de um quadro. Era uma das principais artérias que levavam o trânsito do centro da cidade para o norte e para o oeste. A pista estava completamente bloqueada por um fluxo constante nas duas direções, enquanto as calçadas estavam negras com a multidão apressada de pedestres. Era difícil perceber, ao olhar as lindas lojas e os edifícios imponentes, que eles estavam logo atrás da praça estagnada e desbotada que acabávamos de deixar.

— Vejamos — disse Holmes, de pé na esquina e olhando em volta. — Gostaria de me lembrar da ordem das casas aqui. É um dos meus *hobbies* conhecer bem Londres. Ali está Mortimer, a tabacaria, a lojinha de jornais, a agência Coburg do Banco City and Suburban, o Restaurante Vegetariano e o depósito de carruagens de McFarlane. Isso nos leva ao outro quarteirão. E agora, doutor, já fizemos nosso trabalho e está na hora de nos divertirmos. Um sanduíche e uma xícara de café, e depois à terra do violino, onde tudo é doçura, delicadeza e harmonia, e não há nenhum cliente ruivo para nos aborrecer com seus enigmas.

Meu amigo era um músico entusiasta, e não só tocava muito bem, como ainda era compositor de grande mérito. Passou a tarde inteira na poltrona mergulhado na mais perfeita felicidade, movendo com delicadeza os longos dedos finos no compasso da música, enquanto seu rosto sorridente e seus olhos lânguidos e sonhadores eram totalmente diferentes dos de Holmes, o cão de caça; Holmes, o implacável, de mente aguçada, perseguidor de criminosos. Em sua personalidade singular, essa dualidade de natureza se manifestava alternadamente, e sua extrema precisão e astúcia representavam, como sempre pensei, a reação contra o estado poético e contemplativo que por vezes predominava. Essa oscilação de sua natureza o levava do extremo torpor a uma energia devoradora; e, como eu bem sabia, ele se tornava verdadeiramente terrível quando, dias a fio, ficava sentado em sua poltrona, afundado em suas improvisações e edições famosas de livros. Era então que a ânsia da caçada o envolvia de repente, e que seus brilhantes poderes de raciocínio atingiam o nível da intuição, e aqueles que desconheciam seus métodos o olhavam de lado, como se fosse um homem com conhecimentos não revelados a outros mortais. Quando o vi naquela tarde, tão absorto na música em St. James' Hall, senti que estava chegando um período ruim para aqueles que ele resolvesse caçar.

— Quer ir para casa, sem dúvida, doutor — observou quando saíamos.

— Sim, acho melhor.

— E eu tenho algo a fazer que vai levar algumas horas. Esse caso da praça Coburg é bastante grave.

— Por que grave?

— Um grande crime está sendo preparado. Tenho quase certeza de que temos tempo de sustá-lo. Mas como hoje é sábado, isso complica as coisas. Vou precisar de seu auxílio hoje à noite.

— A que horas?

— Dez será uma boa hora.

— Estarei na Baker Street às 22 horas.

— Muito bem. Um momento, doutor! Pode haver algum perigo, portanto traga seu revólver do Exército no bolso. — Fez um aceno, virou-se e desapareceu imediatamente no meio da multidão.

Creio que não sou mais denso que meus semelhantes, mas sempre me senti oprimido por uma sensação de minha própria estupidez quando lidava com Sherlock Holmes. Neste caso, eu escutara o que ele escutara, vira o que ele vira, mas, pelo que dissera, era evidente que via com clareza não só o que havia acontecido, como também o que ia acontecer, enquanto para mim a história toda ainda era confusa e grotesca. A caminho de minha casa, em Kensington, analisei tudo aquilo, desde a história extraordinária do copiador ruivo da *Enciclopédia Britânica* até nossa visita à praça Saxe-Coburg, e as palavras sinistras com que se despedira de mim. Que expedição noturna seria essa, e por que eu deveria ir armado? Onde iríamos e o que faríamos? Holmes insinuara que o ajudante da loja de penhores era um homem temível, um homem que poderia estar envolvido em jogadas perigosas. Tentei desvendar o enigma, mas desisti desanimado e deixei o assunto de lado até que a noite trouxesse uma explicação.

Faltavam 15 para as nove quando saí de casa e atravessei o parque, seguindo pela Oxford Street até a Baker Street. Dois cabriolés estavam parados à porta e, ao entrar no corredor, ouvi o som de vozes vindo de cima. Ao entrar na sala, encontrei Holmes conversando animadamente com dois homens, um dos quais reconheci como sendo Peter Jones, investigador da polícia. O outro era um homem alto e magro, de rosto triste, com um chapéu muito lustroso e um fraque opressivamente respeitável.

— Ah! O grupo está completo — disse Holmes, abotoando o casaco e pegando um chicote pesado da coleção junto à parede. — Watson, acho que conhece o sr. Jones, da Scotland Yard. Deixe-me apresentá-lo ao sr. Merryweather, que será nosso companheiro na aventura desta noite.

— Estamos caçando aos pares novamente, como o senhor vê, doutor — disse Jones de maneira pomposa. — Nosso amigo aqui é maravilhoso para começar caçadas. Só precisa de um cão velho para ajudá-lo a pegar a caça.

— Espero que a caçada não seja infrutífera — observou o sr. Merryweather de modo sombrio.

— Pode confiar inteiramente no sr. Holmes — disse o investigador de polícia com ar superior. — Tem seus métodos especiais, que são, se ele não se incomoda que eu diga, um pouco teóricos e fantásticos, mas tem tudo para ser um detetive. Não é exagero dizer que uma ou duas vezes, como no caso do assassinato de Sholto e o tesouro de Agra, ele estava mais certo do que a polícia.

— Oh, se é o senhor que o diz, sr. Jones, está tudo bem! — comentou o estranho respeitosamente. — Mas devo confessar que sinto falta do meu jogo. É a primeira vez em uma noite de sábado, em 27 anos, que perco um jogo.

— Acho que vai descobrir — observou Sherlock Holmes — que a aposta desta noite será a mais alta de sua vida, e o jogo será muito mais excitante. Para o sr. Merryweather, será de aproximadamente trinta mil libras; e para você, Jones, será o homem que você quer tanto prender.

"John Clay, o assassino, ladrão, arrombador e falsário. É um homem jovem, sr. Merryweather, mas lidera a sua profissão; e eu preferiria botar algemas nele do que em qualquer outro criminoso de Londres. E um homem notável, esse jovem John Clay. Seu avô era um duque, e ele frequentou as universidades de Eton e Oxford. Seu cérebro é tão hábil quanto seus dedos, e embora encontremos sinais dele em toda parte, nunca sabemos onde encontrar o próprio homem. Rouba um banco na Escócia numa semana e angaria fundos para construir um orfanato na Cornuália na semana seguinte. Estou em sua pista há anos, e ainda nem consegui vê-lo.

"Espero ter o prazer de apresentá-los hoje. Também tive um ou dois episódios com o sr. John Clay e concordo que está no topo de sua profissão. Mas já passa das dez, e está na hora de irmos. Tomem o primeiro cabriolé, que Watson e eu seguiremos no segundo."

Sherlock Holmes não estava muito comunicativo durante a longa viagem e recostou-se no carro cantarolando as músicas que ouvira durante a tarde. Sacolejamos por um labirinto infindável de ruas iluminadas a gás até sairmos na Farrington Street.

— Estamos perto — comentou meu amigo. — Esse camarada Merryweather é diretor de um banco e está pessoalmente interessado neste assunto. Achei melhor ter Jones conosco também. Não é má pessoa, embora seja um perfeito imbecil em sua profissão. Tem uma grande virtude: a coragem de um buldogue e a tenacidade de uma lagosta quando enfia as garras em alguém. Chegamos, e eles estão à nossa espera.

Havíamos chegado à mesma estrada apinhada de carruagens e transeuntes onde estivéramos naquela manhã. Despachamos os cabriolés e, seguindo o sr. Merryweather, passamos por um corredor estreito e por uma porta lateral que ele abriu para nós. Dentro havia uma pequena passagem que terminava em um imenso portão de ferro. Esse também foi aberto e conduzia a uma escada de pedra em caracol que terminava em outro portão maciço. O sr. Merryweather parou para acender uma lanterna e nos conduziu então por uma passagem escura, cheirando a terra úmida, e, após abrir uma terceira porta, a um imenso porão ou caverna, onde estavam empilhadas caixas volumosas e caixotes.

— Não estamos muito vulneráveis por cima — observou Holmes, segurando a lanterna e olhando em volta.

— Nem por baixo — disse o sr. Merryweather, batendo com a bengala nas pedras que forravam o chão. — Mas o que é isso, parecem ocas! — exclamou, erguendo os olhos surpresos.

— Peço-lhe encarecidamente que fique quieto — disse Holmes severamente. — Já pôs em perigo o sucesso de nossa expedição. Posso pedir-lhe a gentileza de se sentar em uma dessas caixas e não interferir?

O solene sr. Merryweather sentou-se em um caixote, com uma expressão magoada, e Holmes ajoelhou-se no chão, e com a lanterna e uma lente começou a examinar detalhadamente as fendas entre as pedras. Alguns segundos foram suficientes e pôs-se de pé outra vez, satisfeito, guardando a lente no bolso.

— Temos pelo menos uma hora — comentou — porque eles não podem fazer nada até que o bom agiota esteja quieto na cama. Então não perderão um segundo, pois quanto mais cedo terminarem seu trabalho, mais tempo terão para escapar. Estamos no momento, doutor, como certamente deve ter adivinhado, no porão da agência de um dos principais bancos de Londres. O sr. Merryweather é o presidente e ele lhe explicará por que motivo os criminosos mais audaciosos de Londres estão muito interessados neste porão no momento.

— É nosso ouro francês — murmurou o presidente. — Tivemos vários avisos de que poderia haver uma tentativa de assalto.

— Seu ouro francês?

— Sim. Há alguns meses, tivemos oportunidade de aumentar nossas reservas e tomamos um empréstimo de trinta mil napoleões do Banco da França. É sabido que não tínhamos desempacotado o dinheiro e que ele continuava em nosso porão. O caixote no qual estou sentado contém dois mil napoleões arrumados entre camadas de folhas de chumbo. Nossa reserva de ouro é muito maior no momento do que é normal em uma única agência, e os diretores estavam muito receosos.

— E com razão — comentou Holmes. — E agora está na hora de fazermos nossos planos. Espero que dentro de uma hora as coisas se resolvam. Enquanto isso, sr. Merryweather, devemos colocar um anteparo naquela lanterna escura.

— E ficar no escuro?

— Receio que sim. Trouxe um baralho comigo e pensei que, já que éramos quatro, poderíamos jogar cartas. Mas vejo que os preparativos do inimigo estão tão adiantados que não podemos arriscar acendendo uma luz. E, em primeiro lugar, precisamos escolher nossas posições. São homens audaciosos, e embora tenhamos a vantagem da surpresa, podem nos fazer algum mal se não tivermos cuidado. Ficarei atrás dessa caixa e os senhores se escondam atrás daquelas. Quando eu jogar a luz em cima deles, fechem o círculo rapidamente. Se atirarem, Watson, não hesite em fazer fogo contra eles.

Coloquei o revólver engatilhado sobre a caixa atrás da qual me escondi. Holmes escureceu a lanterna e nos deixou em completa escuridão, a mais negra que jamais vira. O cheiro de metal quente permanecia para nos lembrar que a luz continuava lá, pronta a ser revelada quando necessário. Para mim, com os nervos tensos de espera, havia algo deprimente no súbito negrume e no ar frio e úmido da caverna.

— Eles só têm uma saída — murmurou Holmes —, voltar pela casa para a praça Saxe-Coburg. Espero que tenha feito o que lhe pedi, Jones.

— Um inspetor e dois oficiais estão à espera na porta da frente.

— Então tapamos todos os buracos. E agora temos de ficar em silêncio e esperar.

Como o tempo custou a passar! Quando comparamos impressões depois, fora só uma hora e um quarto, mas me pareceu então que a noite já havia passado e a madrugada estava raiando acima de nós. As pernas e os braços me doíam, pois temia mudar de posição, e meus nervos estavam na maior tensão; os ouvidos estavam tão aguçados que ouvia perfeitamente a respiração de meus companheiros e chegava até a distinguir a inspiração mais pesada do corpulento Jones do tom fino e alto do presidente do banco. Do lugar onde eu estava, podia olhar por cima da caixa em direção ao chão. De repente meus olhos vislumbraram o brilho de uma luz.

A princípio era somente uma centelha no chão de pedra. Depois aumentou até se tornar uma linha amarela e então, sem nenhum ruído ou aviso, uma fenda pareceu se abrir e surgiu uma mão, muito branca, quase feminina, que apalpou o centro da pequena área iluminada. Por um minuto ou mais a mão, com seus dedos contorcidos, projetou-se do chão. Depois retirou-se tão repentinamente quanto havia aparecido e tudo voltou a ficar escuro, com exceção da única centelha que marcava a fenda entre as pedras.

Esse desaparecimento, entretanto, foi apenas momentâneo. Com um som rascante, uma das largas pedras brancas foi virada de lado e deixou um buraco quadrado escancarado pelo qual jorrava a luz de uma lanterna. Na borda surgiu um rosto jovem, que olhou vivamente ao redor e então, com uma das mãos em cada lado da abertura, foi-se erguendo até emergirem os ombros, a cintura e, finalmente, um joelho, que se apoiou na borda. Mais um instante, e estava de pé junto ao buraco e puxava um companheiro para cima, esguio e pequeno como ele próprio, com rosto pálido e cabelos cor de fogo.

— Tudo bem — murmurou. — Você está com o formão e os sacos? Deus meu! Pule, Archie, pule que eu me defendo!

Sherlock Holmes saltara e segurara o intruso pelo colarinho. O outro mergulhou no buraco e ouvi o ruído de tecido se rasgando quando Jones agarrou-o pelo paletó. A luz brilhou, reluziu no cano de um revólver, mas o chicote de Holmes bateu no pulso do homem e a pistola caiu no chão de pedra.

— Não adianta, John Clay — disse Holmes calmamente —, você não tem a menor chance.

— Estou vendo — respondeu o outro, completamente senhor de si. — Acho que meu companheiro está bem, embora você tenha ficado com a aba de seu casaco.

— Há três homens esperando por ele na porta — disse Holmes.

— Oh, é mesmo? Parece que tomou todas as providências necessárias. Devo cumprimentá-lo.

— E eu a você — respondeu Holmes. — Sua ideia dos ruivos foi uma novidade e muito eficiente.

— Vai ver seu companheiro novamente daqui a pouco — disse Jones. — Ele é mais rápido em descer por buracos do que eu. Estenda as mãos para eu colocar as algemas.

— Peço que não me toque com suas mãos imundas — disse nosso prisioneiro quando as algemas fecharam-se ruidosamente em seus punhos. — Talvez não saiba que tenho sangue azul nas veias. E tenha a bondade de se dirigir a mim dizendo sempre "senhor" e "por favor".

— Está bem — disse Jones com um risinho irônico. — Bem, teria a bondade, senhor, de subir as escadas, e lá em cima poderemos pegar um cabriolé para levar Sua Alteza à delegacia.

— Assim está melhor — disse John Clay, sereno. Ele curvou-se com pompa diante de nós três e saiu calmamente sob a custódia do detetive.

— Sr. Holmes — disse o sr. Merryweather, ao sairmos do porão —, não sei como o banco pode lhe agradecer ou recompensar. Não há dúvida de que o senhor descobriu e derrotou completamente uma das mais audaciosas tentativas de assalto a banco de que tive conhecimento em toda a minha vida.

— Tinha uma ou duas contas a acertar com o sr. John Clay — disse Holmes. — Tive algumas despesas com este caso, que espero que o banco possa cobrir, mas, fora isso, considero-me amplamente recompensado por uma experiência que é, em muitos aspectos, única, e por ter ouvido a extraordinária narrativa da Liga dos Ruivos.

— Sabe, Watson — explicou de manhã cedinho, enquanto tomávamos um uísque com soda na Baker Street —, era perfeitamente óbvio desde o início que o único motivo possível de toda essa história fantástica do anúncio da Liga e de copiar a *Enciclopédia Britânica* era o de afastar esse agiota não muito esperto por algumas horas todos os dias. Foi uma maneira curiosa de conseguir isso, mas seria difícil sugerir uma melhor. Sem dúvida alguma, a ideia ocorreu à mente criativa de Clay pela associação com a cor dos cabelos de seu cúmplice. As quatro libras por semana eram uma isca para atraí-lo, e o que era isso para eles, que agiam por milhares? Publicaram o anúncio; um bandido ocupa o escritório temporário, o outro o instiga a se candidatar, e juntos conseguem garantir sua ausência todas as manhãs, a semana inteira. Desde que ouvi dizer que o assistente trabalhava por metade do salário normal, vi que tinha um motivo muito forte para querer esse lugar.

— Mas como pôde adivinhar qual era o motivo?

— Se houvesse mulheres na casa, eu teria suspeitado de uma intriga mais vulgar. Mas não era o caso. O negócio era pequeno e não havia nada na casa que justificasse preparativos tão elaborados e gastos tão grandes. Então tinha de ser alguma coisa fora da casa. O que poderia ser? Pensei no amor do assistente pela fotografia e seu hábito de desaparecer no porão. O porão! Aí estava o fim dessa meada embaralhada. Então investiguei esse misterioso assistente e descobri que se tratava de um dos mais frios e audaciosos criminosos de Londres. Estava fazendo alguma coisa no porão que exigia muitas horas por dia durante meses e meses. Mais uma vez, o que poderia ser? Não pude imaginar nada, a não ser um túnel para algum outro prédio.

"Estava nesse ponto das minhas deduções quando fomos visitar o local da ação. Surpreendi você quando bati na calçada com minha bengala. Estava verificando se o porão vinha até a frente da casa. Não vinha. Então toquei a campainha e, como esperava, o assistente atendeu. Tínhamos tido algumas escaramuças, mas nunca nos havíamos visto antes. Mal olhei para seu rosto; queria ver seus joelhos. Você mesmo deve ter observado como estavam gastos, amassados e manchados. Revelavam aquelas horas e horas de escavação. Só o que faltava então era saber por que estavam cavando. Virei a esquina, vi que o Banco City and Suburban dava fundos para a casa e senti que resolvera o problema. Quando você foi para casa após o concerto, fiz uma visita à Scotland Yard e ao presidente do banco, e o resultado foi o que você viu."

— E como sabia que fariam essa tentativa hoje à noite? — perguntei.

— Bem, quando fecharam os escritórios da Liga, achei que era um sinal de que a presença do sr. Jabez Wilson não importava mais. Em outras palavras, haviam terminado o túnel. Mas era essencial que o usassem logo, pois podia ser descoberto, ou o ouro podia ser transferido. Sábado era mais conveniente do que qualquer outro dia, porque daria a eles dois dias para a fuga. Por esses motivos, eu esperava que viessem hoje à noite.

— Deduziu tudo maravilhosamente! — exclamei com admiração.

— É uma longa cadeia, mas cada elo é verdadeiro.

— Salvou-me do enfado — respondeu, bocejando. — Deus, já sinto que está se apossando de mim! Toda minha vida é um esforço para escapar do enfado do cotidiano. Esses pequenos problemas ajudam.

— E é um benfeitor da humanidade — comentei.

Ele encolheu os ombros.

— Bem, talvez, afinal de contas, sirva para alguma coisa — observou. — *L'homme c'est rien; l'oeuvre c'est tout*, como Gustave Flaubert escreveu a George Sand.

UM CASO DE IDENTIDADE

— Meu caro amigo — disse Sherlock Holmes, quando estávamos sentados diante da lareira em seus aposentos na Baker Street —, a vida é infinitamente mais estranha do que qualquer fantasia concebida pelo homem. Não ousaríamos imaginar coisas que são meros lugares-comuns da existência. Se pudéssemos voar por aquela janela de mãos dadas, pairar sobre esta grande cidade, remover delicadamente os telhados e espiar as coisas esquisitas que estão acontecendo, as estranhas coincidências, os planos, os objetivos contrários, as maravilhosas cadeias de acontecimentos agindo através de gerações e levando aos resultados mais absurdos, isso tornaria toda a ficção, com suas convenções e conclusões óbvias, corriqueira e desinteressante.

— Não estou convencido de que isso seja verdade — respondi. — Os casos relatados nos jornais são, em geral, vulgares e desprovidos de imaginação. Nos relatórios da polícia o realismo chega a um limite extremo, mas o resultado não é, deve-se dizer, nem fascinante nem artístico.

— Uma certa seleção e a discrição devem ser usadas para produzir um efeito realista — observou Holmes. — Isso falta nos relatórios da polícia, que enfatizam mais, talvez, as banalidades dos juízes e não os detalhes que, para um observador, contêm a essência da questão. Pode acreditar, não há nada mais insólito que o corriqueiro.

Sorri e abanei a cabeça.

— Compreendo que você pense assim — disse. — Evidentemente, na sua posição de conselheiro extraoficial e que ajuda todo mundo que está completamente desorientado, em três continentes, você entra em contato com tudo que há de estranho e bizarro. Mas aqui — peguei o jornal que caíra no chão — podemos testar isso na prática.

Eis a primeira manchete: "Marido trata mulher com crueldade". Ocupa meia coluna, mas sei tudo o que vai dizer, mesmo sem ler. Existe, naturalmente, a outra mulher, a bebida, o empurrão, a pancada, o machucado, a irmã ou senhoria que tem pena dela. O escritor mais cru não poderia inventar nada mais nu e cru.

— Na verdade, seu exemplo é infeliz para seu argumento — disse Holmes, tirando o jornal das minhas mãos e dando uma olhada no artigo. — É o caso da separação dos Dundas e, por acaso, investiguei alguns detalhes dele. O marido não bebia, não havia nenhuma outra mulher, e a queixa quanto ao comportamento dele consistia no fato de que adquirira o hábito de terminar todas as refeições tirando a dentadura e atirando-a na esposa, o que, você há de convir, não é coisa que ocorra à imaginação do escritor comum. Tome uma pitada de rapé, doutor, e reconheça que tenho razão a respeito desse seu exemplo.

Estendeu uma caixinha de rapé de ouro velho, com uma enorme ametista no centro. Seu esplendor contrastava tanto com sua maneira simples de viver que não pude deixar de fazer um comentário.

— Ah — disse ele —, esqueci que não o vejo há várias semanas. É uma pequena lembrança do rei da Boêmia pelo meu auxílio do caso dos papéis de Irene Adler.

— E o anel? — perguntei, olhando um maravilhoso brilhante que reluzia em seu dedo.

— Veio da família real da Holanda, mas o assunto em relação ao qual eu os ajudei é tão delicado que não posso confiá-lo nem mesmo a você, que teve a bondade de escrever sobre um ou dois dos meus pequenos problemas.

— E tem algum que esteja estudando no momento? — perguntei, interessado.

— Uns dez ou 12, mas nenhum muito interessante. São importantes, você compreende, sem serem interessantes. Descobri que, em geral, é em assuntos não muito importantes que há campo para a observação e para a rápida análise de causa e efeito que dá tanto encanto a uma investigação. Os crimes maiores tendem a ser mais simples, pois quanto maior o crime, mais óbvio costuma ser o motivo. Nesses casos, exceto em um que me foi encaminhado de Marselha, não há nenhum ponto interessante. Mas é possível que tenha algo melhor dentro de poucos minutos, pois vem um de meus clientes, se não me engano.

Erguera-se e estava olhando por entre as cortinas a rua sombria de Londres. Ao me aproximar, vi que na calçada oposta estava uma mulher corpulenta com um abrigo de peles no pescoço e uma enorme pluma vermelha em um chapéu de abas largas, inclinado sobre uma orelha, à maneira da duquesa de Devonshire. Debaixo dessa imensa proteção, espreitava nossas janelas, nervosa e hesitante, enquanto o corpo oscilava de um lado para outro e os dedos inquietos mexiam nos botões das luvas. De repente, num arremesso, como o nadador que se atira n'água, atravessou rapidamente a rua e ouvimos o som agudo da campainha.

— Já vi esses sintomas antes — disse Holmes, jogando o cigarro na lareira. — Oscilar na calçada sempre significa um caso amoroso. Ela gostaria de conselhos, mas receia que o assunto seja delicado demais para ser comunicado a alguém. E mesmo aqui ainda podemos perceber diferenças. Quando uma mulher foi gravemente enganada por um homem, ela não oscila, e o sintoma habitual é um puxador de campainha quebrado. Aqui podemos presumir que se trata de um caso amoroso, mas que a jovem não está zangada e sim perplexa, ou magoada. Mas aí vem ela em pessoa para esclarecer o assunto.

Enquanto ele falava, ouviu-se uma pancada na porta e o rapazinho de libré entrou para anunciar a srta. Mary Sutherland, enquanto a própria surgia atrás da pequena figura dele como um navio mercante atrás de um pequeno rebocador. Sherlock Holmes a recebeu com a sua conhecida cortesia e, fechando a porta, fê-la sentar-se numa poltrona, examinando-a minuciosamente, embora parecendo distraído, como era seu costume.

— A senhorita não acha — disse finalmente — que com sua miopia é um pouco cansativo bater tanto à máquina?

— No início era mesmo — ela respondeu —, mas agora sei onde estão as letras sem precisar olhar. — Então, percebendo de repente o verdadeiro significado das palavras dele, teve um sobressalto e olhou-o, com medo e espanto estampados em seu rosto largo e bem-humorado. — O senhor ouviu falar de mim, sr. Holmes — exclamou —, do contrário, como poderia saber isso?

— Não importa — disse Holmes, rindo —, é parte de meu negócio saber coisas. Talvez eu esteja treinando para ver coisas que os outros não percebem. Se não fosse assim, por que a senhora me consultaria?

— Vim procurá-lo por indicação da sra. Etherege, cujo marido o senhor encontrou tão facilmente quando a polícia e todo mundo o consideravam morto. Oh, sr. Holmes, como gostaria que o senhor fizesse o mesmo por mim. Não sou rica, mas ainda tenho cem libras por ano além do que ganho com a datilografia, e as daria de bom grado para saber o que foi feito do sr. Hosmer Angel.

— Por que veio me consultar com tanta pressa? — perguntou Sherlock Holmes, juntando as pontas dos dedos e olhando para o teto.

Novamente um olhar de surpresa surgiu no rosto da srta. Mary Sutherland.

— É, saí às pressas de casa — disse — porque fiquei zangada de ver como o sr. Windibank, isto é, meu pai, estava encarando tudo com tranquilidade. Ele não quis ir à polícia, e não quis vir procurar o senhor e, finalmente, como ele não ia fazer nada e continuava dizendo que não havia nada de errado, fiquei furiosa, peguei minhas coisas às pressas e vim ver o senhor.

— Seu pai? — disse Holmes. — Seu padrasto, certamente, já que o nome é diferente?

— Sim, meu padrasto. Eu o chamo de pai, embora soe engraçado, porque ele é apenas cinco anos e dois meses mais velho do que eu.

— E sua mãe ainda vive?

— Ah, sim, mamãe está viva e muito bem. Não fiquei nada contente, sr. Holmes, quando ela se casou novamente logo depois da morte de meu pai, e com um homem quase 15 anos mais moço do que ela. Meu pai era bombeiro na Estrada Tottenham Court, e deixou um bom negócio de herança, que mamãe continuou com o sr. Hardy, o assistente, mas quando o sr. Windibank apareceu, fez com que ela vendesse o negócio, pois ele era muito superior como vendedor de vinhos. Conseguiram 4.700 libras por tudo, que não foi nem a metade do que papai conseguiria se estivesse vivo.

Eu esperava que Sherlock Holmes ficasse impaciente com essa narrativa inconsequente, mas, ao contrário, ele ouvia com a maior atenção.

— Sua pequena renda — perguntou — vem da venda do negócio?

— Oh, não senhor, isso é separado, foi deixado para mim por meu tio Ned, de Auckland. São títulos da Nova Zelândia que rendem 4,5%. Duas mil e quinhentas libras, mas só posso mexer nos juros.

— A senhorita me interessa muito — disse Holmes. — E como recebe a considerável quantia de cem por ano, e mais o que ganha com seu trabalho, sem dúvida a senhorita viaja um pouco e se diverte bastante. Creio que uma moça solteira pode viver muito bem com uma renda de cerca de sessenta libras por ano.

— Poderia viver com muito menos, sr. Holmes, mas compreenda que, enquanto eu viver em casa, não quero ser um fardo para eles, por isso usam meu dinheiro para as despesas. Claro que isso é só enquanto eu ficar com eles. O sr. Windibank recebe os juros todos os trimestres e dá o dinheiro para minha mãe, e eu vivo muito bem com o que ganho com minha máquina de escrever. Cobro dois pence por página e quase sempre bato de 15 a vinte páginas por dia.

— Deixou bem clara sua situação — disse Holmes. — Este é meu amigo, dr. Watson. Pode falar na frente dele com toda franqueza. Agora, tenha a bondade de nos contar sobre sua ligação com o sr. Hosmer Angel.

O rosto da srta. Sutherland ficou corado e ela brincou nervosamente com a franja do casaco.

— Eu o conheci no baile dos gasistas — disse. — Eles costumavam mandar entradas para papai quando era vivo e depois se lembraram de nós e mandaram para mamãe. O sr. Windibank não queria que nós fôssemos. Nunca queria que fôssemos a lugar nenhum. Ficava furioso até quando eu queria ir a um piquenique da escola num domingo. Mas dessa vez eu resolvi ir, e ia mesmo, pois que direito ele tinha de me proibir? Ele disse que essas pessoas não eram dignas de nós, mas todos os amigos de meu pai iam estar lá. E disse que eu não tinha nenhuma roupa decente para usar, e eu tinha meu vestido de veludo roxo que ainda nem tirara da gaveta, muito menos usara. Finalmente, quando viu que não podia fazer nada, foi para a França numa viagem de negócios e nós fomos, mamãe e eu, com o sr. Hardy, que tinha sido assistente de papai, e foi lá que conheci o sr. Hosmer Angel.

— Imagino — disse Holmes — que, quando o sr. Windibank voltou da França, ficou muito aborrecido porque a senhorita foi ao baile.

— Ora, até que ele reagiu muito bem. Riu e encolheu os ombros, e disse que não adiantava negar nada a uma mulher, pois ela arranjaria um jeito de fazer o que quisesse.

— Bem. Então no baile dos gasistas a senhorita conheceu um cavalheiro chamado Hosmer Angel.

— Sim, senhor. Nos conhecemos naquela noite e ele nos visitou no dia seguinte para saber se tínhamos chegado bem a casa, e depois disso nós o encontramos... isto é, sr. Holmes, eu me encontrei com ele duas vezes para fazer um passeio, mas depois disso papai voltou e o sr. Hosmer Angel não podia mais ir lá em casa.

— Não?

— Bem, o senhor compreende, papai não gostava disso. Não queria nenhuma visita e costumava dizer que uma mulher devia sentir-se feliz em casa com sua própria família. Mas como eu dizia à minha mãe, uma mulher quer sua própria família, para começar, e eu ainda não tinha a minha.

— Mas o sr. Hosmer Angel não fez nenhuma tentativa de vê-la novamente?

— Bem, meu pai ia à França novamente uma semana depois, e Hosmer escreveu dizendo que seria melhor e mais seguro não nos vermos até que ele viajasse. Podíamos nos escrever nesse ínterim, e ele costumava mandar uma carta todos os dias. Eu pegava a correspondência todas as manhãs, e assim meu pai não precisava saber de nada.

— A senhora estava noiva dele nessa ocasião?

— Ah, sim, sr. Holmes. Ficamos noivos depois do primeiro passeio que demos. Hosmer... o sr. Angel... era tesoureiro de uma firma na rua Leadenhall... e...

— Que firma?

— Esse é o problema, sr. Holmes, eu não sei.

— E onde ele morava?

— Dormia no escritório.

— E não sabe o endereço?

— Não... só que era na rua Leadenhall.

— Para onde mandava suas cartas, então?

— Para a agência do correio da rua Leadenhall, para serem apanhadas lá. Ele disse que se eu mandasse as cartas para o escritório, os outros empregados iam fazer troça dele por receber cartas de uma moça, então sugeri bater à máquina, como ele fazia com as dele, mas não quis, e disse que quando eu escrevia à mão, ele sentia que vinham diretamente de mim, mas quando eram datilografadas, parecia que a máquina se colocava entre nós. Isso mostra como ele gostava de mim, sr. Holmes, e como pensava em todas essas coisinhas.

— Muito sugestivo — disse Holmes. — É um antigo axioma meu que as pequenas coisas são infinitamente mais importantes. Pode lembrar-se de outras pequenas coisas sobre o sr. Hosmer Angel?

— Era muito tímido, sr. Holmes. Preferia andar comigo ao entardecer, quando escurecia, e não durante o dia, porque dizia que detestava chamar atenção. Era muito retraído e um verdadeiro cavalheiro. Até sua voz era delicada. Contou que tinha tido uma infecção grave das amígdalas quando era criança e isso o deixara com a garganta enfraquecida e uma maneira de falar meio hesitante, em voz muito baixa. Andava sempre muito bem-vestido, muito limpo, e tinha olhos fracos, como eu, por isso usava óculos escuros para protegê-los do sol.

— Bem, e o que aconteceu quando o sr. Windibank, seu padrasto, voltou da França?

— O sr. Hosmer Angel foi lá em casa de novo e propôs que nos casássemos antes de papai voltar. Ele estava muito sério e me fez jurar sobre a Bíblia que, independentemente do que acontecesse, eu sempre seria fiel a ele. Mamãe disse que ele estava certo por me fazer jurar, que era sinal de sua paixão por mim. Mamãe estava do lado dele desde o início e até parecia gostar dele mais do que eu. Então, quando eles passaram a falar em casamento dentro de uma semana, comecei a perguntar sobre papai, mas ambos disseram que eu não devia me preocupar, bastava contar a ele depois do casamento, e mamãe disse que ela acertaria tudo com ele. Não gostei disso, sr. Holmes. Era engraçado pedir o seu consentimento, já que ele era só alguns anos mais velho do que eu, mas não queria fazer nada escondido, de modo que escrevi a papai em Bordeaux, onde a companhia tinha escritórios, mas a carta me foi devolvida na manhã do casamento.

— Não o encontrou, então?

— Não, porque ele partira de volta para a Inglaterra pouco antes de ela chegar.

— Ah! Isso foi azar. O casamento estava marcado, então, para a sexta-feira. Ia ser na igreja?

— Sim, senhor, mas muito simples. Seria na igreja St. Saviour, perto de King's Cross, e depois iríamos almoçar no Hotel St. Pancras. Hosmer veio nos buscar num cabriolé, mas como éramos duas e não cabiam três, ele nos fez entrar e tomou uma caleche de quatro rodas, que era o único carro de aluguel na rua àquela hora. Chegamos primeiro à igreja e quando a caleche chegou, ficamos esperando que ele saltasse, mas ninguém saltou, e quando o cocheiro desceu da boleia e olhou para dentro, não havia ninguém! O cocheiro disse que não podia imaginar o que tinha acontecido, pois vira direitinho quando ele subiu. Isso foi sexta-feira passada, sr. Holmes, e não vi nem ouvi nada desde então que possa dar sequer uma ideia do que aconteceu com ele.

— Parece que a senhora foi tratada de maneira infame — disse Holmes.

— Ah, não! Ele era bom e gentil demais para fazer isso. Ora, a manhã inteira ele ficou me dizendo que, não importava o que acontecesse, eu devia ser fiel a ele; e que mesmo que alguma coisa completamente inesperada sucedesse para nos separar, eu devia lembrar-me sempre de que estava comprometida com ele e que ele voltaria para mim mais cedo ou mais tarde. Era uma conversa um pouco estranha para o dia do casamento, mas o que aconteceu prova que havia um motivo.

— Isso é verdade. Sua opinião, então, é que alguma catástrofe inesperada aconteceu com ele?

— Sim, senhor. Acredito que ele previu algum perigo, ou não teria falado assim. E então o que ele previra aconteceu.

— Mas não tem nenhuma ideia do que poderia ter sido?

— Nenhuma.

— Mais uma pergunta. Como sua mãe reagiu a isso?

— Ela ficou muito zangada e disse que eu nunca mais deveria mencionar o assunto.

— E seu pai? Contou-lhe tudo?

— Sim, e parece que ele pensou o mesmo que eu, que alguma coisa grave tinha acontecido e que eu teria notícias de Hosmer algum dia. Como ele disse, por que motivo alguém me levaria até a porta da igreja e depois me deixaria? Se ele tivesse me pedido dinheiro emprestado, ou se tivesse se casado comigo e transferido meu dinheiro para ele, aí haveria uma razão. Mas Hosmer era muito independente quanto a dinheiro e nunca olharia para um tostão meu. Mas, então, o que poderia ter acontecido? E por que ele não escreveu? Oh, fico quase louca pensando nisso! E não consigo fechar os olhos à noite. — Tirou um lencinho da bolsa e começou a soluçar.

— Vou examinar o caso para a senhorita — disse Holmes, erguendo-se — e não tenho dúvida de que chegaremos a algum resultado definitivo. Por enquanto, deixe que eu carregue esse fardo e não pense mais no assunto. Acima de tudo, procure apagar o sr. Hosmer Angel de sua mente, como ele se apagou de sua vida.

— Então acha que nunca mais o verei?

— Receio que não.

— Mas o que aconteceu com ele?

— Esse problema fica em minhas mãos. Gostaria de uma descrição exata dele, e também cartas dele que a senhora possa me emprestar.

— Pus um anúncio no *Chronicle* sábado passado — ela disse. — Aqui está o recorte do jornal, e aqui estão quatro cartas dele.

— Obrigado. E seu endereço?

— Lyon Place, 31, Camberwell.

— O endereço do sr. Angel a senhora nunca soube, não é mesmo? Qual é o endereço do escritório de seu pai?

— Ele viaja para a firma Westhouse & Marbank, os grandes importadores de vinho, na Fenchurch Street.

— Obrigado. Seu relato foi muito claro. Deixe os papéis aqui e lembre-se do conselho que lhe dei. Esqueça o incidente, e não deixe que afete sua vida.

— O senhor é muito bondoso, sr. Holmes, mas não posso fazer isso. Serei fiel a Hosmer. Estarei pronta quando ele voltar.

Apesar do chapéu absurdo e do rosto pouco expressivo, havia algo nobre nessa fé singela de nossa cliente que inspirava respeito. Deixou o pequeno pacote de papéis na mesa e saiu, prometendo voltar sempre que fosse chamada.

Sherlock Holmes ficou sentado em silêncio durante alguns minutos, com as pontas dos dedos coladas, as pernas esticadas e os olhos grudados no teto. Depois tirou do descanso o velho cachimbo de barro que era seu conselheiro e, após acendê-lo, recostou-se na poltrona, envolto em nuvens espessas de fumaça, com um ar langoroso.

— Um estudo interessante, aquela moça — observou. — Achei-a muito mais interessante que o seu probleminha que, aliás, é bastante comum. Se consultar meus arquivos, encontrará casos semelhantes, como em Andover, em 1877, e um caso parecido em Haia, no ano passado. A ideia é muito velha, mas havia um ou dois detalhes que eram novidade para mim. Mas a própria moça era muito instrutiva.

— Parece que você viu nela muita coisa que é completamente invisível para mim — comentei.

— Invisível, não. Você não observou bem, Watson. Não sabia onde procurar e assim perdeu tudo que era importante. Não consigo fazer você compreender a importância das mangas, os indícios das unhas dos polegares ou as grandes questões que podem surgir de um cordão de sapato. Agora, o que você deduziu da aparência daquela moça? Descreva.

— Bem, usava um chapéu de palha de abas largas, de cor cinzenta, com uma pluma vermelho-tijolo. O casaco era preto, bordado com miçangas pretas, com uma franja de pequenos ornamentos pretos. O vestido era marrom, mais escuro que café, com um babadinho de pelúcia roxa no pescoço e nas mangas. As luvas eram cinzentas e havia um buraco no indicador direito. Não vi suas botas. Usava brincos de ouro pequenos, redondos, pendurados e tinha uma aparência geral de estar bem de vida, de uma maneira vulgar, confortável, meio relaxada.

Sherlock Holmes bateu palmas e deu uma risadinha.

— Realmente, Watson, você está fazendo grandes progressos. Saiu-se muito bem mesmo. É verdade que não viu nada importante, mas aprendeu o método e tem um bom olho para cores. Nunca confie na impressão geral, amigo, concentre-se nos detalhes. Em um homem, talvez seja melhor observar primeiro os joelhos das calças. Na mulher, olho sempre para as mangas. Como você observou, essa moça tinha pelúcia nas mangas, e a pelúcia é um material excelente para mostrar vestígios. A linha dupla, pouco acima do punho, onde a datilógrafa encosta na mesa, estava maravilhosamente definida. A máquina de costura manual deixa uma marca semelhante, mas somente no braço esquerdo e do lado mais afastado do polegar, em vez de ser na parte mais larga, como neste caso. Olhei então para o rosto e, vendo a depressão causada por óculos nos dois lados do nariz, arrisquei um comentário sobre miopia e datilografia, o que pareceu surpreendê-la.

— Surpreendeu a mim.

— Mas, certamente, era óbvio. Fiquei, então, muito surpreso e interessado quando olhei para baixo e vi que, embora as botas que usava não fossem totalmente diferentes, não eram realmente um par, pois uma tinha a biqueira enfeitada e a outra era completamente lisa. Uma estava abotoada somente em dois dos cinco botões, e a outra, no primeiro, no terceiro e no quinto. Ora, quando você vê uma moça vestida com esmero em tudo mais, que saiu de casa com botas diferentes e meio desabotoadas, não é nenhuma grande dedução dizer que saiu às pressas.

— E o que mais? — perguntei, profundamente interessado, como sempre ficava, pelo raciocínio incisivo de meu amigo.

— Notei, de passagem, que escrevera um bilhete antes de sair de casa, mas depois de estar toda vestida. Você viu que a luva direita estava rota no indicador, mas aparentemente não notou que tanto a luva quanto o dedo estavam manchados de tinta roxa. Escrevera com pressa e enfiara a pena no tinteiro fundo demais. Devia ter sido esta manhã, ou a mancha não estaria ainda tão nítida no dedo. Tudo isso é muito divertido, embora bastante elementar; mas tenho de trabalhar, Watson. Incomoda-se de ler para mim a descrição do sr. Hosmer Angel no anúncio?

Aproximei o recorte da luz. "Desaparecido", dizia, "na manhã do dia 14, um cavalheiro chamado Hosmer Angel. Cerca de 1,68 metro, robusto, tez morena, cabelos pretos, ligeiramente careca no topo, costeletas pretas e bigode espesso, óculos escuros, ligeiro defeito de fala. Vestia, quando foi visto pela última vez, sobrecasaca preta com lapelas de seda, colete preto, corrente de ouro 'Albert' e calças cinzas de *tweed* Harris, com polainas marrons sobre botas de elástico. Sabe-se que trabalhava em um escritório na rua Leadenhall. Qualquer pessoa que..." etc. etc.

— Isto basta — disse Holmes. — Quanto às cartas — continuou, lançando um olhar para o pacote —, são muito comuns. Nenhuma pista do sr. Angel nelas, nada de excepcional, exceto que cita Balzac uma vez. Mas há algo notável que sem dúvida impressionará você.

— São datilografadas — comentei.

— Não só isso, mas a assinatura também. Veja a precisão de "Hosmer Angel" no fim da página. Há uma data, veja, mas não o endereço do remetente, só o nome da rua, o que é bastante vago. O detalhe da assinatura é muito sugestivo, acho que podemos até dizer que é conclusivo.

— De quê?

— Meu caro amigo, será possível que você não veja como isso influencia o caso?

— Não posso dizer que vejo, a não ser que ele quisesse negar a autoria das cartas se houvesse alguma ação por quebra de promessa movida contra ele.

— Não, não é isso. Mas vou escrever duas cartas que devem resolver a questão. Uma é para uma firma na cidade, a outra é para o padrasto da moça, o sr. Windibank, perguntando se pode vir aqui amanhã às 18 horas. É bem melhor tratar de negócios com os homens da família. E agora, doutor, não podemos fazer nada até que cheguem as respostas a essas cartas, portanto, vamos arquivar nosso probleminha por enquanto.

Eu tinha razões de sobra para acreditar nos poderes sutis de raciocínio de meu amigo e em sua extraordinária energia quando em ação e por isso senti que ele devia ter bases muito sólidas para manter essa atitude confiante diante do mistério singular que lhe fora apresentado para resolver. Só o vira fracassar uma vez, no caso do rei da Boêmia e a fotografia de Irene Adler, mas quando lembrava o estranho caso do *Sinal dos quatro* e as extraordinárias circunstâncias ligadas ao *Estudo em vermelho*, sentia que só uma trama extremamente complicada escaparia a seus poderes de análise.

Então, deixei-o fumando ainda o cachimbo preto de barro, convencido de que ao voltar na noite seguinte veria que tinha nas mãos todas as chaves que nos levariam à identidade do noivo desaparecido da srta. Mary Sutherland.

Um caso profissional de extrema gravidade me ocupou nessa ocasião e passei o dia inteiro ao lado da cama de um paciente. Eram quase 18 horas quando pude sair e pegar um cabriolé para ir à Baker Street, receoso de chegar tarde demais para assistir ao final de nosso pequeno mistério. Mas encontrei Sherlock Holmes sozinho, meio adormecido, enroscado no fundo de sua poltrona. Uma coleção formidável de vidros e tubos de ensaio, e o odor acre de ácido clorídrico demonstravam que passara o dia fazendo aquelas experiências químicas de que tanto gostava.

— Então, já encontrou a solução? — perguntei ao entrar.

— Sim, era o bissulfato de baritina.

— Não, não, do mistério! — exclamei.

— Oh, isso! Estava pensando no sal em que estava trabalhando. Não havia mistério nenhum, embora, como eu disse ontem, alguns detalhes fossem interessantes. O único inconveniente é que não há nenhuma lei, eu receio, que se aplique a esse patife.

— Quem era ele, e qual seu objetivo ao abandonar a srta. Sutherland?

Mal dissera essas palavras e Holmes ainda nem abrira a boca para responder, quando ouvimos passos pesados no corredor e uma batida na porta.

— É o padrasto da moça, o sr. James Windibank — disse Holmes. — Escreveu dizendo que estaria aqui às 18 horas. Entre!

O homem que entrou era de altura média, robusto, de uns trinta anos, barbeado, moreno, com um jeito insinuante e afável e um par de olhos cinzentos extremamente penetrantes. Lançou um olhar inquiridor a cada um de nós, colocou a cartola reluzente sobre o móvel da sala e, com um ligeiro cumprimento de cabeça, sentou-se na cadeira mais próxima.

— Boa noite, sr. James Windibank — disse Holmes. — Creio que isto aqui é uma carta datilografada pelo senhor, na qual combinou de vir aqui às 18 horas!

— Sim, senhor. Receio estar um pouco atrasado, mas não sou totalmente dono de mim mesmo, sabe. Sinto muito que a srta. Sutherland o tenha incomodado a respeito desse assunto, pois acho muito melhor não lavar esse tipo de roupa suja em público. Ela veio contra a minha vontade, mas é uma moça muito excitável, muito impulsiva, como deve ter percebido, e não é fácil controlá-la quando mete uma ideia na cabeça. Evidentemente, não dei muita importância ao senhor porque não está ligado às autoridades oficiais, mas não é nada agradável ver um problema de família como esse espalhado por aí. Além do mais, é uma despesa inútil, pois como o senhor poderia achar esse tal de Hosmer Angel?

— Pelo contrário — disse Holmes calmamente —, tenho absoluta certeza de que conseguirei descobrir o sr. Hosmer Angel.

O sr. Windibank levou um susto e deixou cair as luvas.

— Fico muito contente em ouvir isso — disse.

— É curioso — observou Holmes — que uma máquina de escrever tenha realmente características tão individuais quanto a caligrafia de uma pessoa. A não ser que sejam novas em folha, não há duas máquinas que escrevam exatamente da mesma maneira. Algumas letras ficam mais gastas que outras, e algumas gastam mais de um lado que de outro. Repare que nesse seu bilhete, sr. Windibank, há sempre um "e" um pouco borrado e um ligeiro defeito na curva superior do "r". Há mais 14 características, mas estas duas são as mais óbvias.

— Usamos essa máquina para toda a correspondência do escritório e naturalmente está um pouco gasta — respondeu nosso visitante, olhando atentamente para Holmes com seus olhinhos muito vivos.

— E agora vou mostrar-lhe um estudo realmente muito interessante, sr. Windibank — continuou Holmes. — Estou pensando em escrever, um dia desses, mais uma pequena monografia sobre a máquina de escrever e sua relação com o crime. É um assunto ao qual tenho dedicado bastante atenção. Tenho aqui quatro cartas que supostamente vieram do homem desaparecido. São todas batidas à máquina. Em todas elas, não só os "es" estão borrados e os "rs" defeituosos, como também poderá observar, se quiser usar minha lente de aumento, a presença das outras 14 características que mencionei.

O sr. Windibank saltou da cadeira e pegou o chapéu.

— Não posso perder tempo com esse tipo de conversa fantástica, sr. Holmes — disse. — Se pode pegar esse homem, vá pegá-lo e avise-me quando estiver tudo acabado.

— Certamente — disse Holmes, dando uns passos à frente e trancando a porta. — Comunico, então, que já o peguei!

— O quê! Onde? — gritou o sr. Windibank, com o rosto subitamente lívido e olhando em volta como um rato preso numa ratoeira.

— Ah, assim não... assim não — disse Holmes suavemente. — Não há maneira de sair dessa, sr. Windibank. É transparente demais, e não foi nada elogioso o senhor dizer que seria impossível para mim resolver uma questão tão simples. Isso mesmo! Sente-se, e vamos conversar.

Nosso visitante caiu em uma cadeira com a fisionomia arrasada e o suor brilhando na testa.

— Não... não poderão me processar — balbuciou.

— Receio que esteja certo. Mas, aqui entre nós, Windibank, de uma maneira mesquinha, foi o golpe mais cruel, egoísta e desnaturado que jamais vi. Deixe-me agora relatar o que sucedeu e corrija-me se eu estiver errado.

O homem estava sentado na cadeira com a cabeça afundada no peito, como se estivesse completamente aniquilado. Holmes estendeu as pernas e apoiou os pés no canto da lareira, e recostando-se com as mãos nos bolsos, começou a falar mais para si mesmo do que para nós, pelo que parecia.

— O homem casou-se com uma mulher muito mais velha que ele pelo dinheiro dela — disse — e desfrutava o uso do dinheiro da filha enquanto ela vivesse com eles. Era uma quantia considerável para pessoas da sua posição, e sua perda teria feito uma grande diferença. Valia a pena fazer um esforço para conservá-la. A filha tinha uma personalidade afável e boa, era afetiva e meiga, portanto era evidente que, com suas qualidades pessoais e sua pequena renda, não ficaria solteira por muito tempo. Seu casamento significaria, naturalmente, a perda de cem libras por ano. Então, o que faz seu padrasto para evitar isso? Adota a estratégia de mantê-la fechada em casa e de proibir que procure a companhia de pessoas de sua idade. Mas logo verificou que isso não daria certo para sempre. Ela ficou irrequieta, insistiu nos seus direitos e finalmente anunciou sua decisão firme de ir a certo baile. E o que faz seu esperto padrasto então? Concebe uma ideia que dá mais crédito à sua imaginação que a seu coração. Com a cumplicidade e ajuda de sua mulher, disfarçou-se, cobriu esses olhos penetrantes com óculos escuros, mascarou o rosto com costeletas e bigode espessos, reduziu a voz vibrante a um murmúrio insinuante e, muito seguro devido à miopia da moça, apareceu como o sr. Hosmer Angel, afastando os possíveis namorados pela técnica de se tornar um deles.

— Foi só uma brincadeira de início — gemeu nosso visitante. — Nunca pensamos que ela se envolvesse dessa maneira.

— Talvez não. Seja como for, a moça se envolveu profundamente e, convencida de que seu padrasto estava na França, nunca suspeitou de traição. Ficou lisonjeada com a atenção do cavalheiro e o efeito foi intensificado pela manifestação de admiração por parte de sua mãe. Então o sr. Angel começou a visitar a casa, pois era óbvio que deveria ir o mais longe possível para obter um resultado satisfatório. Houve vários encontros e um noivado que, finalmente, iria evitar que a afeição da moça fosse dedicada a outro. Mas não era possível dissimular para sempre. Essas viagens simuladas à França eram realmente muito incômodas. O que restava fazer era, evidentemente, dar um final tão dramático que deixasse uma impressão permanente na pobre moça, o que evitaria que ela olhasse para qualquer outro pretendente por muito tempo. Daí os tais votos de fidelidade feitos sobre a Bíblia, e também as alusões à possibilidade de alguma coisa acontecer na própria manhã do casamento. James Windibank queria que a srta. Sutherland ficasse tão amarrada a Hosmer Angel, e tão incerta quanto ao que lhe havia sucedido, que durante os dez anos seguintes, pelo menos, não desse atenção a nenhum outro homem. Levou-a até a porta da igreja, e então, como não podia ir mais longe, desapareceu convenientemente, usando o velho truque de entrar por uma porta do carro de quatro rodas e sair pela outra. Acho que foi isso o que aconteceu, sr. Windibank!

Nosso visitante recuperara um pouco da segurança enquanto Holmes falava e ergueu-se da cadeira com uma expressão de frio desprezo em seu rosto pálido.

— Pode ser que tenha sido assim, e pode ser que não, sr. Holmes — disse —, mas se o senhor é tão esperto, deve ser suficientemente esperto para saber que é o senhor que está transgredindo com a lei agora, não eu. Não fiz nada ilegal desde o início, mas, enquanto ficar com a porta trancada, o senhor está sujeito a uma ação por assalto e constrangimento ilegal.

— Como diz, a lei não pode tocá-lo — disse Holmes, destrancando e escancarando a porta —, no entanto, não existe um homem que mereça mais ser punido. Se a moça tem um irmão ou um amigo, ele deveria dar-lhe uma surra de chicote. Por Deus! — continuou, enrubescendo ao ver a zombaria estampada no rosto do homem — não faz parte de meu dever para com meus clientes, mas tenho um chicote bem à mão e acho que vou...

Deu dois passos rápidos, mas antes que pudesse pôr a mão no chicote, ouviu-se o ruído de passos apressados na escada, a porta pesada bateu, e da janela vimos o sr. James Windibank correndo a toda a velocidade pela rua.

— Mas que patife de sangue-frio! — disse Holmes, rindo e atirando-se outra vez na sua poltrona. — Esse sujeito irá de crime em crime até fazer algo realmente mau e então acabará na forca. Esse caso, em certos aspectos, não era completamente destituído de interesse.

— Não consigo acompanhar todas as etapas do seu raciocínio — comentei.

— Ora, era óbvio desde o início que esse tal de sr. Hosmer Angel devia ter um motivo muito forte para agir de forma tão curiosa, e era igualmente óbvio que o único homem beneficiado por esse incidente, pelo que sabíamos, era o padrasto. Depois o fato de que os dois homens nunca apareciam juntos, e um surgia quando o outro estava fora, era bastante sugestivo, assim como os óculos escuros e a voz estranha, que indicavam disfarce, como também as costeletas espessas. Essas minhas suspeitas foram confirmadas pela sua atitude peculiar de bater sua assinatura à máquina, o que, naturalmente, fazia supor que sua caligrafia era tão familiar que a moça reconheceria até mesmo essa pequena amostra. Esses fatos isolados, aliados a outros menores, todos apontavam na mesma direção.

— E como os verificou?

— Depois que localizei o homem, foi fácil obter confirmação. Conhecia a firma para a qual ele trabalhava. Peguei a descrição do anúncio, eliminei tudo que poderia ser um disfarce, costeletas, óculos, a voz, e mandei-a para a firma, pedindo que me informassem se coincidia com a descrição de algum de seus caixeiros-viajantes. Já havia percebido as peculiaridades da máquina de escrever, e escrevi para o próprio homem, pedindo que viesse aqui. Como esperava, sua resposta foi batida à máquina, e revelava os mesmos defeitos triviais, mas característicos. Recebi pelo correio uma carta de Westhouse & Marbank, da rua Fenchurch, dizendo que a descrição combinava perfeitamente com a de seu empregado James Windibank. E foi tudo!

— E a srta. Sutherland?

— Se contar a ela, não vai acreditar em mim. Lembre-se do velho provérbio persa: “Há perigo para aquele que pega o filhote do tigre, e perigo também para aquele que rouba a ilusão de uma mulher.” Há tanta sabedoria em Hafiz quanto em Horácio, e o mesmo conhecimento da vida.

O MISTÉRIO DO VALE BOSCOMBE

Estávamos sentados à mesa do café da manhã, minha esposa e eu, quando a empregada entrou com um telegrama. Era de Sherlock Holmes, e dizia o seguinte:

"Você pode dispor de uns dois dias? Recebi um telegrama do oeste da Inglaterra com relação à tragédia do Vale Boscombe. Gostaria que você viesse comigo. Atmosfera e paisagem perfeitas. Saímos de Paddington às 11h15."

— O que diz, querido? — perguntou minha esposa, olhando para mim. — Você vai?

— Realmente não sei o que dizer. Tenho uma lista bastante longa no momento.

— Ora, Anstruther pode substituir você. Você tem andado um pouco abatido ultimamente. Acho que essa viagem vai lhe fazer bem, e você sempre se interessa tanto pelos casos do sr. Sherlock Holmes.

— Seria ingratidão da minha parte se não me interessasse, principalmente considerando o que ganhei em um deles — respondi. — Mas se vou, preciso fazer as malas imediatamente, pois só tenho meia hora.

Minha experiência da vida em acampamento no Afeganistão tinha pelo menos me tornado um viajante diligente e rápido. Minhas necessidades eram poucas e simples, e em menos de meia hora eu estava dentro de um carro de aluguel com minha valise, sacolejando a caminho da Estação de Paddington. Sherlock Holmes andava de um lado para outro na plataforma, sua figura alta e magra ficava ainda mais alongada pelo comprido casacão cinzento e o boné justo do mesmo tecido.

— É realmente muita bondade sua ter vindo, Watson — disse ao me ver. — Faz uma grande diferença para mim ter ao meu lado alguém em quem posso confiar totalmente. A ajuda local é sempre incompetente ou então cheia de preconceitos. Por que você não vai pegar os lugares enquanto eu compro as passagens?

Estávamos sozinhos no carro, acompanhados somente por uma pilha imensa de jornais que Holmes trouxera. Ocupou-se com eles, remexendo e lendo, com intervalos para anotações e meditação, até que passamos a estação de Reading. Então enrolou-os em uma bola gigantesca e atirou-os no porta-bagagem.

— Ouviu falar nesse caso? — perguntou.

— Nem uma palavra. Há dias que não vejo um jornal.

— A imprensa londrina não tem publicado muita coisa a respeito. Acabei de ler os jornais mais recentes a fim de me familiarizar com os detalhes. Pelo que li, parece ser um desses casos simples que são tão incrivelmente difíceis.

— Isso parece um tanto paradoxal.

— Mas é bastante verdadeiro. A originalidade é quase sempre uma chave. Quanto mais comum e sem características específicas for o crime, mais difícil será esclarecê-lo. Mas neste caso, já elaboraram um processo bastante sério contra o filho do homem assassinado.

— Então é um caso de assassinato?

— Bem, é o que se deduz. Não vou presumir nada até ter a oportunidade de examinar tudo pessoalmente. Vou explicar-lhe a situação, até onde eu sei, em poucas palavras.

— O Vale Boscombe é uma região rural, não muito longe de Ross, em Herefordshire. O maior proprietário de terras nessa área é o sr. John Turner, que fez fortuna na Austrália e voltou a seu país natal há alguns anos. Uma das fazendas de sua propriedade, Hatherley, foi arrendada ao sr. Charles McCarthy, que também era um ex-australiano. Os dois se conheceram nas colônias, e era natural que, quando se estabelecessem, procurassem ficar o mais perto possível um do outro. Aparentemente, Turner era o mais rico dos dois, de modo que McCarthy tornou-se seu arrendatário, mas parece que continuaram em termos de perfeita igualdade, já que frequentemente estavam juntos. McCarthy tinha um filho, um rapaz de 18 anos, e Turner tinha uma filha única da mesma idade, mas nenhum dos dois tinha mulher viva. Pelo que se sabe, evitavam a companhia das famílias inglesas vizinhas e viviam mais ou menos reclusos, embora os dois McCarthy gostassem muito de esportes e fossem frequentemente vistos nas corridas realizadas na vizinhança. McCarthy tinha dois empregados: um homem e uma moça. Turner tinha uma casa cheia, pelo menos meia dúzia de empregados. Isso foi tudo que consegui saber sobre as famílias. Agora vamos aos fatos.

"No dia 3 de junho, isto é, na segunda-feira passada, McCarthy saiu de casa, em Hatherley, por volta das 15 horas, e foi a pé até o Lago Boscombe, um pequeno lago formado pelo alargamento do rio que atravessa o Vale Boscombe. Estivera aquela manhã em Ross com seu empregado e dissera a ele que precisava se apressar porque tinha um encontro importante às 15 horas. Não voltou vivo desse encontro.

"Da casa da fazenda em Hatherley até o Lago Boscombe, a distância é de quase meio quilômetro e duas pessoas o viram quando percorria esse caminho. Uma delas foi uma velha, cujo nome não é mencionado, e a outra foi William Crowder, um guarda florestal que trabalha para o sr. Turner. As duas testemunhas disseram em seus depoimentos que o sr. McCarthy estava sozinho. O guarda florestal acrescentou que, poucos minutos depois de ver o sr. McCarthy passar, viu seu filho, o sr. James McCarthy, indo na mesma direção, com uma arma debaixo do braço. Acredita que o pai estava perfeitamente visível na ocasião e achou então que o filho o seguia. Não pensou mais no assunto até a noite, quando ouviu falar da tragédia.

"Os dois McCarthy foram vistos depois que William Crowder, o guarda florestal, os perdeu de vista. O Lago Boscombe é rodeado de bosques densos, com apenas uma estreita faixa de grama e juncos nas bordas. Uma moça de 14 anos, Patience Moran, filha do vigia da grande propriedade Vale Boscombe, estava no bosque colhendo flores. Ela afirma que quando estava lá, viu, na margem do bosque e perto do lago, o sr. McCarthy e o filho, e parecia que estavam tendo uma briga violenta. Ouviu o sr. McCarthy, o velho, usar palavrões e viu o filho levantar a mão como se fosse bater no pai. Horrorizada com a cena violenta, fugiu correndo, e quando chegou a casa contou à mãe que vira os dois McCarthy brigando perto do Lago Boscombe, e que estava com medo que fossem se atracar. Mal acabara de falar, quando o jovem McCarthy chegou correndo, dizendo que encontrara o pai morto no bosque e pedindo o auxílio do vigia. Estava muito excitado, sem arma e sem chapéu, e a mão direita e a manga estavam manchadas com sangue fresco. Ao segui-lo, encontraram o corpo do pai estirado na grama à margem do lago. A cabeça fora amassada por pancadas repetidas de alguma arma pesada e rombuda. Os ferimentos poderiam ter sido feitos com o cabo da espingarda do filho, que foi encontrada na grama, a alguns passos do corpo. Nessas circunstâncias, o rapaz foi imediatamente preso, e como um veredicto de 'assassinato intencional' foi o resultado do inquérito judicial na terça-feira, na quarta-feira ele foi levado perante o juiz em Ross, que encaminhou o caso para a próxima sessão do tribunal superior a ser realizada no condado. Esses são os fatos principais do caso, da maneira como foram apresentados perante o magistrado e na delegacia de polícia."

— É difícil imaginar um caso mais perfeito de culpa — comentei. — Todas as provas circunstanciais apontam para o criminoso.

— Provas circunstanciais são extremamente espinhosas — respondeu Holmes, pensativo. — Podem parecer apontar diretamente para uma coisa, mas se você mudar ligeiramente seu próprio ponto de vista, talvez as encontre apontando da mesma maneira direta para alguma coisa completamente diferente. Devo dizer, entretanto, que a situação do rapaz é bastante grave, e é muito possível que ele seja realmente culpado. Mas há várias pessoas na vizinhança, entre elas a srta. Turner, filha do proprietário vizinho, que acreditam em sua inocência, e que contrataram Lestrade, de quem você talvez se lembre com relação ao *Estudo em vermelho*, para trabalhar em favor dele no caso. Lestrade, que ficou bastante intrigado, passou o caso para mim, e é por isso que dois cavalheiros de meia-idade estão agora voando para o Oeste a oitenta quilômetros por hora em vez de estarem em casa, digerindo o café da manhã.

— Receio — comentei — que os fatos sejam tão óbvios que você não conseguirá obter muitos méritos com esse caso.

— Não há nada mais enganador que um fato óbvio — ele respondeu, rindo. — Além do mais, podemos descobrir por acaso outros fatos óbvios que não tenham sido, de modo algum, óbvios para o sr. Lestrade. Você me conhece bem demais para pensar que estou me gabando quando afirmo que confirmarei ou destruirei sua teoria por meios que ele é totalmente incapaz de usar, ou mesmo de compreender. Para dar o primeiro exemplo, percebo claramente que a janela de seu quarto fica do lado direito, e me pergunto se o sr. Lestrade perceberia até mesmo uma coisa tão evidente quanto essa.

— Mas como...

— Meu caro amigo, conheço você muito bem. Sei da precisão militar que o caracteriza. Você se barbeia todos os dias, e nessa estação do ano, barbeia-se à luz do sol, mas como o resultado é cada vez mais incompleto à medida que nos aproximarmos do lado esquerdo, chegando a ser relaxado ao ultrapassar o ângulo do queixo, é evidente que o lado esquerdo não é tão bem iluminado quanto o outro. Não posso imaginar que um homem com seus hábitos meticulosos olhe-se em uma luz uniforme e sinta-se satisfeito com o resultado. Cito isso somente como um exemplo trivial de capacidade de observação e dedução. Aí está o meu *métier*, e é possível que seja útil na investigação que vamos enfrentar. Há um ou dois pontos secundários que surgiram no inquérito e que vale a pena considerar.

— Quais são eles?

— Parece que a prisão não ocorreu imediatamente, mas só depois do retorno à Fazenda Hatherley. Quando o inspetor de polícia o informou que estava preso, ele observou que não estava espantado de ouvir isso, que não era mais do que merecia. Essa sua observação, naturalmente, eliminou qualquer sombra de dúvida que poderia ter permanecido na mente dos jurados.

— Foi uma confissão! — exclamei.

— Não, porque foi seguida de um protesto de inocência.

— Mas vindo logo após uma série tão comprometedora de acontecimentos, era, no mínimo, uma observação muito suspeita.

— Pelo contrário — disse Holmes —, é a brecha mais promissora que consigo ver no momento nessas nuvens tão escuras. Por mais inocente que fosse, não podia ser tão idiota a ponto de não perceber que as circunstâncias eram totalmente contra ele. Se tivesse mostrado espanto quando foi preso, ou fingido estar indignado, eu consideraria isso bastante suspeito, porque essa surpresa ou a ira não seriam nada naturais nessa situação, mas poderiam parecer a melhor política para um homem ardiloso. O fato de ter aceitado francamente a situação indica que é inocente, ou então é um homem de grande autocontrole e firmeza. Quanto à sua observação sobre o fato de merecer, é muito natural, se você levar em conta que ele se viu ao lado do corpo do pai, e não há dúvida de que naquele mesmo dia ele esquecera seus deveres filiais a ponto de trocar palavras pesadas com o pai e até, de acordo com o testemunho da menina, que é tão importante, erguer a mão como se fosse bater nele. A autoacusação e o remorso contidos nessa observação me parecem sintomas de uma mente sadia e não de uma mente culpada.

Sacudi a cabeça.

— Muitos homens foram enforcados com muito menos provas — observei.

— Sim, foram. E muitos homens foram enforcados por equívoco.

— O que diz sobre tudo isso?

— Nada que encoraje muito os que querem auxiliá-lo, embora um ou dois pontos mencionados sejam sugestivos. Estão aqui, e você pode ver por si mesmo.

Tirou do bolo de jornais um exemplar do jornal local, virou as páginas e apontou para um parágrafo no qual o infeliz rapaz dera a sua versão do que acontecera. Acomodei-me no canto do carro e li com toda a atenção. Dizia o seguinte:

O sr. James McCarthy, filho único do falecido, foi então chamado e declarou o seguinte: 'Eu estive fora de casa durante três dias, em Bristol, e acabara de voltar na manhã da segunda-feira passada, dia 3. Meu pai não estava em casa quando cheguei e a empregada me informou que ele fora até Ross com John Cobb, nosso empregado. Pouco depois do meu regresso, ouvi o ruído das rodas de seu carro no pátio e, olhando pela janela, eu o vi saltar e sair andando rapidamente, embora não visse em que direção. Então peguei minha espingarda e saí em direção ao Lago Boscombe com a intenção de visitar o viveiro de coelhos que fica na margem oposta. No caminho, vi William Crowder, o guarda florestal, como ele contou em seu depoimento; mas ele está enganado em pensar que eu estava seguindo meu pai. Não sabia que ele estava à minha frente. Quando cheguei a uns cem metros do lago, ouvi um grito de: Cooee!, que é um sinal usado entre mim e meu pai. Então corri e o encontrei perto do lago. Pareceu muito espantado ao me ver e perguntou rispidamente o que eu estava fazendo ali. Seguiu-se uma conversa que virou discussão, com uso de palavras bem pesadas e quase pancadas, pois meu pai era um homem de gênio muito violento. Vendo que sua fúria estava ficando incontrolável, deixei-o ali e voltei para a Fazenda Hatherley. Mas não tinha me afastado nem cem metros quando ouvi um grito horrível atrás de mim, que me fez voltar correndo. Encontrei meu pai morrendo estirado no chão, com a cabeça terrivelmente machucada. Deixei cair a espingarda e o segurei em meus braços, mas ele morreu quase imediatamente. Fiquei ajoelhado a seu lado por alguns minutos e depois fui até a casa do vigia do sr. Turner, que era a mais próxima, para pedir ajuda. Não vi ninguém junto de meu pai quando voltei, e não tenho a menor ideia de como ele recebeu aquelas pancadas. Não era muito popular, pois tinha um jeito um tanto frio e severo, mas, pelo que sei, não tinha inimigos. Não sei mais nada sobre o ocorrido."

O Magistrado: "Seu pai disse alguma coisa antes de morrer?"

Testemunha: "Balbuciou algumas palavras, mas só consegui entender alguma coisa sobre um rato."

O Magistrado: "O que deduziu disso?"

Testemunha: "Não significou nada para mim. Pensei que estivesse delirando."

O Magistrado: "Por que foi que você e seu pai tiveram aquela briga?"

Testemunha: "Prefiro não responder."

O Magistrado: "Lamento, mas tenho de insistir."

Testemunha: "É absolutamente impossível responder. Posso lhe garantir que não tem nada a ver com a tragédia."

O Magistrado: "Isso compete à Corte decidir. Acho desnecessário observar que sua recusa em responder prejudicará consideravelmente seus interesses em qualquer processo futuro que possa surgir."

Testemunha: "Continuo a me recusar."

O Magistrado: "É verdade que o grito Cooee era um sinal habitual entre seu pai e você?"

Testemunha: "Era."

O Magistrado: "Como foi, então, que ele gritou antes de ver você e mesmo antes de saber que você havia voltado de Bristol?"

Testemunha: (evidentemente muito confuso) "Não sei."

Um Jurado: "Não viu nada que despertasse suas suspeitas quando voltou ao ouvir o grito e encontrou seu pai gravemente ferido?"

Testemunha: "Nada muito definido."

O Magistrado: "O que quer dizer com isso?"

Testemunha: "Eu estava tão perturbado e excitado quando voltei correndo que não pensei em nada, só em meu pai, mas tenho a vaga impressão de que, quando corri em frente, havia alguma coisa no chão à minha esquerda. Parecia ser alguma coisa cinzenta, uma espécie de casaco, ou uma manta, talvez. Quando me levantei depois de examinar meu pai, não estava mais lá."

— Está dizendo que desapareceu antes de você ir buscar auxílio?

— Sim, desapareceu.

— Não sabe o que era?

— Não, só senti que havia alguma coisa ali.

— A que distância do corpo?

— Uns dez metros.

— E a que distância da orla do bosque?

— Mais ou menos a mesma coisa.

— Então, se foi retirada, foi enquanto você estava a uns dez metros de distância?

— Sim, mas eu estava de costas.

E assim terminou o depoimento da testemunha.

— Vejo — eu disse, olhando a coluna até o fim — que o magistrado, em suas observações finais, foi muito severo com o jovem McCarthy. Chama atenção, e com razão, para a discrepância de seu pai ter feito sinal para ele antes de vê-lo e também para sua recusa em dar detalhes da conversa que tiveram, e o relato singular das últimas palavras do pai. Tudo isso, como ele observa, é muito desfavorável ao filho.

Holmes riu baixinho consigo mesmo e esparramou-se no assento acolchoado.

— Tanto você quanto o magistrado — disse — fizeram muita força para destacar os pontos que são justamente mais favoráveis ao rapaz. Não vê que você está, alternadamente, lhe dando crédito por ter imaginação demais e de menos? De menos, se não pôde inventar uma causa para a briga que o tornasse simpático ao júri; demais, se arrancou de seu inconsciente uma coisa tão absurda quanto uma referência a um rato de um homem às portas da morte, e o incidente do pano cinzento desaparecido. Não, senhor, vou abordar esse caso do ponto de vista de que o que esse rapaz diz é verdade, e vamos ver aonde nos levará essa hipótese. E agora, aqui está meu Petrarca de bolso, e nem mais uma palavra sobre esse assunto até chegarmos ao cenário da ação. Almoçaremos em Swindon, e vejo que chegaremos lá dentro de vinte minutos.

Eram quase 16 horas quando finalmente, após passarmos pelo lindo Vale Stroud e pelo largo e reluzente Severn, chegamos à pequena e graciosa cidade campestre de Ross. Um homem magro, parecendo uma fuinha, com ar astucioso e furtivo, nos esperava na plataforma. Apesar do guarda-pó marrom-claro e das perneiras de couro que usava em deferência ao ambiente rústico, não tive dificuldade em reconhecer Lestrade, da Scotland Yard. Fomos com ele para o Hereford Arms, onde havia um quarto reservado para nós.

— Mandei vir um carro — disse Lestrade, quando sentamos para tomar chá. — Conheço sua natureza enérgica e sabia que não ficaria satisfeito enquanto não visitasse a cena do crime.

— Foi muita bondade sua, e é um grande elogio — disse Holmes. — É simplesmente uma questão de pressão barométrica.

Lestrade ficou espantado.

— Não entendi — disse.

— Como está o barômetro? Vinte e nove, estou vendo. Nenhum vento, nem uma nuvem no céu. Tenho uma cigarreira cheia que precisa ser fumada e o sofá é muito superior às coisas abomináveis que geralmente se encontram em hotéis campestres. Não acho provável que eu vá usar o carro hoje.

Lestrade riu com indulgência.

— Você, sem dúvida, já tirou suas conclusões do que leu nos jornais — disse. — O caso é absolutamente simples e quanto mais se sabe, mais claro ele fica. No entanto, não se pode dizer não a uma dama, especialmente uma tão decidida. Ela ouviu falar de você e queria sua opinião, embora eu dissesse repetidamente a ela que não havia nada que você pudesse fazer que eu já não tivesse feito. Ora, benza-me Deus, é a carruagem dela que está chegando.

Mal acabara de falar, quando irrompeu no quarto uma das moças mais lindas que eu já vira em toda minha vida. Os olhos violeta brilhavam, os lábios estavam entreabertos e as faces coradas, qualquer vestígio de reserva natural fora esquecido em sua extrema preocupação e excitação.

— Oh, sr. Sherlock Holmes! — exclamou, olhando de um para o outro e, finalmente, com a rápida intuição feminina, fixando os olhos em meu companheiro. — Estou tão contente que o senhor tenha vindo. Eu vim até aqui para lhe dizer isso. Sei que James não cometeu esse crime. Tenho certeza, e quero que o senhor comece seu trabalho sabendo isso também. Nunca tenha dúvidas a esse respeito. Nós nos conhecemos desde que éramos crianças e conheço todos os seus defeitos melhor que qualquer outra pessoa, mas ele é bondoso demais para machucar até uma mosca. Essa acusação é absurda para quem o conhece.

— Espero poder inocentá-lo, srta. Turner — disse Sherlock Holmes. — Pode ter certeza de que farei tudo que estiver ao meu alcance.

— Mas o senhor leu os depoimentos. Chegou a alguma conclusão? Encontrou alguma saída, alguma falha? O senhor não acha que ele é inocente?

— Acho que é muito provável.

— Então! — exclamou, jogando a cabeça para trás e olhando desafiadoramente para Lestrade. — Ouviu o que ele disse! Ele me dá esperanças.

Lestrade encolheu os ombros.

— Receio que meu colega tenha sido um pouco precipitado ao tirar suas conclusões.

— Mas ele está certo. Oh! Sei que está certo. James nunca fez isso. E quanto à briga com o pai, tenho certeza de que ele não respondeu às perguntas do magistrado porque eu estava envolvida.

— Como? — perguntou Holmes.

— Não é hora de esconder coisa alguma. James e seu pai tinham muitas discussões a meu respeito. O sr. McCarthy estava ansioso para que nos casássemos. James e eu sempre nos amamos como irmãos, mas ele é muito jovem, evidentemente, e não conhece a vida, e... e... bem, ele ainda não queria fazer uma coisa dessas. Então havia muitas brigas e essa, tenho certeza, foi uma delas.

— E seu pai? — perguntou Holmes. — Ele era a favor dessa união?

— Não, ele também era contra. Só o sr. McCarthy era a favor. — Seu rosto ficou ruborizado quando Holmes lançou-lhe um de seus olhares penetrantes.

— Muito obrigado por essa informação — disse. — Poderia falar com seu pai se fosse vê-lo amanhã?

— Acho que o médico não vai permitir.

— O médico?

— O senhor não sabia? Pobre de meu pai, há muitos anos que não é muito forte, e isso o deixou arrasado. Está de cama, e o dr. Willows diz que está muito mal, que o sistema nervoso está aos pedaços. O sr. McCarthy era o único homem vivo que havia conhecido meu pai nos velhos tempos em Victoria.

— Ah! em Victoria! Isso é muito importante.

— Sim, nas minas.

— Exatamente. Nas minas de ouro onde, pelo que sei, o sr. Turner fez sua fortuna.

— Sim, isso mesmo.

— Obrigado, srta. Turner. A senhora me ajudou muito.

— O senhor me dirá se tiver alguma novidade amanhã. Sem dúvida irá à prisão para ver James. Oh, se for, sr. Holmes, por favor, diga-lhe que sei que é inocente.

— Certo, srta. Turner.

— Tenho de ir para casa agora, porque meu pai está muito doente e sente falta de mim quando saio. Até logo, e que Deus o ajude em sua missão.

Saiu apressadamente do quarto, de modo tão impulsivo quanto havia entrado, e ouvimos as rodas de sua carruagem se afastando na rua.

— Estou envergonhado de você, Holmes — disse Lestrade com dignidade depois de alguns minutos de silêncio. — Por que alimentar esperanças que inevitavelmente você terá de frustrar? Não sou o mais piedoso dos homens, mas acho isso cruel.

— Acho que vejo a maneira de inocentar James McCarthy — disse Holmes. — Tem permissão para visitá-lo na cadeia?

— Sim, mas só para mim e para você.

— Então vou reconsiderar minha decisão de não sair. Ainda temos tempo de tomar um trem para Hereford e vê-lo hoje à noite?

— De sobra.

— Então vamos fazer isso. Watson, sinto muito, você vai achar isso muito monótono, mas só vou demorar umas duas horas.

Fui até a estação com eles e depois fiquei andando pelas ruas da cidadezinha, voltando finalmente ao hotel, onde me estendi no sofá e tentei me interessar por um romance barato. Mas o enredo da história era tão fraco em comparação com o profundo mistério com o qual estávamos envolvidos que minha atenção se desviava constantemente da ficção para os fatos. Acabei atirando o livro do outro lado do quarto e me entregando inteiramente à análise dos acontecimentos do dia. Supondo que a história contada por esse pobre rapaz fosse a pura verdade, então que coisa diabólica, que calamidade totalmente inesperada e extraordinária poderia ter ocorrido entre a hora em que se separou do pai e o momento em que, atendendo a seu grito, voltou correndo para o bosque? Devia ter sido algo terrível e fatal. O que poderia ser? Será que a natureza das feridas não poderia sugerir algo a meus instintos médicos? Toquei a campainha e pedi o jornal semanal do condado, que continha um relato literal do inquérito. O médico-legista testemunhara que o terço posterior do osso parietal esquerdo e a metade esquerda do osso occipital haviam sido despedaçados por um golpe forte de uma arma rombuda. Marquei a área em minha própria cabeça. Evidentemente esse golpe tinha de ser desfechado por trás. Isso era, de certo modo, favorável ao acusado, pois quando fora visto brigando com o pai, os dois estavam se encarando. Mas não valia grande coisa, pois o homem mais velho poderia ter-se virado antes de receber o golpe. No entanto, valia a pena chamar a atenção de Holmes para esse detalhe. Havia, além disso, a referência ao rato, logo antes de morrer. O que poderia significar isso? Não podia ser delírio. Um homem que está morrendo de um golpe repentino em geral não fica delirante. Não, era mais provável que fosse uma tentativa de explicar o que acontecera. Mas o que poderia indicar? Quebrei a cabeça tentando encontrar uma solução plausível. E depois o incidente do tecido cinzento, visto pelo jovem McCarthy. Se isso fosse verdade, o assassino devia ter deixado cair parte de seu vestuário, possivelmente o casaco, ao fugir, e teria tido a coragem de voltar e pegá-lo no momento em que o filho estava ajoelhado, virado de costas, a menos de dez metros. Que trama de mistérios e coisas improváveis era tudo isso! Não estava surpreso com a opinião de Lestrade, mas tinha tanta fé na percepção de Sherlock Holmes que não conseguia perder a esperança enquanto cada fato novo parecia reforçar a sua convicção da inocência do jovem McCarthy.

Já era tarde quando Sherlock Holmes voltou. Chegou sozinho, porque Lestrade estava instalado na cidade.

— O barômetro ainda está muito alto — comentou, sentando-se. — É importante que não chova antes de podermos examinar o chão. Por outro lado, um homem deve estar se sentindo muito bem e pronto para esse tipo de trabalho, e eu não gostaria de fazê-lo quando estou me sentindo cansado pela longa viagem. Vi o jovem McCarthy.

— E que foi que ele disse de novo?

— Nada.

— Não pode esclarecer nada?

— Nada. Cheguei a pensar que ele sabia quem era o culpado e o estava protegendo, ele ou ela, mas agora estou convencido de que está tão perplexo quanto todos nós. Não é um rapaz muito esperto, embora bonito e, eu acho, de bom coração.

— Não posso admirar seu gosto — comentei — se é verdade que ele não queria se casar com uma jovem tão encantadora quanto a srta. Turner.

— Ah, aí está uma história bastante dolorosa. Esse rapaz a ama loucamente, apaixonadamente, mas há uns dois anos, quando ainda era muito jovem e antes de conhecê-la bem, pois ela passara cinco anos longe, em um internato, o pobre idiota caiu nas garras de uma garçonete de um bar em Bristol e casou-se com ela perante um juiz! Ninguém sabe nada sobre isso, mas você pode imaginar como ele ficava enfurecido ao ser repreendido por não fazer o que mais gostaria de fazer na vida, mas que ele sabe que é completamente impossível. Foi esse tipo de angústia que o fez jogar as mãos para o alto quando o pai, no último encontro dos dois, o instigava a pedir a mão da srta. Turner. Por outro lado, não tinha condições de se sustentar, e o pai, que, segundo dizem, era um homem muito severo, o teria expulsado de casa se soubesse o que havia acontecido. Foi com a esposa garçonete que passou os últimos três dias em Bristol, e o pai não sabia onde ele estava. Tome nota desse ponto. É muito importante. Mas o bem resultou do mal, porque a garçonete, descobrindo pelos jornais que ele está seriamente implicado, e é provável que seja enforcado, desistiu dele completamente, e escreveu-lhe para dizer que já tem um marido nas docas de Bermuda e, portanto, não há nenhum vínculo entre eles. Acho que essa notícia consolou o jovem McCarthy por tudo que ele já sofreu.

— Mas se ele é inocente, quem é o culpado?

— Ah! Quem? Gostaria de chamar sua atenção especificamente para dois pontos. Um é que a vítima tinha um encontro com alguém no lago, e que essa pessoa não poderia ser o filho, porque ele estava fora, e o pai não sabia quando ia voltar. O segundo é que a vítima gritou "Cooee!" antes de saber que o filho havia voltado. O caso depende desses pontos cruciais. E agora vamos falar de George Meredith, por favor, e vamos deixar os assuntos menos importantes para amanhã.

Não choveu, como Holmes previra, e o dia surgiu ensolarado e sem nuvens. Às nove horas Lestrade veio nos buscar na carruagem e fomos para a Fazenda Hatherley e para o Lago Boscombe.

— Há notícias muito graves esta manhã — disse Lestrade. — Dizem que o sr. Turner está tão mal que não há esperança de que sobreviva.

— É um homem idoso, presumo? — disse Holmes.

— Tem cerca de sessenta anos, mas arruinou a saúde nos anos em que viveu fora do país e há tempos que não vai muito bem. O que aconteceu o abalou muito. Era velho amigo do sr. McCarthy e, devo acrescentar, seu grande benfeitor, pois soube que lhe deu o uso da Fazenda Hatherley de graça.

— Não diga — disse Holmes. — Isso é muito interessante.

— Oh, sim! E ajudou-o de muitas outras maneiras. Todos por aqui falam de sua bondade para com ele.

— Verdade! Não lhe parece um tanto estranho que esse McCarthy, que aparentemente não tinha muitas posses e estava devendo tanto ao Turner, ainda pensasse em casar seu filho com a filha de Turner, que é, sem dúvida, herdeira da propriedade, e de maneira presunçosa, como se fosse simplesmente um caso de pedido de casamento, e tudo mais seria mera consequência? Ainda é mais estranho porque sabemos que o próprio Turner era contra essa ideia. A filha nos contou. Não deduz alguma coisa de tudo isso?

— Já passamos pelas deduções e conclusões — disse Lestrade, piscando para mim. — Já é muito difícil lidar com os fatos, Holmes, não quero ir atrás de teorias e fantasias.

— Tem razão — disse Holmes, muito sério —, você tem muita dificuldade em lidar com os fatos.

— Seja como for, compreendo um fato que você, aparentemente, não consegue aceitar — replicou Lestrade com veemência.

— E qual é esse fato?

— Que o sr. McCarthy pai foi morto pelas mãos do sr. McCarthy filho, e que todas as teorias contrárias são uma grande tolice.

— Bom, talvez você ache isso — disse Holmes, rindo. — Mas acho que não estou errado se disser que esta é a Fazenda Hatherley, à nossa esquerda.

— É.

Era uma construção ampla, de aspecto confortável, de dois andares, com telhado de ardósia e grandes manchas de musgo nas paredes cinzentas. As cortinas fechadas e as chaminés sem fumaça, no entanto, davam-lhe um aspecto sombrio, como se sofresse ainda o impacto da tragédia. Batemos à porta e, a pedido de Holmes, a empregada mostrou as botas que o patrão usava quando fora morto e também um par de botas do filho, embora não fosse o par que ele usava naquela ocasião. Depois de medi-las cuidadosamente de várias maneiras, Holmes pediu para ser conduzido ao pátio e dali tomamos o caminho tortuoso que levava ao Lago Boscombe.

Sherlock Holmes se transformava quando seguia uma pista tão quente quanto essa. Quem só conhecia o calmo e lógico pensador da Baker Street não o reconheceria. O rosto ficava tenso e vermelho. As sobrancelhas se transformavam em duas linhas negras e duras, enquanto os olhos brilhavam abaixo delas com um reflexo de aço. O rosto se inclinava para baixo, os ombros se encolhiam, os lábios se comprimiam e as veias saltavam ao longo do pescoço musculoso. As narinas pareciam dilatar-se com a ânsia do animal pela caça e a mente se concentrava tanto no assunto diante dele que ficava surdo a qualquer comentário ou observação que fosse feita, ou, no máximo, respondia com um grunhido impaciente. Rápida e silenciosamente, ele seguiu o caminho que percorria o prado e, através do bosque, ia até o Lago Boscombe. O terreno era úmido, pantanoso, como toda aquela área, e havia marcas de muitos pés, tanto no caminho, quanto na grama baixa que o ladeava. Às vezes Holmes se precipitava, outras, parava subitamente, e uma vez deu uma grande volta pelo prado. Lestrade e eu andávamos atrás dele, o detetive indiferente e cheio de desprezo, enquanto eu olhava meu amigo com interesse nascido da convicção de que todas as suas atitudes eram dirigidas a um fim específico.

O Lago Boscombe, que é um pequeno lençol d'água de uns cinquenta metros de diâmetro, está situado no limite entre a Fazenda Hatherley e o parque particular do rico sr. Turner. Acima do bosque na margem oposta, podíamos ver os picos vermelhos que indicavam o local da mansão do grande proprietário. Do lado Hatherley do lago, o bosque crescia muito denso e havia uma faixa de grama encharcada de vinte passos de largura entre a orla das árvores e os juncos que margeavam o lago. Lestrade nos mostrou o lugar exato onde o corpo fora encontrado e, na verdade, o chão estava tão úmido que pude ver claramente as marcas feitas pela queda do homem assassinado. Holmes, pelo que pude perceber do rosto animado e dos olhos atentos, estava vendo muitas outras coisas na grama pisada. Andou em volta, como um cão seguindo uma pista, e depois virou-se para meu companheiro.

— Por que entrou no lago? — perguntou.

— Usei um ancinho para revolver o fundo. Pensei que poderia haver alguma arma. Mas como foi que...

— Oh, não importa agora. Não tenho tempo. Seu pé esquerdo, inclinado para dentro, está por toda parte. Qualquer um poderia segui--lo, e ali ele desaparece entre os juncos. Oh, como teria sido simples se eu tivesse estado aqui antes de virem todos, como uma manada de búfalos, e pisoteassem tudo. Foi aqui que o grupo com o vigia veio, e cobriram todas as pistas em volta do corpo. Mas aqui há três pistas separadas dos mesmos pés. — Tirou a lente do bolso e se estendeu no chão para ver melhor, falando o tempo todo mais para si mesmo do que para nós. — Aqui estão os pés do jovem McCarthy. Duas vezes andando, uma correndo rapidamente, de modo que as solas estão nitidamente marcadas e os saltos mal podem ser vistos. Isso confirma sua história. Correu quando viu o pai caído no chão. E aqui estão as pegadas do pai, quando andava de um lado para outro. Mas o que é isso? É o cabo da espingarda, quando o filho ficou à escuta. E isso aqui? Ha, ha! O que temos aqui? Pontas de pé, pontas de pé! E ainda por cima, quadradas. Botas fora do comum! Vêm, vão, e vêm de novo... claro que isso foi por causa do casaco. E agora, de onde vêm?

Correu de um lado para outro, às vezes perdendo, às vezes encontrando a pista, até que chegamos perto da orla do bosque e sob a sombra de uma grande árvore, a maior de toda a área. Holmes acompanhou a pista até o outro lado da árvore e deitou-se mais uma vez no chão com um pequeno grito de satisfação. Ficou ali muito tempo, revirando folhas e gravetos, juntando o que me pareceu ser poeira em um envelope e examinando com a lente não só o chão, mas também a casca da árvore até onde podia alcançar. Uma pedra pontuda estava no meio do musgo, e isso também ele examinou com cuidado e guardou. Então seguiu um caminho através do bosque até sair na estrada, onde todas as pistas se perderam.

— Foi um caso muito interessante — comentou, voltando ao seu jeito normal. — Imagino que essa casa cinzenta à direita deve ser a residência do vigia. Acho que vou entrar e falar com Moran, e talvez escrever um bilhete. Depois disso, podemos voltar e almoçar. Podem ir para o carro, que estarei lá daqui a pouco.

Levou uns dez minutos para estarmos todos no carro a caminho de Ross. Holmes ainda segurava a pedra que pegara no bosque.

— Isto talvez lhe interesse, Lestrade — comentou, estendendo a pedra. É a arma do crime.

— Não vejo marca nenhuma.

— Não há nenhuma marca.

— Então como sabe que foi isso?

— A grama estava crescendo embaixo dela. Só estava lá havia alguns dias. Não havia sinal de um lugar de onde pudesse ter sido tirada. Ela combina com as feridas. Não há sinal de nenhuma outra arma.

— E o assassino?

— É um homem alto, canhoto, aleijado da perna direita, usa botas de sola grossa e um casaco cinzento, fuma charutos indianos, usa uma piteira e carrega um canivete cego no bolso. Há outros indícios, mas esses devem ser suficientes para nos ajudar em nossa busca.

Lestrade riu.

— Acho que eu continuo descrente — disse. — Teorias são muito interessantes, mas temos de lidar com um júri britânico de cabeça dura.

— *Nous verrons* — disse Holmes tranquilamente. — Você deve trabalhar de acordo com os seus métodos que eu trabalharei de acordo com os meus. Estarei muito ocupado esta tarde e provavelmente voltarei a Londres no trem da noite.

— E vai deixar o caso inacabado?

— Não, terminado.

— Mas o mistério?

— Está resolvido.

— Quem era o criminoso, então?

— O cavalheiro que descrevi.

— Mas quem é ele?

— Certamente não será difícil descobrir. Não é um local muito populoso.

Lestrade encolheu os ombros.

— Sou um homem prático — disse — e realmente não posso sair por aí procurando um cavalheiro canhoto e aleijado de uma perna. Iria me tornar o palhaço da Scotland Yard.

— Muito bem — disse Holmes com frieza. — Dei-lhe uma oportunidade. Aí estão seus alojamentos. Adeus. Eu lhe mandarei um bilhete antes de partir.

Após deixar Lestrade em seus aposentos, fomos para o nosso hotel, onde encontramos o almoço já servido. Holmes estava calado, imerso em seus pensamentos, com uma expressão pesarosa no rosto, como se estivesse em situação difícil.

— Olhe aqui, Watson — disse, quando tiravam a mesa —, sente-se nesta cadeira e deixe-me falar um pouco. Não sei bem o que fazer e gostaria de seu conselho. Acenda um charuto e deixe-me explicar.

— Por favor.

— Bem, analisando este caso, há duas coisas na narrativa do jovem McCarthy que chamaram nossa atenção de imediato, embora me impressionassem a favor dele, e a você, contra ele. Uma era o fato de que o pai, de acordo com seu relato, gritou "Cooee!" antes de vê-lo. A outra foi a estranha referência, ao morrer, a um rato. Murmurou várias palavras, você entende, mas foi só isso que o filho captou. Nossa pesquisa deve começar desses dois pontos, e vamos partir do princípio de que o rapaz está dizendo a verdade.

— E quanto ao grito de "Cooee"?

— É claro que não podia ser para o filho. Este, pelo que sabia, estava em Bristol. Foi por mero acaso que o ouviu. O "Cooee!" era para atrair a atenção da pessoa com quem tinha o encontro. Mas "Cooee!" é uma exclamação tipicamente australiana, usada entre australianos. Pode-se presumir que a pessoa com quem McCarthy esperava se encontrar no Lago Boscombe era alguém que tinha estado na Austrália.

— E o rato, então?

Sherlock Holmes tirou um pedaço de papel dobrado do bolso e esticou-o sobre a mesa.

— Isto aqui é um mapa da Colônia de Victoria — disse. — Telegrafei para Bristol ontem à noite para obtê-lo. — Cobriu parte do mapa com a mão. — O que você lê aqui? — perguntou.

— ARAT — li no mapa.

— E agora? — perguntou, tirando a mão.

— BALLARAT.

— Exatamente. Foi essa a palavra que o homem disse, e o filho só captou as duas últimas sílabas. Ele estava tentando pronunciar o nome de seu assassino. Fulano de tal, de Ballarat.

— É fantástico! — exclamei.

— É óbvio. Então, como vê, eu consegui diminuir muito o número de alternativas. A posse de uma vestimenta cinzenta era o terceiro ponto que, se acreditarmos piamente na declaração do filho, seria essencial. Saímos de uma área indefinida para uma concepção definida de um australiano de Ballarat com um casaco cinzento.

— Excelente.

— E alguém muito familiarizado com a área, porque só se pode chegar ao lago atravessando uma das duas propriedades, onde não é permitida a entrada de estranhos.

— Exatamente.

— Então vem a nossa expedição de hoje. Examinando o terreno, consegui aqueles pequenos detalhes da personalidade do criminoso que dei àquele imbecil, Lestrade.

— Mas como os conseguiu?

— Conhece meus métodos. É apenas uma questão de observar os mínimos detalhes.

— Sei que pode calcular a altura aproximada de um homem pelo tamanho de seus passos. Também pode dizer algo sobre as botas baseando-se nas pegadas.

— Sim, eram botas muito peculiares.

— Mas e a perna aleijada?

— A marca do pé direito era sempre menos nítida que a do esquerdo. Apoiava-se menos nele. Por quê? Porque mancava... era aleijado.

— E como descobriu que era canhoto?

— Você mesmo ficou impressionado com a natureza dos ferimentos relatados pelo médico no inquérito. O golpe foi desferido por trás e foi no lado esquerdo. Como isso poderia acontecer, a menos que o assassino fosse canhoto? Ele se escondera atrás daquela árvore durante o encontro do pai com o filho. Chegou até a fumar ali. Encontrei a cinza de um charuto, que meu conhecimento especial de cinzas de tabaco me informou ser de um charuto indiano. Você sabe que dediquei bastante atenção a esse assunto, cheguei até a escrever uma pequena monografia sobre as cinzas de 140 espécies diferentes de cachimbos, charutos e cigarros. Tendo encontrado a cinza, olhei em volta e descobri a ponta do charuto no meio do musgo, onde ele o havia atirado. Era um charuto indiano, do tipo que é feito em Roterdã.

— E a piteira?

— Pude ver que a ponta não tinha estado em sua boca. Portanto, usara uma piteira. A ponta havia sido cortada, não com os dentes, e o corte não era uniforme, então deduzi que usara um canivete cego.

— Holmes — disse —, você armou uma rede em torno desse homem, da qual ele não poderá escapar, e salvou uma vida humana como se tivesse cortado a corda que iria enforcá-lo. Estou vendo a direção para a qual tudo isso está apontando. O culpado é...

— O sr. John Turner — anunciou o garçom do hotel, abrindo a porta de nossa sala e fazendo entrar o visitante.

O homem que entrou era uma figura estranha e impressionante. O andar, lento e manco, e os ombros encurvados davam uma aparência de decrepitude, mas as feições duras e rudes, profundamente enrugadas, e braços e pernas enormes mostravam que possuía considerável força física e de caráter. A barba emaranhada, os cabelos grisalhos e as espessas sobrancelhas se combinavam para lhe dar um ar de dignidade e poder, mas o rosto era cor de um branco acinzentado, e os lábios e asas das narinas tinham uma tonalidade azulada. Vi logo que sofria de uma doença crônica e fatal.

— Por favor, sente-se no sofá — disse Holmes delicadamente. — Recebeu meu bilhete?

— Sim, o vigia levou em minha casa. Disse que queria me ver aqui para evitar um escândalo.

— Achei que haveria comentários se eu fosse à sua casa.

— E por que queria me ver? — Olhou para meu companheiro com desespero nos olhos cansados, como se a pergunta já tivesse sido respondida.

— É — disse Holmes, respondendo ao olhar e não às palavras. — É isso mesmo. Sei tudo sobre McCarthy.

O velho escondeu o rosto nas mãos.

— Deus me ajude! — exclamou. — Mas eu não ia deixar que nada de mal acontecesse com o rapaz. Dou-lhe minha palavra que contaria tudo se o resultado fosse contra ele no tribunal.

— Fico contente de ouvi-lo dizer isso — afirmou Holmes, gravemente.

— Teria falado agora se não fosse minha querida filha. Cortaria seu coração... ela vai ficar com o coração partido quando souber que fui preso.

— Talvez não chegue a isso — disse Holmes.

— O quê?

— Não sou um investigador oficial. Sei que foi sua filha quem pediu minha presença aqui e estou agindo em seu interesse. Mas é preciso libertar o jovem McCarthy.

— Sou um homem condenado — disse o velho Turner. — Há muitos anos sofro de diabetes. Meu médico diz que é pouco provável que eu viva mais um mês. Mas prefiro morrer debaixo de meu teto a morrer na prisão.

Holmes ergueu-se e foi sentar-se à mesa com a pena na mão e um monte de papel diante dele.

— Conte-nos a verdade — disse. — Anotarei os fatos. O senhor assina e Watson, esse cavalheiro ali, pode servir de testemunha. Então poderei apresentar sua confissão em último caso, para salvar o jovem McCarthy. Prometo-lhe que não a usarei, a menos que seja absolutamente necessário.

— Tanto faz — disse o velho —, não se sabe se viverei até o dia marcado para o tribunal, de modo que não importa para mim, mas gostaria de poupar Alice desse choque. Agora vou esclarecer tudo. Levou muito tempo para acontecer, mas não levará muito para contar.

"Você não conheceu o morto, esse McCarthy. Era um verdadeiro demônio. Eu que o diga. Que Deus o livre das garras de um homem como aquele. Vem me chantageando nos últimos vinte anos e destruiu minha vida. Vou contar primeiro como foi que caí em suas mãos.

"Foi no início dos anos 1860, nas minas. Eu era jovem naquela época, de sangue quente e muito ousado, pronto a me meter em qualquer coisa. Meti-me com más companhias, comecei a beber, não tive sorte com minha concessão de mineração, corri para o mato e, em resumo, tornei-me o que aqui se chamaria de assaltante de estrada. Éramos seis e vivíamos uma vida desregrada e selvagem, assaltando uma estação de vez em quando, ou fazendo parar as carroças a caminho das minas. O nome que eu usava então era Black Jack de Ballarat, e o nosso grupo ainda é conhecido na colônia como a Gangue de Ballarat.

"Um dia um comboio de ouro ia de Ballarat para Melbourne. Ficamos de tocaia e o atacamos. Havia seis guardas e nós éramos seis, por isso a luta foi renhida, mas esvaziamos quatro selas com os primeiros tiros. Entretanto, morreram três dos nossos antes que conseguíssemos pegar o ouro. Encostei a pistola na cabeça do cocheiro, que era esse tal de McCarthy. Deveria tê-lo matado naquela hora, por Deus, mas poupei-o, embora visse seus olhinhos maldosos fixos em meu rosto, como se quisesse decorar cada feição. Fugimos com o ouro, ficamos ricos e acabamos voltando para a Inglaterra sem que suspeitassem de nós. Aí separei-me de meus velhos companheiros e resolvi viver uma vida tranquila e respeitável. Comprei esta propriedade, que por acaso estava à venda, e preparei-me para fazer algum bem com esse dinheiro, para compensar a maneira como o havia ganhado. Casei-me, também, e embora minha mulher tenha morrido muito jovem, deixou-me a minha querida Alice. Mesmo quando ainda era muito pequena, sua mãozinha parecia me levar pelo caminho do bem, como nenhuma outra coisa jamais fizera em toda a minha vida. Em resumo, comecei vida nova e fiz o possível para compensar o passado. Tudo estava indo muito bem quando McCarthy pôs as mãos em cima de mim.

"Eu tinha ido à cidade para resolver um problema de investimento, e encontrei McCarthy na Regent Street, tão esfarrapado que estava quase nu.

"'Aqui estamos, Jack', ele disse, pondo a mão no meu braço, 'vamos ser como parte de sua família. Somos dois, meu filho e eu, e você pode tomar conta de nós. Se não... a Inglaterra é um país maravilhoso, todo mundo respeita muito as leis, e há sempre um policial por perto.'

"Bem, lá vieram eles para o oeste, e não havia maneira de me livrar deles, e aqui eles têm vivido todo esse tempo, em minhas terras, sem pagar um tostão. Não tive mais descanso, não tive mais paz, não conseguia esquecer. Para onde quer que me virasse, lá estava sua cara astuta, rindo de mim. Foi muito pior ainda quando Alice cresceu, pois ele logo viu que eu tinha mais medo de que ela descobrisse meu passado do que a polícia. Tudo que ele queria eu tinha que dar sem discutir... terras, dinheiro, casas, até que um dia ele pediu uma coisa que eu não podia dar. Pediu Alice.

"Seu filho tinha crescido também, e todo mundo sabia que minha saúde era muito precária, então pareceu a ele um grande golpe que o filho tomasse o meu lugar como dono de tudo. Mas aí fiquei firme. Não admitia misturar aquele sangue ruim com o meu. Não que tivesse qualquer coisa contra o rapaz, mas ele tinha o sangue do pai, e isso bastava. Continuei firme. McCarthy me ameaçou. Desafiei-o a fazer o que quisesse. Íamos nos encontrar no lago, a meio caminho de nossas casas, para discutir o assunto.

"Quando cheguei lá, encontrei-o falando com o filho, então fumei um charuto e esperei atrás de uma árvore até que ele ficasse sozinho. Mas, enquanto ouvia a conversa, tudo que havia de sinistro e amargo dentro de mim pareceu vir à tona. Ele estava insistindo com o filho para se casar com minha filha sem dar a menor atenção ao que ela poderia querer, como se ela fosse uma prostituta das ruas. Fiquei completamente louco ao pensar que eu e tudo que me era mais caro na vida estivéssemos em poder de um homem como aquele. Será que eu não poderia cortar os laços? Já era praticamente um homem morto, e desesperado. Embora minha mente estivesse clara e fosse bastante forte, sabia que meu destino estava escrito. Mas a minha memória, e a minha filha! Ambas poderiam ser salvas se eu conseguisse calar aquela boca imunda. Foi o que fiz, sr. Holmes. E faria a mesma coisa de novo. Por mais que tenha pecado, levei uma vida de martírio para pagar esses pecados. Mas não podia suportar a ideia de que minha filha ficasse emaranhada nas mesmas tramas que me amarravam. Matei-o sem a menor hesitação, como se fosse um animal nojento e venenoso. Deu um grito que trouxe de volta o filho. Mas eu já tinha me escondido no bosque, embora tivesse de voltar para buscar o casaco que deixara cair ao fugir. Essa é a verdadeira versão do que aconteceu, cavalheiros."

— Bem, não cabe a mim julgá-lo — disse Holmes, enquanto o velho assinava a declaração que ele preparara. — Rezo para nunca ser exposto a uma tentação dessas.

— Espero que não, senhor. E o que pretende fazer?

— Considerando sua saúde, nada. O senhor mesmo sabe que em breve terá de justificar suas ações diante de um tribunal mais elevado que a corte do condado. Guardarei sua confissão, e se McCarthy for condenado, serei obrigado a usá-la. Caso contrário, nunca será vista por ninguém. E seu segredo, esteja o senhor vivo ou morto, ficará seguro em nossas mãos.

— Adeus, então — disse o velho, solenemente. — Sua hora final, quando chegar, será mais suave ao pensar na paz que trouxe à minha. — Cambaleando e com todo seu corpo enorme tremendo, ele saiu lentamente da sala.

— Deus nos ajude! — disse Holmes, após um longo silêncio. — Por que o destino faz tantas maldades com esses pobres vermes indefesos? Nunca ouço falar de um caso assim sem me lembrar das palavras de Baxter e dizer: "Aí, não fora a bênção de Deus, estaria Sherlock Holmes."

James McCarthy foi julgado inocente no tribunal, com base na força de uma série de objeções anotadas por Holmes e apresentadas ao advogado de defesa. O velho Turner viveu mais sete meses depois do nosso encontro, mas agora está morto. E tudo indica que o filho e a filha vão viver juntos e felizes, ignorando a nuvem negra que paira sobre seu passado.

OS CINCO CAROÇOS DE LARANJA

QUANDO CONSULTO MINHAS ANOTAÇÕES SOBRE OS CASOS DE Sherlock Holmes entre os anos de 1882 e 1890, encontro tantos que apresentam aspectos estranhos e interessantes que não é nada fácil resolver quais os que devo escolher e quais os que devo deixar de lado. Alguns, entretanto, já ganharam publicidade nos jornais, e outros não ofereceram oportunidade para a demonstração das qualidades peculiares que meu amigo possui em tão alto grau, e que é meu objetivo mostrar nestas páginas. Alguns, também, frustraram sua perícia analítica e seriam, como narrativas, começos sem ter um fim, enquanto outros só foram desvendados parcialmente, e as explicações são baseadas mais em suposições e deduções do que em provas lógicas absolutas, que lhe são tão caras. Mas um desses últimos foi tão notável em relação a detalhes e tão espantoso quanto ao resultado, que me sinto tentado a relatá-lo, apesar do fato de que há certos pontos que nunca foram, e provavelmente nunca serão, completamente esclarecidos.

O ano de 1887 nos forneceu uma longa série de casos de maior ou menor interesse, dos quais tenho as anotações. Entre meus títulos desses 12 meses, encontra-se o relato da aventura do Gabinete Paradol, da Sociedade de Mendigos Amadores, que mantinha um clube de luxo no porão de um depósito de mobílias, dos fatos ligados à perda do barco inglês *Sophy Anderson*, das aventuras singulares dos Grice Paterson na ilha de Uffa, e, finalmente, do caso de envenenamento de Camberwell. Neste último, como deve ser lembrado, Sherlock Holmes conseguiu, dando corda no relógio do morto, provar que haviam dado corda nele duas horas antes, e que, portanto, o defunto fora para a cama dentro desse período de tempo, uma dedução que fora da maior importância para elucidar o caso. Todos esses eu poderei esboçar algum dia no futuro, mas nenhum deles apresenta aspectos tão singulares quanto a estranha cadeia de circunstâncias que vou descrever agora.

Foi nos últimos dias de setembro, e as ventanias do equinócio haviam começado com uma violência excepcional. Durante o dia inteiro o vento uivara e a chuva batera contra os vidros das janelas de tal forma que mesmo aqui, no coração da grande cidade de Londres, feita pelo homem, éramos obrigados a elevar nossas mentes, desviando-as momentaneamente da rotina da vida para reconhecer a presença das poderosas forças dos elementos que lançam gritos estridentes à humanidade através das grades de sua civilização, como animais selvagens indomáveis presos em uma jaula. Ao se aproximar a noite, a tempestade ficou mais forte e mais ruidosa, e o vento chorava e soluçava na chaminé como uma criança. Sherlock Holmes estava sentado, melancólico, de um lado da lareira, fazendo um índice de seus registros de crimes, enquanto eu, do outro lado, estava mergulhado em uma das belas histórias do mar, de Clark Russell, até que os uivos da ventania lá fora pareceram misturar-se com o texto, e as batidas da chuva transformaram-se no marulho ruidoso das ondas do mar. Minha esposa estava visitando uma tia e durante alguns dias eu voltara a morar nos meus velhos aposentos na Baker Street.

— Ora — eu disse, olhando meu companheiro —, não foi a campainha que tocou? Quem viria aqui numa noite dessas? Algum amigo seu, talvez?

— Fora você, não tenho amigo nenhum — ele respondeu. — E não incentivo visitas.

— Um cliente, então?

— Se for, é um caso grave. Nada menos do que isso faria um homem sair numa noite assim, e a esta hora. Mas acho que é mais provável que seja alguma amiguinha de nossa senhoria.

Mas Sherlock Holmes estava errado em sua suposição. Ouvimos passos no corredor e uma pancada na porta. Ele estendeu o longo braço para afastar a lâmpada dele e aproximá-la da cadeira vazia onde sentaria o visitante.

— Entre! — exclamou.

O homem que entrou era jovem, devia ter no máximo 22 anos, estava vestido com esmero e tinha maneiras finas e delicadas. O guarda-chuva pingando água e a longa capa de chuva inteiramente molhada eram testemunhas do tempo feroz que enfrentara para vir até aqui. Olhou em volta com ansiedade à luz da lâmpada e pude ver que o rosto estava pálido e os olhos pesados, como os de um homem oprimido por uma grande angústia.

— Peço muitas desculpas — disse, colocando um pincenê de ouro. — Espero não estar incomodando. Receio que tenha trazido alguns vestígios da tempestade e da chuva para sua sala tão aconchegante.

— Dê-me a capa e o guarda-chuva — disse Holmes. — Vou deixá-los aqui nesse cabide e logo estarão secos. Vejo que está vindo do sudoeste.

— Sim, de Horsham.

— Essa mistura de barro e greda que vejo na ponta de suas botas é bem característica.

— Vim em busca de uma opinião.

— Isso é fácil de obter.

— E de ajuda.

— Isso nem sempre é fácil.

— Ouvi falar do senhor. O major Prendergast contou que o senhor o salvou no escândalo do Clube Tankerville.

— Ah, sim. Ele fora acusado injustamente de roubar no jogo de cartas.

— Ele disse que o senhor é capaz de resolver qualquer enigma.

— Ele exagerou.

— Que o senhor nunca foi derrotado.

— Já fui derrotado quatro vezes: três vezes por homens e uma vez por uma mulher.

— Mas o que é isso comparado com o número de seus êxitos?

— É verdade que, em geral, tenho sido bem-sucedido.

— Então pode ser comigo também.

— Tenha a bondade de puxar sua cadeira para perto do fogo e me dar alguns detalhes sobre seu problema.

— Não é um caso comum.

— Nenhum dos que vêm a mim é. Sou uma espécie de última corte de apelação.

— Mesmo assim, eu duvido, senhor, que, em toda a sua experiência, já tenha encontrado uma sucessão de acontecimentos mais misteriosos e inexplicáveis do que os que ocorreram na minha família.

— O senhor está me deixando muito interessado — disse Holmes. — Faça o favor de nos contar os fatos essenciais desde o início, e depois poderei perguntar sobre os detalhes que me parecerem mais importantes.

O rapaz puxou a cadeira para perto da lareira e esticou os pés molhados para o fogo.

— Meu nome — começou — é John Openshaw, mas a minha vida, pelo que entendo, tem pouco a ver com esse negócio horrível. É uma questão hereditária, de modo que, para dar-lhe uma ideia dos fatos, tenho de contar tudo desde o início.

"É preciso que saiba que meu avô teve dois filhos: meu tio Elias e meu pai Joseph. Meu pai tinha uma pequena fábrica em Coventry, que ele ampliou na época da invenção do ciclismo. Foi ele quem patenteou o pneu Openshaw, que era praticamente indestrutível, e o negócio teve tanto sucesso que ele o vendeu muito bem e se aposentou com uma boa renda.

"Meu tio Elias emigrou para os Estados Unidos quando era jovem e tornou-se agricultor na Flórida, onde dizem que se saiu muito bem. Na época da guerra, lutou sob o comando de Jackson e depois sob o de Hood, e chegou a coronel. Quando Lee depôs as armas, meu tio voltou à sua plantação e lá ficou durante três ou quatro anos. Em 1869 ou 1870, voltou à Europa e se estabeleceu em uma pequena propriedade em Sussex, perto de Horsham. Acumulara uma fortuna considerável nos Estados Unidos e os motivos que o levaram a sair de lá foram sua aversão aos negros e seu desgosto com a política republicana, que estendia a eles os direitos civis. Era um homem esquisito, feroz e de gênio violento, desbocado quando ficava zangado, e extremamente retraído. Durante os anos em que morou em Horsham, duvido que tenha ido uma só vez à cidade. Tinha um jardim e dois ou três campos em volta da casa, e era lá que fazia exercício, embora muitas vezes não saísse do quarto durante semanas a fio. Bebia grande quantidade de conhaque, fumava desbragadamente, mas não via ninguém e não queria amigos, nem mesmo o próprio irmão.

“Eu não o incomodava; na verdade, ele até gostava de mim, pois quando me viu pela primeira vez, eu era um garoto de 12 anos, mais ou menos. Isso deve ter sido em 1878, quando ele já estava na Inglaterra havia uns oito ou nove anos. Pediu insistentemente a meu pai que deixasse que eu fosse morar com ele e era muito bondoso comigo à sua maneira. Quando estava sóbrio, gostava de jogar gamão ou damas comigo e fez de mim seu representante junto aos empregados e aos fornecedores da casa, de modo que, quando eu tinha 16 anos, era quase o dono da casa. Guardava todas as chaves e podia ir aonde quisesse e fazer o que quisesse, desde que não perturbasse sua privacidade. Mas havia uma exceção esquisita, porque ele tinha um quarto no sótão que ficava sempre trancado, e no qual ele não permitia que nem eu nem mais ninguém entrasse. Com a curiosidade de um garoto da minha idade, eu olhara pelo buraco da fechadura muitas vezes, mas nunca consegui ver nada, a não ser uma coleção de velhas malas e pacotes, o que era de se esperar em um quarto como esse.

“Um dia... foi em março de 1883, havia uma carta com selo estrangeiro na mesa, diante do prato do coronel. Não era comum ele receber cartas, pois todas as contas eram pagas em dinheiro e ele não tinha amigos de espécie alguma. ‘Da Índia!’ exclamou, pegando o envelope. ‘Carimbo de Pondicherry! O que será isso?’ Abriu o envelope apressadamente e dele caíram cinco carocinhos de laranja secos, que saltaram dentro do prato. Comecei a rir, mas parei logo que vi seu rosto. Estava de boca aberta, com os olhos esbugalhados e a pele da cor de cal. Olhava fixamente o envelope que ainda tinha nas mãos trêmulas. ‘K.K.K.’, gritou, e logo depois: ‘Meu Deus, meu Deus, meus pecados me alcançaram.’

“‘O que é isso, tio?’, perguntei.

“‘A morte’, respondeu, e, erguendo-se da mesa, foi para o quarto, e eu fiquei tremendo de horror. Peguei o envelope e vi, rabiscada em tinta vermelha no lado interno da aba, logo acima da cola, a letra K repetida três vezes. Não havia nada mais no envelope, a não ser os cinco caroços secos que haviam caído. Qual seria o motivo do imenso terror de meu tio? Saí da mesa do café e, ao subir as escadas, cruzei com ele, que descia com uma velha chave enferrujada em uma das mãos, que deveria ser do sótão, e uma caixinha de metal, como um pequeno cofre, na outra.

"'Podem fazer o que quiserem, mas ainda vou dar-lhes um xeque--mate', ele disse, com um palavrão. 'Diga a Mary que vou querer a lareira acesa em meu quarto hoje, e mande alguém a Horsham para chamar Fordham, o advogado.'

"Fiz o que ele mandou e quando o advogado chegou, fui chamado para ir ao quarto. O fogo ardia vivamente na lareira e na grade se acumulava um monte de cinzas negras e fofas, como de papel queimado, e a caixa de metal estava aberta e vazia perto da lareira. Ao olhar para a caixa, notei com surpresa que na tampa estava gravado o triplo K que eu vira de manhã no envelope.

"'Quero que você, John', disse meu tio, 'seja testemunha do meu testamento. Deixo tudo que tenho, com todas as vantagens e desvantagens, para meu irmão, seu pai, de quem, sem dúvida, virá para você. Se puder aproveitar tudo isso em paz, muito bem! Se vir que não pode, siga meu conselho, meu rapaz, e deixe tudo para seu pior inimigo. Sinto muito dar a você uma faca de dois gumes como essa, mas não sei que rumo as coisas vão tomar. Faça o favor de assinar onde o sr. Fordham indicar.'

"Assinei o papel, como ele mandou, e o advogado o levou. Esse incidente estranho, como deve imaginar, deixou uma profunda impressão em mim, e pensei muito sobre isso, virando e revirando ideias na cabeça sem conseguir chegar a nenhuma conclusão. Mas não consegui afastar uma sensação de temor que persistiu após o incidente, embora essa sensação tivesse se atenuado à medida que as semanas foram passando e nada aconteceu para perturbar a rotina de nossas vidas. Mas notei uma mudança em meu tio. Bebia mais que nunca e estava menos disposto a qualquer tipo de companhia. Passava a maior parte do tempo no quarto, com a porta trancada, mas às vezes surgia numa espécie de furor alcoólico, saía da casa e percorria freneticamente o jardim com um revólver na mão, berrando que não tinha medo de homem nenhum, que não ficaria encarcerado como um carneiro em um curral, nem por um homem, nem pelo próprio demônio. Mas quando esses acessos de fúria passavam, ele corria para dentro de casa e trancava imediatamente a porta, como alguém que não aguenta mais enfrentar o terror que guarda no fundo de sua alma. Nessas ocasiões, vi seu rosto, mesmo em dias muito frios, brilhante de suor como se tivesse acabado de ser lavado.

"Bem, para resumir essa longa história, sr. Holmes, e não abusar de sua paciência, uma noite ele saiu em um desses acessos de bêbado e nunca mais voltou. Quando fomos procurá-lo, nós o encontramos deitado de bruços, com o rosto dentro de um pequeno lago coberto de limo, em uma das extremidades do jardim. Não havia nenhum sinal de violência e a água só tinha meio metro de profundidade, por isso o júri, considerando sua conhecida excentricidade, chegou ao veredicto de suicídio. Mas eu, que sabia como ele estremecia à simples ideia da morte, tive muita dificuldade em me convencer de que ele abandonara suas precauções para ir ao seu encontro. Tudo passou, entretanto, e meu pai tomou posse da propriedade e de umas 14 mil libras que estavam depositadas em seu nome no banco."

— Um momento — interrompeu Holmes. — Sua narrativa, pelo que estou vendo, é uma das mais fantásticas que já ouvi. Diga-me em que data seu tio recebeu a carta e em que data ocorreu seu suposto suicídio.

— A carta chegou no dia 10 de março de 1883. Sua morte ocorreu sete semanas depois, na noite de 2 de maio.

— Obrigado. Por favor, continue.

— Quando meu pai tomou posse da propriedade de Horsham, a meu pedido ele fez um exame minucioso do sótão, que sempre estivera trancado. Encontramos a caixa de metal ali, embora seu conteúdo tivesse sido destruído. No lado de dentro da tampa havia uma etiqueta de papel com as iniciais K.K.K. repetidas, e "Cartas, memorandos, recibos e registros" escrito abaixo. Isso, nós deduzimos, indicava a natureza dos papéis que haviam sido destruídos pelo coronel Openshaw. Quanto ao resto, não havia nada de grande importância no sótão, exceto muitos jornais espalhados, e cadernos contando sobre a vida de meu tio na América. Alguns datavam da época da guerra e mostravam que ele cumprira seu dever e adquirira a reputação de ser um bravo soldado. Outros eram da época da reconstrução dos estados do sul, e falavam, sobretudo, de política, pois evidentemente ele desempenhara papel importante na oposição aos políticos que haviam sido mandados do norte do país.

"Bem, foi no início de 1884 que meu pai veio morar em Horsham, e tudo correu muito bem conosco até janeiro de 1885. No quarto dia depois do Ano-Novo ouvi meu pai dar um grito agudo de surpresa quando estávamos sentados à mesa do café. Ele estava sentado ali com um envelope recém-aberto em uma das mãos e cinco caroços de laranja secos na palma estendida da outra. Sempre rira do que chamava de minha absurda história sobre o coronel, mas estava com uma expressão de espanto e medo agora que o mesmo havia acontecido com ele.

"'Ora veja, o que quer dizer isso, John?', perguntou, gaguejando.

"Meu coração virou chumbo. 'É K.K.K', eu disse.

"Ele olhou dentro do envelope. 'É mesmo', exclamou. 'Aqui estão as letras. Mas o que está escrito acima delas?'

"'Coloque os papéis no relógio de sol', li, debruçado por cima de seu ombro.

"'Que papéis? Que relógio de sol?', ele perguntou.

"'O relógio de sol do jardim. Não há nenhum outro', respondi. 'Mas os papéis devem ser aqueles que foram destruídos.'

"'Tolice!', disse ele, tentando demonstrar coragem. 'Estamos em um país civilizado e não vamos admitir bobagens dessas. De onde vem esse negócio?'

"'De Dundee', respondi, olhando o carimbo.

"'Alguma piada de mau gosto', disse. 'Não tenho nada a ver com relógios de sol e papéis. Não vou dar a menor importância a essa tolice toda.'

"'Se eu fosse o senhor, falaria com a polícia', eu disse.

"'Iam rir de mim por essa bobagem. Não farei nada disso.'

"'Então deixe que eu fale.'

"'Não, eu o proíbo de fazer isso. Não admito que se faça um grande estardalhaço por uma coisa dessas.'

"Não adiantava discutir com ele, porque era muito teimoso. Mas saí dali com o coração angustiado e cheio de pressentimentos.

"No terceiro dia depois da chegada da carta, meu pai saiu de casa para visitar um velho amigo, o major Freebody, que comanda um dos fortes em Portsdown Hill. Fiquei contente de vê-lo ir, pois me parecia que se afastava do perigo quando estava fora de casa. Nisso, entretanto, eu estava completamente enganado. No segundo dia de sua ausência, recebi um telegrama do major implorando que eu fosse lá imediatamente. Meu pai caíra em uma escavação de calcário, como há muitas por lá, e estava inconsciente, com fratura de crânio. Corri para seu lado, mas ele morreu sem ter recobrado os sentidos.

Aparentemente, ele voltava de Fareham ao anoitecer, e como não conhecia bem a região e a escavação não estava cercada, o júri não hesitou em chegar ao veredicto de 'morte acidental'. Examinei com cuidado todos os fatos ligados à sua morte, mas não consegui encontrar nada que sugerisse a ideia de assassinato. Não havia nenhum sinal de violência, nenhuma pegada, nenhum roubo, nenhuma notícia de estranhos pelos caminhos. No entanto, acho que não é preciso dizer que não fiquei nada tranquilo e que tinha quase certeza de que ele havia sido envolvido em alguma trama diabólica.

"Foi dessa maneira sinistra que herdei todos os bens. O senhor perguntará por que não dispus deles. Minha resposta é que eu estava convencido de que nossos problemas, de alguma forma, eram consequência de algum incidente na vida de meu tio, e que o perigo seria o mesmo numa casa ou na outra.

"Foi em janeiro de 1885 que meu pobre pai morreu, e já se passaram dois anos e oito meses desde então. Durante todo esse tempo vivi muito feliz em Horsham, e começara a acreditar que a família escapara da maldição, e que tudo terminara com a última geração. Mas me senti liberado cedo demais; ontem de manhã fui vítima do mesmo golpe que atingira meu pai."

O rapaz tirou do bolso do colete um envelope amarrotado e, virando-se para a mesa, despejou cinco pequenos caroços de laranja secos.

— Aqui está o envelope — continuou. — O carimbo postal é de Londres. Setor Leste. Dentro estão as mesmas palavras que estavam na última mensagem para meu pai. "K.K.K." E depois: "Coloque os papéis no relógio de sol."

— O que o senhor fez? — perguntou Holmes.

— Nada.

— Nada?

— Para dizer a verdade — cobriu o rosto com as mãos magras e brancas —, eu me senti totalmente impotente. Eu me senti como um daqueles pobres coelhinhos quando a cobra está deslizando em sua direção. Sinto como se estivesse nas garras de algo diabólico, irresistível e inexorável, contra o qual não há nenhuma precaução possível, nenhuma providência que sirva de proteção.

— Ora, ora! — exclamou Sherlock Holmes. — Precisa agir, ou estará perdido. Só a energia pode salvá-lo. Não é hora para o desespero.

— Falei com a polícia.

— Ah!

— Mas ouviram minha história com um sorriso. Tenho certeza de que o inspetor acha que as cartas são piadas de mau gosto, e que as mortes de meus parentes foram realmente acidentais, como disse o júri, e não devem ser associadas aos avisos.

Holmes sacudiu o punho no ar.

— Que imbecilidade incrível! — exclamou.

— Apesar disso, deram-me um policial para ficar em casa comigo.

— Veio com o senhor hoje aqui?

— Não. A ordem foi para ficar na casa.

Holmes sacudiu os punhos outra vez.

— Por que veio me consultar? — perguntou. — E, mais importante ainda, por que não veio imediatamente?

— Eu não sabia. Foi só hoje que falei com o major Prendergast sobre o meu problema, e ele me aconselhou a vir procurá-lo.

— Já faz dois dias que recebeu a carta. Deveríamos ter agido antes. O senhor não tem nenhuma outra evidência, suponho, além daquilo que já nos deu; nenhum detalhe sugestivo que possa nos ajudar?

— Há uma coisa — disse John Openshaw. Procurou no bolso do casaco e tirou um pedaço de papel azulado, desbotado, e o colocou na mesa. — Tenho uma vaga lembrança — disse — de que no dia em que meu tio queimou os papéis, notei que as pequenas margens não queimadas que estavam entre as cinzas eram exatamente da mesma cor. Encontrei esta folha no chão de seu quarto, e estou achando que pode ser um dos papéis que talvez tenha escorregado do meio dos outros e assim escapado da destruição. Além do fato de que menciona caroços, não vejo em que pode nos ajudar. Minha opinião é que se trata de uma página de algum diário particular. A caligrafia é, sem dúvida nenhuma, a de meu tio.

Holmes mudou a posição da lâmpada e nós dois nos inclinamos sobre a folha de papel, que mostrava pela borda irregular que havia sido, realmente, rasgada de um caderno. O cabeçalho dizia "Março, 1869" e abaixo estavam as seguintes anotações enigmáticas:

4 — Hudson veio. Sempre a mesma coisa.

7 — Caroços para McCauley, Paramore e John Swain, de St. Augustine.

9 — McCauley resolvido.
10 — John Swain resolvido.
12 — Visita a Paramore. Tudo bem.

— Obrigado! — disse Holmes, dobrando o papel e devolvendo-o ao nosso visitante. — E agora não pode, de maneira nenhuma, perder nem mais um instante. Não dispomos de tempo nem para discutir o que me contou. Tem de ir imediatamente para casa e agir.

— O que devo fazer?

— Só há uma coisa a fazer. E deve ser feita logo. Deve colocar esse pedaço de papel que nos mostrou na caixa de metal que descreveu. Deve também colocar um bilhete dizendo que todos os outros papéis foram queimados por seu tio, e este é o único que restou. Deve dizer isso de forma convincente. Depois deve colocar imediatamente a caixa no relógio de sol, como mandaram. Compreende?

— Muito bem.

— Não pense em vingança, ou coisa parecida, por enquanto. Acho que poderemos conseguir isso por intermédio da lei. Mas temos que tecer nossa teia, e a deles já está tecida. A primeira providência é eliminar o perigo imediato que o ameaça. A segunda é esclarecer o mistério e punir os culpados.

— Eu lhe agradeço muito — disse o rapaz, levantando-se da cadeira e vestindo a capa de chuva. — O senhor me deu vida nova e esperança. Farei exatamente o que me aconselhou.

— Não perca um segundo. E, acima de tudo, tome muito cuidado nesse ínterim, pois acho que não há a menor dúvida de que o senhor está correndo perigo real e iminente. Como vai voltar para casa?

— De trem, da estação Waterloo.

— Ainda não são 21 horas. As ruas estarão cheias, de modo que acredito que estará seguro. Mas todo cuidado é pouco.

— Estou armado.

— Isso é bom. Amanhã começarei a trabalhar no seu caso.

— O senhor irá a Horsham, então?

— Não, seu segredo está em Londres. E é aqui que vou procurá-lo.

— Então virei vê-lo dentro de um ou dois dias para lhe dar notícias da caixa e dos papéis. Seguirei seus conselhos em todos os detalhes.

Despediu-se de nós com um aperto de mão e saiu. Lá fora o vento ainda gemia e a chuva batia ruidosamente nas janelas. Essa história estranha e violenta parecia ter chegado a nós da selvageria dos elementos, arrastada pelo vento até nós como algas em uma tormenta, e agora era absorvido outra vez pela fúria dos elementos.

Sherlock Holmes ficou sentado algum tempo em silêncio com a cabeça inclinada sobre o peito e os olhos perdidos no rubro intenso do fogo na lareira.

Depois, acendeu o cachimbo e, recostando-se na cadeira, contemplou os anéis azuis de fumaça correndo um atrás dos outros em direção ao teto.

— Eu acho, Watson — disse por fim —, que, de todos os nossos casos, este é o mais fantástico.

— A não ser, talvez, o *Sinal dos quatro*.

— É, talvez. Exceto esse, provavelmente. Mas me parece que John Openshaw está correndo perigos muito maiores do que qualquer um que tenha ameaçado os Sholto.

— Mas você já tem alguma ideia definida do que são esses perigos? — perguntei.

— Não há dúvida nenhuma quanto à sua natureza — foi sua resposta.

— Então, quais são eles? Quem é esse tal de K.K.K., e por que ele persegue essa família infeliz?

Sherlock Holmes fechou os olhos e apoiou os cotovelos nos braços da cadeira, juntando as pontas dos dedos.

— O raciocinador ideal — observou —, depois que lhe mostrassem um único fato em todos os seus aspectos, deduziria dele não só a cadeia completa de acontecimentos que levaram a ele, como também todas as consequências que ele acarretaria. Da mesma forma que Cuvier podia descrever corretamente um animal inteiro estudando um único osso, também o observador que compreendeu perfeitamente um elo em uma série de incidentes deveria ser capaz de descrever com exatidão todos os outros elos, tanto antes quanto depois. Ainda não compreendemos por inteiro os resultados que a razão sozinha pode alcançar. Há problemas que podem ser resolvidos no gabinete, o que tem deixado perplexos todos aqueles que procuraram uma solução por meio dos sentidos. Para levar a arte a seu ponto mais alto, entretanto, é necessário que o raciocinador tenha a capacidade de utilizar todos os fatos que chegaram ao seu conhecimento, e isso implica, como você mesmo verá facilmente, a posse de todos os conhecimentos, o que, mesmo nessa época de educação gratuita e de enciclopédias, é um feito bastante raro. Não é de todo impossível, entretanto, que um homem possua todos os conhecimentos que podem ser úteis a ele em seu trabalho, e é isso que procurei fazer no meu caso. Se me lembro bem, você, em certa ocasião, no início de nossa amizade, definiu meus limites de maneira muito precisa.

— Sim — respondi, rindo. — Foi um documento muito curioso. Lembro que filosofia, astronomia e política receberam nota zero. Botânica, variável; geologia, muito profunda, desde que tivesse ligação com manchas de lama de qualquer região a uma distância de setenta quilômetros da cidade; química, excêntrica; anatomia, não muito organizada; literatura, sensacional, e registros de crimes, única; além disso, um violinista, lutador de boxe, espadachim, advogado e envenenador de si mesmo com cocaína e tabaco. Acho que foram estes os pontos principais da minha análise.

Holmes sorriu ao ouvir o último item.

— Bem — continuou —, digo agora, como disse então, que um homem deve manter sempre o sótão de seu cérebro suprido com toda a mobília de que provavelmente irá precisar, e o resto pode armazenar no quartinho de depósito de sua biblioteca, onde pode ir buscar, se precisar. Ora, para um caso como esse que nos foi apresentado esta noite, sem dúvida precisamos usar todos os nossos recursos. Por favor, dê-me a letra K da Enciclopédia Americana que está na prateleira perto de você. Obrigado. Agora vamos analisar a situação e ver o que podemos deduzir. Em primeiro lugar, podemos começar com a suposição bem fundada de que o coronel Openshaw tinha razões muito fortes para sair dos Estados Unidos. Um homem da idade dele não muda todos os seus hábitos e troca, de boa vontade, o clima adorável da Flórida pela vida solitária de uma pequena cidade provinciana da Inglaterra. Seu amor extremo à solidão na Inglaterra sugere a possibilidade de que temia alguém ou alguma coisa, por isso podemos admitir como hipótese que foi o medo de alguém ou de alguma coisa que fez com que saísse dos Estados Unidos. Quanto ao que lhe causava medo, só podemos deduzir isso considerando as terríveis cartas recebidas por ele e por seus sucessores. Tomou nota dos carimbos dessas cartas?

— A primeira era de Pondicherry, a segunda de Dundee e a terceira de Londres.

— Do leste de Londres, para ser exato. E o que você deduz disso?

— Todos são portos. O autor das cartas estava a bordo de um navio.

— Excelente. Já temos uma pista. Não há dúvida nenhuma de que uma probabilidade, uma probabilidade muito forte, é de que o autor das cartas estava a bordo de um navio. E agora vamos considerar outro ponto. No caso de Pondicherry, passaram-se sete semanas entre a ameaça e o seu cumprimento; no caso de Dundee, o intervalo foi de apenas três ou quatro dias. Isso sugere alguma coisa a você?

— Uma distância maior de viagem.

— Mas a carta também tinha uma distância maior a percorrer.

— Então não vejo a diferença.

— Há, pelo menos, uma suposição de que a embarcação em que se encontra o homem, ou homens, seja um veleiro. Pelo que parece, sempre mandaram seu aviso antes de saírem em uma missão. Você viu como a ação veio pouco depois da ameaça quando esta veio de Dundee. Se tivessem vindo de Pondicherry em um navio a vapor, teriam chegado quase junto com a carta. No entanto, passaram-se sete semanas. Acho que essas sete semanas representam a diferença entre o barco que trouxe a correspondência e o veleiro que trouxe o autor da carta.

— É possível.

— Mais que isso. É provável. E agora você entende a urgência desse nosso último caso, e por que insisti com Openshaw para que tomasse muito cuidado. O golpe sempre foi desfechado no final do período que os remetentes levariam para atravessar a distância. Mas essa última veio de Londres e, portanto, não podemos contar com nenhuma demora.

— Deus meu! — exclamei. — O que pode significar essa perseguição tão cruel?

— Os papéis em poder de Openshaw são, obviamente, de importância vital para a pessoa ou pessoas que viajam no veleiro. Acho que está bem claro que deve haver mais de um homem. Um único homem não poderia ter cometido dois assassinatos de uma maneira que enganasse um júri. Deve ter envolvido vários homens, e devem ter sido homens decididos e de muita imaginação. Querem os papéis e vão consegui-los, estejam com quem estiverem. Por aí você vê que as letras K.K.K. deixam de ser as iniciais de um indivíduo e passam a ser o símbolo de uma sociedade.

— Mas de que sociedade?

— Você nunca ouviu falar em Ku Klux Klan? — perguntou Sherlock Holmes, inclinando-se à frente e baixando a voz.

— Nunca.

Holmes virou as páginas do livro que tinha no colo.

— Aqui está — disse após alguns instantes.

Ku Klux Klan. O nome é derivado de uma semelhança imaginária com o som produzido quando se engatilha uma espingarda. Essa terrível sociedade secreta foi formada por alguns ex-soldados confederados nos estados do sul após a Guerra Civil e logo desmembrou-se em grupos locais em várias regiões do país, principalmente no Tennessee, em Louisiana, nas Carolinas, na Geórgia e na Flórida. Seu poder era usado para objetivos políticos, em especial para aterrorizar os eleitores negros, e para assassinar ou expulsar do país aqueles que se opunham a suas ideias. Suas atrocidades eram em geral precedidas de um aviso mandado ao homem marcado, em uma forma fantástica, mas em geral reconhecida, como um ramo de folhas de carvalho em algumas localidades, sementes de melão ou caroços de laranja em outras. Ao receber esse aviso, a vítima podia renegar em público seu procedimento anterior ou fugir do país. Se ele enfrentasse a acusação, seria inevitavelmente morto, quase sempre de alguma maneira inesperada e estranha. A organização da sociedade era tão perfeita, e seus métodos tão sistemáticos, que não há nenhum caso registrado de alguém que tenha conseguido desafiá-la impunemente, ou que se tenha comprovado a responsabilidade de seus membros pelas atrocidades praticadas. Durante alguns anos a organização floresceu, apesar dos esforços do governo norte-americano e das melhores classes da comunidade do sul dos Estados Unidos. Por fim, no ano de 1869, o movimento se desintegrou de repente, embora tenha havido surtos esporádicos do mesmo tipo desde então.

— Observe — disse Holmes, pondo de lado o livro — que a súbita dissolução da sociedade coincidiu com o desaparecimento de Openshaw dos Estados Unidos, com seus documentos. Pode muito bem ter sido causa e efeito. Não é de admirar que ele e sua família tenham alguns dos espíritos mais implacáveis seguindo seus passos. Você pode compreender que esse registro e o diário podem comprometer homens dos mais importantes no sul, e deve haver muitos que não conseguirão dormir em paz até que eles sejam recuperados.

— Então a página que vimos...

— É o que devíamos esperar. Dizia, se me lembro bem, "Caroços para A, B e C", isto é, mandaram para eles o aviso da sociedade. Depois acrescentava que A e B estavam resolvidos, ou haviam saído do país, e, finalmente, que havia sido feita uma visita a C, com, receio muito, um resultado sinistro para C. Bem, doutor, acho que podemos lançar alguma luz nesse lugar escuro, e creio que a única chance do jovem Openshaw enquanto isso é fazer exatamente o que eu lhe disse. Não há nada mais a dizer ou fazer hoje à noite; portanto, dê-me meu violino e vamos tentar esquecer por meia hora esse tempo miserável e o comportamento ainda mais miserável de nossos semelhantes.

O tempo clareara de manhã e o sol brilhava timidamente através do véu sombrio que cobria a grande cidade. Sherlock Holmes já estava tomando café quando desci.

— Perdoe-me por não tê-lo esperado — disse. — Estou prevendo um dia muito ocupado, estudando esse caso do jovem Openshaw.

— O que vai fazer? — perguntei.

— Depende em grande parte dos resultados das minhas primeiras investigações. Talvez tenha de ir a Horsham, afinal.

— Não vai lá primeiro?

— Não, vou começar na cidade. Toque a campainha, e a empregada trará o seu café.

Enquanto esperava, peguei o jornal ainda fechado na mesa e passei os olhos pelas primeiras páginas. Deparei-me com uma manchete que congelou meu coração.

— Holmes! — gritei. — É tarde demais.

— Ah! — ele exclamou, pousando a xícara no pires. — Tinha medo disso. Como aconteceu? — Falou com calma, mas pude ver que estava profundamente abalado.

Vi o nome Openshaw, e a manchete "Tragédia perto da ponte de Waterloo". Eis o que diz:

Entre 21 e 22 horas da noite de ontem, o policial Cook, da Divisão H, de plantão perto da ponte de Waterloo, ouviu um grito pedindo ajuda e o ruído de alguma coisa batendo na água. A noite, entretanto, estava extremamente escura e tempestuosa, de modo que, apesar da ajuda de várias pessoas que passavam, o salvamento foi totalmente impossível. Mas o alarme foi dado e, com a ajuda da polícia marítima, o corpo por fim foi encontrado. Era de um cavalheiro ainda jovem cujo nome, segundo um envelope achado em um de seus bolsos, era John Openshaw, que morava perto de Horsham. Supõe-se que se apressava para pegar o último trem na estação de Waterloo e, na pressa e na escuridão, errou o caminho e caiu da extremidade de uma das pequenas docas dos barcos a vapor que navegam pelo rio. O corpo não mostrava nenhum sinal de violência e não pode haver dúvida de que o morto foi vítima de um acidente infeliz, que deveria chamar a atenção das autoridades para o estado das docas fluviais.

Ficamos em silêncio por algum tempo, Holmes estava deprimido e abalado como eu nunca o vira.

— Isso fere profundamente o meu amor-próprio, Watson — disse enfim. — Agora passa a ser uma questão pessoal e, se Deus me der saúde, vou pôr as mãos nessa gangue. Veio pedir minha ajuda e eu o mandei ao encontro da morte! — Saltou da cadeira e ficou andando pela sala numa agitação incontrolável, com um rubor no rosto pálido, abrindo e fechando as mãos longas e magras.

"Devem ser uns demônios astuciosos", exclamou finalmente. "Como puderam atraí-lo para lá? As docas não estão no caminho da estação. A ponte, sem dúvida, tinha gente demais, mesmo numa noite como aquela, para o objetivo deles. Bem, Watson, vamos ver quem conseguirá a vitória final. Vou sair agora."

— Vai à polícia?

— Não. Serei minha própria polícia. Quando tiver tecido minha teia, eles podem prender as moscas, mas não antes.

Passei o dia inteiro ocupado em minha atividade profissional e já era tarde quando voltei à Baker Street. Sherlock Holmes ainda não voltara. Eram quase 22 horas quando ele entrou, com um aspecto cansado e muito pálido. Foi até o aparador e, partindo um pedaço de pão, comeu-o vorazmente, engolindo-o com grandes goles de água.

— Está com fome — observei.

— Morrendo de fome. Esqueci de comer. Não comi nada desde o café da manhã.

— Nada?

— Absolutamente nada. Não tive tempo de pensar nisso.

— E como se saiu?

— Bem.

— Tem alguma pista?

— Estou com eles na palma da mão. O jovem Openshaw não ficará muito tempo sem ser vingado. Bem, Watson, vamos virar o feitiço contra o feiticeiro. É uma boa ideia!

— O que quer dizer?

Holmes tirou uma laranja do armário e, abrindo-a com as mãos, espremeu os caroços na mesa. Escolheu cinco e enfiou-os em um envelope. No lado interno da aba, escreveu: "S.H. por J.O." Então selou-o e endereçou-o ao "Capitão James Calhoun, Barco *Lone Star*, Savannah, Geórgia".

— Isso estará à espera dele quando chegar ao porto — disse com um sorriso. — Talvez lhe dê uma noite de insônia. Achará que é um precursor de seu destino, como aconteceu com Openshaw.

— E quem é esse capitão Calhoun?

— O líder da gangue. Vou pegar os outros, mas ele vem primeiro.

— Como o encontrou?

Ele tirou do bolso uma folha grande de papel, inteiramente coberta de nomes e datas.

— Passei o dia inteiro — explicou — examinando os registros do Lloyd e arquivos de jornais antigos, acompanhando o curso posterior de todas as embarcações que ancoraram em Pondicherry em janeiro e fevereiro de 1883. Trinta e seis embarcações de porte médio ou maiores foram registradas lá nesses meses. De todas elas, a *Lone Star* chamou imediatamente minha atenção, porque, embora fosse registrada em Londres, tinha o nome de um dos estados norte-americanos.

— Texas, eu acho.

— Não tenho certeza de qual, mas eu sabia que o navio era de origem americana.

— E depois?

— Verifiquei os registros de Dundee e quando encontrei prova de que o barco *Lone Star* havia estado lá em janeiro de 1885, minhas suspeitas foram confirmadas. Indaguei, então, sobre as embarcações ancoradas atualmente no porto de Londres.

— E então?

— O *Lone Star* chegou aqui na semana passada. Fui até as docas Albert e soube que tinha descido o rio na maré da manhã de hoje, a caminho de seu porto de origem, Savannah. Telegrafei para Gravesend e soube que ele passou por lá há algum tempo, e como o vento está soprando do leste, não tenho dúvida de que já ultrapassou Goodwins e não está muito longe da ilha de Wight.

— O que vai fazer, então?

— Oh, já estou com a mão nele. Ele e os dois imediatos, como soube, são os únicos americanos a bordo. Os outros são finlandeses e alemães. Soube também que os três não estavam a bordo ontem à noite. Ouvi isso dos estivadores que estavam carregando o barco. Quando o veleiro chegar a Savannah, o barco do correio já terá chegado com a carta, e o telegrama terá informado à polícia de Savannah que esses três cavalheiros estão sendo procurados pela polícia daqui por uma acusação de assassinato.

Mas há sempre uma falha nos melhores planos dos homens, e os assassinos de John Openshaw nunca iriam receber os caroços de laranja que lhes mostraria que outra pessoa, tão astuciosa e resoluta quanto eles, estava em seu encalço. Os ventos equinociais aquele ano foram muito fortes e de longa duração. Esperamos durante muito tempo por notícias do *Lone Star*, de Savannah, sem ouvirmos nada. Finalmente soubemos que em algum ponto distante do Oceano Atlântico fora visto um mastro despedaçado balançando na crista de uma onda, com as letras "L.S." nitidamente gravadas, e isso é tudo que poderemos saber sobre o destino do *Lone Star*.

O HOMEM DE LÁBIO TORCIDO

Isa Whitney, irmão do finado Elias Whitney, D.D., reitor do Colégio Teológico de St. George, era viciado em ópio. Adquirira o hábito, pelo que eu soube, a partir de um incidente tolo, quando estava na universidade; tendo lido a descrição de De Quincey de seus sonhos e sensações, misturara o tabaco com láudano, numa tentativa de produzir os mesmos efeitos. Descobriu, como muitos outros, que era um hábito fácil de adquirir e difícil de abandonar, e por muitos anos continuou escravizado à droga, despertando um misto de horror e compaixão em seus amigos e parentes. Ainda posso vê-lo agora, com o rosto amarelado e pastoso, pálpebras caídas e pupilas reduzidas a pequenos pontos, todo encolhido em uma cadeira, destroços e ruínas de um homem nobre.

Uma noite — foi em junho de 1889 —, minha campainha tocou naquela hora em que o homem dá seu primeiro bocejo e olha para o relógio. Empertiguei-me na cadeira e minha esposa deixou cair o bordado no colo e fez uma careta de desapontamento.

— Um cliente! — disse. — Você vai ter de sair.

Gemi, pois acabara de voltar depois de um dia estafante.

Ouvimos a porta se abrir, algumas palavras apressadas, e depois passos rápidos no linóleo. A porta da sala onde estávamos foi aberta bruscamente e uma senhora, vestida com uma roupa escura e coberta com um véu, entrou depressa.

— Peço desculpas por vir tão tarde — começou, e então, perdendo de repente todo o controle, correu e atirou os braços em volta do pescoço de minha esposa, soluçando em seu ombro. — Oh! Estou tão aflita! — exclamou. — Preciso tanto de ajuda.

— Oh — disse minha esposa, erguendo o véu que cobria seu rosto —, é Kate Whitney. Como você me assustou, Kate! Não tinha a menor ideia de que era você quando entrou.

— Não sabia o que fazer, por isso vim direto aqui.

Era sempre assim. As pessoas em dificuldades vinham correndo para minha esposa como pássaros para um farol.

— Foi muito bom você ter vindo. Agora precisa tomar um pouco de vinho com água, sentar-se aqui confortavelmente e nos contar tudo. Ou prefere que mande James para a cama?

— Oh, não, não. Quero que o doutor me aconselhe e me ajude também. É a respeito de Isa. Há dois dias ele não aparece em casa. Estou com tanto medo!

Não era a primeira vez que falava do problema do marido, a mim, como médico; à minha esposa, como velha amiga e companheira de colégio. Procuramos acalmá-la e confortá-la, buscando palavras apropriadas. Sabia onde estava o marido? Será que conseguiríamos trazê-lo de volta?

Parecia que sim. Tinha uma informação segura de que ultimamente, quando sentia necessidade, ele usava uma casa de ópio no extremo leste da cidade. Até então suas orgias haviam sido limitadas a um dia, e voltava sempre, contorcendo-se em espasmos e totalmente alquebrado, à noite. Mas agora esse episódio estava durando 48 horas e estava, sem dúvida, em meio à escória das docas, aspirando o veneno ou dormindo sob seu efeito. Era ali que seria encontrado, tinha certeza, no Bar de Ouro, em Upper Swandam Lane. Mas o que devia fazer? Como podia ela, uma mulher jovem e tímida, entrar num lugar desses e arrancar o marido dos desordeiros que o cercavam?

Aí estava a questão, e naturalmente só havia uma saída. Será que eu não poderia acompanhá-la até esse lugar? E, pensando bem, por que era preciso que ela fosse até lá? Eu era médico de Whitney e, como tal, tinha certa influência sobre ele. Seria melhor que eu fosse sozinho. Dei-lhe minha palavra de que o mandaria para casa em um carro de aluguel dentro de duas horas se ele estivesse realmente no endereço que me dera. E assim, em dez minutos, deixei minha poltrona confortável e minha sala alegre e me vi em um carro de aluguel, numa missão estranha, como me pareceu na ocasião, embora só o futuro pudesse demonstrar como seria estranha.

Não encontrei nenhuma dificuldade na primeira etapa de minha aventura. Upper Swandam Lane é um beco sórdido, escondido atrás dos armazéns das docas que se alinham ao longo da margem norte do rio, a leste da Ponte de Londres. Entre uma loja de roupas baratas e uma taberna, descendo degraus íngremes que desapareciam num vão negro como a boca de uma caverna, encontrei o antro que procurava. Mandei o carro me esperar, desci os degraus, gastos no meio pelo tráfego contínuo de pés bêbados, e à luz de uma lâmpada a óleo colocada sobre a porta, achei a fechadura e entrei em um quarto de teto baixo, longo e estreito, cheio da fumaça parda e espessa do ópio, e com beliches de madeira junto às paredes, como o castelo de proa de um navio de emigrantes.

Através da penumbra podia-se vislumbrar com dificuldade corpos deitados em poses fantasticamente estranhas, ombros encolhidos, joelhos dobrados, cabeças jogadas para trás e queixos apontando para o teto e, aqui e ali, um olho escuro e embaçado virado para o recém-chegado. Dentro das negras sombras brilhavam pequenos círculos vermelhos, ora vivos, ora fracos, à medida que o veneno ardia ou ia se apagando no bojo dos cachimbos de metal. A maioria estava silenciosa, mas alguns resmungavam para si mesmos e outros falavam entre si em voz baixa e monótona, a conversa vindo em rojões e de repente terminando em silêncio, cada um balbuciando seus próprios pensamentos e não prestando atenção às palavras do vizinho. Lá no fundo havia um fogareiro com carvão em brasa junto ao qual estava sentado um velho alto e magro em um banquinho de três pés, com o queixo apoiado nas mãos e os cotovelos descansando nos joelhos, contemplando o fogo.

Quando entrei, um empregado malaio de tez escura correu para mim com um cachimbo e uma dose da droga, apontando para uma cama vazia.

— Obrigado, não vim para ficar — disse. — Há um amigo meu aqui, o sr. Isa Whitney, e quero falar com ele.

Houve um movimento e uma exclamação à minha direita e, tentando vencer a penumbra, vi Whitney, pálido, abatido e sujo, olhando fixamente para mim.

— Meu Deus! É Watson — disse. Estava em petição de miséria, com todos os nervos em espasmo. — Diga-me, Watson, que horas são?

— Quase 23 horas.

— De que dia?

— Sexta-feira, 19 de junho.

— Céus! Pensei que fosse quarta-feira. É quarta-feira, eu sei. Por que está me assustando assim? — Escondeu o rosto nos braços e começou a soluçar.

— Estou lhe dizendo que é sexta-feira, homem. Sua mulher está à sua espera há dois dias. Devia estar envergonhado de si mesmo!

— E estou. Mas você está errado, Watson, estou aqui há apenas algumas horas, três cachimbos, quatro... não me lembro quantos. Mas vou para casa com você. Não quero amedrontar Kate... pobre Kate. Dê-me a mão! Você está de carro?

— Sim, tenho um à espera.

— Então vou nele. Mas devo alguma coisa aqui. Veja quanto devo, Watson. Não estou bem. Não posso fazer nada sozinho.

Desci a passagem estreita entre as duas fileiras de sonhadores, prendendo a respiração para não inspirar os vapores nocivos da droga, procurando o gerente. Ao passar pelo homem alto que estava sentado junto ao fogareiro, senti que puxavam minha manga e uma voz baixa murmurou: "Passe por mim e depois olhe para trás." As palavras soaram bem distintas em meus ouvidos. Olhei para baixo. Só podiam ter vindo do velho ao meu lado, mas ele estava sentado como antes, completamente absorto, muito magro, muito enrugado, curvo pela idade, com um cachimbo de ópio pendurado nos joelhos, como se tivesse caído dos dedos subitamente frouxos. Dei dois passos à frente e virei. Foi preciso todo meu autocontrole para evitar que desse um grito de espanto. Virara de costas de modo que ninguém podia vê-lo, a não ser eu. Sua forma se enchera, as rugas haviam desaparecido, os olhos embaçados haviam recuperado seu brilho e lá, sentado junto ao fogo e rindo da minha surpresa, estava ninguém menos que Sherlock Holmes. Fez um discreto sinal para que me aproximasse e no mesmo instante, ao virar o rosto para os outros mais uma vez, voltou a ser um velho senil.

— Holmes! — exclamei. — O que está fazendo neste antro?

— Fale o mais baixo possível — respondeu. — Tenho ouvidos excelentes. Se quiser ter a bondade de se livrar de seu amigo dopado, eu ficaria muito contente de ter uma conversa com você.

— Tenho um cabriolé lá fora.

— Então, por favor, mande-o para casa nesse carro. Pode confiar nele, pois parece arrasado demais para se meter em encrencas. Vou também aconselhar que mande pelo cocheiro um bilhete para sua esposa, explicando que está comigo. Espere lá fora, sairei em cinco minutos.

Era muito difícil recusar qualquer coisa a Sherlock Holmes, pois seus pedidos eram sempre muito precisos e apresentados com um ar tranquilo de domínio. Mas achei que, depois que Whitney estivesse dentro do carro, minha missão estaria praticamente cumprida. Quanto ao resto, não poderia querer coisa melhor que me associar a meu amigo em uma dessas aventuras singulares que eram a condição normal de sua existência. Em poucos minutos escrevi meu bilhete, paguei a conta de Whitney, levei-o até o carro, que vi desaparecer na escuridão. Em pouco tempo, uma figura decrépita saiu do antro de ópio e eu descia a rua ao lado de Sherlock Holmes. Por duas ruas ele arrastou os pés, com as costas curvadas e cambaleando. Então, olhando rapidamente em volta, endireitou-se e deu uma boa gargalhada.

— Suponho, Watson — disse —, que está imaginando que acrescentei o vício de fumar ópio às injeções de cocaína e a todas as outras fraquezas sobre as quais você me vive dando sua opinião médica.

— Realmente fiquei espantado de encontrar você ali.

— Não mais espantado do que eu de ver você.

— Vim procurar um amigo.

— E eu, um inimigo!

— Um inimigo?

— Sim, um de meus inimigos naturais, ou, devo dizer, minha presa natural. Em resumo, Watson, estou no meio de uma investigação realmente notável, e esperava encontrar algum indício nas digressões incoerentes desses bêbados, como já fiz antes. Se fosse reconhecido naquele antro, minha vida não valeria um tostão, pois usei-o muitas vezes para meus próprios objetivos, e o bandido do eurasiano, que é o gerente, jurou vingar-se de mim. Há um alçapão nos fundos do prédio, perto da esquina da Paul's Warf, que poderia contar estranhas histórias do que passou por ele em noites sem lua.

— O quê! Quer dizer corpos?

— Sim, corpos, Watson. Seríamos homens ricos se tivéssemos mil libras para cada pobre-diabo que foi liquidado naquele antro. É a armadilha assassina mais sórdida de toda a margem do rio e temo que

Neville St. Clair tenha entrado lá para não sair mais. Nosso cabriolé deveria estar aqui!

Pôs os dois dedos indicadores entre os dentes e deu um assobio agudo, um sinal que foi respondido por um assobio semelhante a distância, seguido em poucos instantes pelo ruído de rodas e de cascos de cavalo.

— Bem, Watson — disse Holmes, quando a pequena carruagem surgiu da escuridão, com dois focos dourados de luz amarela das lanternas laterais —, você vem comigo, não?

— Se é que posso ajudá-lo.

— Ora, um companheiro de confiança é sempre útil. E um historiador mais ainda. Meu quarto no Cedars tem duas camas.

— Cedars?

— Sim. É a casa do sr. St. Clair. Estou hospedado lá enquanto faço essa investigação.

— Onde é essa casa?

— Em Kent, perto de Lee. Temos uma viagem de 11 quilômetros à nossa frente.

— Mas estou completamente no escuro.

— Claro que está. Vai saber de tudo daqui a pouco. Suba aqui! Está bem, John, não vamos precisar de você. Aqui está meia coroa. Fique à minha espera amanhã, por volta das 11 horas. Solte o cavalo! Até logo mais, então!

Fustigou o cavalo com o chicote e lá fomos nós, correndo por uma série infinita de ruas sombrias e desertas, que aos poucos se alargaram, até que voamos por uma ponte larga sobre o rio enlameado que corria preguiçosamente lá embaixo. Diante de nós estendia-se outra selva de cimento e tijolos, cujo silêncio era quebrado apenas pelos passos regulares e pesados do policial de guarda, ou as canções e gritos de algum grupo tardio de pândegos. Nuvens altas levadas pelo vento deslizavam lentamente pelo céu e uma ou duas estrelas brilhavam suavemente aqui e ali nas brechas das nuvens. Holmes conduzia a carruagem em silêncio, com o queixo encostado no peito e a aparência de um homem imerso em seus pensamentos, enquanto eu estava sentado a seu lado, curioso para saber o que seria essa nova busca que parecia exigir tanto de seus poderes, mas temendo interromper a corrente de seus pensamentos. Já havíamos percorrido vários quilômetros, e chegávamos à orla da faixa de casas suburbanas quando ele se sacudiu, encolheu os ombros e acendeu o cachimbo com ar de quem se convenceu de que estava fazendo o melhor que podia.

— Você tem o grande dom do silêncio, Watson — comentou. — Isso faz de você um companheiro precioso. Eu que o diga, é maravilhoso para mim ter alguém com quem falar, pois meus pensamentos não são nada agradáveis. Estava pensando no que vou dizer para essa boa mulher hoje à noite, quando for me receber à porta.

— Está esquecendo que não sei nada sobre o assunto.

— Só vou ter tempo de lhe contar os fatos antes de chegarmos a Lee. Parece absurdamente simples, mas, não sei por quê, não consigo nada em que me basear. O fio é muito longo, sem dúvida nenhuma, mas não consigo pegar a ponta em minha mão. Agora vou relatar o caso clara e concisamente para você, Watson, e talvez você possa ver uma luz onde tudo é escuro para mim.

— Prossiga, então.

— Há alguns anos, mais exatamente em maio de 1884, surgiu em Lee um cavalheiro de nome Neville St. Clair, que parecia ter bastante dinheiro. Comprou uma casa grande, arrumou maravilhosamente o terreno e, de modo geral, vivia em grande estilo. Pouco a pouco fez amizades na vizinhança e, em 1887, casou-se com a filha de um cervejeiro do local, com a qual teve dois filhos. Não tinha nenhuma ocupação, mas tinha interesses em várias companhias, e ia à cidade, em geral pela manhã, voltando no trem das 5h14 da tarde, da rua Carinon. O sr. St. Clair tem atualmente 37 anos, é um homem de hábitos moderados, um bom marido, pai muito afetuoso e popular com todos que o conhecem. Devo acrescentar que suas dívidas totais no momento somam 88 libras, e tem 220 libras depositadas no Banco Capital and Counties. Portanto, não há nenhuma razão para se pensar que possa ter qualquer preocupação com dinheiro.

"Na segunda-feira passada, o sr. Neville St. Clair foi à cidade mais cedo do que de costume, comentando, antes de partir, que tinha duas missões importantes a cumprir, e que traria para seu filhinho um brinquedo ao voltar. Por mero acaso, sua esposa recebeu um telegrama nessa mesma segunda-feira, pouco depois da saída dele, dizendo que um pacote de grande valor que ela estava aguardando acabara de chegar e estava à sua espera nos escritórios da Companhia Marítima Aberdeen. Se você conhece bem Londres, deve saber que os escritórios da companhia estão localizados na rua Fresno, que sai de Upper Swandam Lane, onde me encontrou esta noite. A sra. St. Clair almoçou, foi à cidade, fez algumas compras, foi até os escritórios da companhia, pegou seu pacote e, exatamente às 4h35, seguia por Swandam Lane a caminho da estação. Está me acompanhando até agora?"

— Está tudo muito claro.

— Se é que você se lembra, segunda-feira foi um dia excepcionalmente quente, e a sra. St. Clair andava devagar, olhando em volta na esperança de ver um carro de aluguel, pois não gostava do lugar em que estava. Enquanto andava assim por Swandam Lane, ouviu de repente uma exclamação ou um grito, e ficou estupefata ao ver o marido olhando para ela e, parecendo fazer-lhe sinal de uma janela de um segundo andar. A janela estava aberta e ela viu com clareza seu rosto, que descreveu como terrivelmente agitado. Ele acenou freneticamente e depois desapareceu da janela tão de repente que parecia ter sido puxado para trás por alguma força irresistível. Um detalhe esquisito que ficou registrado em seu vivo olho feminino foi que, embora ele estivesse com um casaco escuro, como o que usava quando saíra de casa, não tinha nem colarinho nem gravata.

"Convencida de que havia alguma coisa errada com ele, desceu os degraus correndo, pois a casa era exatamente o antro de ópio onde você me encontrou hoje e, irrompendo pela porta, tentou subir as escadas que levam ao primeiro andar. Ao pé das escadas, entretanto, encontrou esse bandido eurasiano de quem falei, que a empurrou para trás e, ajudado por um dinamarquês, que é seu assistente, jogou-a na rua. Cheia de dúvidas e receios enlouquecedores, saiu correndo e, por sorte, encontrou na rua Fresno vários policiais com um inspetor, todos a caminho de suas rondas. O inspetor e dois policiais a acompanharam de volta e, apesar da resistência do proprietário, foram até o quarto onde o sr. St. Clair havia sido visto pela última vez. Não havia sinal dele. Na verdade, em todo o andar não havia ninguém, exceto um desgraçado aleijado, de aspecto horrível, que, ao que parecia, morava lá. Tanto ele quanto o eurasiano juraram que ninguém estivera no quarto da frente aquela tarde. Suas negativas foram tão enfáticas que o inspetor ficou desconcertado e chegou a acreditar que a sra.

St. Clair tivesse se enganado quando, com um grito, ela se atirou sobre uma pequena caixa de madeira que estava na mesa e arrancou a tampa. Dentro estava o brinquedo que seu marido havia prometido ao filho.

"Essa descoberta e a confusão evidente do aleijado fizeram o inspetor compreender que o assunto era grave. Os quartos foram examinados cuidadosamente e os resultados apontavam para um crime abominável. O quarto da frente estava mobiliado com simplicidade, como uma sala de estar, e se comunicava com um pequeno quarto de dormir, que dava para os fundos de uma das docas. Entre a doca e a janela do quarto de dormir havia uma faixa de terra estreita que fica seca quando a maré está baixa, mas é coberta na maré alta por um mínimo de 1,50 metro de água. A janela do quarto era larga e abria por baixo. Fazendo um exame, encontraram vestígios de sangue no peitoril da janela e várias gotas espalhadas no chão de madeira do quarto. Jogadas atrás de uma cortina no quarto da frente estavam todas as roupas do sr. Neville St. Clair, com exceção do casaco. As botas, as meias, o chapéu e o relógio... estava tudo lá. Não havia sinal de violência em nenhuma das peças de roupa e não havia vestígio do sr. Neville St. Clair. Aparentemente, só poderia ter escapado pela janela, pois não descobriram outra saída do quarto, e as manchas de sangue no peitoril não eram muito promissoras, caso tivesse tentado se salvar a nado, pois a maré estava no auge no momento da tragédia.

"E agora vamos aos vilões que pareciam estar envolvidos no assunto desde o início. O nativo das Índias Orientais, o eurasiano, era homem de péssimos antecedentes, mas como, pela narrativa da sra. St. Clair, sabia-se que ele estava ao pé da escada poucos segundos depois de seu marido ter aparecido à janela, não poderia ter sido mais que um simples cúmplice. Defendeu-se afirmando completa ignorância e garantindo que nada sabia sobre os atos de Hugh Boone, seu inquilino, e que não podia explicar de maneira nenhuma a presença das roupas do cavalheiro desaparecido.

"E nada mais sobre o gerente oriental. Agora vamos ao aleijado sinistro que mora no segundo andar do antro de ópio e que certamente foi a última pessoa a ver Neville St. Clair. Seu nome é Hugh Boone e seu rosto medonho é conhecido por todos que frequentam a cidade. É mendigo profissional, embora finja ser vendedor de fósforos de cera a fim de evitar os regulamentos da polícia. A certa altura da rua Threadneedle, do lado esquerdo, há, como talvez você tenha observado, um pequeno ângulo na parede. É ali que a criatura se senta todos os dias, de pernas cruzadas, com o pequeno estoque de fósforos no colo, e como é um espetáculo digno de pena, uma pequena chuva de moedas cai no boné de couro sujo que fica no chão à sua frente. Já observei esse camarada mais de uma vez, antes de imaginar sequer conhecê-lo profissionalmente, e sempre fiquei surpreso com o que consegue acumular em pouco tempo. Sua aparência é tão extraordinária que ninguém pode passar por ele sem olhá-lo. Uma cabeleira cor de laranja, um rosto pálido desfigurado por uma medonha cicatriz que, ao se contrair, repuxou o lábio superior, um queixo de buldogue e um par de olhos escuros muito penetrantes, que fazem um contraste singular com a cor dos cabelos; tudo isso o destaca da multidão comum de mendigos, como também seu espírito humorístico, pois está sempre pronto a responder a qualquer brincadeira que algum transeunte faça com ele. É esse o homem que agora sabemos que morava no antro de ópio e que foi a última pessoa a ver o cavalheiro que estamos procurando."

— Mas um aleijado! — comentei. — O que poderia fazer sozinho contra um homem na flor da idade?

— É aleijado apenas porque manca quando anda. Mas em geral parece ser um homem forte e bem-nutrido. Sem dúvida seus conhecimentos de medicina, Watson, provam que a fraqueza de um membro muitas vezes é compensada por uma força excepcional nos outros membros.

— Por favor, continue a história.

— A sra. St. Clair desmaiou quando viu o sangue no peitoril da janela, e foi levada até sua casa de carro pela polícia, já que sua presença em nada ajudaria as investigações. O inspetor Barton, encarregado do caso, examinou com cuidado o prédio, mas não encontrou nada que esclarecesse o mistério. Tinha sido um erro não prender Boone imediatamente, pois teve alguns minutos em que podia se ter comunicado com seu amigo, o eurasiano, mas essa falha foi logo remediada; eles o apanharam e revistaram, mas sem encontrar nada que o incriminasse. Havia, é verdade, umas manchas de sangue na manga direita, mas ele mostrou o dedo anular, onde havia um corte perto da unha, e explicou que era daí que vinha o sangue, acrescentando que fora até a janela pouco antes e que as manchas no peitoril sem dúvida vinham também de seu dedo. Disse enfaticamente que jamais tinha visto o sr. Neville St. Clair e jurou que a presença das roupas em seu quarto era um mistério tanto para ele como para a polícia. Quanto à declaração da sra. St. Clair de que tinha visto o marido na janela, declarou que ela devia estar louca ou sonhando. Foi retirado, protestando em alta voz, e levado para a delegacia, enquanto o inspetor permaneceu no prédio, na esperança de que a maré baixa revelasse algum novo indício.

"E assim foi, embora não encontrassem na lama o que temiam. Era o casaco do sr. Neville St. Clair, e não Neville St. Clair, que foi descoberto quando a maré baixou. E o que pensa que encontraram nos bolsos?"

— Não tenho a menor ideia.

— É, você não pode adivinhar. Todos os bolsos estavam cheios de moedas, 421 pennies e 270 em moedas de meio penny. Não era de admirar que a corrente não o tivesse arrastado. Mas um corpo humano é diferente. Há um redemoinho violento entre as docas e a casa. Era bem provável que o casaco, com todo o peso, ficasse na lama enquanto o corpo nu era sugado pelo rio.

— Mas você disse que todas as outras roupas foram encontradas escondidas no quarto. Então o corpo estava vestido somente com um casaco?

— Não, mas há outras maneiras de encarar os fatos. Vamos supor que esse tal Boone tenha jogado Neville St. Clair pela janela, sem ser visto por ninguém. O que faria então? A primeira ideia que lhe ocorreria seria livrar-se das roupas que o incriminariam. Então pegaria o casaco e na hora de jogá-lo pela janela se lembraria de que ia flutuar e não afundar. Não tem muito tempo, pois já ouvira o barulho lá embaixo, quando a sra. St. Clair tentava subir as escadas, e talvez já tivesse sabido pelo seu cúmplice, o eurasiano, que a polícia vinha correndo pela rua. Não há um minuto a perder. Corre para o esconderijo onde acumulou os frutos de sua atitude de mendigo e enche os bolsos do casaco com todas as moedas que consegue pegar para garantir que afunde. Atira-o pela janela e teria feito o mesmo com as outras roupas se não tivesse ouvido os passos subindo a escada. Só teve tempo de fechar a janela quando a polícia chegou.

— Parece bem possível.

— Vamos aceitar como uma hipótese, já que não temos coisa melhor. Boone, como lhe disse, foi preso e levado para a delegacia, mas não conseguiram descobrir nada em seu passado que depusesse contra ele. Era conhecido havia anos como mendigo profissional, mas sua vida tinha sido sempre muito tranquila e inocente. Assim estão as coisas no momento, e as perguntas que têm de ser respondidas, o que Neville St. Clair estava fazendo em um antro de ópio, o que aconteceu com ele enquanto estava lá, onde está agora e o que Hugh Boone tem a ver com seu desaparecimento, continuam longe de ser esclarecidas. Confesso que não me lembro de nenhum caso que tenha tido no passado que parecesse tão simples de início e que apresentasse tantas dificuldades.

Enquanto Sherlock Holmes relatava essa série estranha de acontecimentos, tínhamos percorrido velozmente os subúrbios da grande cidade e deixado para trás as últimas habitações isoladas, e corríamos agora por uma estrada ladeada de arbustos. Quando ele estava terminando, entretanto, passamos por duas aldeias onde algumas luzes ainda brilhavam nas janelas.

— Estamos nos arredores de Lee — disse meu companheiro. — Atravessamos três condados nessa curta viagem, começando por Middlesex, cortando Surrey em ângulo e terminando em Kent. Está vendo aquela luz entre as árvores? Ali é Cedars, e ao lado daquela luz está uma mulher cujos ouvidos ansiosos, não tenho a menor dúvida, já perceberam o ruído dos cascos do nosso cavalo.

— Mas por que você não está conduzindo essa investigação da Baker Street? — perguntei.

— Porque há muitas perguntas que têm de ser feitas aqui mesmo. A sra. St. Clair muito gentilmente pôs à minha disposição dois quartos, e pode ter certeza de que ela receberá muito bem meu amigo e colega. Detesto encontrá-la, Watson, sem ter nenhuma notícia do marido. Aqui estamos.

Paramos diante de uma casa grande no centro de um amplo terreno. Um rapaz da cocheira viera correndo segurar o cavalo e, saltando do carro, segui Holmes pelo caminho estreito e curvo que ia até a casa. Quando nos aproximamos, a porta se abriu e uma mulher pequena e loura, com um vestido claro de *mousseline-de-soie* debruado de gaze rosa nos punhos e na gola, surgiu na abertura. De pé, delineada pela luz que jorrava de dentro, uma das mãos na porta, a outra meio levantada, o corpo ligeiramente inclinado para a frente; o rosto de olhos ansiosos e lábios entreabertos, ela toda era uma pergunta.

— Então? — exclamou. — Então?

Aí, percebendo que éramos dois, deu um grito de esperança que se transformou em gemido quando viu meu companheiro sacudir a cabeça e encolher os ombros.

— Nenhuma notícia boa?

— Nenhuma.

— Mas nenhuma notícia má?

— Não.

— Graças a Deus. Mas entrem. O senhor deve estar cansado, pois foi um dia muito longo.

— Este é meu amigo, dr. Watson. Tem sido de importância fundamental para mim em muitos dos meus casos, e por sorte pude trazê-lo comigo para me ajudar nessa investigação.

— Muito prazer em conhecê-lo — disse, apertando minha mão cordialmente. — Por favor, desculpe qualquer falha em minha hospitalidade, mas o senhor compreende que sofri um golpe terrível.

— Minha cara senhora — respondi —, sou um velho veterano, mas mesmo que não fosse, estou vendo que não há necessidade de pedir desculpas. Se puder ser útil à senhora ou a meu amigo, ficarei realmente muito feliz.

— Agora, sr. Sherlock Holmes — disse a mulher quando entramos em uma sala de jantar bem iluminada, onde uma ceia fria estava arrumada na mesa —, gostaria de lhe fazer uma ou duas perguntas e pedir-lhe que responda com franqueza.

— Certamente, minha senhora.

— Não se preocupe comigo. Não sou histérica nem dada a desmaios. Só quero ouvir sua opinião sincera.

— Sobre o quê?

— No fundo, no fundo mesmo, o senhor acredita que Neville esteja vivo?

Sherlock Holmes pareceu ficar constrangido com a pergunta.

— Com franqueza! — ela repetiu, ainda de pé e olhando penetrantemente para ele, que estava recostado em uma cadeira confortável.

— Com franqueza, minha senhora, não.
— Acha que ele está morto?
— Sim.
— Assassinado?
— Não sei. Talvez.
— E em que dia ele faleceu?
— Na segunda-feira.
— Então, sr. Holmes, tenha a bondade de explicar como é que acabei de receber esta carta dele hoje?

Sherlock Holmes deu um salto da cadeira como se tivesse recebido um choque elétrico.

— O quê! — exclamou.
— Sim, hoje. — Ela sorriu, segurando um papel que agitava no ar.
— Posso vê-la?
— Certamente.

Tirou-a da mão dela com ansiedade e alisou-a sobre a mesa, puxando a lâmpada para perto e examinando-a com atenção. Ergui-me e fui olhar por cima do ombro dele. O envelope era de papel barato e tinha o carimbo de Gravesend, datado daquele mesmo dia, ou melhor, do dia anterior, pois já passava da meia-noite.

— Que caligrafia grosseira! — murmurou Holmes. — Claro que essa não é a letra de seu marido.
— Não, mas o que está dentro é.
— Noto também que, quem quer que tenha endereçado o envelope, teve de parar e ir descobrir o endereço.
— Como pode saber disso?
— Pode ver que o nome está escrito com tinta preta, que secou sozinha, e o resto está acinzentado, o que prova que foi usado um mata-borrão. Se tudo tivesse sido escrito ao mesmo tempo e secado com mata-borrão, ficaria do mesmo tom cinzento. Esse homem escreveu o nome e depois houve uma pausa até escrever o endereço, o que significa que não sabia o endereço de cor. É apenas um detalhe, mas os detalhes são muito importantes. Vamos ver a carta agora! Ah! Havia alguma coisa aqui dentro.
— Sim, um anel. Seu anel com sinete.
— E a senhora tem certeza de que é a letra de seu marido?
— Uma delas.

— O que quer dizer com isso?

— É a letra dele quando escrevia com pressa. É bem diferente de sua letra normal, mas eu a conheço bem.

Minha querida, não fique com medo. Tudo vai dar certo. Há um enorme engano que pode demorar a ser corrigido. Tenha paciência.

Neville

— Escrito a lápis em uma folha de caderno, in-oitavo, nenhuma marca no papel. Posta no correio hoje em Gravesend por um homem com o polegar sujo. Ah! A aba foi colada, se não me engano, por alguém que estava mascando fumo. Não tem dúvida nenhuma de que é a letra de seu marido?

— Nenhuma. Neville escreveu esse bilhete.

— E foi posto no correio hoje em Gravesend. Bem, sra. St. Clair, as nuvens estão mais leves, embora não ouse dizer que tenha passado o perigo.

— Mas ele tem de estar vivo, sr. Holmes.

— A não ser que tenham falsificado sua letra para nos botar na pista errada. O anel, afinal de contas, não prova nada. Pode ter sido tirado dele.

— Não, não, é a letra dele, tenho certeza!

— Muito bem. Mas o bilhete pode ter sido escrito na segunda-feira e posto no correio só hoje.

— Isso pode ser.

— Se for assim, muita coisa pode ter acontecido de lá para cá.

— Oh, o senhor não deve me desanimar, sr. Holmes. Sei que está tudo bem com ele. Há uma compreensão tão grande entre nós que eu saberia se algum mal tivesse acontecido. No mesmo dia em que o vi pela última vez ele se cortou no quarto e, embora eu estivesse na sala de jantar, fui correndo lá para cima, pois tive certeza de que havia acontecido alguma coisa. Então acha que eu teria essa reação por uma coisa tão insignificante e iria ignorar sua morte?

— Minha experiência é grande demais para negar que a impressão de uma mulher pode ser mais valiosa que as conclusões de um raciocinador analítico. E esse bilhete realmente é uma prova muito forte para sustentar sua opinião. Mas se seu marido está vivo e pode escrever cartas, por que tem de ficar longe da senhora?

— Não posso imaginar o motivo.

— E na segunda-feira não disse nada antes de sair?

— Não.

— E a senhora ficou surpresa de vê-lo em Swandam Lane?

— Muito.

— A janela estava aberta?

— Sim.

— Então ele podia ter chamado a senhora?

— Podia.

— No entanto, pelo que entendi, só deu um grito indistinto?

— Sim.

— Um pedido de socorro, foi o que a senhora pensou?

— Sim. E acenou com as mãos.

— Mas poderia ter sido um grito de espanto. A surpresa de ver a senhora inesperadamente poderia tê-lo feito erguer as mãos.

— É possível.

— E a senhora acha que ele foi puxado para trás?

— Ele desapareceu tão de repente.

— Poderia ter saltado para trás. A senhora não viu mais ninguém no quarto?

— Não, mas aquele homem horrível confessou que estava lá, e o eurasiano estava ao pé da escada.

— Exatamente. Seu marido, pelo que pôde ver, vestia suas roupas comuns?

— Sim, mas sem o colarinho e a gravata. Vi nitidamente a camisa aberta no pescoço.

— Ele já havia falado algum dia em Swandam Lane?

— Nunca.

— Mostrou alguma vez sinais de ter tomado ópio?

— Nunca.

— Muito obrigado, sra. St. Clair. Eram estes os pontos principais que eu queria esclarecer. Vamos agora comer alguma coisa e depois nos recolher, porque amanhã poderemos ter um dia muito ocupado.

Um quarto amplo e confortável com duas camas havia sido posto à nossa disposição e fui logo para a cama, pois estava cansado depois dessa noite de aventuras. Sherlock Holmes, entretanto, era um homem que, quando tinha um problema a resolver, podia passar dias, até uma semana, sem descansar, pensando, analisando e reordenando os fatos, examinando-os sob todos os aspectos, até chegar a uma solução ou convencer-se de que não tinha dados suficientes. Era evidente que estava se preparando para ficar sentado a noite inteira. Tirou o casaco e o colete, vestiu um roupão azul e ficou andando pelo quarto, recolhendo os travesseiros da cama e as almofadas do sofá e das poltronas. Com eles, construiu uma espécie de divã oriental, no qual se sentou de pernas cruzadas, com uma bolsa de fumo e uma caixa de fósforos na sua frente. À luz mortiça da lâmpada, eu o vi sentado, com um velho cachimbo na boca, os olhos fixos no canto do teto, a fumaça azul subindo no ar, silencioso, imóvel, com a luz se refletindo em suas feições aquilinas. Ficou sentado ali enquanto eu adormecia e continuava sentado ali quando uma exclamação súbita me acordou e vi o sol de verão invadindo o aposento. O cachimbo ainda estava na sua boca, a fumaça ainda subia em espirais e o quarto estava cheio de fumaça, mas não restava um fiapo do fumo que enchia a bolsa na noite anterior.

— Acordado, Watson? — ele perguntou.

— Sim.

— Está disposto a dar um passeio?

— Certamente.

— Então vista-se. Ninguém acordou ainda, mas sei onde dorme o rapaz da cocheira e logo o cabriolé estará pronto. — Sorria para si mesmo enquanto falava, os olhos brilhavam, e parecia um homem diferente do sombrio pensador da noite anterior.

Enquanto me vestia, olhei o relógio. Não era de estranhar que estivesse todo mundo dormindo. Eram 4h25. Mal terminara quando Holmes voltou com a informação de que o rapaz estava atrelando o cavalo.

— Quero testar uma teoria minha — disse, calçando as botas. — Acho, Watson, que você está diante de um dos maiores idiotas de toda a Europa. Mereço ser chutado daqui até Charing Cross. Mas acho que encontrei a chave do caso agora.

— E onde está? — perguntei, sorrindo.

— No banheiro — respondeu. — Oh, não, não estou brincando — continuou, vendo meu ar incrédulo. — Acabo de sair de lá, tirei-a de lá e coloquei-a nesta maleta. Vamos, meu rapaz, vamos ver se serve na fechadura.

Descemos o mais depressa possível e saímos para o sol que brilhava lá fora. Nosso carro e o cavalo estavam à espera na estrada, com o rapaz da cocheira, semivestido, segurando as rédeas. Pulamos para dentro do carro e fomos a toda a velocidade pela estrada de Londres. Algumas carroças levando hortaliças para a metrópole estavam na estrada, mas as casas dos dois lados estavam silenciosas e adormecidas, como em uma cidade fantasmagórica.

— Em alguns pontos, este caso é muito singular — disse Holmes, chicoteando o cavalo. — Confesso que estava completamente cego, mas é melhor ser sábio tarde do que nunca.

Na cidade, os madrugadores já começavam a aparecer sonolentos nas janelas quando passamos pelas ruas de Surrey. Percorrendo a ponte de Waterloo, atravessamos o rio, seguimos a Wellington Street, viramos à direita e chegamos à Bow Street. Sherlock Holmes era muito conhecido na polícia e os dois guardas que estavam na porta o cumprimentaram. Um deles segurou o cavalo enquanto o outro nos fez entrar.

— Quem está de serviço? — perguntou Holmes.

— O inspetor Bradstreet, senhor.

— Ah, Bradstreet, como vai? — Um policial alto e gordo se aproximara pelo corredor de pedra, com o boné e a jaqueta do uniforme. — Gostaria de falar com você, Bradstreet.

— Claro, sr. Holmes. Venha aqui em minha sala.

Era uma sala pequena, mobiliada como escritório, com um enorme livro de registros na mesa e um telefone na parede. O inspetor sentou-se atrás da mesa.

— Em que posso ajudá-lo, sr. Holmes?

— É sobre aquele mendigo, Boone. O que foi acusado de estar ligado ao desaparecimento do sr. Neville St. Clair, de Lee.

— Sim. Ele foi detido para interrogatório.

— Foi o que ouvi. Ele está aqui?

— Está em uma das celas.

— Está quieto?

— Ah, não dá trabalho nenhum. Mas é um sujeito muito sujo.

— Sujo?

— Sim, é uma luta para conseguir que lave as mãos, e a cara parece a de um carvoeiro. Bem, quando seu caso for decidido, vai tomar um banho desinfetante, e acho que se o senhor o visse, ia concordar comigo que ele está mesmo precisando.

— Gostaria muito de vê-lo.

— É muito fácil. Venha comigo. Pode deixar a maleta aqui.

— Não, prefiro levá-la comigo.

— Muito bem. Venha por aqui, por favor.

Levou-nos por um corredor, abriu uma porta gradeada, desceu umas escadas e depois seguimos por outro corredor caiado de branco, com portas dos dois lados.

— É a terceira à direita — disse o inspetor. — Aqui está! — Abriu um painel na parte superior da porta e espiou para dentro. — Está dormindo — disse. — Pode vê-lo muito bem.

Nós dois olhamos pela grade. O prisioneiro estava deitado com o rosto virado para nós, dormindo um sono pesado, respirando lenta e profundamente. Era um homem de estatura média, vestido com roupas grosseiras, como convinha à sua profissão, com uma camisa colorida saindo pelo rasgão do casaco esfarrapado. Estava, como dissera o inspetor, imundo, mas a sujeira que cobria o rosto não ocultava sua feiura repulsiva. Um largo vergão de uma velha cicatriz cortava o rosto do olho até o queixo e, ao se contrair, repuxara um lado do lábio superior, de modo que três dentes ficavam expostos numa careta permanente. Os cabelos ruivos desciam pela testa, encobrindo os olhos.

— É uma beleza, não? — comentou o inspetor.

— Bem que está precisando de um banho — disse Holmes. — Imaginei isso, e vim preparado. — Abriu a maleta enquanto falava e, para minha surpresa, tirou uma esponja enorme.

— Ha, ha! O senhor é muito engraçado! — riu o inspetor.

— Agora, se tiver a bondade de abrir a porta sem fazer barulho, em poucos instantes ele será uma figura muito mais apresentável.

— Não vejo por que não — disse o inspetor. — Assim ele não merece as celas da rua Bow, não é mesmo?

Enfiou a chave na fechadura e entramos todos em silêncio. O homem adormecido mexeu-se na cama, mas continuou em sono profundo. Holmes aproximou-se da jarra de água, molhou a esponja e depois esfregou-a vigorosamente no rosto do prisioneiro.

— Deixem-me apresentar-lhes — exclamou — o sr. Neville St. Clair, de Lee, no condado de Kent.

Nunca em minha vida tinha visto um espetáculo assim. O rosto do homem descascou sob a esponja como se fosse uma casca de árvore. A cor parda desapareceu como por mágica. Sumiram, também, a horrível cicatriz que cruzava o rosto de alto a baixo e o lábio torcido que dera aquele aspecto repulsivo à sua fisionomia. Um puxão arrancou a cabeleira ruiva e ali, sentado na cama, estava um homem pálido, de expressão triste e aspecto refinado, com cabelos pretos e pele clara, esfregando os olhos e olhando em volta com espanto sonolento. Então, percebendo de repente que fora descoberto, deu um grito e atirou-se na cama, escondendo o rosto no travesseiro.

— Meu Deus! — exclamou o inspetor. — É realmente o homem desaparecido. Eu o reconheci pela fotografia.

O prisioneiro virou-se com a expressão conformada de um homem que se entrega a seu destino.

— Que assim seja — disse. — Por favor, diga-me, de que sou acusado?

— De ter eliminado o sr. Neville St.... Ora, vamos lá, não pode ser acusado disso, a não ser que o acusem de tentativa de suicídio — disse o inspetor, sorrindo. — Vinte e sete anos servindo na polícia e nunca vi coisa igual.

— Se eu sou o sr. Neville St. Clair, então é óbvio que não houve crime nenhum e, portanto, estou detido ilegalmente.

— Nenhum crime, mas um grande erro foi cometido — interrompeu Holmes. — Teria sido melhor se tivesse confiado em sua esposa.

— Não era minha esposa, eram as crianças — gemeu o prisioneiro. — Deus me perdoe, não queria que se envergonhassem do pai. Meu Deus! Que vergonha! O que posso fazer?

Sherlock Holmes sentou-se ao lado dele na cama e deu-lhe uma pancadinha amigável no ombro.

— Se deixar que o assunto seja esclarecido no tribunal — disse —, claro que não poderá evitar a publicidade. Por outro lado, se conseguir convencer as autoridades policiais de que não há realmente motivo para acusá-lo de coisa alguma, não vejo por que será necessário que os detalhes saiam nos jornais. Estou certo de que o inspetor Bradstreet tomaria nota de tudo que quiser nos contar e apresentaria o relato às autoridades competentes. Assim o caso não precisaria chegar ao tribunal.

— Deus o abençoe! — exclamou o prisioneiro, emocionado. — Encararia a prisão, até mesmo a execução, para não deixar que meu miserável segredo fosse uma mácula de família para meus filhos.

"Vocês são os primeiros a ouvir a minha história. Meu pai era professor em Chesterfield, onde recebi excelente educação. Viajei quando jovem, ingressei no palco e finalmente me tornei repórter de um jornal vespertino de Londres. Um dia meu editor quis uma série de artigos sobre os mendigos da metrópole, e me prontifiquei a escrevê-los. Foi aí que começaram todas as minhas aventuras. Só mesmo me tornando um mendigo amador é que eu poderia coletar os fatos em que se baseariam os artigos. Quando era ator, aprendi, é claro, todos os truques de maquiagem e fiquei famoso nos camarins pela minha perícia. Tirei partido agora dessa habilidade. Pintei o rosto e, para adquirir um aspecto ainda mais miserável, fiz uma cicatriz horrorosa e repuxei o lábio com um pedaço de esparadrapo cor de pele. Então, com uma cabeleira ruiva e roupas apropriadas, assumi meu posto na parte mais movimentada da cidade, ostensivamente como vendedor de fósforos, mas, na verdade, como mendigo. Durante sete horas exerci minha profissão, e quando voltei para casa à noite, vi, para minha surpresa, que recebera 26 xelins e quatro pence.

"Escrevi os artigos e não pensei mais no assunto até que, algum tempo depois, avalizei um título para um amigo que não pôde pagá-lo e fui intimado a saldar uma dívida de 25 libras. Fiquei desesperado, sem saber onde conseguir o dinheiro, mas tive uma ideia. Pedi ao credor um prazo de 15 dias para pagar, pedi férias ao meu patrão e passei esses dias mendigando na cidade com meu disfarce. Em dez dias consegui o dinheiro e paguei a dívida.

"Vocês podem imaginar como foi difícil voltar a trabalhar duramente por duas libras por semana quando sabia que podia ganhar o mesmo em um dia, bastando manchar o rosto com um pouco de tinta, deixar o boné no chão e ficar parado. Foi uma briga longa entre meu orgulho e o dinheiro, mas este ganhou no final e abandonei a reportagem para ficar dia após dia na esquina que escolhera no início, inspirando piedade com meu rosto horrendo e enchendo os bolsos de moedas. Só um homem sabia o meu segredo. Era o gerente de um antro em que me hospedava em Swandam Lane, de onde eu saía todas as manhãs como mendigo esquálido e à tarde me transformava em homem elegante. Esse sujeito, um eurasiano, era muito bem pago pelos quartos que me alugava, de modo que eu sabia que meu segredo seria bem guardado.

"Bem, em pouco tempo vi que estava economizando quantias consideráveis. Não quero dizer que qualquer mendigo nas ruas de Londres possa fazer setecentas libras por ano, o que é menos do que faço, em média, mas eu tinha vantagens excepcionais pela minha habilidade em me maquiar e pela facilidade com que dava respostas rápidas e espirituosas aos ditos que me lançavam, e isso foi melhorando com a prática até que me tornei um personagem conhecido na cidade. O dia todo jogavam moedas em meu boné, algumas até de prata, e era muito raro não fazer pelo menos duas libras por dia.

"À medida que enriquecia, ficava mais ambicioso, comprei uma casa nos subúrbios e finalmente me casei, sem que ninguém suspeitasse qual era a minha verdadeira profissão. Minha querida esposa sabia que eu tinha negócios na cidade. Mas não sabia qual era o tipo de negócio.

"Segunda-feira passada eu terminara meu trabalho e estava me vestindo em meu quarto, no segundo andar do antro de ópio, quando olhei pela janela e vi, para minha surpresa e horror, minha esposa na rua, olhando para mim. Dei um grito de espanto, ergui os braços para esconder o rosto e, correndo para meu confidente, o eurasiano, supliquei que não deixasse ninguém subir até o quarto. Ouvi a voz dela lá embaixo, mas sabia que não poderia subir. Rapidamente, arranquei as roupas, vesti o traje de mendigo, pintei o rosto e coloquei a cabeleira. Nem mesmo os olhos de uma esposa poderiam perceber que era um disfarce. Mas então me ocorreu que poderia haver uma busca no quarto e as roupas iriam me trair. Escancarei a janela e com o movimento reabri um pequeno corte que dera na mão aquela manhã. Agarrei o casaco, pesado por causa das moedas que tirara da sacola de couro onde as carregava e colocara nos bolsos. Atirei-o pela janela, e o vi desaparecer no rio. Ia jogar as outras roupas, mas naquele instante os policiais subiram as escadas correndo e pouco depois, para meu grande alívio, devo confessar, em vez de ser identificado como o sr. Neville St. Clair, estava sendo preso como seu assassino.

"Acho que não há mais nada a explicar. Estava decidido a preservar meu disfarce o máximo possível, e por isso preferi ficar com o rosto sujo. Sabendo que minha esposa ia ficar tremendamente ansiosa, tirei meu anel de sinete e o entreguei ao eurasiano numa hora em que nenhum policial estava olhando, e também um bilhete apressado, dizendo a ela que não tivesse medo."

— Esse bilhete só chegou às mãos dela hoje — disse Holmes.

— Meu Deus! Que semana ela deve ter passado!

— A polícia vem observando esse eurasiano — disse o inspetor Bradstreet — e ele deve ter achado difícil pôr uma carta no correio sem ser visto. Provavelmente entregou-a a algum marinheiro seu freguês, que esqueceu completamente por alguns dias.

— Foi isso que aconteceu — disse Holmes, balançando a cabeça em sinal de aprovação. — Não tenho dúvida nenhuma. Mas nunca foi processado por mendigar?

— Muitas vezes. Mas o que era uma multa para mim!

— Tem de parar com isso agora — disse Bradstreet. — Se quer que a polícia abafe esse caso, Hugh Boone deve deixar de existir.

— Juro por tudo que há de mais valioso para um homem.

— Nesse caso, acho provável que não se tome nenhuma medida. Mas se for encontrado mendigando novamente, tudo virá à tona. Na verdade, sr. Holmes, estamos todos muito gratos ao senhor por ter esclarecido este assunto. Gostaria de saber como chega às suas conclusões.

— Cheguei a essa conclusão — respondeu meu amigo — sentado em cinco almofadas e consumindo uma bolsa cheia de fumo de cachimbo. Eu acho, Watson, que se formos para a Baker Street vamos chegar a tempo de tomar o café da manhã.

A PEDRA AZUL

Visitei meu amigo Sherlock Holmes na segunda manhã depois do Natal, com a intenção de desejar-lhe as felicidades costumeiras. Ele estava descansando no sofá, envolto em um roupão roxo, com um suporte de cachimbos à sua direita e uma pilha de jornais da manhã, evidentemente lidos pouco antes, perto da mão esquerda. Ao lado do sofá havia uma cadeira sem braços, nas costas da qual estava pendurado um chapéu de feltro duro, gasto e puído, incrivelmente surrado, rasgado em vários lugares. Uma lente e uma pinça no assento da cadeira sugeriam que haviam sido usados para segurar o chapéu e examiná-lo.

— Você está ocupado — eu disse. — Talvez eu o esteja interrompendo.

— De maneira alguma. Estou contente de ter um amigo com quem posso discutir minhas conclusões. O assunto é absolutamente trivial — apontou para o chapéu velho —, mas há certos pontos ligados a ele que não são tão desprovidos de interesse nem mesmo de sabedoria.

Sentei-me em uma poltrona e aqueci as mãos diante do fogo crepitante, pois caíra uma geada e as janelas estavam cobertas de cristais de gelo.

— Suponho — observei — que, apesar de sua aparência modesta, este chapéu está ligado a alguma história fatal e que é a pista que irá orientá-lo na solução de algum mistério e na punição de algum crime.

— Não, não — respondeu Sherlock Holmes, rindo. — É apenas um desses pequenos incidentes excêntricos que ocorrem quando há quatro milhões de pessoas se empurrando no espaço de alguns quilômetros quadrados. Entre as ações e reações de uma multidão tão compacta podem ocorrer todas as combinações possíveis de acontecimentos, e surgirão muitos probleminhas que podem ser extraordinários e bizarros sem ser criminosos. Já tivemos experiências assim.

— Tantas — comentei — que dos últimos seis casos que acrescentei às minhas anotações, três não envolviam nenhum tipo de crime.

— Exatamente. Você faz alusão à minha tentativa de recuperar os papéis de Irene Adler, ao caso singular da srta. Mary Sutherland, e à aventura do homem de lábio torcido. Ora, não tenho dúvida de que este assunto se enquadra na mesma categoria inocente. Você conhece Peterson, o porteiro?

— Sim.

— Este troféu pertence a ele.

— O chapéu é dele.

— Não, não, ele o encontrou. Não sabemos quem é o dono. Peço-lhe que o observe, não como um chapéu maltratado, mas como um problema intelectual. Primeiro, deixe-me dizer-lhe como veio parar aqui. Chegou na manhã de Natal, juntamente com um gordo ganso que neste momento, não tenho a menor dúvida, está assando no fogão de Peterson. Os fatos são os seguintes: por volta das quatro horas do dia de Natal, Peterson, que, como você sabe, é um camarada muito honesto, voltava para casa de alguma comemoração, seguindo pela Tottenham Court Road. À sua frente ele viu, à luz das lâmpadas de gás, um homem alto, cambaleando ligeiramente, e carregando um ganso branco jogado sobre o ombro. Quando chegou à esquina da Goodge Street, começou uma briga entre esse estranho e um grupinho de desordeiros. Um destes derrubou o chapéu do homem, que ergueu a bengala para se defender e, girando-a acima da cabeça, quebrou a vitrina atrás dele. Peterson havia corrido para proteger o estranho de seus assaltantes, mas o homem, chocado ao ver que quebrara a vitrina e vendo uma pessoa de uniforme, que parecia um policial vindo em sua direção, deixou cair o ganso e saiu correndo, desaparecendo no labirinto de ruas estreitas atrás da Tottenham Court Road. Os desordeiros também fugiram quando Peterson chegou, de modo que ficou com a posse do campo de batalha e também dos despojos da vitória, isto é, este chapéu surrado e um ganso de Natal impecável.

— Que, evidentemente, devolveu ao legítimo dono?

— Meu caro amigo, aí está o problema. É verdade que havia um pequeno cartão amarrado à perna esquerda da ave com a inscrição

"Para a sra. Henry Baker", e também é verdade que as iniciais "H.B." eram bem legíveis no forro do chapéu. Mas há milhares de Bakers e centenas de Henry Bakers nesta cidade, e não é nada fácil devolver algo perdido a algum deles.

— Então, o que foi que Peterson fez?

— Trouxe tanto o chapéu quanto o ganso para mim na manhã de Natal, sabendo que até o mais insignificante problema me interessa. Guardamos o ganso até hoje de manhã, quando ficou evidente que, apesar do tempo frio, seria melhor comê-lo sem demora. Seu descobridor o levou, então, para cumprir o destino final de qualquer ganso, enquanto eu continuei com o chapéu do cavalheiro desconhecido que perdeu seu jantar de Natal.

— Não pôs um anúncio nos jornais?

— Não.

— Então, que pista você pode ter quanto à sua identidade?

— Só o que pudermos deduzir.

— Do chapéu?

— Exatamente.

— Mas está brincando. O que pode deduzir desse velho chapéu de feltro?

— Aqui está minha lente. Conhece meus métodos. O que pode perceber da personalidade do homem que usou este objeto?

Peguei o chapéu e virei-o de todos os lados. Era um chapéu preto do feitio comum, arredondado, e extremamente gasto. O forro era de seda vermelha, mas estava muito desbotado. Não havia marca do fabricante; mas, como Holmes comentara, as iniciais "H.B." estavam rabiscadas em um lado. A aba estava furada para a inserção de um elástico para prender sob o queixo, mas não havia elástico nenhum. De resto, estava rasgado, extremamente empoeirado e manchado em diversos lugares, embora parecesse que tinham sido feitas algumas tentativas de esconder as manchas com tinta de escrever.

— Não consigo ver nada — disse, devolvendo-o a meu amigo.

— Pelo contrário, Watson, você pode ver tudo, mas você não raciocina a partir do que vê. É tímido demais em tirar suas conclusões.

— Então, por favor, diga-me, o que você deduz desse chapéu?

Pegou-o e olhou-o daquela sua maneira introspectiva.

— Talvez seja menos sugestivo do que poderia ser — comentou —, mas, mesmo assim, há algumas deduções que são muito claras e outras que representam pelo menos uma grande probabilidade. É óbvio que o homem era um intelectual e também que estava muito bem de vida nos últimos três anos, embora atualmente esteja passando por dificuldades. Era um homem previdente, mas hoje não é tanto, demonstrando uma regressão moral que, combinada com a decadência financeira, parece indicar alguma má influência, provavelmente a bebida, agindo sobre ele. Isso talvez explique também o fato óbvio de que sua mulher não mais o ama.

— Meu caro Holmes!

— Entretanto, ele conserva um certo grau de dignidade — continuou, ignorando minha exclamação. — É um homem de vida sedentária, sai muito pouco, está inteiramente fora de forma, é de meia-idade, tem cabelos grisalhos que cortou há poucos dias e que trata com loção de extrato de limão. Estes são os fatos mais evidentes que se pode deduzir a partir desse chapéu. A propósito, também é muito pouco provável que haja gás encanado em sua casa.

— Você deve estar brincando, Holmes.

— De jeito nenhum. Será possível que mesmo agora, depois de eu lhe apresentar essas conclusões, você não consiga ver como cheguei a elas?

— Estou convencido de que sou muito burro, mas tenho de confessar que não consigo acompanhar seu raciocínio. Por exemplo, como deduziu que esse homem era um intelectual?

Como resposta, Holmes pôs o chapéu na cabeça. Ele cobriu inteiramente a testa e se apoiou no osso do nariz.

— É uma questão de capacidade cúbica — explicou. — Um homem com um crânio desse tamanho deve ter alguma coisa dentro.

— E a decadência financeira?

— Este chapéu tem três anos. Foi nessa época que lançaram esse modelo de abas retas, com as bordas ligeiramente arrebitadas. É um chapéu de ótima qualidade. Olhe essa fita de gorgorão e o forro de excelente qualidade. Se esse homem pôde comprar um chapéu tão caro há três anos e não comprou um novo desde então, sem dúvida seu nível de vida piorou muito.

— Bem, isso está claro. Mas quanto a ser previdente, e a regressão moral?

Sherlock Holmes riu.

— É previdente por causa disso — explicou, pondo o dedo no pequeno disco com uma alça que serve para segurar um elástico. — Isso nunca vem com o chapéu. Se ele encomendou um elástico, é sinal de que é um homem previdente, que estava tomando precauções contra o vento. Mas como vemos que o elástico arrebentou e não foi substituído, é óbvio que é menos previdente agora do que quando comprou o chapéu, o que é prova de enfraquecimento de sua personalidade. Por outro lado, tentou esconder algumas dessas manchas no feltro cobrindo-as com tinta de escrever, o que é sinal de que ainda não perdeu totalmente a dignidade.

— Seu raciocínio sem dúvida é plausível.

— Os outros pontos, de que é de meia-idade, que seu cabelo é grisalho e foi recentemente cortado e que usa loção de extrato de limão podem ser deduzidos a partir de um exame minucioso da parte inferior do forro. A lente mostra uma porção de pontas de cabelo, evidentemente cortadas por tesoura. Alguma coisa as fez aderir ao forro, e há um cheiro característico de limão. A poeira, observe bem, não é a poeira cinzenta e áspera das ruas, e sim a poeira parda e fofa de dentro de casa, mostrando que o chapéu fica pendurado em casa a maior parte do tempo. As marcas de umidade no interior são uma prova conclusiva de que o dono suava em profusão e, portanto, não estava na sua melhor forma física.

— Mas a mulher dele... você disse que ela não o amava mais.

— Este chapéu não é escovado há semanas. Quando eu vir você, meu caro Watson, com uma semana de poeira acumulada em seu chapéu e sua esposa deixar você sair assim, acharei também que você teve a infelicidade de perder o amor de sua esposa.

— Mas ele podia ser solteiro.

— Não, pois estava levando o ganso para casa para oferecer à mulher. Lembre-se do cartão preso à perna do ganso.

— Você tem resposta para tudo. Mas como pôde deduzir que não há gás encanado na casa dele?

— Uma mancha de cera, ou mesmo duas, pode ser por acaso; mas quando vejo nada menos que cinco, acho que não pode haver a menor dúvida de que esse indivíduo está em contato frequente com cera quente. Provavelmente sobe as escadas à noite com o chapéu em uma das mãos e uma vela acesa na outra. De qualquer modo, não poderia nunca arranjar manchas de cera com uma iluminação a gás. Está satisfeito?

— Bem, é muito engenhoso — eu disse, rindo —, mas como você disse que não houve nenhum crime e nada de mal aconteceu, a não ser a perda de um ganso, tudo isso me parece um desperdício de energia.

Sherlock Holmes abrira a boca para responder quando a porta foi escancarada e Peterson, o porteiro, entrou correndo na sala com o rosto vermelho e a expressão de um homem completamente perplexo.

— O ganso, sr. Holmes! O ganso! — exclamou.

— Ei! O que aconteceu com ele? Ressuscitou e voou pela janela da cozinha? — Holmes mudou de posição no sofá para ver melhor o rosto excitado do homem.

— Olhe aqui, senhor! Veja o que minha mulher encontrou no papo dele. — Estendeu a mão, mostrando na palma uma pedra azul que cintilava, pouco menor que um grão de feijão, mas tão pura e resplandecente que brilhava como um ponto de luz na concavidade escura de sua palma.

Sherlock Holmes endireitou o corpo com um assobio.

— Por Deus, Peterson — disse —, isto é um tesouro, realmente! Sabe o que tem na mão?

— Um brilhante, senhor! Uma pedra preciosa! Corta vidro como se fosse papelão.

— É mais do que uma pedra preciosa. É *a* pedra preciosa.

— Não está dizendo que é a pedra azul da condessa de Morcar! — exclamei.

— Exatamente. Conheço o feitio e o tamanho porque li o anúncio que colocaram no *The Times* nos últimos dias. É única e de valor inestimável, mas a recompensa oferecida, de mil libras, sem dúvida não representa nem a vigésima parte de seu valor de mercado.

— Mil libras! Nossa Senhora da Misericórdia! — O porteiro caiu sentado em uma cadeira e olhou assombrado de um para o outro.

— Essa é a recompensa, e tenho motivos para supor que há aspectos sentimentais que levariam a condessa a se desfazer de metade de sua fortuna para recuperar a pedra.

— Desapareceu, se me lembro bem, no Hotel Cosmopolitan — comentei.

— Exatamente, no dia 22 de dezembro, cinco dias atrás. John Horner, um bombeiro, foi acusado de tê-la roubado da caixa de joias da senhora. A evidência contra ele era tão forte que o caso foi encaminhado ao tribunal. Creio que tenho um artigo sobre isso aqui. — Remexeu na pilha de jornais olhando as datas, finalmente puxou um, dobrou-o e leu o seguinte:

Roubo de Joia no Hotel Cosmopolitan. John Horner, de 26 anos, bombeiro, foi acusado de ter, no dia 22 do corrente mês, roubado do estojo de joias da condessa de Morcar a valiosa gema conhecida como a pedra azul. James Ryder, que trabalha na portaria do hotel, testemunhou que levara Horner ao quarto de vestir da condessa de Morcar no dia do roubo, a fim de que ele soldasse a segunda barra da grade, que estava solta. Ele ficou com Horner durante algum tempo, mas acabou sendo chamado e saiu. Ao voltar, viu que Horner desaparecera, que a cômoda fora arrombada e que o pequeno estojo de couro, no qual, como se soube depois, a condessa costumava guardar a joia, estava vazio em cima da penteadeira. Ryder deu o alarme imediatamente e Horner foi preso na mesma noite, mas não encontraram a pedra nem com ele, nem no lugar onde morava. Catherine Cusack, empregada da condessa, disse em seu depoimento que ouviu o grito de espanto de Ryder ao descobrir o roubo e correu para o quarto de vestir, onde encontrou a cena conforme foi descrita pela última testemunha. O inspetor Bradstreet, da Divisão B, depôs sobre a prisão de Horner, que se debateu furiosamente e protestou inocência em termos violentos. Como o prisioneiro já fora condenado de antemão por roubo, o magistrado se recusou sumariamente a tratar do crime e encaminhou a ação à corte superior. O prisioneiro, que mostrara sinais de intensa emoção durante o processo, desmaiou ao ouvir a conclusão e foi carregado para fora.

— Hum! Chega do que aconteceu no Tribunal — disse Holmes, pensativo, deixando de lado o jornal. — O que temos de esclarecer agora é a sequência de acontecimentos que vão de um estojo de joias roubado ao papo de um ganso na Tottenham Court Road. Observe bem, Watson, que nossas pequenas deduções assumiram de repente um aspecto muito mais importante e muito menos inocente. Aqui está a pedra; a pedra veio do ganso, e o ganso veio do sr. Henry Baker, o cavalheiro com o velho chapéu e todas as outras características com as quais tanto enchi sua paciência. De modo que agora precisamos nos empenhar seriamente em encontrar esse cavalheiro e verificar qual foi o papel dele nesse mistério. Para isso, devemos tentar primeiro o meio mais simples, e este, sem dúvida alguma, consiste em publicar um anúncio em todos os jornais vespertinos. Se isso falhar, terei de recorrer a outros meios.

— O que vai dizer?

Dê-me um lápis e aquele pedaço de papel. Bem, vejamos:

Encontrados na esquina da rua Goodge um ganso e um chapéu de feltro preto. O sr. Henry Baker pode reaver os dois apresentando-se às 18h30, esta noite, na Baker Street, no 221B.

Está bem claro e conciso.

— Muito. Mas será que ele vai ver esse anúncio?

— Bem, sem dúvida vai ficar de olho nos jornais, já que, para um homem pobre, a perda foi grande. Evidentemente, ele ficou tão amedrontado por ter quebrado a vitrina e pelo aparecimento de Peterson que só pensou em fugir. Mas depois deve ter se arrependido amargamente do impulso que o fez deixar cair a ave. Além disso, a menção de seu nome fará com que ele veja o anúncio, pois todas as pessoas que o conhecem vão chamar sua atenção. Aqui está, Peterson, vá depressa à agência e mande botar isso nos jornais da noite.

— Quais, senhor?

— Oh, no *Globe, Star, Pall Mall, St. James Gazette, Evening News, Standard, Echo,* e qualquer outro de que você se lembre.

— Sim, senhor. E a pedra?

— Ah, sim, vou ficar com a pedra. Obrigado. E olhe aqui, Peterson, compre um ganso na volta e deixe aqui comigo, pois precisamos de um ganso para devolver a esse cavalheiro, em lugar daquele que sua família está devorando neste momento.

Quando o porteiro saiu, Holmes pegou a pedra e a segurou contra a luz.

— É realmente linda — disse. — Olhe só como brilha e cintila. Claro que é um núcleo e foco de crime. Todas as boas pedras são.

Elas são as iscas preferidas do diabo. Nas pedras maiores e mais antigas, cada faceta deve representar um feito sangrento. Esta pedra não tem ainda vinte anos. Foi encontrada nas margens do rio Amoy, no sul da China, e tem todas as características do rubi, exceto o fato de que é azul em vez de vermelho. Apesar de ser nova, esta pedra já tem uma história sinistra. Houve dois assassinatos, um episódio com ácido sulfúrico, um suicídio e vários roubos, tudo por causa desses poucos gramas de carbono cristalizado. Quem poderia imaginar que um brinquedo tão lindo seria o caminho da forca e da prisão? Vou trancá-lo em meu cofre e mandar um bilhete à condessa dizendo que está em meu poder.

— Você acha que o Horner é inocente?

— Não sei ainda.

— Bem, então acha que o outro, o Henry Baker, tem alguma coisa a ver com esse negócio?

— Acho muito mais provável que Henry Baker seja completamente inocente e não tivesse a menor idéia de que a ave que carregava valesse muito mais do que se fosse feita de ouro maciço. Mas isso eu vou verificar por meio de um teste muito simples, se tivermos uma resposta ao nosso anúncio.

— E não pode fazer nada até lá?

— Nada.

— Nesse caso, vou continuar minhas visitas profissionais. Mas voltarei à noite, na hora que você mencionou, pois gostaria de ver a solução dessa história tão confusa.

— Será um prazer tê-lo aqui. O jantar será às 19 horas. Creio que é uma galinha-d'angola. Por falar nisso, considerando o que aconteceu, acho melhor mandar a sra. Hudson examinar seu papo.

Atrasei-me com um paciente e já passava das 18h30 quando voltei à Baker Street. Ao me aproximar da casa, vi um homem alto, de boné escocês, com um casaco abotoado até o queixo esperando diante da porta, no semicírculo de luz lançado através da claraboia. No momento em que eu chegava, a porta se abriu e subimos juntos para os aposentos de Holmes.

— Sr. Henry Baker, sem dúvida — disse ele, levantando-se da poltrona e recebendo o visitante com grande cordialidade. — Sente-se aqui, perto da lareira, sr. Baker. A noite está muito fria e estou vendo que sua circulação está mais habituada ao verão que ao inverno. Ah, Watson, você chegou bem na hora. Esse chapéu é seu, sr. Baker?

— Sim, senhor, sem dúvida nenhuma.

Era um homem grande, de ombros arredondados, cabeça maciça e um rosto largo, inteligente, que terminava em uma barba pontuda castanha entremeada de fios grisalhos. O nariz e as faces um pouco vermelhos e um ligeiro tremor na mão estendida lembraram-me as deduções de Holmes sobre seus hábitos. O casaco preto russo estava abotoado até em cima, com a gola virada, e os pulsos magros saíam das mangas sem sinal de camisa. Falava em voz baixa, abruptamente, escolhendo com cuidado as palavras, e dava a impressão geral de um homem instruído, culto, que fora maltratado nas mãos da deusa da fortuna.

— Guardamos essas coisas por alguns dias — disse Holmes — porque esperávamos ver um anúncio seu dando o endereço. Não compreendo por que o senhor não publicou um anúncio.

Nosso visitante deu uma risadinha envergonhada.

— O dinheiro anda um pouco escasso esses dias, não é como antigamente — comentou. — Estava certo de que o grupo de desordeiros que me atacou tinha levado tanto meu chapéu quanto o ganso. Não quis gastar mais dinheiro ainda numa tentativa infrutífera de recuperá-los.

— Muito natural. Por falar nisso, quanto ao ganso... fomos obrigados a comê-lo.

— Comê-lo! — Nosso visitante chegou a erguer-se da cadeira, muito excitado.

— Sim. Se não fizéssemos isso, ele não teria servido para ninguém. Mas acho que esse outro ganso, que está sobre o aparador, que tem mais ou menos o mesmo peso e está muito fresco, servirá da mesma forma.

— Oh, certamente, certamente! — respondeu logo o sr. Baker, com um suspiro de alívio.

— É claro que ainda temos as penas, as pernas, o papo etc. etc. de seu ganso, se o senhor quiser...

O homem deu uma gargalhada.

— Poderiam servir como relíquias da minha aventura — disse alegremente —, mas, fora isso, não vejo em que os *disjecta membra* do finado me possam ser úteis. Não, senhor, acho que, com sua permissão, darei toda minha atenção à excelente ave que vejo em seu aparador.

Sherlock Holmes lançou-me um olhar significativo, encolheu os ombros.

— Aí está o seu chapéu, então, e ali está o seu ganso — disse. — Por falar nisso, poderia me dizer onde adquiriu o outro ganso? Gosto imensamente de aves e poucas vezes vi um ganso tão bom.

— Claro, senhor — disse Baker, que havia se levantado e segurava a ave debaixo do braço. — Temos um pequeno grupo que frequenta a Alpha Inn, perto do Museu... trabalhamos no Museu, o senhor entende. Este ano nosso anfitrião, que se chama Windigate, criou um clube do ganso. Mediante o pagamento de alguns pences todas as semanas, receberíamos um ganso na época de Natal. Peguei meus pences, e o resto o senhor já sabe. Estou muito grato ao senhor, porque um boné escocês não combina nem com a minha idade nem com a minha personalidade. — Cumprimentou-nos de modo solene, com um ar comicamente pomposo, e saiu.

— Isso basta para o sr. Henry Baker — disse Holmes, quando a porta se fechou atrás dele. — É evidente que não sabe nada desse assunto. Está com fome, Watson?

— Não muita.

— Então sugiro que adiemos o jantar para uma ceia e sigamos essa pista enquanto está quente.

— Concordo plenamente.

A noite estava terrível, de modo que saímos com sobretudos pesados e echarpes de lã enroladas no pescoço. Lá fora as estrelas brilhavam, gélidas, em um céu sem nuvens e a respiração dos transeuntes explodia em fumaça no ar como tiros de pistola. Nossos passos ressoavam quando passamos pelo quarteirão dos médicos, Wimpole Street, Harley Street e, cruzando a Wigmore Street, entramos na Oxford Street. Em 15 minutos chegamos a Bloomsbury, ao Alpha Inn, que é um pequeno restaurante na esquina de uma das ruas que levam a Holborn. Holmes abriu a porta do bar e pediu dois copos de cerveja ao dono de rosto vermelho e avental branco.

— Sua cerveja deve ser excelente, se for igual aos seus gansos — comentou.

— Meus gansos! — O homem parecia surpreso.

— Sim. Eu estava conversando há menos de meia hora com o sr. Henry Baker, que é sócio de seu clube de gansos.

— Ah! Sim, compreendo. Mas, senhor, os gansos não são meus.

— Ah, não? Então de quem são?

— Bem, comprei as duas dúzias de um vendedor em Covent Garden.

— Ah, sim? Conheço alguns deles. Qual foi?

— O nome dele é Breckinridge.

— Ah! Não o conheço. Bem, bebamos à sua saúde e prosperidade. Boa noite.

"Agora vamos procurar o sr. Breckinridge", continuou, abotoando o sobretudo quando saímos no ar gelado. "Lembre-se, Watson, que, embora tenhamos um simples ganso em uma extremidade dessa cadeia, na outra temos um homem que certamente será condenado a sete anos de trabalhos forçados se não conseguirmos provar sua inocência. É possível que nossas investigações só consigam confirmar sua culpa. Mas, seja como for, estamos seguindo uma pista que a polícia não descobriu e que caiu em nossas mãos por acaso. Vamos segui-la até o fim. Em direção ao sul e vamos depressa."

Atravessamos Holborn, descemos a Endell Street e passamos por uma série de cortiços até chegarmos ao mercado de Covent Garden. Uma das maiores bancas exibia o nome de Breckinridge, e o proprietário, um homem com cara de cavalo, de expressão severa e costeletas aparadas, estava ajudando um rapazola a fechar as portas de aço.

— Boa noite — disse Holmes. — Está fazendo muito frio, não?

O proprietário concordou com a cabeça e lançou um olhar interrogativo a meu companheiro.

— Vendeu todos os gansos, pelo que vejo — continuou Holmes, apontando para o balcão vazio.

— Posso lhe vender quinhentos amanhã de manhã.

— Amanhã não serve.

— Bem, tem alguns ali naquela outra banca.

— Ah, mas o senhor me foi recomendado.

— Por quem?

— O proprietário do Alpha.

— Ah, sim. Vendi duas dúzias para ele.

— Eram lindas aquelas aves. Onde foi que as adquiriu?

Para meu espanto, essa pergunta enfureceu o homem.

— Espere aí, cavalheiro — respondeu, com a cabeça de lado e as mãos nos quadris —, onde é que quer chegar? Diga logo a verdade.

— Estou falando a verdade. Só queria saber onde o senhor comprou os gansos que vendeu ao Alpha.

— Muito bem, não vou lhe dizer. E agora?

— Ora, não tem importância. Mas não sei por que ficou tão zangado com uma coisa tão insignificante.

— Zangado! O senhor ficaria zangado também se estivesse em meu lugar e fosse tão amolado por tanta gente. Pago muito bem para ter um artigo bom, e isso devia ser o final da história, mas só ouço: "Onde estão os gansos?" e "A quem você vendeu os gansos?" e "Quanto quer por esses gansos?" Até parece que são os únicos gansos do mundo inteiro, com o rebuliço que estão fazendo por causa desses gansos.

— Não tenho nada a ver com outras pessoas que tenham vindo aqui fazer perguntas — disse Holmes despreocupadamente. — Se não quer nos dizer, então não há mais aposta, é só isso. Mas estou sempre pronto a apostar em questão de aves, e apostei cinco libras que a ave que comi foi criada no campo.

— Então perdeu suas cinco libras, porque foi criada na cidade — afirmou o proprietário.

— De maneira nenhuma.

— Estou dizendo que foi.

— Não acredito.

— Pensa que sabe mais do que eu sobre aves, eu, que lido com elas desde que era garoto? Estou lhe dizendo que todos os gansos que foram para o Alpha foram criados na cidade.

— Nunca vai me convencer disso.

— Quer apostar?

— E estaria tirando o seu dinheiro, pois tenho certeza absoluta do que estou dizendo. Mas aposto uma libra de ouro, só para lhe ensinar a não ser tão teimoso.

O proprietário deu um sorriso satisfeito.

— Traga os livros, Bill — disse para o garoto.

O rapazola trouxe um caderno fino e um livro grande e gorduroso, e colocou-os, um ao lado do outro, sob a lâmpada que pendia do teto.

— E agora, sr. Sabe-tudo — disse o homem —, pensei que não tinha mais nenhum ganso, mas, quando terminarmos, vai descobrir que ainda tem um aqui.[2] Está vendo este caderno?

— Sim.

— Esta é a lista das pessoas de quem compro gansos. Está vendo? Bem, nesta página estão os criadores do campo e os números depois dos nomes indicam onde estão as contas deles no livro grande. Então, vamos ver! Está vendo esta outra página em tinta vermelha? Esta é a lista dos meus fornecedores da cidade. Agora olhe o terceiro nome. Leia alto para mim.

— "Sra. Oakshott, 117 Brixton Road, 249" — leu Holmes.

— Exatamente. Agora olhe no livro grande.

Holmes virou até a página indicada.

— Aqui está, "sra. Oakshott, 117 Brixton Road, fornecedora de ovos e aves".

— E agora, qual foi o último item?

— "22 de dezembro. Vinte e quatro gansos a sete xelins e seis pence."

— Muito bem. Aí está. E o que diz depois?

— "Vendidos ao sr. Windigate do Alpha a 12 xelins."

— E o que tem a dizer agora, hein?

Sherlock Holmes fez uma cara profundamente decepcionada. Tirou uma libra de ouro do bolso e atirou-a no balcão, virando-se para ir embora como um homem que estivesse desgostoso demais para dizer qualquer coisa. Alguns metros adiante, parou ao lado de um poste de luz e deu uma boa gargalhada silenciosa, que era o seu jeito habitual.

— Quando você vir um homem com costeletas parecidas com aquelas e um talão de apostas no bolso, pode ter certeza de que conseguirá extrair alguma coisa por meio de uma aposta. Acho que se eu tivesse posto cem libras na frente dele, aquele homem não me teria dado tantas informações como consegui dando-lhe a impressão de que estava apostando comigo. Bem, Watson, acho que estamos chegando ao fim de nossa investigação e minha única dúvida é se devemos ir ver essa tal sra. Oakshott agora ou se devemos deixar

[2] Ganso, em expressão coloquial inglesa, quer dizer tolo, bobalhão, idiota (N.T.)

para amanhã. É evidente, pelo que disse aquele homem, que há várias pessoas, além de nós, interessadas nesse assunto, e...

Suas palavras foram subitamente interrompidas por uma barulheira na banca que acabávamos de deixar. Quando nos viramos, vimos um sujeito miúdo, de feições de fuinha, no meio de um círculo de luz amarela lançado pela lâmpada do teto, enquanto Breckinridge, o proprietário, na entrada de sua banca, sacudia os punhos com fúria.

— Já basta de você e seus malditos gansos — berrou. — Vocês que vão para o diabo. Se você vier me amolar com essa conversa idiota, vou botar o cachorro atrás de você. Traga a sra. Oakshott aqui e eu respondo o que ela quiser, mas o que é que você tem a ver com isso? Por acaso comprei os gansos de você?

— Não, mas um deles era meu — resmungou o homenzinho.

— Então vá perguntar à sra. Oakshott.

— Ela me disse para perguntar ao senhor.

— Então vá perguntar ao rei da Prússia e não me amole. Não aguento mais! Vá embora! — Ele avançou, furioso, e o homenzinho saiu correndo e desapareceu na escuridão.

— Ah, isso vai nos poupar uma visita à Brixton Street — murmurou Holmes. — Venha comigo e veremos o que esse camarada tem a dizer.

Passando entre os grupos que rodeavam as bancas, meu companheiro alcançou rapidamente o homenzinho e bateu no seu ombro. Ele virou-se para nós, assustado, e vi à luz das lâmpadas a gás que o sangue fugira de seu rosto.

— Quem é o senhor? O que quer de mim? — balbuciou.

— Peço-lhe perdão — disse Holmes em voz branda —, mas não pude deixar de ouvir as perguntas que estava fazendo ao proprietário daquela banca. Acho que posso ajudá-lo.

— O senhor? Quem é o senhor? Como pode saber alguma coisa sobre este assunto?

— Meu nome é Sherlock Holmes. A minha profissão é saber o que os outros não sabem.

— Mas como pode saber alguma coisa sobre isso?

— Perdão, sei tudo. Está procurando descobrir o paradeiro de uns gansos que foram vendidos pela sra. Oakshott, da Brixton Street, a um homem chamado Breckinridge, e por ele ao sr. Windigate, do Alpha, e por este último a seu clube, do qual o sr. Henry Baker é sócio.

— Ah, era exatamente o senhor que eu procurava! — exclamou o homenzinho, estendendo as mãos trêmulas. — Mal posso encontrar palavras para explicar o quanto estou interessado neste assunto.

Sherlock Holmes fez sinal para uma carruagem que passava.

— Nesse caso, é melhor conversarmos em uma sala aconchegante e não neste mercado varrido pelo vento — disse. — Mas antes, por favor, diga-me quem tenho o prazer de ajudar.

O homem hesitou um instante.

— Meu nome é John Robinson — respondeu, olhando-o de soslaio.

— Não, não, seu nome verdadeiro — disse Holmes gentilmente. — É sempre incômodo fazer qualquer negócio com um nome falso.

O rosto branco do estranho enrubesceu.

— Bem — disse —, meu nome verdadeiro é James Ryder.

— Exatamente. Trabalha na portaria do Hotel Cosmopolitan. Tenha a bondade de entrar nesse carro e daqui a pouco vou contar-lhe tudo que quiser saber.

O homenzinho ficou olhando de um para o outro com uma expressão amedrontada, meio esperançosa, como quem não sabe se está na iminência de uma grande surpresa ou de uma catástrofe. Então, entrou no carro, e em meia hora estávamos de volta à sala da Baker Street. Nada fora dito durante a viagem, mas a respiração ofegante de nosso companheiro e as mãos que se entrelaçavam e se soltavam traíam a tensão nervosa que o dominava.

— Aqui estamos! — disse Holmes alegremente, quando entramos na sala. — O fogo está acolhedor, com um tempo desses. Parece que está com frio, sr. Ryder. Sente-se naquela cadeira. Vou só tirar os sapatos e calçar os chinelos antes de resolver seu problema. Então! Quer saber o que aconteceu com os gansos?

— Sim, senhor.

— Ou melhor, com aquele ganso. Estava interessado, se não me engano, em um ganso... branco, com uma barra preta na cauda.

Ryder estremeceu de emoção.

— Oh, senhor — exclamou —, pode me dizer o que aconteceu com ele?

— Veio para cá.

— Para cá?

— Sim, e mostrou que era uma ave realmente extraordinária. Não me espanto ao ver seu interesse por ele. Botou um ovo depois de morto, o ovinho azul mais lindo, mais brilhante que se possa imaginar. Guardei-o aqui em meu museu.

Nosso visitante ficou de pé, cambaleando, e agarrou-se no consolo da lareira com a mão direita. Holmes destrancou o cofre e estendeu a pedra azul, que cintilava como uma estrela, com um brilho frio, ofuscante, multifacetado. Ryder ficou olhando com o rosto contorcido, sem saber se devia reconhecê-la ou fingir ignorá-la.

— O jogo terminou, Ryder — disse Holmes calmamente. — Segure-se, homem, ou vai cair na lareira. Ajude-o a voltar para a cadeira, Watson. Ele não tem capacidade de praticar um crime impunemente. Dê-lhe um gole de conhaque. Agora sim! Agora está com um aspecto mais humano. Que verme ele é, realmente!

Por um instante Ryder estremecera e quase caíra, mas o conhaque trouxe o sangue de volta ao seu rosto, ele sentou-se, encarando seu acusador com olhos amedrontados.

— Tenho quase todos os elos da cadeia em minhas mãos, e todas as provas de que preciso, de modo que há muito pouca coisa que você possa me dizer. Entretanto, mesmo esse pouco deve ser esclarecido para completar o caso. Você já ouvira falar, Ryder, dessa pedra azul da condessa de Morcar?

— Foi Catherine Cusack que me falou dela — respondeu com voz rouca.

— Entendo. A criada da condessa. Bem, a tentação de uma grande riqueza adquirida com toda a facilidade foi demais para você, como já foi para homens muito melhores antes de você. Mas você não teve muitos escrúpulos em relação aos meios que usou. Parece-me, Ryder, que você tem tudo para ser um bom vilão. Sabia que esse Horner, o bombeiro, havia sido envolvido em alguma coisa semelhante no passado e que as suspeitas naturalmente recairiam sobre ele. E o que fez, então? Inventou um conserto qualquer nos aposentos da condessa, você e sua cúmplice, Catherine Cusack, e deu um jeito para que ele fosse chamado para fazer o serviço. Então, depois que ele saiu, você roubou a pedra, deu o alarme, e fez com que esse pobre-diabo fosse preso. Depois...

Ryder atirou-se de repente no tapete e agarrou os joelhos de meu companheiro.

— Pelo amor de Deus! Tenha dó! — gritou. — Pense em meu pai, em minha mãe! Ia cortar o coração deles! Nunca fiz nada de errado antes. E juro que nunca mais farei uma coisa dessas. Juro sobre a Bíblia. Oh, não leve isso aos tribunais! Por amor de Jesus Cristo, não faça isso!

— Volte para sua cadeira — disse Holmes com severidade. — Agora você está de quatro, suplicando caridade, mas nem pensou no pobre do Horner, condenado por um crime que não cometeu.

— Vou-me embora, sr. Holmes. Sairei do país, senhor. Então a acusação contra ele será retirada.

— Hum! Vamos conversar sobre isso. Mas agora queremos ouvir a história verdadeira do ato seguinte. Como é que a pedra foi parar no ganso e o ganso no mercado? Diga a verdade, pois é a única possibilidade que você tem de escapar.

Ryder passou a língua pelos lábios secos.

— Vou contar exatamente o que aconteceu, senhor — disse. — Quando Horner foi preso, pareceu-me que a melhor coisa seria eu sumir com a pedra imediatamente, pois não sabia quando a polícia podia resolver me revistar ou dar uma busca em meu quarto. Não havia lugar nenhum no hotel em que eu pudesse esconder a pedra. Saí como se tivesse sido mandado à rua, e fui até a casa de minha irmã. Ela se casara com um homem chamado Oakshott e morava na Brixton Street, onde engordava aves para o mercado. A caminho da casa dela, todos os homens que encontrei me pareciam ser policiais ou detetives e, embora estivesse fazendo muito frio, o suor escorria pelo meu rosto antes de chegar à Brixton Street. Minha irmã me perguntou o que havia comigo e por que estava tão pálido, mas eu disse que estava muito abalado por causa do roubo no hotel. Então fui até o quintal dos fundos, fumei um cachimbo e pensei no que ia fazer.

"Tive um amigo, uma ocasião, chamado Maudsley, que enveredou pelo mau caminho e cumpriu sentença em Pentonville. Um dia nós nos encontramos e a conversa foi toda sobre ladrões e como eles se livravam das coisas que roubavam. Tinha certeza de que ele seria leal comigo porque eu sabia umas coisas sobre ele, então resolvi ir a

Kilburn, onde ele morava, e contar-lhe tudo. Ele me mostraria como converter a pedra em dinheiro. Mas como chegar até lá em segurança? Pensei na angústia que sentira no caminho do hotel até a casa de minha irmã. Podia, a qualquer momento, ser detido e revistado, e lá estaria a pedra no bolso de meu colete. Eu estava encostado no muro nessa hora, olhando os gansos que gingavam ao meu redor e de repente tive uma ideia que me mostrou como eu poderia enganar o detetive mais esperto que existisse.

"Minha irmã dissera algumas semanas antes que eu podia escolher um ganso como presente de Natal e sabia que ela sempre cumpria sua palavra. Então eu ia levar meu ganso agora mesmo e dentro dele eu ia botar minha pedra e levar para Kilburn. Havia um pequeno galpão no quintal e foi para lá que enxotei um dos gansos, um muito bonito, todo branco, com uma lista preta na cauda. Agarrei a ave e, abrindo o bico, enfiei a pedra em sua garganta, o mais fundo possível. O ganso engoliu, e vi a pedra passar pela goela e entrar no papo. Mas a criatura bateu as asas e lutou, e minha irmã veio ver o que estava acontecendo. Quando me virei para falar com ela, o bicho se soltou e se misturou com os outros.

"'O que você estava fazendo com esse ganso, Jem?', ela perguntou.

"'Bem', respondi, 'você disse que ia me dar um ganso de presente de Natal, e eu estava vendo qual era o mais gordo.'

"'Oh', ela disse, 'já separamos o seu. É aquele branco, grande, que está ali. São 26 ao todo, um para você, um para nós e duas dúzias para o mercado.'

"'Obrigado, Maggie', eu disse, 'mas se não faz diferença para você, prefiro aquele que estava segurando ainda há pouco.'

"'O outro pesa um quilo a mais', ela insistiu, 'e foi engordado especialmente para você.'

"'Não faz mal. Prefiro o outro, o branco com uma lista, e vou levá-lo agora mesmo.'

"'Está bem, faça o que quiser. Então mate a ave e leve.'

"Bem, fiz o que ela disse, sr. Holmes, e carreguei o ganso até Kilburn. Contei ao meu amigo o que tinha feito, pois ele era um homem a quem se podia contar essas coisas. Riu até se engasgar, pegamos uma faca e abrimos o ganso. Meu coração quase parou, pois não havia sinal da pedra e percebi que ocorrera um erro terrível. Larguei o ganso, voltei correndo à casa de minha irmã e fui até o quintal. Não havia nenhum ganso.

"'Onde eles estão, Maggie?', perguntei.

"'Já foram para o mercado.'

"'Para que vendedor?'

"'Breckinridge, de Covent Garden.'

"'Mas tinha outro ganso com uma lista preta na cauda?', perguntei. 'Igual ao que escolhi?'

"'Sim, Jem, eram dois com a cauda listada e nunca consegui distinguir um do outro.'

"Então compreendi tudo e saí correndo o mais depressa possível para o mercado, mas Breckinridge tinha vendido todos de uma vez e não quis dizer uma palavra sequer sobre seu destino. Os senhores ouviram o que ele estava dizendo hoje à noite. Foi assim que sempre me respondeu. Minha irmã pensa que estou ficando louco. Às vezes, eu também penso isso. E agora... e agora sou um ladrão aos olhos do mundo sem ter sequer tocado na fortuna pela qual ganhei esta fama. Deus me ajude! Deus me ajude!"

Começou a soluçar convulsivamente, com o rosto enterrado nas mãos.

Houve um longo silêncio, quebrado apenas pelos soluços e pelos dedos de Sherlock Holmes, que batiam na borda da mesa. Então meu amigo se levantou e abriu a porta.

— Saia! — ordenou.

— O quê, senhor! Oh, Deus o abençoe!

— Nem mais uma palavra. Saia!

E não era preciso dizer mais nada. Um movimento rápido, um barulho na escada, uma porta que bateu e passos apressados descendo a rua.

— Afinal de contas, Watson — disse Holmes, estendendo a mão para pegar o cachimbo de barro —, não sou pago pela polícia para suprir suas deficiências. Se Horner estivesse em perigo, seria diferente, mas esse camarada não vai testemunhar contra ele e este caso será encerrado. Acho que estou sendo cúmplice de um crime, mas é possível que esteja salvando uma alma. Este sujeito não vai fazer mais nada de errado. Ficou amedrontado demais. Se fosse para a prisão agora, seria um criminoso pelo resto da vida. Além disso, essa época do ano é a do perdão. O acaso colocou em nosso caminho um problema original e sua solução é a própria recompensa. Tenha a bondade de tocar a campainha, doutor, e começaremos outra investigação que também envolve uma ave.

Ao examinar minhas anotações dos mais de setenta casos em que, nos últimos oito anos, estudei os métodos de meu amigo Sherlock Holmes, vejo que muitos foram trágicos, alguns cômicos e um grande número simplesmente estranho, mas nenhum foi banal; pois, trabalhando como ele o fazia, por amor à arte e não ao dinheiro, ele se recusava a associar seu nome a qualquer investigação que não tivesse uma característica fora do comum, e até fantástica. De todos esses casos variados, entretanto, não me lembro de nenhum que apresentasse aspectos mais originais que o da conhecida família de Surrey, os Roylotts de Stoke Moran. Os acontecimentos em questão ocorreram no início de minha associação com Holmes, quando morávamos juntos, como solteiros, na Baker Street. Eu poderia ter relatado esse caso antes, mas havíamos prometido segredo na ocasião, e só fui liberado dessa promessa no mês passado, pela morte inesperada da mulher a quem ela havia sido feita. Talvez seja oportuno que os fatos venham à tona agora, pois tenho motivos para crer que há muitos boatos sobre a morte do dr. Grimesby Roylott que tendem a tornar o caso ainda mais terrível que a verdade.

Foi no início de abril de 1883 que acordei uma manhã e encontrei Sherlock Holmes de pé ao lado de minha cama, completamente vestido. Em geral, costumava acordar tarde e, como o relógio da lareira marcava apenas 7h15, pisquei os olhos, surpreso e talvez com um pouco de ressentimento, pois eu também era muito regular em meus hábitos.

— Mil perdões por acordar você, Watson — disse ele —, mas é o que está acontecendo com todo mundo esta manhã. A sra. Hudson foi acordada e então me acordou, e agora é a sua vez.

— O que aconteceu? Um incêndio?

— Não, um cliente. Consta que chegou uma jovem extremamente agitada, que insiste em falar comigo. Está esperando na sala. Ora, quando moças de família saem andando pela cidade a essa hora da manhã e tiram as pessoas da cama, presumo que tenham algo muito importante a comunicar. Se for um caso interessante, tenho certeza de que você gostaria de acompanhá-lo desde o início. Achei, de qualquer maneira, que devia chamá-lo e dar-lhe essa oportunidade.

— Meu caro amigo, eu não ia perder isso de jeito nenhum.

Era o meu maior prazer acompanhar Holmes em suas investigações e admirar as deduções rápidas, velozes como intuições, mas sempre escoradas em uma base lógica, com que deslindava os mistérios que lhe eram apresentados. Vesti-me depressa e em poucos minutos estava pronto para acompanhar meu amigo até a sala. Uma senhora vestida de preto e coberta por um véu espesso, sentada junto à janela, levantou-se quando entramos.

— Bom dia, senhora — disse Holmes alegremente. — Meu nome é Sherlock Holmes. Este é meu amigo e associado, dr. Watson, diante do qual pode falar com toda a franqueza. Ah, ainda bem que a sra. Hudson teve a boa ideia de acender a lareira. Por favor, chegue perto do fogo e vou mandar vir uma xícara de café bem quente, pois estou vendo que a senhora está tremendo.

— Não é o frio que me faz tremer — disse a moça em voz baixa, mudando de cadeira, como Holmes sugerira.

— O que é então?

— É medo, sr. Holmes. É terror. — Ergueu o véu enquanto falava e pudemos ver que estava realmente aterrorizada, o rosto contorcido e cinzento, os olhos agitados e amedrontados, como os de um animal encurralado. A aparência era de uma mulher de uns trinta anos, mas os cabelos eram prematuramente grisalhos e a expressão era cansada e ansiosa. Sherlock Holmes analisou-a com um de seus olhares rápidos e abrangentes.

— Não tenha medo — disse, acalmando-a com a voz e, inclinando-se para a frente, deu uma leve pancadinha em seu braço. — Vamos resolver o problema, seja o que for. Vejo que veio de trem.

— O senhor sabe quem eu sou?

— Não, mas vi a passagem de volta em sua mão. Deve ter saído muito cedo e andou muito tempo em um carro aberto, em estradas de terra, antes de chegar à estação.

A moça teve um sobressalto e olhou meu companheiro, com surpresa.

— Não há mistério nenhum nisso, minha senhora — disse ele sorrindo. — A manga esquerda de sua jaqueta está salpicada de lama em nada menos de sete lugares. As manchas são muito frescas. Só num carro isso poderia acontecer, e assim mesmo, só quando se senta à esquerda do cocheiro.

— Seja qual for o seu raciocínio, o senhor tem razão — ela respondeu. — Saí de casa antes das seis horas, cheguei a Leatherhead às 6h20 e tomei o primeiro trem para Waterloo. Sr. Holmes, não aguento mais esta ansiedade, ficarei louca se isso continuar. Não tenho ninguém a quem recorrer, ninguém, a não ser uma pessoa, que se preocupe comigo, e ele, pobre coitado, não pode me ajudar. Ouvi falar do senhor pela sra. Farintosh, que o senhor ajudou quando ela mais precisava. Foi ela que me deu seu endereço. Oh, sr. Holmes, será que o senhor pode me ajudar também, pelo menos jogar um pouco de luz na profunda escuridão que me cerca? No momento não tenho condições de remunerá-lo por seus serviços, mas vou me casar dentro de um ou dois meses e assumirei o controle de minha própria renda, e então o senhor verá que não sou ingrata.

Holmes virou-se para a escrivaninha e, abrindo uma gaveta, tirou um pequeno caderno, que consultou.

— Farintosh — disse. — Ah, sim, lembro-me do caso. Tratava-se de uma tiara de opalas. Acho que foi antes de seu tempo, Watson. Tudo que posso dizer, minha senhora, é que darei ao seu caso a mesma atenção que dei ao caso de sua amiga. Quanto à remuneração, minha profissão é sua própria recompensa, mas a senhora poderá me reembolsar qualquer despesa que eu tenha de fazer, quando lhe for conveniente. E agora, por favor, conte-nos tudo que puder ajudar a formar uma opinião sobre o assunto.

— Ah! — exclamou nossa visitante. — O horror da minha situação está no fato de que meus temores são tão vagos e minhas suspeitas dependem tanto de pequenos detalhes que podem parecer banais para qualquer outra pessoa, e até o homem, acima de todos, a quem tenho o direito de pedir ajuda e conselhos, considera tudo que lhe digo mera fantasia de uma mulher nervosa. Ele não diz isso, mas eu vejo pelas respostas vagas que me dá, desviando os olhos para não me encarar. Mas ouvi dizer, sr. Holmes, que o senhor tem olhos que penetram profundamente na imensa maldade do coração humano. O senhor poderá me aconselhar sobre a maneira de atravessar os perigos que me rodeiam.

— Sou todo ouvidos, minha senhora.

— Meu nome é Helen Stoner, e moro com meu padrasto, que é o último sobrevivente de uma das famílias mais antigas da Inglaterra, os Roylotts de Stoke Moran, no limite oeste de Surrey.

Holmes balançou a cabeça.

— O nome não me é estranho — disse.

— A família era uma das mais ricas da Inglaterra e suas propriedades se estendiam além dos limites de Berkshire no norte e Hampshire no oeste. Mas no último século, quatro herdeiros sucessivos tinham uma tendência dissoluta e perdulária, e a ruína da família foi finalmente completada por um jogador, na época da Regência. Não sobrou nada, a não ser alguns acres de terra e a casa de duzentos anos, esmagada por uma hipoteca enorme. O último grande proprietário morou ali, vivendo a vida horrível de um aristocrata indigente; mas seu filho único, meu padrasto, vendo que tinha de se adaptar a novas situações, conseguiu um empréstimo de um parente, que lhe permitiu formar-se em medicina e foi para Calcutá, onde, devido à sua capacidade profissional e força de caráter, estabeleceu uma grande clínica. Mas em um acesso de raiva, surrou o nativo que lhe servia de mordomo até matá-lo e escapou por pouco de ser condenado à morte. Mesmo assim ficou preso muito tempo e depois voltou à Inglaterra, um homem desanimado e amargo.

"Quando o dr. Roylott estava na Índia, casou-se com minha mãe, a sra. Stoner, jovem viúva do general-de-divisão Stoner, da artilharia de Bengala. Minha irmã Júlia e eu éramos gêmeas e tínhamos apenas dois anos quando minha mãe casou-se de novo. Ela possuía uma quantia considerável de dinheiro, nada menos que mil libras por ano, que transferiu para o dr. Roylott enquanto residíssemos com ele, com a ressalva de que certa soma por ano fosse dada a cada uma de nós na eventualidade de nos casarmos. Pouco depois de voltarmos à Inglaterra, minha mãe faleceu — ela morreu há oito anos, em um acidente de trem perto de Crewe. O dr. Roylott desistiu então da tentativa de clinicar em Londres e levou-nos para morar com ele na mansão ancestral em Stoke Moran. O dinheiro que minha mãe havia deixado era suficiente para atender a todas as nossas necessidades, e parecia não haver nenhum obstáculo à nossa felicidade.

"Mas nessa época nosso padrasto passou por uma transformação terrível. Em vez de fazer amizades e visitar nossos vizinhos, que de início haviam ficado muito contentes de ver um Roylott de Stoke Moran mais uma vez no comando das antigas propriedades, ele se fechou dentro de casa e quase nunca saía, a não ser para brigar violentamente com qualquer pessoa que surgisse à sua frente. Certa violência de temperamento, que chega quase à loucura, tem sido hereditária nos homens da família e, no caso de meu padrasto, creio que havia sido intensificada por ter morado muito tempo nos trópicos. Houve uma série de brigas vergonhosas e duas terminaram na delegacia, até que, por fim, ele se tornou o terror da aldeia e todo mundo fugia quando ele aparecia, pois é tremendamente forte e completamente incontrolável nos seus acessos de fúrias.

"Na semana passada ele jogou o ferreiro da aldeia dentro de um rio e só consegui evitar um escândalo pagando todo o dinheiro que consegui arranjar. Não tinha nenhum amigo, a não ser os ciganos, e dava permissão a esses vagabundos para acampar nos poucos acres cobertos de mato que representam a propriedade da família, e aceitava em troca a hospitalidade de suas tendas, acompanhando-os às vezes durante semanas. Também tem paixão por animais da Índia, que lhe são enviados por um agente, e que passeiam à vontade pela propriedade. Atualmente, ela tem um leopardo e um mandril que são temidos pelos camponeses quase tanto quanto o seu dono.

"Por tudo isso, pode imaginar que minha pobre irmã Júlia e eu não tivemos uma vida muito agradável. Nenhum empregado permanecia conosco, e durante muito tempo fizemos todo o trabalho doméstico. Júlia só tinha trinta anos quando morreu, mas seu cabelo estava quase branco, como o meu está ficando."

— Então sua irmã morreu?

— Morreu há dois anos, e é sobre a morte dela que quero falar com o senhor. Deve compreender que, levando a vida que acabei de descrever, havia poucas possibilidades de ver pessoas de nossa idade e posição. Mas tínhamos uma tia, irmã solteira de minha mãe, a srta. Honoria Westphail, que mora perto de Harrow, e ocasionalmente tínhamos permissão de visitá-la. Júlia foi vê-la no Natal, dois anos atrás, e lá conheceu um capitão de corveta, de quem ficou noiva. Meu padrasto soube do noivado quando minha irmã voltou e não fez objeção ao casamento. Mas 15 dias antes da data marcada para a cerimônia, ocorreu o fato terrível que me privou de minha única companheira.

Sherlock Holmes estava recostado na poltrona com os olhos fechados, e a cabeça apoiada em uma almofada, mas entreabriu as pálpebras e olhou para nossa visitante.

— Faça o favor de ser precisa quanto aos detalhes — disse.

— Isso é muito fácil, porque todos os acontecimentos desse período horrível estão gravados na minha memória. A mansão, como já disse, é muito antiga e só uma ala ainda é habitada. Os quartos de dormir nessa ala são no andar térreo e as salas são no bloco central do prédio. O primeiro quarto é do dr. Roylott, o segundo de minha irmã e o terceiro é o meu. Não há comunicação entre eles, mas todos dão para o mesmo corredor. Estou sendo bastante clara?

— Perfeitamente.

— As janelas dos três quartos dão para o gramado. Naquela noite fatal, o dr. Roylott fora cedo para o quarto, embora soubéssemos que não tinha ido para a cama, porque o cheiro dos charutos hindus muito fortes que ele costumava fumar ficou incomodando minha irmã. Ela saiu de seu quarto e veio para o meu, e ficou ali durante algum tempo, conversando sobre o casamento que se aproximava. Às 23 horas levantou-se para sair, mas parou perto da porta e olhou para trás.

"'Diga-me uma coisa, Helen', falou, 'você já ouviu alguém assobiar no meio da noite?'

"'Nunca', respondi.

"'Será que você não poderia assobiar sem saber enquanto dorme?'

"'Claro que não. Mas por que pergunta?'

"'Porque nessas últimas noites, por volta de três horas, tenho ouvido sempre um assobio baixo, muito claro. Tenho o sono leve e isso me acorda. Não sei dizer de onde vem, talvez do quarto ao lado, talvez lá de fora. Só queria saber se você também tinha ouvido.'

"'Não, não ouvi nada. Devem ser aqueles ciganos desgraçados acampados na propriedade.'

"'É bem provável. Mas se fosse lá fora, você também devia ter ouvido.'

"'Ah, mas meu sono é muito mais pesado que o seu.'

"'Bem, não tem muita importância.' Ela sorriu para mim, fechou a porta e poucos segundos depois ouvi a chave virar na fechadura de seu quarto."

— Realmente? — disse Holmes. — Vocês costumavam trancar a porta dos quartos à noite?

— Sempre.

— Por quê?

— Acho que mencionei que o doutor tinha um leopardo e um mandril que andavam soltos. Só nos sentíamos seguras com as portas trancadas.

— Ah, sim. Por favor, continue.

— Não pude dormir naquela noite. Um sentimento vago de desgraça iminente me oprimia. Minha irmã e eu, como deve se lembrar, éramos gêmeas, e o senhor sabe que laços muito sutis unem duas almas tão intimamente ligadas. Era uma noite terrível. O vento uivava lá fora e a chuva batia nas janelas. De repente, no meio do rumor da ventania, ouvi o grito de uma mulher aterrorizada. Sabia que era a voz de minha irmã. Saltei da cama, enrolei um xale nos ombros e saí para o corredor. Quando abri minha porta, tive a impressão de ouvir um assobio baixo, como minha irmã havia descrito, e pouco depois um som metálico, como se um bloco de metal tivesse caído. Quando me aproximei do quarto dela, vi que a porta estava aberta, balançando lentamente nas dobradiças. Fiquei olhando, horrorizada, sem saber o que estava prestes a sair do quarto. À luz da lâmpada do corredor, vi minha irmã surgir na abertura da porta, com o rosto lívido de terror e as mãos estendidas, como que pedindo socorro, cambaleando como uma bêbada. Corri para junto dela e segurei-a em meus braços, mas nesse momento seus joelhos se dobraram e ela caiu no chão. Contorcia-se como se estivesse com dores violentas e os braços e as pernas estavam retorcidos. A princípio pensei que não havia me reconhecido, mas quando me inclinei, ela gritou de repente, com uma voz que jamais esquecerei: "Oh, meu Deus, Helen! Era a banda! A banda pintada!" Havia mais alguma coisa que ela queria dizer e apontou o dedo no ar na direção do quarto do doutor, mas teve outra convulsão que abafou as palavras. Saí correndo, chamando meu padrasto em voz alta e o encontrei saindo do quarto de roupão. Quando chegou perto de minha irmã, ela já estava inconsciente e embora ele tivesse derramado conhaque em sua garganta e mandado buscar auxílio médico na aldeia, foi tudo em vão, e ela morreu sem recobrar os sentidos. Esse foi o fim horrível da minha querida irmã.

— Um momento — disse Holmes —, tem certeza a respeito do assobio e do som metálico? Poderia jurar sobre isso?

— Foi isso que o juiz me perguntou no inquérito. Tenho uma impressão muito forte de que ouvi isso, mas com o barulho da tempestade e os rangidos habituais de uma casa tão velha, talvez tenha me enganado.

— Sua irmã estava vestida?

— Não, estava de camisola. Na mão direita tinha o resto de um fósforo queimado e na esquerda uma caixa de fósforos.

— Mostrando que acendera um fósforo e olhara em volta quando ouviu o barulho. Isso é importante. E quais foram as conclusões do inquérito?

— O magistrado encarregado de casos de morte suspeita investigou o caso com muito cuidado, pois a conduta do dr. Roylott há muito tempo era notória em todo o condado, mas não conseguiu encontrar nenhuma causa de morte plausível. Meu testemunho mostrou que a porta havia sido trancada por dentro, que as janelas estavam bloqueadas por persianas antigas com barras largas de ferro e que eram também trancadas todas as noites. As paredes foram verificadas e ficou provado que eram sólidas, e o chão também foi examinado minuciosamente, com o mesmo resultado. A chaminé é larga, mas é vedada por quatro barras. É certo, portanto, que minha irmã estava sozinha quando morreu. Além disso, não havia nenhuma marca de violência nela.

— E quanto à possibilidade de ser veneno?

— Os médicos a examinaram, mas não encontraram nada.

— Então, de que acha que essa pobre moça morreu?

— Creio que ela morreu de medo e de choque nervoso, embora não saiba o que a amedrontou.

— Os ciganos estavam acampados na propriedade nessa ocasião?

— Sim, quase sempre tem alguns acampados lá.

— Ah, e o que deduziu dessa referência a uma banda, uma banda pintada?

— Às vezes penso que foi apenas um delírio, outras, que talvez estivesse se referindo a uma banda de pessoas, talvez os próprios ciganos. Talvez os lenços pintados que eles usam na cabeça tivessem sugerido essas palavras estranhas.

Holmes sacudiu a cabeça como um homem que não está nem um pouco satisfeito.

— Está bastante obscuro — comentou. — Por favor, continue.

— Passaram-se dois anos desde então, e minha vida, até há pouco, era mais solitária do que nunca. Mas há um mês, um amigo querido, que conheço há muitos anos, deu-me a honra de me pedir em casamento. O nome dele é Armitage, Percy Armitage, o segundo filho do sr. Armitage, de Crane Water, perto de Reading. Meu padrasto não fez nenhuma oposição ao casamento, e a cerimônia será na primavera. Há dois dias, começaram a fazer uns consertos na ala oeste do prédio e a parede de meu quarto foi parcialmente demolida, de modo que tive de me mudar para o quarto em que minha irmã morreu e dormir na mesma cama em que ela dormia. Imagine, então, meu arrepio de horror na noite passada, enquanto tentava dormir, pensando em seu terrível destino, quando de repente ouvi no silêncio da noite o assobio que fora o prenúncio de sua morte. Pulei da cama e acendi a lâmpada, mas não vi nada no quarto. Fiquei abalada demais para voltar para a cama, então me vesti, e assim que o dia clareou, saí de mansinho, peguei um carro na Estalagem Crown, que fica em frente, e fui até Leatherhead, de onde vim esta manhã só para ver o senhor e pedir seu auxílio.

— Fez muito bem — disse meu amigo. — Mas contou tudo que sabe?

— Sim, tudo.

— Srta. Stoner, não é verdade. A senhora está protegendo seu padrasto.

— O que quer dizer com isso? — ela perguntou.

Em resposta, Holmes puxou para trás o babado de renda preta que encobria a mão que nossa visitante pousava sobre o joelho. Cinco pequenas manchas lívidas, as marcas de quatro dedos e um polegar, estavam gravadas no punho alvo.

— Isso foi uma crueldade — disse Holmes.

A moça enrubesceu e cobriu o punho machucado.

— Ele é um homem muito duro — disse. — Talvez não conheça sua própria força.

Houve um longo silêncio, enquanto Holmes descansava o queixo nas mãos e contemplava o fogo crepitante.

— É um assunto bem complexo — disse finalmente. — Há milhares de detalhes que gostaria de conhecer antes de decidir o que fazer. No entanto, não temos um minuto a perder. Se fôssemos a Stoke Moran hoje, seria possível vermos os quartos sem que seu padrasto soubesse?

— Por coincidência, ele disse que vinha à cidade hoje para tratar de assuntos importantes. É provável que fique o dia inteiro e, nesse caso, não haveria nenhum problema. Temos uma empregada agora, mas é velha e tola, e é fácil desviar sua atenção.

— Excelente. Você não faz nenhuma objeção a essa viagem, Watson?

— De maneira nenhuma.

— Então iremos nós dois. E a senhora, o que vai fazer?

— Já que estou aqui, há uma ou duas coisas que gostaria de fazer. Mas voltarei pelo trem das 12 horas e estarei lá à sua espera.

— Pode nos aguardar à tarde. Eu também tenho algumas coisas a fazer. Não quer esperar e tomar café?

— Não, preciso ir. Já me sinto mais leve, desde que confiei meu problema aos senhores. Será um prazer revê-los hoje à tarde. — Puxou o véu sobre o rosto e saiu.

— E o que acha disso tudo, Watson? — perguntou Sherlock Holmes, reclinando-se na poltrona.

— Parece ser uma história profundamente sinistra.

— Bastante sinistra.

— No entanto, se a moça está certa quando diz que o chão e as paredes são sólidos e que a porta, a janela e a chaminé são intransponíveis, então a irmã dela estava sem dúvida alguma sozinha quando chegou a seu estranho fim.

— E o que diz dos assobios noturnos e das palavras tão esquisitas da moça ao morrer?

— Não sei o que pensar.

— Quando você combina a ideia de assobios durante a noite, a presença de um bando de ciganos que são íntimos desse velho médico e o fato de que temos todos os motivos para acreditar que o médico está interessado em evitar o casamento de sua enteada, a referência, na hora da morte, a uma banda, ou um bando, e, finalmente, o fato de que a srta. Helen Stoner ouviu um ruído metálico, que poderia ter sido causado por uma dessas barras de metal que seguram as venezianas quando voltam ao seu lugar, acho que temos base suficiente para pensar que o mistério pode ser esclarecido seguindo essa linha.

— Mas o que foi que os ciganos fizeram?

— Não posso imaginar.

— Vejo muitas objeções a essa teoria.

— Eu também. É exatamente por esse motivo que vamos a Stoke Moran esta tarde. Quero ver se as objeções são inevitáveis ou se podem ser explicadas. Mas o que é isso, diabos!

A exclamação de meu amigo fora motivada pelo fato de que a porta havia sido aberta de repente e um homem enorme surgira no vão. Suas roupas eram uma mistura curiosa de profissional liberal e agricultor, uma cartola preta, um fraque comprido, perneiras altas e um chicote na mão. Era tão alto que a cartola tocava o alto do vão da porta e a largura dos ombros quase bloqueava a abertura. Um rosto grande, riscado por mil rugas, queimado de sol em uma tonalidade amarela e marcado por todos os sentimentos malignos, virava-se de um lado para outro, enquanto os olhos fundos, biliosos, e o nariz afilado e descarnado lhe davam um ar de ave de rapina feroz.

— Qual dos senhores é Holmes? — perguntou essa aparição.

— É meu nome, senhor, mas gostaria de saber o seu — disse meu companheiro tranquilamente.

— Sou o dr. Grimesby Roylott, de Stoke Moran.

— Muito prazer, doutor — disse Holmes, com suavidade. — Tenha a bondade de se sentar.

— Nada disso. Minha enteada esteve aqui. Eu a segui. O que ela lhe contou?

— Está um pouco frio para essa época do ano — disse Holmes.

— O que ela lhe contou? — berrou o velho, furioso.

— Mas ouvi dizer que as flores da primavera estão brotando — continuou meu amigo, imperturbável.

— Ah! Está querendo me enganar, não é? — disse nosso novo visitante, dando um passo à frente e sacudindo o chicote. — Conheço o senhor, seu patife! Já ouvi falar do senhor. É Holmes, o intrometido.

Meu amigo sorriu.

— Holmes, o intruso!

O sorriso se alargou.

— Holmes, o empregadinho da Scotland Yard.

Holmes riu gostosamente.

— Sua conversa é muito divertida — disse. — Quando sair, tenha a bondade de fechar a porta, pois está provocando uma corrente de ar.

— Eu irei quando tiver dito o que vim dizer. Não ouse se intrometer em meus negócios. Sei que a srta. Stoner esteve aqui. Eu a segui! Sou um inimigo perigoso. Olhe só. — Avançou depressa, pegou o atiçador de fogo e vergou-o ao meio com as enormes mãos morenas. — Tenha o cuidado de ficar fora do meu alcance — rosnou e, jogando o atiçador retorcido na lareira, saiu a passos largos.

— Parece um sujeito muito amável — disse Holmes, rindo. — Não sou tão grande quanto ele, mas, se tivesse se demorado um pouco mais, eu ia mostrar-lhe que minhas mãos não são mais fracas do que as dele.

Enquanto falava, pegou o atiçador de aço e, com um esforço brusco, endireitou-o novamente.

— Imagine a ousadia dele de me confundir com os detetives da polícia! Mas este incidente dá mais sabor à nossa investigação, e só espero que nossa amiguinha não venha a sofrer por sua imprudência de se deixar seguir por esse bruto. E agora, Watson, vamos tomar café e depois vou dar um passeio até a Associação dos Doutores em Direito Civil, onde espero conseguir algumas informações que poderão nos ajudar neste assunto.

Eram quase 13 horas quando Sherlock Holmes voltou de sua excursão. Trazia na mão uma folha de papel azul coberta de anotações e números.

— Vi o testamento da esposa falecida — disse. — Para determinar seu significado exato, fui obrigado a calcular os preços atuais dos investimentos a que se refere. A renda total, que na época em que ela morreu era pouco inferior a 1.100 libras por ano, agora, devido à queda dos preços agrícolas, não passa de 750 libras. Cada uma das filhas tem direito a uma renda de 250 libras ao se casar. É evidente, portanto, que se as duas moças tivessem se casado, aquela beleza ficaria com muito pouco dinheiro, e mesmo se só uma delas se casasse, ele já não ficaria bem de vida. Meu trabalho desta manhã não foi em vão, já que provou que ele tem motivos de sobra para impedir que isso aconteça. E agora, Watson, isto é sério demais para permitir demoras, principalmente porque o velho sabe que estamos interessados em seus negócios; portanto, se você está pronto, vamos pegar um cabriolé para ir até Waterloo. Ficaria muito grato se você levasse seu revólver no bolso. Um Eley nº 2 é um excelente argumento para cavalheiros que dão nós em atiçadores de aço. Só precisamos disso e de uma escova de dentes.

Em Waterloo, tivemos a sorte de pegar um trem para Leatherhead, onde alugamos uma charrete na estalagem da estação e andamos seis ou sete quilômetros pelas lindas estradas rurais de Surrey. O dia estava perfeito, com um sol brilhante e umas nuvens esgarçadas no céu. As árvores e as sebes se revestiam com os primeiros pálidos rebentos da primavera e o ar estava perfumado com o cheiro agradável de terra úmida. Para mim, pelo menos, havia um estranho contraste entre a doce promessa da primavera e a investigação sinistra que nos levava por esses caminhos. Meu companheiro estava sentado na frente, de braços cruzados, o chapéu cobrindo os olhos, o queixo afundado no peito, imerso em seus pensamentos. Mas, de repente, teve um sobressalto, bateu em meu ombro e apontou para os campos.

— Olhe ali! — disse.

Um parque se estendia por uma colina suave, terminando em um bosque denso no ponto mais alto. Ali, por entre os galhos das árvores, divisava-se o telhado cinzento e alto, em várias águas, de uma velha mansão.

— Stoke Moran? — perguntou.

— Sim, senhor, é a casa do dr. Grimesby Roylott — respondeu o cocheiro.

— Estão fazendo umas obras ali — disse Holmes. — É para lá que vamos.

— Lá é a aldeia — disse o cocheiro, apontando para um aglomerado de telhados à esquerda —, mas se quer ir à mansão, é mais rápido seguir o caminho que atravessa o campo. É ali, onde está andando aquela senhora.

— E a senhora, se não me engano, é a srta. Stoner — observou Holmes, protegendo os olhos com a mão. — Sim, acho melhor fazer o que você sugeriu.

Saltamos, pagamos o cocheiro, e o carro voltou para Leatherhead.

— Achei melhor — disse Holmes, quando caminhávamos — que ele pensasse que estávamos aqui como arquitetos, ou por algum motivo profissional. Talvez assim não comente nossa presença. Boa tarde, srta. Stoner. Está vendo que cumprimos nossa promessa.

Nossa cliente dessa manhã apressou-se em vir ao nosso encontro, e seu rosto demonstrava alegria.

— Estava ansiosa à sua espera! — exclamou, cumprimentando-nos com um aperto de mão. — Tudo saiu maravilhosamente bem. O dr. Roylott foi à cidade e é pouco provável que volte antes de escurecer.

— Tivemos o prazer de conhecer o doutor — disse Holmes, e em poucas palavras contou o que sucedera. A srta. Stoner empalideceu.

— Meu Deus! — exclamou. — Então ele me seguiu.

— É o que parece.

— É tão astucioso que nunca sei como me defender dele. O que será que vai dizer quando voltar?

— Ele deve se precaver, pois talvez descubra que há alguém mais astucioso que ele em seu encalço. Deve trancar sua porta hoje à noite. Se ele ficar violento, vamos levá-la para a casa de sua tia em Harrow. Agora, vamos aproveitar o tempo de que dispomos. Por favor, leve-nos imediatamente aos quartos que queremos examinar.

O prédio era de pedra cinzenta, com a parte central alta e duas alas laterais curvas, como as garras de um caranguejo. Em uma dessas alas, as janelas estavam quebradas e cobertas com tábuas, o telhado desabado, as paredes esburacadas. A parte central estava um pouco melhor, e a ala direita era relativamente moderna. As persianas nas janelas e a fumaça azul saindo das chaminés mostravam que era ali que a família residia. Haviam instalado um andaime na parede dos fundos e algumas pedras estavam quebradas, mas não se via sinal dos trabalhadores quando nos aproximamos. Holmes andou lentamente de um lado para outro no gramado mal aparado e examinou minuciosamente a parte externa das janelas.

— Essa aqui deve ser do quarto em que a senhorita costumava dormir, a do centro era do quarto de sua irmã e aquela ali é do quarto do dr. Roylott?

— Exatamente. Mas agora estou dormindo no quarto do meio.

— Por causa das obras, pelo que entendi. Por falar nisso, não parece haver nenhuma necessidade urgente de consertar aquela parede dos fundos.

— Não havia nenhum motivo. Acho que foi só uma desculpa para me tirar do meu quarto.

— Ah! Isso é sugestivo. Bem, do outro lado dessa ala estreita há um corredor que dá para os três quartos. Há janelas nesse corredor?

— Sim, mas são muito estreitas, pequenas demais para que alguém possa passar.

— E como a senhora e sua irmã trancavam as portas à noite, não era possível entrar nos quartos daquele lado. Agora, quer ter a bondade de ir para o seu quarto, fechar as janelas e trancar as persianas com as barras?

A srta. Stoner atendeu ao pedido, e Holmes, após um exame cuidadoso, tentou de todas as maneiras forçar as persianas, sem sucesso. Não havia nem uma fresta na qual se pudesse introduzir uma lâmina para suspender a barra. Examinou as dobradiças com a lente, mas eram de ferro inteiriço, embutidas na alvenaria maciça.

— Hum! — fez ele, coçando o queixo, um tanto perplexo. — Minha teoria apresenta algumas dificuldades. Ninguém poderia passar por essa janela se estivessem trancadas. Bem, vejamos se o interior pode nos esclarecer alguma coisa.

Uma pequena porta lateral dava para o corredor pintado de branco, no qual as três portas se abriam. Holmes recusou-se a examinar o terceiro quarto, então fomos diretamente ao segundo, aquele em que a srta. Stoner estava dormindo e no qual sua irmã morrera. Era um quarto pequeno e modesto, com o teto baixo e uma lareira aberta, como nas antigas casas de campo. Em um canto, uma cômoda escura, uma cama coberta de branco em outra parede e uma penteadeira à esquerda da janela constituíam toda a mobília, com duas pequenas cadeiras de vime e um tapete no centro do quarto. As tábuas do assoalho e o forro das paredes eram de carvalho escuro, tão velho e desbotado que deveria datar da construção da casa. Holmes puxou uma das cadeiras para um canto e sentou-se, silencioso, deixando os olhos correrem em volta, observando todos os detalhes do cômodo.

— Essa campainha toca onde? — perguntou finalmente, apontando para um grosso cordão pendurado ao lado da cama, com a borla repousando sobre o travesseiro.

— No quarto da empregada.

— Parece mais novo do que as outras coisas do quarto.

— Sim, foi instalada há uns dois anos.

— Foi sua irmã que pediu isso?

— Não, acho que nem chegou a usá-la. Sempre fizemos tudo sozinhas.

— Então seria desnecessário instalar um cordão tão bonito. Desculpem-me um momento enquanto examino o chão. — Esticou-se de cara para baixo com a lente na mão, depois engatinhou depressa para cá e para lá, examinando minuciosamente as frestas entre as tábuas. Depois fez a mesma coisa com os painéis das paredes. Por fim, foi até a cama e ficou algum tempo olhando para ela e para a parede atrás. No final, pegou o cordão da campainha e puxou-o com força.

— Ora, é falso — disse.

— Não toca?

— Não, nem está ligado a nenhum fio. Isso é muito interessante. Podem ver que está pendurado em um gancho logo acima da pequena abertura de ventilação.

— Que absurdo! Não tinha reparado antes.

— Muito estranho! — resmungou Holmes, puxando o cordão. — Há uma ou duas coisas muito esquisitas neste quarto. Por exemplo, o construtor deve ser um idiota, fazendo uma abertura de ventilação para outro quarto, quando podia simplesmente fazê-la na parede externa!

— Isso também foi feito há pouco tempo — disse a moça.

— Na mesma época que o cordão da campainha — comentou Holmes.

— É, houve algumas mudanças na mesma ocasião.

— Todas são muito interessantes... cordões de campainha que não tocam, ventiladores que não ventilam. Com sua permissão, srta. Stoner, vamos agora examinar o outro quarto.

O quarto do dr. Grimesby Roylott era maior que o de sua enteada, mas mobiliado com a mesma simplicidade. Uma cama estreita, uma prateleira cheia de livros, a maioria técnicos, uma poltrona ao lado da cama, uma cadeira de madeira encostada na parede, uma mesa redonda e um grande cofre de ferro eram as coisas principais. Holmes andou lentamente pelo quarto e examinou todos os objetos com atenção.

— O que tem aqui dentro? — perguntou, batendo no cofre.

— Os documentos de meu padrasto.

— Ah! Então viu o conteúdo?

— Só uma vez, anos atrás. Lembro que estava cheio de papéis.

— Não há um gato ali dentro, por acaso?

— Não. Que ideia esquisita!

— Bem, veja só isso. — Pegou um pires com leite que estava em cima do cofre.

— Não, não temos nenhum gato. Mas há um leopardo e um mandril.

— Ah, sim, é claro! Bem, um leopardo é apenas um gato grande, mas um pires não parece suficiente para satisfazer sua necessidade. Há uma coisa que eu gostaria de verificar. — Agachou-se diante da cadeira de madeira e examinou o assento com a maior atenção. — Obrigado. Isso está resolvido — disse, erguendo-se e guardando a lente no bolso. — Ora! Aqui está uma coisa interessante.

O objeto que atraíra sua atenção era uma pequena correia de cachorro pendurada em um canto da cama. Havia sido amarrada, formando uma laçada.

— O que acha disso, Watson?

— É uma correia comum. Mas não sei por que deram uma laçada.

— Isso não é comum. Ah, meu Deus, é um mundo malvado e quando um homem inteligente usa seu cérebro para o crime, isto é o pior de tudo. Acho que já vi o suficiente, srta. Stoner, e, com sua permissão, vamos lá para fora, no gramado.

Nunca vira o rosto de meu amigo tão sombrio e sua testa tão franzida quanto nesse momento. Andamos de um lado para outro várias vezes e nem a srta. Stoner nem eu ousamos interromper seus pensamentos, até que ele despertou.

— É essencial, srta. Stoner — disse enfim —, que faça exatamente o que vou lhe dizer.

— Sem dúvida farei tudo o que disser.

— O assunto é grave demais para qualquer hesitação. Sua vida pode depender disso.

— Asseguro-lhe que estou inteiramente em suas mãos.

— Em primeiro lugar, meu amigo e eu precisamos passar a noite no seu quarto.

A srta. Stoner e eu olhamos para ele com espanto.

— Sim, tem de ser assim. Deixe-me explicar. Creio que aquilo ali é a estalagem da aldeia.

— Sim.

— Muito bem. De lá pode-se ver suas janelas?

— Certamente.

— Vá para o seu quarto, pretextando estar com dor de cabeça, assim que seu padrasto voltar. Depois, quando ele se deitar, abra as persianas de seu quarto, coloque a lâmpada na janela como sinal para nós e então leve tudo de que poderá precisar para o quarto que costumava ocupar. Tenho certeza de que, apesar das obras, pode ficar lá por uma noite.

— Sem dúvida alguma.

— O resto fica por nossa conta.

— Mas o que vai fazer?

— Vamos passar a noite no seu quarto e vamos investigar a causa desse barulho que a vem perturbando.

— Acho, sr. Holmes, que o senhor já descobriu o que é — disse a srta. Stoner, pondo a mão no braço de meu companheiro.

— Talvez.

— Então, por piedade, diga-me qual foi a causa da morte de minha irmã.

— Prefiro ter mais provas antes de falar.

— Pode pelo menos me dizer se minha ideia está certa e ela morreu de algum susto.

— Não, acho que não. Acho que provavelmente houve uma causa mais concreta. E agora, srta. Stoner, temos de deixá-la, porque se o dr. Roylott voltar e nos vir, nossa viagem terá sido em vão. Até logo, e tenha coragem, pois se fizer exatamente o que lhe disse, pode ter certeza de que muito em breve afastaremos os perigos que a ameaçam.

Sherlock Holmes e eu não tivemos dificuldade em alugar um quarto e uma sala na Estalagem Crown. Eram no segundo andar, e de nossa janela víamos a ala habitada da Mansão de Stoke Moran. Ao entardecer, vimos o dr. Grimesby Roylott chegar de carro, sua figura enorme ao lado do rapazinho que guiava o carro. Este teve certa dificuldade em abrir o pesado portão de ferro, e ouvimos os gritos roucos do doutor e vimos a fúria com que sacudiu os punhos fechados para o rapaz. O carro seguiu pela alameda e pouco depois vimos uma luz surgir de repente entre as árvores quando a lâmpada foi acesa em uma das salas.

— Sabe de uma coisa, Watson? — disse Holmes enquanto estávamos sentados na escuridão que aumentava. — Tenho certo escrúpulo em levar você comigo esta noite. Há um elemento real de perigo.

— Posso ser útil?

— Sua presença pode ser muito valiosa.

— Então irei.

— É muita bondade sua.

— Você fala em perigo. Evidentemente, viu mais coisas naqueles quartos do que eu.

— Não, mas creio que deduzi um pouco mais. Imagino que você viu o mesmo que eu.

— Não vi nada demais, a não ser o cordão da campainha, e qual a finalidade daquilo, confesso que nem posso imaginar.

— Viu a abertura de ventilação também?

— Sim, mas não acho que seja uma coisa tão extraordinária ter uma pequena abertura entre dois quartos. Era tão pequena que nem um rato poderia passar.

— Sabia que íamos encontrar um ventilador antes de virmos a Stoke Moran.

— Meu caro Holmes!

— Oh, sim, eu sabia. Lembre-se de que a srta. Stoner disse que a irmã estava sentindo o cheiro do charuto do dr. Roylott. Isto sugere que deve haver uma comunicação entre os dois quartos. Só podia ser muito pequena, do contrário teria sido notada por ocasião do inquérito policial. Deduzi que deveria ser uma abertura de ventilação.

— Mas que mal pode haver nisso?

— Bem, há pelo menos uma coincidência curiosa de datas. Faz-se uma abertura de ventilação, pendura-se um cordão de campainha e uma mulher que dorme naquela cama morre. Isso não lhe diz nada?

— Não consigo ver nenhuma ligação.

— Observou alguma coisa muito peculiar naquela cama?

— Não.

— Estava presa no chão. Já viu isso antes?

— Não me lembro de ter visto.

— A moça não podia mudar a cama de lugar. Ficava sempre na mesma posição em relação à abertura e ao cordão, que nunca serviu para puxar e soar a campainha.

— Holmes — exclamei —, começo a perceber o que você está insinuando. Chegamos a tempo de evitar um crime sutil e horrendo.

— Bastante sutil e bastante horrendo. Quando um médico envereda pelo caminho do crime, é um ótimo criminoso. Tem sangue-frio e tem conhecimentos. Palmer e Pritchard eram profissionais de primeira. Este homem é muito competente, mas eu acho, Watson, que seremos mais ainda. Mas veremos muitos horrores antes que esta noite termine. Por Deus do céu, vamos fumar um cachimbo e pensar em coisas mais agradáveis durante algumas horas.

Por volta de 21 horas, a luz entre as árvores foi apagada e tudo ficou escuro para os lados da mansão. Duas horas se passaram lentamente, e depois, de repente, quando eram exatamente 23 horas, uma única luz forte brilhou bem à nossa frente.

— É o sinal para nós — disse Holmes, levantando-se. — Vem da janela do meio.

Ao sairmos, Holmes trocou algumas palavras com o dono da estalagem, explicando que íamos visitar um amigo e era provável que passássemos a noite lá. Em instantes, estávamos na estrada escura, com um vento frio soprando e uma luz amarela brilhando à nossa frente para nos guiar em nossa missão sombria.

Não foi difícil entrar na propriedade, pois a velha muralha do parque estava desmoronando. Caminhando por entre as árvores, chegamos ao gramado, que atravessamos, e estávamos prestes a entrar pela janela quando, de uma moita de rododendros, surgiu o que parecia ser uma criança horrenda e disforme, que se atirou na grama com as pernas e os braços contorcidos e depois correu depressa pelo gramado e sumiu na escuridão.

— Meu Deus! — murmurei. — Você viu?

Holmes estava tão espantado quanto eu. Sua mão se fechou com força em meu punho, mas logo riu baixinho e aproximou os lábios do meu ouvido.

— É uma família muito interessante — disse. — Era o mandril.

Eu me esquecera dos estranhos animais do dr. Roylott. Havia um leopardo também. Talvez caísse sobre nossos ombros a qualquer momento. Confesso que me senti melhor quando, após seguir o exemplo de Holmes e tirar os sapatos, vi que estava dentro do quarto. Meu companheiro fechou as persianas sem fazer barulho, passou a lâmpada para a mesa e olhou em volta. Estava tudo exatamente como durante o dia. Depois chegou perto de mim e murmurou em meu ouvido, tão baixinho que mal pude distinguir as palavras.

— O menor ruído será fatal para os nossos planos.

Balancei a cabeça para mostrar que entendera.

— Temos de ficar no escuro, pois ele poderia ver a luz pela abertura da ventilação.

Balancei a cabeça outra vez.

— Não durma; sua vida dependerá disso. Fique com o revólver preparado, caso seja necessário usá-lo. Vou sentar-me na beira da cama; sente-se naquela cadeira.

Tirei o revólver do bolso e coloquei-o no canto da mesa.

Holmes trouxera uma bengala longa e fina, que deixou na cama ao seu lado. Junto dela, pôs a caixa de fósforos e um pedaço de vela. Então apagou a lâmpada e ficamos no escuro.

Como poderei esquecer algum dia aquela vigília horrível? Não ouvia nada, nem mesmo uma respiração, mas sabia que meu companheiro estava sentado ali de olhos abertos, a poucos passos de mim, no mesmo estado de tensão nervosa em que eu me encontrava. As persianas cortavam qualquer raio de luz que pudesse penetrar e aguardamos na mais completa escuridão. De fora, vinha o grito ocasional de alguma ave noturna e uma vez, bem em nossa janela, um gemido felino que nos indicou que o leopardo estava solto. Muito ao longe ouvimos os tons profundos do relógio da paróquia, que batia os quartos de hora. Como custavam a passar aquelas horas! Meia-noite, uma hora, duas e três, e continuávamos sentados em silêncio esperando o que podia acontecer.

De repente vislumbramos uma luz que vinha da direção da abertura de ventilação, que desapareceu imediatamente, mas foi seguida de um cheiro forte de óleo queimado e metal aquecido. Alguém no quarto ao lado acendera uma lanterna furta-fogo. Ouvi um som leve de movimento e depois tudo ficou mais uma vez em silêncio, embora o cheiro ficasse mais forte. Durante meia hora fiquei sentado com os ouvidos atentos. Então, de repente, ouvi outro ruído, um som muito baixo e suave, como o de um pequeno jato de vapor escapando de uma chaleira. No mesmo instante em que o ouvi, Holmes saltou da cama, acendeu um fósforo e bateu furiosamente com a bengala no cordão de campainha.

— Está vendo, Watson? — gritou. — Está vendo?

Mas não vi nada. Quando Holmes riscou o fósforo, ouvi um assobio baixo, bem nítido, mas o brilho repentino que atingiu meus olhos cansados não me deixou ver o que meu amigo fustigava com tanta fúria. Só pude ver que seu rosto estava muito pálido e cheio de horror e asco.

Parara de bater no cordão e estava olhando para a abertura quando o silêncio da noite foi quebrado pelo grito mais horrível que já ouvira. Foi ficando cada vez mais alto, um berro rouco de dor, medo e raiva, tudo misturado. Dizem que lá na aldeia, e mesmo na paróquia distante, esse grito arrancou de suas camas os que estavam dormindo. Congelou nossos corações e fiquei olhando para Holmes e ele para mim, até que os últimos ecos morreram no silêncio de onde vieram.

— O que quer dizer isso? — perguntei, ofegante.

— Quer dizer que está tudo terminado — respondeu Holmes. — E talvez, no final das contas, da melhor maneira. Pegue seu revólver e vamos ao quarto do dr. Roylott.

Com uma expressão grave, ele acendeu a lâmpada e se dirigiu para o corredor. Bateu duas vezes na porta do quarto do doutor sem obter resposta. Então virou a maçaneta e entrou, e eu atrás dele, de pistola em mão.

Foi uma cena singular a que vimos. Na mesa havia uma lanterna furta-fogo com a portinhola meio aberta, que jogava um feixe brilhante de luz sobre o cofre de ferro, cuja porta estava aberta. Junto à mesa, na cadeira de madeira, estava sentado o dr. Grimesby Roylott, enrolado em um longo roupão cinzento, com os tornozelos nus expostos e os pés metidos em chinelos vermelhos. Tinha no colo a correia com a laçada que tínhamos visto durante o dia. O queixo apontava para cima e os olhos estavam fixos, com uma expressão horrenda, no canto do teto. Em volta da testa, ele tinha uma banda amarela esquisita, com pintas marrons, que parecia estar muito apertada. Não se mexeu quando entramos, nem fez nenhum ruído.

— A banda! A banda pintada! — murmurou Holmes.

Dei um passo à frente. Em um instante, a estranha banda começou a se mover e surgiu em meio ao cabelo a cabeça triangular achatada e o pescoço inchado de uma serpente asquerosa.

— É uma *krait*, a cobra mais venenosa da Índia! — exclamou Holmes. Ele morreu dez segundos depois da mordida. A violência, realmente, recai sobre os violentos, e o que prepara a armadilha acaba caindo nela. Vamos empurrar essa víbora de volta para o seu covil e poderemos então levar a srta. Stoner para um lugar seguro e avisar a polícia do condado.

Enquanto falava, tirou a correia do colo do morto, jogou o laço no pescoço do réptil e o arrancou do medonho poleiro, arrastando-o para o cofre de ferro, onde o trancou.

Esses são os verdadeiros fatos da morte do dr. Grimesby Roylott de Stoke Moran. Não é necessário prolongar uma narrativa que já se tornou extensa demais para contar como demos a triste notícia à moça apavorada, como a levamos no trem da manhã para a casa de sua boa tia em Harrow e como o lento inquérito policial chegou à conclusão de que o doutor havia morrido quando brincava imprudentemente com um perigoso réptil de estimação. O pouco que eu ainda não sabia sobre o caso me foi contado por Sherlock Holmes quando voltávamos para a cidade no dia seguinte.

— Eu havia chegado — disse ele — a uma conclusão totalmente errada, o que demonstra, meu caro Watson, como é perigoso raciocinar a partir de dados insuficientes. A presença dos ciganos, o uso da palavra "banda" pela pobre moça para explicar o que vira de relance à luz de um fósforo foram suficientes para me indicar uma pista inteiramente errada. Só posso reivindicar o mérito de ter reconsiderado de imediato minha posição quando ficou claro que qualquer perigo que ameaçasse o ocupante do quarto não poderia vir nem da janela nem da porta. Minha atenção foi atraída para a abertura de ventilação e para o cordão da campainha pendurado ao lado da cama, como já comentei com você. A descoberta de que o cordão era falso e de que a cama estava presa no chão dera origem à suspeita de que o cordão servia de ponte para alguma coisa que passasse pela abertura e viesse até a cama. Ocorreu-me logo a ideia de uma cobra, e quando soube que o doutor tinha uma série de animais da Índia, achei que estava na pista certa. A ideia de usar uma forma de veneno que não pudesse ser descoberta por nenhum teste químico era exatamente a que ocorreria a um homem inteligente e inescrupuloso que havia exercido a medicina no Oriente. A rapidez com que esse veneno agia também era, de seu ponto de vista, uma vantagem. E qual seria o policial que ia descobrir os dois pontinhos que mostravam onde as duas presas venenosas haviam feito seu serviço? Então, pensei no assobio. É claro que tinha de chamar a cobra de volta antes que a luz do dia a revelasse à vítima. Treinou-a, provavelmente usando o pires de leite que vimos, para voltar quando fosse chamada. Colocava-a no buraco de ventilação na hora que julgasse apropriada, certo de que ela deslizaria pela corda e cairia na cama. Poderia ou não morder a ocupante, talvez ela escapasse todas as noites durante uma semana, porém mais cedo ou mais tarde, a cobra a atacaria.

"Eu havia chegado a essas conclusões antes mesmo de entrar no quarto dele. Um exame da cadeira mostrou que ele tinha o hábito de ficar em pé no assento, o que, é claro, era necessário para alcançar a abertura. O cofre, o pires de leite e a laçada na correia foram suficientes para dissipar qualquer dúvida que eu ainda tivesse. O ruído metálico ouvido pela srta. Stoner era causado pelo padrasto, ao fechar rapidamente a porta do cofre depois de colocar dentro seu terrível ocupante. Tendo chegado a essa conclusão, você já sabe que medidas tomei para obter as provas. Ouvi a criatura sibilar, como você também deve ter ouvido, e imediatamente risquei o fósforo e ataquei-a."

— E, consequentemente, a fez recuar pela abertura.

— E também a fiz voltar-se contra seu dono do outro lado. Alguns golpes da minha bengala atingiram o alvo e despertaram sua fúria, fazendo-a atacar a primeira pessoa que viu. Dessa maneira, sou, sem dúvida alguma, indiretamente responsável pela morte do dr. Grimesby Roylott, e posso afirmar que isso não vai pesar muito na minha consciência.

O POLEGAR DO ENGENHEIRO

De todos os problemas que foram submetidos ao meu amigo Sherlock Holmes durante os anos de nossa associação, somente dois foram levados por mim: o do polegar do sr. Hatherley e o da loucura do coronel Warburton. Dos dois, o último talvez tenha proporcionado um campo melhor para um observador perspicaz e original, mas o primeiro foi tão estranho no início e tão dramático nos detalhes, que talvez mereça mais ser relatado, ainda que tenha dado menos oportunidades ao meu amigo para os métodos dedutivos de raciocínio com os quais conseguia resultados tão notáveis. A história foi contada mais de uma vez nos jornais, eu creio, mas, como todas as narrativas desse tipo, seu efeito é muito menos impressionante quando são compactadas em meia coluna impressa do que quando os fatos se desenvolvem lentamente diante de seus próprios olhos e o mistério é aos poucos esclarecido, à medida que cada nova descoberta representa uma etapa que leva à verdade completa. Na ocasião, as circunstâncias deixaram profunda impressão em mim e o intervalo de dois anos pouco enfraqueceu o efeito.

Foi no verão de 1889, pouco depois do meu casamento, que ocorreram os fatos que vou resumir. Eu voltara a exercer minha profissão e finalmente deixara Holmes em seus aposentos da Baker Street, embora o visitasse constantemente e às vezes até o convencesse a abandonar seus hábitos boêmios e vir nos visitar. Meus clientes eram cada vez mais numerosos, e como eu não morava muito longe da Estação de Paddington, tinha alguns funcionários de lá como pacientes. Um deles, que eu havia curado de uma doença dolorosa e longa, não se cansava de apregoar minhas virtudes e de me mandar todos os sofredores sobre os quais tinha alguma influência.

Uma manhã, pouco antes das sete horas, fui acordado pela empregada, que batia à porta para anunciar que dois homens tinham vindo de Paddington e estavam esperando no consultório. Vesti-me às pressas, pois sabia por experiência que casos da estrada de ferro raramente eram banais, e desci o mais depressa possível. Enquanto eu descia, meu velho aliado, o guarda, saiu da sala e fechou a porta.

— Ele está aqui dentro — murmurou, apontando com o polegar por cima do ombro. — Ele está bem.

— O que é, então? — perguntei, pois sua atitude sugeria que era alguma criatura estranha que ele tinha encarcerado na minha sala.

— É um novo paciente — murmurou. — Achei que era melhor eu mesmo vir com ele aqui, assim ele não conseguiria escapar. Ele está aí dentro, são e salvo. Preciso ir agora, doutor, tenho minhas obrigações, assim como o senhor. — E foi embora, sem me dar tempo sequer de agradecer-lhe.

Entrei no meu consultório e encontrei um cavalheiro sentado junto à mesa. Estava vestido sobriamente, com um terno de *tweed*, e um boné de tecido macio que tirara e colocara em cima de meus livros. Uma das mãos estava enrolada em um lenço todo manchado de sangue. Era jovem, não tinha mais de 25 anos e o rosto era acentuadamente másculo, mas estava extremamente pálido e deu-me a impressão de um homem que estava muito agitado e usando toda sua força de vontade para se controlar.

— Lamento acordá-lo tão cedo, doutor — disse. — Mas sofri um acidente muito grave durante a noite. Vim de trem hoje de manhã e quando perguntei em Paddington onde poderia encontrar um médico, um camarada muito amável me trouxe aqui. Dei um cartão à empregada, mas vejo que ela o deixou em cima daquela mesinha.

Peguei o cartão e li:

SR. VICTOR HATHERLEY
engenheiro hidráulico

Victoria Street, 16-A (3º andar)

Estavam ali o nome, a profissão e o endereço de meu visitante matutino.

— Desculpe-me por tê-lo feito esperar — disse, sentando-me em minha poltrona. — Acaba de chegar de uma viagem noturna, pelo que diz, o que já é uma ocupação monótona.

— Oh, a noite que passei não poderia ser chamada de monótona — ele disse rindo. Continuou rindo em tom alto e agudo, recostando-se na cadeira e sacudindo o corpo. Todos os meus instintos de médico se revoltaram com essas gargalhadas.

— Pare! — gritei. — Controle-se! — E enchi um copo com água de uma garrafa.

Mas não adiantou nada. Era uma dessas explosões histéricas que ocorrem com uma personalidade forte quando uma grande crise termina. Finalmente voltou ao normal, muito cansado e com o rosto pálido.

— Fiz papel de idiota — disse com voz rouca.

— Não foi nada. Beba isto! — Despejei um pouco de conhaque no copo com água e a cor começou a voltar ao seu rosto.

— Agora estou melhor! — disse. — Agora, doutor, tenha a bondade de tratar do meu polegar, ou melhor, do lugar onde ficava o meu polegar.

Desenrolou o lenço e estendeu a mão. Até os meus nervos calejados estremeceram: surgiram quatro dedos e uma horrenda superfície vermelha e esponjosa no lugar onde o polegar deveria estar. Havia sido brutalmente cortado ou arrancado pela raiz.

— Céus! — exclamei. — Que ferida horrível. Deve ter sangrado muito.

— Sim, sangrou. Desmaiei quando aconteceu e acho que fiquei desacordado muito tempo. Quando voltei a mim, vi que ainda estava sangrando e enrolei o lenço bem apertado no pulso, segurando com um pedaço de madeira.

— Excelente! O senhor devia ter sido cirurgião.

— É uma questão de hidráulica, sabe, e aí tenho conhecimentos.

— Isso foi feito — disse, examinando a ferida — com um instrumento pesado e afiado.

— Como uma machadinha de açougueiro.

— Presumo que foi um acidente.

— De maneira nenhuma.

— O quê! Um ataque assassino!

— Realmente.

— O senhor está me deixando horrorizado.

Limpei a ferida, lavei-a e fiz um curativo. Ele aguentou tudo sem estremecer, embora mordesse o lábio de vez em quando.

— Que tal? — perguntei quando terminei.

— Excelente! Com seu conhaque e seu curativo, já me sinto outro homem. Estava muito fraco, pois passei por muitas coisas.

— Talvez seja melhor não falar no assunto. Evidentemente isso o deixa muito nervoso.

— Oh, não, agora não. Terei de contar minha história à polícia, mas, aqui entre nós, se não fosse pela prova evidente dessa minha ferida, eu ficaria muito surpreso se acreditassem em mim, porque a minha história é realmente extraordinária e não tenho provas para confirmá-la. E mesmo que acreditem em mim, as pistas que lhes posso dar são tão vagas que é muito duvidoso que se possa fazer justiça.

— Ah! — exclamei. — Se é algum problema que o senhor gostaria que fosse resolvido, recomendaria que consultasse meu amigo, Sherlock Holmes, antes de ir à polícia.

— Oh, ouvi falar desse homem — respondeu meu visitante — e ficaria muito contente se ele se encarregasse do assunto, embora tenha de usar a polícia também. Pode me dar uma apresentação para ele?

— Farei melhor que isso. Eu mesmo vou levá-lo até lá.

— Ficaria imensamente grato ao senhor.

— Vamos chamar um cabriolé e iremos juntos. Chegaremos bem a tempo de tomar o café da manhã com ele. Sente-se bem para isso?

— Sim. Não me sentirei aliviado enquanto não contar minha história.

— Então minha criada chamará um carro, e estarei de volta num instante. — Subi as escadas correndo, expliquei o caso em poucas palavras à minha esposa e em cinco minutos estava dentro de um carro, levando meu novo paciente para a Baker Street.

Sherlock Holmes estava, como eu esperava, descansando em sua sala de estar, vestido com um roupão e lendo os anúncios pessoais do *Times*, enquanto fumava seu cachimbo de antes do café, com as sobras de fumo do dia anterior, secas e amontoadas em um canto do consolo da lareira. Recebeu-nos com sua tranquila amabilidade, mandou vir mais ovos com *bacon* e nos acompanhou em uma lauta refeição. Quando terminamos, instalou nosso novo conhecido no sofá, pôs uma almofada atrás de sua cabeça e deixou um copo de conhaque com água ao seu alcance.

— É fácil perceber que sua experiência não foi muito comum, sr. Hatherley — disse. — Por favor, fique deitado e sinta-se completamente à vontade. Conte-nos o que puder, mas pare quando se sentir cansado, e fortifique-se com um pouco desse estimulante.

— Obrigado — disse meu paciente —, mas me sinto outro homem desde que o doutor fez o curativo, e acho que seu café da manhã completou a cura. Vou tomar o mínimo possível de seu valioso tempo, por isso começarei imediatamente a relatar minhas experiências extraordinárias.

Holmes estava sentado em sua ampla poltrona, com a expressão de cansaço e pálpebras pesadas que encobriam sua natureza ansiosa e perspicaz, e eu estava em frente, enquanto ouvíamos em silêncio a estranha história que nosso visitante nos contou.

— É preciso dizer que sou órfão e solteiro, moro sozinho em quartos alugados em Londres. Minha profissão é de engenheiro hidráulico e tive considerável experiência de trabalho durante os sete anos que passei como estagiário na famosa firma Venner & Matheson, em Greenwich. Há dois anos, tendo completado meu estágio e também tendo herdado uma boa quantia com a morte de meu pobre pai, decidi estabelecer-me por conta própria e aluguei salas na Victoria Street.

"Suponho que todo mundo passa pela mesma experiência desanimadora quando está começando a vida e abre um escritório. Em dois anos, só o que me apareceu foram três consultas e um pequeno serviço, nada mais. Minha renda bruta não passa de 27 libras e dez xelins. Todos os dias, das nove até as 16 horas, eu ficava em minha salinha, até que comecei a desanimar e acreditar que nunca teria uma clientela.

"Mas ontem, quando estava pensando em fechar o escritório, meu empregado entrou para dizer que um cavalheiro queria falar comigo sobre um trabalho. Trouxe um cartão com o nome de 'Coronel Lysander Stark' impresso. Logo em seguida veio o próprio coronel, um homem muito alto e extremamente magro. Acho que nunca vi um homem tão magro assim. O rosto se resumia a nariz e queixo, e a pele das faces estava esticada sobre os ossos salientes. No entanto, essa magreza parecia natural e não consequência de alguma doença, porque seus olhos eram brilhantes, seus movimentos cheios de energia, e sua postura, confiante. Estava vestido sobriamente e achei que devia ter uns quarenta anos.

"'Sr. Hatherley?', indagou, com um leve sotaque alemão. 'O senhor me foi recomendado, como uma pessoa eficiente em sua profissão e também extremamente discreto e capaz de guardar um segredo.'

"Cumprimentei-o, sentindo-me lisonjeado com essas palavras, como qualquer rapaz da minha idade. 'Posso saber quem me recomendou?', perguntei.

"'Talvez seja melhor não dizer por enquanto. A mesma pessoa me informou que o senhor é órfão e solteiro e mora sozinho em Londres.'

"'Perfeitamente correto', respondi, 'mas permita-me observar que nada disso tem a ver com minha capacidade profissional. Não é sobre um assunto profissional que o senhor quer falar comigo?'

"'Sem dúvida alguma. Mas o senhor verá que tudo que digo tem uma razão de ser. Tenho um trabalho para o senhor, mas é essencial que haja segredo absoluto, entende, segredo absoluto, e, naturalmente, é mais fácil obter isso de um homem que mora sozinho do que de um que mora com uma família.'

"'Se prometer guardar segredo', afirmei, 'pode ter certeza absoluta de que cumprirei o prometido.'

"Ele me olhou fixamente enquanto eu falava e tive a impressão de que nunca vira um olhar tão desconfiado e inquisitivo.

"'Então promete?', perguntou por fim.

"'Sim, prometo.'

"'Silêncio completo e absoluto, antes, durante e depois? Nenhuma referência ao assunto, nem oral, nem por escrito?'

"'Já lhe dei minha palavra.'

"'Muito bem.' Levantou-se de repente e, atravessando a sala como um relâmpago, abriu a porta. O corredor estava deserto.

"'Tudo bem', disse, voltando. 'Sei que os empregados às vezes ficam curiosos sobre os negócios de seus patrões. Agora podemos conversar em segurança.' Puxou a cadeira para junto da minha e me olhou outra vez com aquela expressão inquisitiva e pensativa.

"Uma sensação de repulsa e de alguma coisa semelhante ao medo começou a se apoderar de mim, vendo as excentricidades desse homem esquelético. Nem mesmo meu medo de perder um cliente podia me impedir de mostrar minha impaciência.

"'Peço-lhe que diga a que veio, senhor. Meu tempo é muito valioso.' Deus me perdoe por esta última frase, mas falei sem pensar.

"'O que acha de cinquenta guinéus por uma noite de trabalho?', ele perguntou.

"'Maravilhoso.'

"'Estou dizendo uma noite de trabalho, mas uma hora seria mais apropriado. Quero apenas sua opinião sobre uma máquina hidráulica de estampar que não está funcionando bem. Se nos mostrar o que está errado, nós mesmos a consertaremos. O que acha de uma tarefa dessas?'

"'O trabalho parece ser pouco e a remuneração excelente.'

"'Exatamente. Queremos que venha hoje à noite pelo último trem.'

"'Para onde?'

"'A Eyford, em Berkshire. É um lugarejo perto do limite de Oxfordshire, a dez quilômetros de Reading. Há um trem de Paddington que o deixará lá aproximadamente às 23h15.'

"'Muito bem.'

"'Irei buscá-lo com uma carruagem.'

"'Fica longe da estação?'

"'Sim, nossa pequena propriedade fica no campo. São uns dez quilômetros da estação de Eyford.'

"'Então não chegaremos antes de meia-noite. Imagino que não há um trem para voltar. Serei obrigado a passar a noite lá.'

"'Podemos arranjar acomodações para o senhor.'

"'É um pouco incômodo. Não seria possível ir numa hora mais conveniente?'

"'Achamos melhor o senhor ir à noite. É para recompensá-lo por qualquer inconveniência que estamos pagando ao senhor, um rapaz jovem e desconhecido, uma quantia que compraria a opinião dos melhores de sua profissão. Mas é claro que se o senhor quiser desistir do negócio, tem toda a liberdade.'

"Pensei nos cinquenta guinéus e em como me seriam úteis. 'De maneira nenhuma', respondi. 'Terei o maior prazer em fazer o que deseja. Mas gostaria de entender um pouco melhor o que é exatamente que o senhor quer que eu faça.'

"'Pois não. É muito natural que a promessa de segredo que extraí do senhor desperte a sua curiosidade. Não quero que se comprometa a fazer coisa alguma sem saber do que se trata. Suponho que não haja nenhum risco de alguém nos escutar?'

"'Absolutamente.'

"'Então é o seguinte. O senhor deve saber que a greda é um produto valioso e que só é encontrada em um ou dois lugares na Inglaterra.'

"'Já ouvi falar.'

"'Há algum tempo comprei uma pequena propriedade, muito pequena, a uns 12 quilômetros de Reading. Tive a sorte de descobrir que havia um depósito de greda em um dos meus campos. Ao examiná-lo, entretanto, vi que esse depósito era relativamente pequeno e era uma ligação entre dois outros muito maiores, um à direita e outro à esquerda, ambos nas propriedades de meus vizinhos. Esses bons homens não sabiam que suas terras continham aquilo que era tão valioso quanto uma mina de ouro. É claro que me interessava comprar suas terras antes que descobrissem seu verdadeiro valor, mas, infelizmente, eu não tinha capital para isso. Contei o segredo a alguns amigos meus e eles sugeriram que começássemos a trabalhar em sigilo em nosso pequeno depósito, e assim ganharíamos o suficiente para comprar as terras dos vizinhos. É isso que estamos fazendo há algum tempo e, para ajudar nas operações, fizemos uma prensa hidráulica. Essa prensa, como já expliquei, não está funcionando bem e queremos a sua opinião. Mas guardamos nosso segredo com muito zelo e se todo mundo ficasse sabendo que engenheiros hidráulicos vieram à nossa casa, isso despertaria suspeitas, e depois, se os fatos viessem à tona, teríamos que dar adeus à possibilidade de adquirir essas terras e realizar nossos planos. É por isso que fiz o senhor prometer que não dirá a ninguém que vai a Eyford hoje à noite. Espero ter explicado tudo claramente.'

"'Compreendo', respondi. 'A única coisa que não entendi bem é a utilidade de uma prensa hidráulica na extração de greda, que, pelo que sei, é escavada da terra como pedra de uma pedreira.'

"'Ah!', ele disse displicentemente. 'Temos nosso próprio processo. Comprimimos a terra em forma de tijolos para poder retirá-los sem revelar o que contêm. Mas isso é mero detalhe. Contei-lhe toda nossa história, sr. Hatherley, e demonstrei que confio no senhor.' Ergueu-se enquanto falava. 'Vou esperá-lo, então, em Eyford às 23h15.'

"'Estarei lá com certeza.'

"'Nem uma palavra a ninguém.' Lançou-me um longo olhar inquisitivo e depois, com um aperto de mãos, saiu apressado da sala.

"Bem, como devem imaginar, quando pensei em tudo isso com calma, fiquei muito espantado com essa incumbência inesperada que havia recebido. Por um lado, é claro, eu estava contente, pois o pagamento era dez vezes mais do que teria pedido se eu tivesse feito o preço, e era possível que esse serviço levasse a outros. Por outro lado, a expressão e os modos de meu cliente me causaram uma impressão muito desagradável e não achei que a explicação sobre a greda fosse motivo suficiente para essa visita à meia-noite e para justificar seu receio de que eu contasse a alguém. Mas, apesar disso, deixei de lado meus temores, fiz uma lauta refeição, fui para Paddington e comecei minha viagem, obedecendo fielmente à recomendação de não dizer nada a ninguém.

"Em Reading, tive que trocar não só de vagão, mas também de estação. Mas consegui pegar o último trem para Eyford e cheguei à estação pequena e escura depois de 23 horas. Fui o único passageiro a saltar lá e não havia ninguém na plataforma, a não ser um porteiro sonolento com uma lanterna. Entretanto, quando passei pelo portão, encontrei meu conhecido da manhã esperando no escuro, do outro lado. Sem dizer uma palavra, segurou meu braço e levou-me rapidamente para um carro, cuja porta já estava aberta. Fechou as janelas dos dois lados, deu umas pancadinhas na divisória de madeira e o carro partiu a toda a velocidade."

— Um cavalo só? — perguntou Holmes.

— Só um.

— Notou de que cor era?

— Sim, vi à luz das lanternas laterais quando entrava no carro. Era um cavalo baio.

— Com aparência cansada?

— Não, descansado e vigoroso.

— Obrigado. Desculpe a interrupção. Por favor, continue a sua história. É muito interessante.

— Partimos, e andamos por pelo menos uma hora. O coronel Lysander Stark havia dito que eram apenas uns dez quilômetros, mas achei, pela velocidade em que andávamos e o tempo que levamos, que deviam ser pelo menos uns 15. Ficou sentado ao meu lado em silêncio o tempo todo e percebi, mais de uma vez, quando o olhei de relance, que ele me olhava fixamente. As estradas pareciam não ser muito boas naquela região, pois sacudimos e balançamos durante todo o trajeto. Tentei olhar pelas janelas para ver onde estávamos, mas o vidro era fosco e não pude ver nada, só a mancha de uma luz ocasional. De vez em quando eu fazia algum comentário para quebrar a monotonia da viagem, mas o coronel respondia com monossílabos e a conversa morria. Enfim os solavancos da estrada foram substituídos pela regularidade de um caminho de cascalho, e o carro parou. O coronel Lysander Stark saltou e, quando o segui, puxou-me depressa para uma varanda que se abria à nossa frente. Saímos, por assim dizer, diretamente do carro para o hall de entrada, de modo que não pude nem ver a frente da casa. No minuto em que transpus a soleira da porta, esta se fechou atrás de nós e ouvi o ruído das rodas do carro que se afastava.

"Estava totalmente escuro dentro da casa e o coronel tateou em volta procurando fósforos e resmungando baixinho. De repente, uma porta se abriu na outra extremidade do corredor e uma longa faixa dourada de luz se projetou na nossa direção. Uma mulher surgiu com uma lâmpada, que segurava acima da cabeça, esticando o pescoço para a frente e olhando para nós. Pude ver que era bonita e, pelo brilho da luz no vestido escuro que usava, vi que era de um tecido de boa qualidade. Disse algumas palavras em uma língua estrangeira e o tom era de uma pergunta, e quando meu companheiro respondeu com um monossílabo rude, ela estremeceu tanto que a lâmpada quase caiu de sua mão. O coronel Stark aproximou-se dela, murmurou qualquer coisa em seu ouvido e depois, empurrando-a de volta para o quarto de onde ela viera, aproximou-se outra vez de mim com a lâmpada na mão.

"'Peço-lhe que tenha a bondade de esperar neste quarto por alguns minutos', disse, abrindo outra porta. Era um quarto pequeno, mobiliado com simplicidade com uma mesa redonda no centro, na qual estavam espalhados vários livros em alemão. O coronel Stark pôs a lâmpada sobre um harmônio perto da porta. 'Não o farei esperar muito', disse, e desapareceu na escuridão.

"Dei uma olhada nos livros na mesa e, apesar de não saber alemão, vi que dois eram tratados sobre ciências e os outros, livros de poesia.

Fui até a janela esperando ver alguma coisa da paisagem, mas ela estava coberta por pesadas tábuas de carvalho. Era uma casa extraordinariamente silenciosa. Ouvi o tique-taque de um velho relógio em algum lugar do corredor, mas, fora isso, tudo era silêncio. Uma vaga sensação de mal-estar começou a se apoderar de mim. Quem eram esses alemães e o que faziam, morando nesse lugar estranho, tão isolado? E que lugar era esse? Estava a 12 ou 15 quilômetros de Eyford, era tudo o que eu sabia, mas se ao norte, ao sul, a leste ou a oeste, não tinha a menor ideia. Reading e possivelmente outras cidades grandes talvez estivessem nesse raio, de modo que o lugar poderia não ser tão isolado assim. No entanto, eu tinha certeza, pela quietude absoluta, de que estávamos no campo. Andei de um lado para outro cantarolando baixinho para espantar o medo e sentindo que estava fazendo jus a meus honorários de cinquenta guinéus.

"De repente, sem o menor som preliminar em meio ao silêncio total, a porta da sala abriu-se lentamente. A mulher surgiu na abertura, a escuridão do corredor às suas costas, a luz amarela de minha lâmpada caindo sobre o seu rosto lindo e aflito. Vi logo que estava aterrorizada e o sangue gelou em minhas veias. Ela ergueu um dedo trêmulo para fazer sinal de silêncio e murmurou algumas palavras em péssimo inglês, olhando para trás, como um cavalo amedrontado, em direção ao corredor escuro.

"'Eu iria', ela disse, tentando, ou assim me pareceu, falar calmamente. 'Eu iria. Não ficaria aqui. Não há nenhum bem para o senhor fazer aqui.'

"'Mas, minha senhora', respondi, 'ainda não fiz o que vim fazer aqui. Não posso ir embora sem ver a máquina.'

"'Não vale a sua pena esperar', ela continuou. 'Pode passar pela porta. Ninguém impede.' E então, vendo que eu sorria e sacudia a cabeça, abandonou qualquer reserva, avançou torcendo as mãos, e implorou: 'Pelo amor de Deus! Ir embora daqui antes que seja tarde demais!'

"Mas sou um pouco teimoso por natureza e sempre pronto a me envolver em uma coisa quando há algum obstáculo no caminho. Pensei em minha remuneração de cinquenta guinéus, em minha viagem cansativa e na noite desagradável que parecia me aguardar. Seria isso tudo à toa? Por que iria embora sem ter realizado minha tarefa e sem receber o pagamento que me era devido? Essa mulher poderia até ser uma louca. Ficando firme, portanto, embora ela tivesse me abalado mais do que eu gostaria de confessar, abanei novamente a cabeça e afirmei minha intenção de ficar ali. Ela estava prestes a repetir sua súplica quando uma porta bateu acima de nós e ouvimos passos na escada. Ficou escutando um segundo, fez um gesto de desespero e sumiu tão repentina e silenciosamente como tinha vindo.

"Os recém-chegados eram o coronel Lysander Stark e um homem baixo e atarracado com uma barbicha que saía das dobras do queixo duplo, e que me foi apresentado como o sr. Ferguson.

"'Este é meu secretário e gerente', disse o coronel. 'Aliás, eu tinha a impressão de que deixara esta porta fechada. Receio que tenha sentido a corrente de ar.'

"'Pelo contrário', respondi, rápido, 'eu mesmo abri a porta, pois achei a sala um pouco abafada.'

"Lançou-me um de seus olhares desconfiados. 'Talvez seja melhor tratarmos do trabalho, então', disse. 'O sr. Ferguson e eu vamos levá-lo para ver a máquina.'

"'Acho que é melhor botar o chapéu.'

"'Não, não é preciso. É dentro da casa.'

"'O quê, estão escavando greda dentro de casa?'

"'Não, não. Apenas a comprimimos aqui. Mas isso não importa! Só queremos que examine a máquina e nos diga o que há de errado com ela.'

"Subimos juntos, o coronel na frente com a lâmpada, o gerente gordo e eu atrás. A velha casa era um labirinto, com corredores, passagens, escadas estreitas em espiral e portas pequenas e baixas com soleiras gastas por gerações e gerações que as atravessaram. Não havia tapetes e nenhum sinal de mobília acima do andar térreo, o emboço caía das paredes e a umidade surgia em manchas esverdeadas de aspecto pouco higiênico. Tentei manter um ar despreocupado, mas não havia esquecido os avisos da mulher, embora os tivesse ignorado, e fiquei de olho em meus dois companheiros. Ferguson parecia ser um homem moroso e calado, mas percebi pelo pouco que disse que, pelo menos, era meu compatriota.

"O coronel Lysander Stark parou finalmente diante de uma porta baixa, que destrancou. Era um pequeno quarto quadrado, no qual nós três mal cabíamos ao mesmo tempo. Ferguson ficou do lado de fora e o coronel me fez entrar.

"'Estamos agora', disse, 'dentro da própria prensa hidráulica e seria profundamente desagradável para nós se alguém resolvesse ligá-la. O teto deste pequeno quarto é, na realidade, a extremidade do pistom, que desce com uma força de muitas toneladas até este chão de metal. Há pequenas colunas laterais de água do lado externo que recebem a força e a transmitem e multiplicam da maneira que o senhor sabe. A máquina está funcionando, mas está um pouco dura e perdeu um pouco de sua força. Tenha a bondade de examiná-la e nos mostrar o que devemos fazer para consertá-la.'

"Tomei a lâmpada dele e examinei minuciosamente a máquina. Era realmente gigantesca e capaz de exercer enorme pressão. Quando fui para o lado de fora e apertei as alavancas que a controlavam, vi logo, pelo som sibilante, que havia um vazamento que permitia a regurgitação de água através de um dos cilindros laterais. Um outro exame revelou que uma vedação de borracha na cabeça de uma haste encolhera e não vedava mais de modo adequado o encaixe em que operava. Era isso que estava causando a perda de força, e mostrei a meus companheiros, que ouviram meus comentários com atenção e fizeram algumas perguntas práticas sobre a maneira de corrigir o defeito. Quando tinha explicado tudo a eles, voltei ao quartinho e olhei bem em volta, para satisfazer minha curiosidade. Era óbvio que a história da greda era uma invenção, porque era absurdo imaginar que uma máquina tão poderosa fosse usada para uma finalidade tão inadequada. As paredes eram de madeira, mas o chão de ferro era cavado, como uma calha, e quando fui examiná-lo, vi uma crosta de depósito mineral em toda a sua extensão. Agachei-me e estava procurando raspar um pouco para ver o que era, quando ouvi uma exclamação em alemão e vi o rosto cadavérico do coronel me olhando.

"'O que está fazendo aí?', perguntou.

"Fiquei zangado por ter sido enganado com uma história tão complicada como a que ele tinha me contado. 'Estava admirando sua greda', respondi. 'Acho que poderia aconselhá-lo melhor sobre sua máquina se soubesse exatamente qual é sua finalidade.'

“No momento exato em que pronunciei essas palavras arrependi-
-me de minha ousadia. O rosto dele se contraiu e os olhos cinzentos faiscaram.

“‘Muito bem’, disse, ‘vai saber tudo sobre a máquina’. Recuou, fechou a pequena porta e virou a chave na fechadura. Corri para a porta e puxei a maçaneta, mas estava trancada e não cedeu a meus pontapés e pancadas: ‘Ei!’, gritei. ‘Ei! Coronel! Abra a porta!’

“E, de repente, no silêncio, ouvi um som que gelou o sangue em minhas veias. Era o ruído metálico das alavancas e o som sibiliante do cilindro que vazava. Ele ligara a máquina. A lâmpada ainda estava no chão, onde a deixara quando fui examinar a calha. Pela sua luz, vi que o teto negro estava descendo sobre mim, lentamente, aos arrancos, mas, como ninguém sabia melhor que eu, com uma força que dentro de um minuto me esmagaria. Atirei-me, gritando, contra a porta e tentei arrancar a fechadura com as unhas. Implorei ao coronel para me deixar sair, mas o rumor de alavancas abafou meus gritos. O teto estava apenas três ou quatro palmos acima de minha cabeça, e com a mão erguida podia sentir a superfície dura e áspera. Então me ocorreu que a dor da morte dependeria muito da posição em que me encontrasse. Se deitasse de rosto para baixo o peso cairia sobre minha espinha e estremeci ao pensar nos ossos se quebrando. Talvez fosse mais fácil deitar de costas, mas será que teria a coragem de ficar olhando aquela sombra negra fatal descendo sobre mim? Já não podia mais ficar de pé, quando vislumbrei algo que trouxe esperança para o meu pobre coração.

“Já disse que, embora o chão e o teto fossem de ferro, as paredes eram de madeira. Quando dei uma última olhada em volta, vi uma linha fina de luz amarela entre duas tábuas, que se alargava cada vez mais, à medida que um pequeno painel era aberto. Por um instante não pude acreditar que fosse realmente uma porta que me salvava da morte, mas logo joguei-me pela abertura e caí meio desmaiado do outro lado. O painel fechou-se atrás de mim, mas o ruído da lâmpada se espatifando e logo depois o som metálico das duas chapas de metal mostraram que eu tinha escapado por pouco.

“Voltei a mim com alguém puxando minha mão, e percebi que estava deitado no chão de pedra de um corredor estreito, com uma mulher inclinada sobre mim, puxando-me com a mão esquerda e segurando uma vela com a direita. Era a mesma boa amiga cujos avisos eu tão tolamente havia ignorado.

"'Venha! Venha!', ela implorava, ofegante. 'Eles aqui estarão já, já. Verão que não está lá. Oh, não perca o tão precioso tempo, venha.'

"Dessa vez, pelo menos, não desprezei seus conselhos. Fiquei de pé, cambaleando, e fui atrás dela pelo corredor e por uma escada circular. Esta nos levou a outra passagem mais larga e, justamente quando a alcançamos, ouvimos o som de passos apressados e duas vozes gritando, uma respondendo à outra, do andar em que estávamos e do andar de baixo. Minha protetora parou e olhou em volta, como quem não vê saída. Então abriu uma porta que dava num quarto onde, pela janela aberta, entrava o luar, banhando o chão.

"'É sua única chance', disse, 'é alto, mas talvez possa pular.'

"Enquanto ela falava, surgiu uma luz no fim da passagem e vi o vulto magro do coronel Lysander Stark avançando rapidamente com uma lanterna em uma das mãos e uma arma parecida com uma machadinha de açougueiro na outra. Atravessei o quarto correndo e olhei pela janela. O jardim, à luz da lua, parecia tão calmo e seguro, e estava a menos de dez metros. Subi no peitoril, mas hesitei em pular até ouvir o que ia acontecer entre minha salvadora e o bandido que me perseguia. Se ela fosse maltratada, apesar de todo o perigo, eu voltaria para socorrê-la. Mal pensara isso, quando ele chegou à porta, empurrando-a de lado, mas ela o abraçou e tentou detê-lo.

"'Fritz! Fritz!', exclamou em inglês. 'Lembre sua promessa depois da última vez. Você disse que não ia ser assim nunca mais. Ele guardará segredo! Oh, ele guardará segredo!'

"'Você está louca, Elise!', ele berrou, lutando para se livrar. 'Você vai estragar tudo. Ele viu demais. Solte-me, vamos!' Empurrou-a para o lado e, correndo até a janela, golpeou-me com a machadinha. Eu deixara o corpo cair e estava me segurando no peitoril com as mãos quando ele me atacou. Senti uma dor vaga, afrouxei os dedos e caí no jardim.

"Fiquei aturdido, mas não me machuquei com a queda. Levantei-me e saí correndo por entre os arbustos o mais depressa possível, pois sabia que ainda não estava fora de perigo. De repente, enquanto corria, comecei a me sentir tonto e fraco. Olhei minha mão, que latejava, e então, pela primeira vez, vi que meu polegar havia sido decepado e o sangue escorria da ferida. Consegui enrolar meu lenço na mão, mas os ouvidos começaram a zumbir e caí desmaiado entre as roseiras.

"Não sei quanto tempo fiquei desacordado. Deve ter sido por muitas horas, pois a lua já sumira do céu e começava a amanhecer quando abri os olhos. Minhas roupas estavam ensopadas de orvalho e a manga do casaco estava coberta de sangue do polegar ferido. A dor na mão me fez recordar todos os detalhes da aventura noturna e levantei-me, sentindo que talvez ainda não estivesse a salvo de meus perseguidores. Mas, para minha surpresa, quando olhei em volta, não vi nem a casa nem o jardim. O lugar onde caíra desmaiado era um ângulo de uma sebe próxima à estrada, e logo adiante havia um prédio comprido e baixo, e, ao me aproximar, vi que era a mesma estação onde chegara na noite anterior. Se não fosse pela ferida na mão, tudo que se passara durante aquelas horas horríveis poderia ter sido um pesadelo.

"Meio tonto, entrei na estação e perguntei pelo trem da manhã. Havia um para Reading uma hora depois. O mesmo porteiro estava de serviço. Perguntei-lhe se ouvira falar de um coronel Lysander Stark. Não sabia quem era. Vira um carro na noite anterior esperando por mim? Não, não vira. Havia uma delegacia perto dali? Sim, a uns quatro quilômetros.

"Era longe demais para ir andando, fraco e doente como eu me sentia. Resolvi esperar até chegar à cidade para contar minha história à polícia. Passava um pouco das seis horas quando cheguei e fui primeiro tratar de minha mão, e foi então que o doutor teve a bondade de me trazer aqui. Estou pondo meu caso em suas mãos e farei exatamente o que o senhor mandar."

Ficamos em silêncio após ouvir essa extraordinária narrativa. Depois Sherlock Holmes tirou da prateleira um dos volumes onde guardava seus recortes.

— Aqui está um anúncio que vai interessá-lo — disse. — Saiu em todos os jornais cerca de um ano atrás. Ouçam: *Desaparecido, no dia 9 do corrente, o sr. Jeremiah Hayling, de 26 anos, engenheiro hidráulico. Saiu de casa às 22 horas e não foi mais visto. Vestia...* etc. etc. Ah! Esta foi a última vez que o coronel precisou consertar sua máquina, sem dúvida alguma.

— Céus! — exclamou meu paciente. — Então isso explica o que a moça disse.

— Sem dúvidas. É óbvio que o coronel era um homem calculista e desesperado, que estava firmemente decidido a não deixar que nada atrapalhasse sua jogada, como os piratas de antigamente, que não deixavam nenhum sobrevivente nos barcos que capturavam. Bem, os minutos são preciosos, e se o senhor se sente bem, vamos agora mesmo à Scotland Yard, e depois a Eyford.

Umas três horas depois estávamos a caminho de Reading, e de lá à pequena aldeia em Berkshire. O grupo era formado por Sherlock Holmes, o engenheiro hidráulico, o inspetor Bradstreet, da Scotland Yard, um detetive e eu. Bradstreet abrira um mapa da região sobre o assento e desenhava um círculo que tinha Eyford como centro.

— Aqui está — disse. — Este círculo tem um raio de 12 quilômetros, partindo da aldeia. O lugar que procuramos deve estar dentro dessa linha. O senhor disse 12 quilômetros, não foi?

— Aproximadamente. Foi mais ou menos uma hora de viagem.

— E acha que o trouxeram de volta toda essa distância quando estava inconsciente?

— Devem ter feito isso. Tenho uma lembrança confusa de ter sido carregado e posto em algum lugar.

— O que não posso entender — disse eu — é por que não o mataram quando o encontraram desmaiado no jardim. Talvez o vilão tenha se enternecido com as súplicas da moça.

— Não acho isso provável. Nunca vi uma cara mais implacável em toda a minha vida.

— Oh, em pouco tempo saberemos tudo — disse Bradstreet. — Bem, desenhei o círculo e só gostaria de saber em que ponto dentro dele vamos encontrar as pessoas que procuramos.

— Acho que posso determinar isso — disse Holmes calmamente.

— Ah! — exclamou o inspetor. — Então já formou sua opinião? Bem, vamos lá. Vejamos quem concorda com o senhor. Eu digo que é no sul, pois lá é mais deserto.

— E eu digo leste — arriscou meu paciente.

— Eu acho que é oeste — disse o detetive. — Lá há várias aldeias pequenas.

— Minha opinião é o norte — eu disse — porque lá não há colinas e nosso amigo não disse que o carro subiu nenhuma inclinação.

— Ora — disse o inspetor, rindo —, não poderíamos discordar mais. Cobrimos todos os pontos do compasso. Sr. Holmes, qual é seu voto decisivo?

— Estão todos errados.

— Mas não podemos estar todos errados.

— Ah, sim, podem. Esse é o ponto que escolho. — E pôs o dedo bem no centro do círculo. — É aqui que os encontraremos.

— Mas, e a viagem de 12 quilômetros!? — exclamou Hatherley.

— Seis de ida e seis de volta. Nada mais simples. O senhor mesmo disse que quando entrou no carro, o cavalo não estava cansado. Isto seria impossível se tivesse andado 12 quilômetros em estradas péssimas.

— Realmente, seria um ótimo estratagema — observou Bradstreet, pensativo. — É claro que não pode haver dúvidas quanto à natureza desse bando.

— Nenhuma — disse Holmes. — São cunhadores de moedas falsas em grande escala, e usavam a máquina para fazer o amálgama que substitui a prata.

— Há muito tempo sabíamos que havia um bando muito esperto trabalhando nisso — disse o inspetor. — Estavam cunhando milhares de moedas de meia coroa. Conseguimos seguir sua pista até Reading, mas lá os perdemos, porque conseguiram nos despistar de uma maneira que mostrou que eram velhos profissionais. Mas agora, graças a essa oportunidade inesperada, acho que finalmente vamos pegá-los.

Mas o inspetor estava enganado, porque esses criminosos não estavam destinados a cair nas mãos da justiça. Quando chegamos à estação de Eyford, vimos uma coluna gigantesca de fumaça que saía de um pequeno bosque na vizinhança pairando como uma imensa pluma de avestruz sobre a paisagem.

— Alguma casa pegando fogo? — perguntou Bradstreet, quando o trem partiu outra vez, seguindo viagem.

— Sim, senhor — respondeu o chefe da estação.

— Quando começou?

— Ouvi dizer que foi durante a noite, mas piorou muito e está queimando toda.

— De quem é a casa?
— Do dr. Becher.
— Diga-me — interrompeu o engenheiro —, o dr. Becher é um alemão muito magro, com um nariz fino e comprido?
O chefe da estação deu uma boa gargalhada.
— Não, senhor, o dr. Becher é inglês e não há ninguém na paróquia que tenha uma barriga maior. Mas ele tem um hóspede, parece que é um paciente dele, que é estrangeiro e bem que precisa de um pouco da boa carne de Berkshire para cobrir seus ossos.
Mal ele acabara de falar, corremos na direção do incêndio. A estrada subiu uma pequena colina e à nossa frente surgiu um grande prédio baixo lançando fogo por todas as janelas e frestas, enquanto no jardim três carros de bombeiros lutavam em vão para conter as chamas.
— É este mesmo! — gritou Hatherley, extremamente excitado. — Ali está a estrada de saibro, e lá as roseiras onde caí. A segunda janela foi de onde pulei.
— Bem, pelo menos — disse Holmes — o senhor teve sua vingança. Não há dúvida de que foi sua lâmpada de querosene que, quando comprimida pela prensa, incendiou as paredes de madeira, e certamente eles estavam ocupados demais em persegui-lo para perceber na hora. Agora fique atento para ver se seus amigos de ontem à noite estão no meio da multidão, embora receie que a essa hora já estejam a muitos quilômetros de distância.
E os receios de Holmes se tornaram realidade, pois desde esse dia não se ouviu mais falar da linda moça, do sinistro alemão ou do moroso inglês. Naquela manhã, muito cedo, um camponês vira uma carroça com várias pessoas e umas caixas grandes indo depressa na direção de Reading, mas ali desapareceu a pista dos fugitivos e nem mesmo a engenhosidade de Holmes conseguiu descobrir o menor indício de seu paradeiro.
Os bombeiros ficaram muito perturbados com as coisas estranhas que encontraram dentro da casa, principalmente quando descobriram um polegar humano recém-decepado no peitoril de uma janela. Ao entardecer, por fim, seus esforços foram recompensados e conseguiram dominar as chamas, mas o telhado já havia desmoronado e o prédio todo estava reduzido a ruínas, só se salvando uns cilindros

retorcidos e canos de ferro, não restando nada mais da maquinaria que custara tanto ao nosso infeliz engenheiro hidráulico. Descobriram grande quantidade de níquel e estanho em um barracão, mas nenhuma moeda, o que pode explicar a presença das caixas volumosas na carroça.

Como nosso engenheiro hidráulico foi levado do jardim até o lugar onde recobrou os sentidos poderia ter permanecido um mistério para sempre se não fosse a terra macia, que nos contou sua história. Evidentemente ele fora carregado por duas pessoas, uma das quais tinha pés excepcionalmente pequenos e a outra, excepcionalmente grandes. O mais provável é que o inglês silencioso, sendo menos ousado e também menos sanguinário que seu companheiro, tivesse ajudado a mulher a levar o homem inconsciente para fora da área de perigo.

— Bem — disse nosso engenheiro, muito triste, ao tomarmos nossos lugares para voltar a Londres —, que mau negócio eu fiz! Perdi meu polegar e perdi honorários de cinquenta guinéus e, afinal de contas, o que ganhei?

— Experiência — disse Holmes, rindo. — Indiretamente, pode valer muito. É só contar sua história e ganhará a fama de excelente companhia pelo resto de seus dias.

O NOBRE SOLTEIRO

O CASAMENTO DO LORDE ST. SIMON E A MANEIRA CURIOSA como terminou há muito tempo deixaram de ser assunto de interesse nos círculos em que o infeliz noivo se movimenta. Novos escândalos o ofuscaram e seus detalhes mais picantes atraíram a atenção dos bisbilhoteiros e os fizeram esquecer esse drama de quatro anos atrás. Mas como tenho motivos para acreditar que os fatos verdadeiros nunca foram revelados ao público em geral, e como meu amigo Sherlock Holmes teve importante papel no esclarecimento do caso, acho que as memórias dele não ficariam completas sem um resumo desse episódio notável.

Faltavam poucas semanas para o meu casamento, na época em que eu ainda dividia os aposentos com Holmes na Baker Street, quando ele chegou a casa uma tarde, após ter saído para passear a pé, e encontrou uma carta na mesa da entrada esperando por ele. Eu ficara em casa o dia todo, pois começara a chover de repente, com ventos fortes de outono, e a bala que tinha na perna como relíquia da campanha do Afeganistão latejava persistentemente. Sentado em uma poltrona e com as pernas apoiadas em uma cadeira, me cercara de jornais até que, saturado das notícias do dia, eu os jogara de lado e ficara parado olhando o enorme monograma em relevo, encimado por uma coroa, que estava na mesa, pensando em quem poderia ser o nobre que escrevia a meu amigo.

— Aqui está uma epístola nobre — comentei quando ele entrou. — A correspondência da manhã, se me lembro bem, consistia em contas da peixaria.

— É, minha correspondência pelo menos tem a vantagem de ser variada — respondeu, sorrindo. — E as cartas dos mais humildes geralmente são as mais interessantes. Isso parece um desses convites sociais muito pouco desejáveis, que exigem que um homem minta ou que se aborreça.

Abriu o envelope e deu uma olhada no conteúdo.

— Ora, talvez isto seja interessante.

— Não é social, então?

— Não, é estritamente profissional.

— E é de um cliente nobre?

— Um dos mais nobres da Inglaterra.

— Meu caro amigo, dou-lhe os parabéns.

— Asseguro-lhe, Watson, sem pretensões, que a posição social de meu cliente vale menos para mim do que o interesse do seu caso. Mas é possível que as duas coisas estejam presentes nessa nova investigação. Você tem lido os jornais atentamente nos últimos dias, não tem?

— É o que parece — disse com pesar, apontando a pilha de jornais no canto da sala. — Não tinha mais nada para fazer.

— Ainda bem, porque assim talvez você possa me pôr em dia. Não leio nada, a não ser os anúncios pessoais e as notícias sobre crimes. Os primeiros são sempre muito instrutivos. Mas, se você tem acompanhado as notícias recentes, deve ter lido sobre lorde St. Simon e seu casamento.

— Ah, sim, com muito interesse.

— Ótimo. A carta que tenho aqui é do lorde St. Simon. Vou ler para você, e então vai pegar esses jornais e me contar tudo que sabe sobre o assunto. Eis aqui o que ele diz:

Prezado sr. Sherlock Holmes,

lorde Backwater me assegura que posso confiar inteiramente em seu discernimento e em sua discrição. Decidi, portanto, fazer-lhe uma visita para consultá-lo sobre um fato doloroso que ocorreu com referência a meu casamento. O sr. Lestrade, da Scotland Yard, já está atuando neste caso, mas garantiu-me que não tem nenhuma objeção à sua cooperação e acha mesmo que ela pode ser útil. Irei às 16 horas, e se por acaso o senhor tiver outra coisa marcada a essa hora, espero que a adie, porque este assunto é da máxima importância.

Atenciosamente,

Robert St. Simon

— Foi enviada de Grosvenor Mansions, escrita com pena de ave e o nobre lorde manchou o dedo mindinho direito com tinta — observou Holmes, dobrando a carta.

— Falou em 16 horas. Já são 15. Estará aqui dentro de uma hora.

— Então só tenho tempo, com seu auxílio, para me inteirar do assunto. Olhe os jornais e arrume os artigos por ordem de data, enquanto vejo exatamente quem é nosso cliente. — Pegou um livro vermelho em uma prateleira perto da lareira. — Aqui está — disse, sentando-se e abrindo o volume no colo. — "Robert Walsingham de Vere St. Simon, segundo filho do duque de Balmoral..." Hum! "Armas: Azul-celeste, três estrepes na parte superior do escudo sobre uma faixa sable. Nasceu em 1846." Está com 41 anos, maduro para se casar. Foi Subsecretário das Colônias em uma das últimas administrações. O duque, seu pai, foi secretário do Exterior. Herdaram sangue dos Plantagenet diretamente, e dos Tudor pelo lado materno. Ha! Bem, não há nada muito esclarecido em tudo isso. Acho que tenho de apelar para você, Watson, para algo mais consistente.

— Não é difícil encontrar o que quero porque os fatos são bem recentes e o assunto me impressionou. Não mencionei a você porque sabia que estava investigando um caso e não gosta que outras questões interfiram.

— Ah, está se referindo àquele probleminha do caminhão de mudanças de Grosvenor Square. Isso já foi resolvido, embora fosse evidente desde o início. Por favor, mostre-me o resultado de sua pesquisa nos jornais.

— Aqui está a primeira notícia que encontrei, na coluna pessoal do *Morning Post* e datada, como vê, de algumas semanas atrás.

> *Foi contratado o casamento que, se os boatos estiverem certos, será realizado muito em breve, entre lorde Robert St. Simon, segundo filho do duque de Balmoral, e a srta. Hatty Doran, filha única de Aloysius Doran, de São Francisco, Califórnia.*

— É só.

— Curto e sucinto — comentou Holmes, estendendo as pernas longas e finas para o fogo.

— Saiu um parágrafo ampliando isto em um dos jornais sociais na mesma semana. Ah, está aqui.

Em breve haverá um pedido de proteção no mercado de casamentos, pois o princípio atual de livre comércio está prejudicando nosso produto nacional. Uma por uma, a direção das casas nobres da Grã-Bretanha está passando para as mãos de nossas lindas primas do outro lado do Atlântico. Na semana passada, houve mais um acréscimo à lista de prêmios que foram arrebatados por essas encantadoras invasoras. Lorde St. Simon, que demonstrou durante mais de vinte anos ser imune às setas do pequeno deus, anunciou definitivamente seu próximo casamento com a srta. Hatty Doran, a fascinante filha de um milionário da Califórnia. A srta. Doran, cuja figura graciosa e rosto impressionante atraíram muita atenção nas festividades de Westbury House, é filha única, e dizem que seu dote será superior a um milhão, com mais expectativas no futuro. Como é sabido que o duque de Balmoral foi obrigado a vender seus quadros nos últimos anos, e como lorde St. Simon não tem nenhuma propriedade, exceto a pequena quinta de Birchmoor, é óbvio que a herdeira californiana não é a única a ganhar com uma aliança que permitirá que ela faça a transição fácil e comum nos dias de hoje, de uma dama republicana para um título da nobreza inglesa.

— Mais alguma coisa? — perguntou Holmes, bocejando.

— Sim, muita. Há outra notícia no *Morning Post* dizendo que o casamento seria muito discreto, na igreja de St. George, Hanover Square, que só meia dúzia de amigos íntimos seriam convidados e que o grupo iria para a casa mobiliada em Lancaster Gate, alugada pelo sr. Aloysius Doran. Dois dias depois, isto é, quarta-feira passada, saíram algumas linhas dizendo que o casamento se realizara e a lua de mel seria na propriedade de lorde Backwater, perto de Petersfield. Essas foram as notícias publicadas antes do desaparecimento da noiva.

— Antes do quê? — perguntou Holmes, espantado.

— De a moça desaparecer.

— Quando foi que desapareceu?

— No almoço após o casamento.

— É mesmo? Isso está ficando muito mais interessante do que parecia. Bastante dramático, na verdade.

— É. Fiquei impressionado porque era um pouco fora do comum.

— É frequente desaparecerem antes da cerimônia e às vezes durante a lua de mel, mas não me lembro de nenhum caso como este. Por favor, dê-me todos os detalhes.

— Devo avisá-lo que são muito incompletos.

— Talvez possamos completá-los.

— Foi tudo relatado em uma única notícia do jornal da manhã de ontem, que vou ler para você. O título é: "Ocorrência Singular em Casamento Elegante".

A família de lorde Robert St. Simon está profundamente consternada com os episódios estranhos e dolorosos que ocorreram em relação a seu casamento. A cerimônia, como noticiado nos jornais de ontem, foi realizada na manhã anterior, mas somente agora foi possível confirmar os estranhos rumores que correm com tanta persistência. Apesar das tentativas dos amigos de abafar o assunto, o público ficou tão interessado que de nada adianta fingir ignorar o que é agora assunto discutido em toda parte.

A cerimônia na igreja de St. George, em Hanover Square, foi muito simples, com a presença somente do pai da noiva, sr. Aloysius Doran, a duquesa de Balmoral, lorde Backwater, lorde Eustace e lady *Clara St. Simon (o irmão mais moço e a irmã do noivo) e* lady *Alicia Whittington. O casal e os convidados, após a cerimônia, dirigiram-se à casa do sr. Aloysius Doran em Lancaster Gate, onde seria servido o almoço. Parece que houve uma confusão causada por uma mulher, cujo nome não se sabe, que tentou forçar a entrada na casa, alegando que tinha uma ligação qualquer com lorde St. Simon. O mordomo e o lacaio só conseguiram expulsá-la depois de uma cena prolongada e desagradável. A noiva, que felizmente entrara em casa antes dessa inoportuna interrupção, sentara-se à mesa com os convidados, e de repente queixou-se de um mal-estar repentino, deixando a mesa e retirando-se para o seu quarto. Como sua ausência se prolongou e começou a provocar comentários, seu pai foi ver o que estava acontecendo, soube pela criada que ela passara rapidamente no quarto, pegara um casaco e um chapéu e saíra às pressas. Um dos lacaios afirmou que viu uma senhora sair de casa de casaco e chapéu, mas não acreditou que fosse sua patroa, pois pensava que ela estava com os convidados. Quando verificou que a filha desaparecera, o sr. Aloysius Doran comunicou-se imediatamente com a polícia e estão sendo realizadas investigações vigorosas, que provavel-*

mente resultarão em um esclarecimento rápido desse mistério. Até a noite passada, entretanto, nada se sabia sobre o paradeiro da moça desaparecida. Fala-se na possibilidade de um crime e há boatos de que a polícia prendeu a mulher que causara o tumulto, acreditando que, por ciúme ou qualquer outra razão, ela pode estar ligada ao estranho desaparecimento da noiva.

— Só isso?

— Só mais um pequeno item em outro jornal matutino, mas que é bastante sugestivo.

— E qual é?

— Que a srta. Flora Millar, a mulher que causou a confusão, foi realmente presa. Consta que foi dançarina no Allegro e que conhecia o noivo havia alguns anos. Não há mais nenhum detalhe, e o caso está agora em suas mãos.

— E parece ser extremamente interessante. Não o teria perdido por coisa alguma nesse mundo. Mas a campainha está tocando, Watson, e como já passam alguns minutos das 16 horas, deve ser o nosso nobre cliente. Nem pense em ir embora, Watson, pois prefiro mil vezes ter uma testemunha, nem que seja só para verificar minha própria memória.

— Lorde Robert St. Simon — anunciou o criado, abrindo a porta. Entrou um cavalheiro de rosto agradável e cuidado, pálido e com um nariz imponente, algo de petulante na curva da boca e o olhar firme de um homem acostumado a mandar e ser obedecido. Tinha um jeito enérgico, mas a aparência geral dava a impressão de mais idade, porque os ombros eram um pouco inclinados para a frente e os joelhos dobravam ligeiramente ao andar. O cabelo, também, quando tirou o chapéu de abas viradas, era grisalho em torno do rosto e ralo no alto da cabeça. Estava vestido com tanto esmero que chegava quase ao exagero: colarinho alto, sobrecasaca preta, colete branco, luvas amarelas, sapatos de verniz e polainas claras. Avançou lentamente pela sala, virando a cabeça de um lado para outro e balançando na mão direita o cordão que prendia o pincenê de ouro.

— Boa tarde, lorde St. Simon — disse Holmes, levantando-se e curvando-se num cumprimento. — Por favor, sente-se naquela poltrona. Este é meu amigo e colega, dr. Watson. Fique mais perto da lareira e vamos conversar.

— É um assunto muito doloroso para mim, como pode facilmente imaginar, sr. Holmes. Estou profundamente magoado. Soube que o senhor já lidou com vários assuntos delicados da mesma natureza, embora duvide que tenham sido da mesma classe social.

— Não, foram de classe mais alta.

— Como?

— Meu último cliente da mesma natureza foi um rei.

— Oh! Eu não sabia. Que rei?

— O rei da Escandinávia.

— O quê! Ele perdeu a esposa?

— O senhor deve compreender — disse Holmes com suavidade — que trato os assuntos de meus outros clientes com a mesma discrição que prometo ao senhor no seu caso.

— Claro! Está certo! Está certo! Por favor, perdoe-me. Quanto ao meu caso, estou pronto a lhe dar todas as informações que possam ajudá-lo a tirar uma conclusão.

— Obrigado. Já estou a par do que saiu nos jornais, e nada mais. Presumo que a imprensa está correta. Este artigo, por exemplo, sobre o desaparecimento da noiva.

Lorde St. Simon deu uma olhada no artigo.

— Sim, está correto, até onde vai.

— Mas preciso de muito mais antes de poder formar uma opinião. Acho que poderei chegar aos fatos mais rapidamente se lhe fizer perguntas.

— Por favor, prossiga.

— Quando conheceu a srta. Hatty Doran?

— Um ano atrás, em São Francisco.

— Estava viajando pelos Estados Unidos?

— Sim.

— Ficou noivo, então?

— Não.

— Mas ficaram amigos?

— Achava sua companhia divertida e ela sabia disso.

— O pai dela é muito rico?

— Dizem que é o homem mais rico da costa do Pacífico.

— Como foi que ele ganhou dinheiro?

— Em mineração. Há poucos anos não tinha nada. Então encontrou ouro, fez investimentos e enriqueceu rapidamente.

— Bem, qual a sua impressão pessoal sobre o caráter da jovem... de sua esposa?

O nobre balançou o pincenê nervosamente e ficou olhando a lareira.

— Sabe, sr. Holmes, minha esposa tinha vinte anos quando o pai ficou rico. Até então, vivia no acampamento da mina, vagava pelos bosques e montanhas, e sua educação veio mais da natureza do que de uma sala de aulas. Ela é uma menina traquinas, com uma personalidade forte, livre e selvagem, liberta de qualquer espécie de tradição. É impetuosa... vulcânica, eu deveria dizer. Toma uma decisão rapidamente e age sem medo. Por outro lado, eu não teria dado a ela o nome que tenho a honra de ostentar — tossiu discretamente — se não achasse que, no fundo, era uma mulher nobre. Acredito que seja capaz de se sacrificar de forma heroica e que qualquer coisa desonesta lhe seria profundamente repugnante.

— Tem uma fotografia dela?

— Trouxe esta. — Abriu um medalhão e mostrou-nos o rosto de uma mulher muito linda. Não era uma fotografia e sim uma miniatura em marfim, e o artista conseguira reproduzir o efeito do cabelo negro lustroso, os grandes olhos escuros e os lábios encantadores. Holmes contemplou-a por muito tempo, com ar grave. Depois fechou o medalhão e devolveu-o a lorde St. Simon.

— A moça veio a Londres, então, e se encontraram novamente?

— Sim, o pai a trouxe para participar dessa última temporada social. Encontrei-a várias vezes, fiquei noivo dela e agora nos casamos.

— Ela trouxe, pelo que soube, um dote considerável.

— Um bom dote. Nada além do que é comum em minha família.

— E esse dote, é claro, fica com o senhor, já que o casamento é um *fait accompli*?

— Realmente, ainda não indaguei sobre este assunto.

— Muito natural. O senhor viu a srta. Doran na véspera do casamento?

— Sim.

— Ela estava bem, alegre?

— Muito bem. Falou bastante sobre o que deveríamos fazer no futuro.

— Curioso. Isso é muito interessante. E na manhã do dia do casamento?

— Estava muito animada... isto é, pelo menos até depois da cerimônia.

— E notou alguma mudança, então?

— Bem, para dizer a verdade, notei então os primeiros sinais de que estava ficando um pouco mal-humorada. Mas, foi um incidente muito banal e não pode ter nada a ver com o caso.

— Gostaria que me contasse mesmo assim.

— Oh, é muito infantil. Ela deixou cair o buquê de noiva quando saíamos da igreja. Estávamos passando por um banco e o buquê caiu nele. Demorou um instante, mas o cavalheiro que estava sentado no banco devolveu-lhe o buquê, que parecia intacto. Mas, quando eu falei com ela sobre isso, respondeu-me com rispidez. E na carruagem, a caminho de casa, parecia estar absurdamente agitada por causa desse incidente insignificante.

— Ah, sim? Disse que havia um cavalheiro sentado no banco. Então havia outras pessoas presentes, além dos convidados?

— Ah, sim. É impossível evitar isso quando a igreja está aberta.

— Esse cavalheiro não era um dos amigos de sua esposa?

— Não, não. Chamei-o de cavalheiro por cortesia, mas era uma pessoa de aspecto muito comum. Não reparei muito nele. Mas realmente acho que estamos nos desviando do assunto.

— Então *lady* St. Simon voltou do casamento menos alegre do que antes. O que ela fez quando entrou novamente na casa do pai?

— Eu a vi conversando com a criada.

— E quem é sua criada?

— Seu nome é Alice. É americana e veio da Califórnia com ela.

— Uma criada pessoal?

— Sim, e me parecia que tomava muitas liberdades. Mas é claro que na América essas coisas são muito diferentes.

— Quanto tempo ela ficou falando com essa Alice?

— Ah, alguns minutos. Não prestei atenção, estava pensando em outras coisas.

— Não ouviu o que estavam falando?

— *Lady* St. Simon disse qualquer coisa sobre "apossar-se das terras". Estava acostumada a usar linguagem de mineração. Não tenho a menor ideia do que queria dizer.

— A gíria americana às vezes é muito expressiva. E o que fez sua esposa quando acabou de falar com a criada?

— Entrou na sala de almoço.

— Junto com o senhor?

— Não, sozinha. Era muito independente nessas pequenas coisas. Uns dez minutos depois de nos sentarmos, levantou-se de repente, murmurou umas desculpas e saiu da sala. E não voltou.

— Mas essa criada, Alice, pelo que entendi, declarou que ela foi ao quarto, cobriu o vestido de noiva com um casaco longo, pôs um chapéu e saiu da casa.

— Exatamente. E foi vista depois andando no Hyde Park em companhia de Flora Millar, uma mulher que está agora presa e que já havia provocado uma confusão na casa do sr. Doran naquela manhã.

— Ah, sim. Gostaria de mais detalhes sobre essa moça e suas relações com ela.

Lorde St. Simon encolheu os ombros e ergueu as sobrancelhas.

— Somos amigos há alguns anos. Devo dizer, amigos íntimos. Ela costumava dançar no Allegro. Fui bastante generoso com ela, e não tem nenhum motivo de queixa, mas o senhor sabe como são as mulheres, sr. Holmes. Flora era uma pessoa encantadora, mas tinha um gênio violento e era muito dedicada a mim. Escreveu cartas horrorosas quando soube que eu ia me casar e, para dizer a verdade, o motivo que me fez querer um casamento tão discreto foi o temor de que houvesse um escândalo na igreja. Ela foi até a porta do sr. Doran logo que chegamos da igreja e tentou forçar a entrada, dizendo coisas horríveis de minha esposa e chegando até a ameaçá-la, mas eu previra a possibilidade de ocorrer algo desse tipo e dera instruções aos empregados, que logo conseguiram mandá-la embora. Ficou quieta quando viu que não adiantava fazer escândalo.

— Sua esposa ouviu isso?

— Não, graças a Deus.

— E foi vista andando com essa mesma mulher depois disso?

— Sim. É isso que o sr. Lestrade, da Scotland Yard, considera muito grave. Acha que Flora atraiu minha esposa e armou alguma cilada horrível para ela.

— Bem, é possível.

— O senhor concorda, então?

— Não, disse que era provável. E o senhor não concorda?

— Acho que Flora não machucaria uma mosca.

— O ciúme é capaz de transformar as pessoas. E qual é sua teoria a respeito do que aconteceu ?

— Bem, na verdade vim aqui em busca de uma teoria e não para apresentar uma. Dei-lhe todos os fatos. Mas, já que me pergunta, posso dizer que me ocorreu a possibilidade de que toda essa excitação e a consciência de que dera um gigantesco passo social provocaram algum distúrbio nervoso em minha esposa.

— Em resumo, quer dizer que ela ficou subitamente transtornada?

— Bem, quando penso que ela deu as costas... não vou dizer a mim, mas a tanta coisa que muitas pessoas desejaram em vão... não consigo encontrar nenhuma outra explicação.

— Essa, também, não deixa de ser uma hipótese — disse Holmes, sorrindo. — E agora, lorde St. Simon, creio que tenho quase todos os fatos. Posso perguntar se, quando estavam sentados à mesa, podiam ver pela janela?

— Podíamos ver o outro lado da rua e o parque.

— Muito bem. Creio que não é preciso detê-lo por mais tempo. Entrarei em contato com o senhor.

— Espero que tenha a sorte de resolver este caso — disse nosso cliente, erguendo-se.

— Já o resolvi.

— Hein? O que disse?

— Disse que já o resolvi.

— Então, onde está minha esposa?

— Esse é um detalhe que lhe darei muito em breve.

Lorde St. Simon sacudiu a cabeça.

— Receio que sejam necessárias cabeças mais sábias do que a sua e a minha — observou, e curvando-se num cumprimento majestoso e antiquado, retirou-se.

— É muita bondade de lorde St. Simon dar-me a honra de colocar minha cabeça no mesmo nível da sua — disse Sherlock Holmes, rindo. — Acho que vou tomar um uísque com soda e fumar um charuto depois de todas essas perguntas. Eu já havia chegado às minhas conclusões sobre este caso antes de nosso cliente entrar nessa sala.

— Meu caro Holmes!

— Tenho anotações sobre vários casos semelhantes, embora nenhum fosse tão rápido, como já observei. Esse exame todo serviu para transformar minha hipótese em certeza. Provas circunstanciais são às vezes muito convincentes, como quando você encontra uma truta no leite, para citar o exemplo de Thoreau.

— Mas eu ouvi tudo o que você ouviu.

— Mas sem ter o conhecimento de casos anteriores que tanto me ajuda. Houve um caso semelhante em Aberdeen alguns anos atrás e algo com características muito parecidas em Munique um ano depois da guerra franco-prussiana. É um desses casos... mas, veja, aí vem Lestrade! Boa tarde, Lestrade! Pegue um copo no aparador, e há charutos naquela caixa.

O detetive oficial usava uma jaqueta grossa e uma echarpe que lhe davam decididamente uma aparência náutica e carregava uma sacola de lona preta. Com um ligeiro cumprimento de cabeça, sentou-se e acendeu o charuto que lhe fora oferecido.

— O que está acontecendo? — perguntou Holmes, com os olhos brilhando. — Não parece muito contente.

— E não estou. É esse caso infernal do casamento St. Simon. Não tem pé nem cabeça.

— Realmente! Você me surpreende.

— Quem já ouviu uma história tão confusa? Todos os indícios escapam por entre meus dedos. Trabalhei nisso o dia todo.

— E parece que se molhou muito — disse Holmes, pondo a mão na manga da jaqueta.

— É, estávamos dragando o rio Serpentine.

— Deus do céu, para quê?

— Em busca do corpo de *lady* St. Simon.

Sherlock Holmes recostou-se na poltrona e deu uma gargalhada.

— Dragaram também a bacia do chafariz de Trafalgar Square? — perguntou, ainda rindo.

— Por quê? O que quer dizer com isso?

— Porque você tem tanta probabilidade de encontrar a moça lá quanto no rio.

Lestrade deu um olhar zangado para meu companheiro.

— Suponho que você sabe de tudo — resmungou.

— Bem, acabei de ouvir a história, mas já cheguei a uma conclusão.

— Ah, é mesmo! Então pensa que o rio não tem nada a ver com o assunto?

— Acho muito pouco provável.

— Então talvez possa ter a bondade de explicar como é que encontramos isso no rio? — Abriu a sacola enquanto falava e jogou no chão um vestido de noiva de seda, um par de sapatos de cetim branco, uma tiara e um véu de noiva, tudo desbotado e encharcado. — Veja só — disse, pondo uma aliança nova em cima da pilha. — Aí está uma noz para o senhor quebrar, sr. Holmes.

— Ah, realmente — disse meu amigo, soprando anéis de fumaça no ar. — Tirou isso tudo do rio?

— Não. Estava tudo flutuando perto da margem e foi encontrado por um guarda do parque. Foram identificadas como sendo as roupas dela e me parece que, se as roupas estavam lá, o corpo estaria por perto.

— Seguindo seu raciocínio brilhante, o corpo de qualquer um deve ser achado perto de seu guarda-roupa. E, por favor, diga-me aonde pretende chegar com isso?

— A algum indício que ligue Flora Millar ao desaparecimento da moça.

— Receio que isto seja um pouco difícil.

— É mesmo? — exclamou Lestrade com aspereza. — E eu receio, sr. Holmes, que não seja muito prático em suas deduções e suas hipóteses. Já cometeu dois erros em dois minutos: Este vestido compromete a srta. Flora Millar.

— Como?

— Há um bolso no vestido. No bolso há uma carteira. Nessa carteira há um bilhete. E aqui está o bilhete. — Bateu com o papel na mesa à sua frente. — Ouça isto: *Você me verá quando tudo estiver pronto. Venha imediatamente. F.H.M.* A minha teoria, desde o início, era de que *lady* St. Simon foi atraída por um ardil de Flora Millar e que esta, sem dúvida com cúmplices, é responsável pelo seu desaparecimento. Aqui, assinado com suas iniciais, está o bilhete que, sem dúvida, foi enfiado sorrateiramente em sua mão quando estava na porta, e que a levou a se aproximar deles.

— Muito bem, Lestrade — disse Holmes com um sorriso. — Você realmente está indo muito bem. Deixe-me ver. — Pegou o papel com displicência, mas logo ficou alerta e soltou um agito de satisfação.

— Isso é realmente importante — disse.

— Ah, acha mesmo?

— Muito. Dou-lhe os parabéns.

Lestrade ficou de pé e se inclinou para olhar, triunfante.

— Mas veja só! — exclamou. — Está olhando o lado errado.

— Pelo contrário, este é o lado certo.

— O lado certo? Está louco! É aqui que está o bilhete escrito a lápis, deste lado.

— E do outro é o que parece ser um pedaço de uma conta de hotel, que me interessa bastante.

— Não tem nada de interessante nisso. Já olhei antes — disse Lestrade.

4 de outubro, quarto oito xelins, café da manhã dois xelins e seis pence, coquetel um xelim, almoço dois xelins e seis pence, copo de xerez oito pence.

— Não vejo nada de importante nisso.

— Provavelmente não. Mas é muito importante, assim mesmo. Quanto ao bilhete, também é importante, ou pelo menos as iniciais o são, de modo que lhe dou parabéns mais uma vez.

— Já perdi tempo demais — disse Lestrade, de pé. — Acredito no trabalho e não em ficar sentado diante da lareira elaborando lindas teorias. Uma boa tarde para o senhor, Holmes, e vamos ver qual de nós dois resolve este problema primeiro. — Pegou as roupas, meteu--as na sacola e foi em direção à porta.

— Apenas uma sugestão, Lestrade — disse Holmes, arrastando as palavras, antes que seu rival sumisse. — Vou contar-lhe a verdadeira solução. *Lady* St. Simon é um mito. Não existe e nunca existiu essa pessoa.

Lestrade olhou para o meu amigo com compaixão. Depois virou--se para mim, bateu na testa três vezes, sacudiu solenemente a cabeça e saiu depressa.

Mal havia fechado a porta atrás de si quando Holmes levantou-se e vestiu o sobretudo.

— Ele tem certa razão em falar de trabalho — comentou. — Então, Watson, acho que vou deixar você aqui com seus jornais por algum tempo.

Passava das 17 horas quando Sherlock Holmes saiu, mas não tive ocasião de me sentir só, porque uma hora depois chegou um homem com uma caixa enorme e chata. Abriu-a com o auxílio de um rapazola que viera junto e, para meu espanto, uma ceia requintada começou a ser arrumada na modesta mesa de mogno de nosso aposento. Um par de galinhas-d'angola, um faisão, uma torta de *pâté de foie gras*, com algumas garrafas vetustas e poeirentas. Após arrumar essas iguarias, os dois visitantes sumiram, como os gênios das *Mil e uma noites*, sem qualquer explicação, a não ser que estava tudo pago e tinha sido encomendado para entrega nesse endereço.

Pouco antes das 21 horas Sherlock Holmes entrou, animado. As feições estavam sérias, mas os olhos brilhavam, o que me fez pensar que não tinha ficado desapontado em suas conclusões.

— Trouxeram a ceia — disse, esfregando as mãos.

— Parece que está esperando visitas. Puseram a mesa para cinco pessoas.

— Sim, acho que vamos ter companhia — disse. — Estou surpreso que lorde St. Simon não tenha chegado ainda. Ah! Acho que estou ouvindo seus passos na escada.

Era realmente nosso visitante da manhã, que entrou apressadamente, balançando o cordão do pincenê com mais vigor que nunca, e com um ar muito perturbado nas feições aristocráticas.

— Meu mensageiro o encontrou, então? — perguntou Holmes.

— Sim, e devo confessar que o conteúdo me espantou muito. Está seguro do que disse?

— Absolutamente.

Lorde St. Simon afundou em uma poltrona e passou a mão pela testa.

— O que dirá o duque — murmurou — quando souber que um membro da família sofreu tal humilhação?

— Foi mero acidente. Não concordo que tenha havido alguma humilhação.

— Ah, o senhor encara essas coisas de outro ponto de vista.

— Não consigo ver como alguém possa ser culpado. Não imagino como a moça poderia ter agido de outro modo, embora seja lamentável que tenha usado um método tão brusco. Mas, como não tem mãe, não havia ninguém para aconselhá-la nessa crise.

— Foi uma ofensa, senhor, uma ofensa pública — disse lorde St. Simon, batendo com os dedos na mesa.

— Deve ser tolerante com essa pobre moça, colocada em situação tão difícil.

— Não serei tolerante. Estou realmente muito zangado e fui usado de maneira vergonhosa.

— Acho que ouvi a campainha — disse Holmes. — É, ouço passos na entrada. Se não posso convencê-lo a ser indulgente neste assunto, lorde St. Simon, trouxe aqui um defensor que talvez seja mais bem-sucedido. — Abriu a porta e fez entrar uma dama e um cavalheiro. — Lorde St. Simon — disse —, permita-me apresentar-lhe o sr. e a sra. Francis Hay Moulton. A senhora, eu acho, o senhor já conhece.

Ao ver os recém-chegados, nosso cliente ficara de pé, muito empertigado, com os olhos baixos e uma das mãos enfiada no peito da sobrecasaca, a própria imagem da dignidade ofendida. A mulher deu um passo em sua direção e estendeu a mão, mas ele continuou de olhos baixos. Talvez fosse melhor para ele, porque era difícil resistir ao rosto suplicante dela.

— Você está zangado, Robert — ela disse. — Bem, acho que tem toda razão.

— Tenha a bondade de não pedir desculpas a mim — disse lorde St. Simon com amargura.

— Ah, sim, sei que o tratei muito mal, e devia ter falado com você antes de partir. Mas estava muito perturbada, e desde que vi Frank não sabia o que estava fazendo ou dizendo. Foi um milagre que não caísse no chão desmaiada lá mesmo, diante do altar.

— Talvez, sra. Moulton, preferisse que meu amigo e eu saíssemos da sala enquanto explica tudo?

— Se é que posso dar minha opinião — disse o cavalheiro desconhecido —, já houve segredos demais nesse negócio. Por mim, gostaria que toda a Europa e a América ouvissem tudo. — Era um homem pequeno, musculoso, queimado de sol, com feições severas e um jeito atento.

— Então contarei nossa história agora mesmo — disse a mulher. — Este aqui é Frank, e nós nos conhecemos em 1884, na mina de McQuire, perto das Montanhas Rochosas, onde o pai estava trabalhando nas terras de mineração que arrendara. Frank e eu ficamos noivos, mas um dia meu pai encontrou um veio muito bom e ficou rico, enquanto o pobre Frank tinha uma concessão que não deu em nada. Quanto mais rico meu pai ficava, mais pobre ficava Frank. Finalmente meu pai não quis mais ouvir falar de nosso noivado e me levou para São Francisco. Mas Frank não desistiu e me seguiu até lá, e nós nos víamos sem meu pai saber de nada. Ficaria muito zangado se soubesse, então nos escondíamos dele. Frank disse que iria embora fazer sua fortuna e não voltaria para me buscar enquanto não tivesse tanto dinheiro quanto meu pai. Então prometi que esperaria por ele para sempre e que não me casaria com ninguém enquanto ele vivesse. “Então, por que não nos casamos agora mesmo”, ele disse, “e aí me sentirei seguro em relação a você. E não direi que sou seu marido enquanto não voltar para buscá-la”. Bem, conversamos sobre isso e ele tinha arranjado tudo tão direitinho, com o sacerdote pronto, à espera, que nos casamos ali mesmo. E então Frank foi embora em busca da fortuna e eu voltei para ficar com meu pai.

“A notícia seguinte que tive era de que Frank estava em Montana e depois foi trabalhar em minas no Arizona, e depois disso tive notícias do Novo México. Depois veio um artigo longo no jornal sobre um acampamento de mineiros que havia sido atacado pelos índios apaches e o nome de Frank estava na lista dos que tinham morrido. Desmaiei quando li isso e fiquei muito doente durante meses. Meu pai pensou que eu tinha alguma doença rara e me levou a todos os médicos de São Francisco. Durante mais de um ano, não tive nenhuma notícia, e nunca duvidei que Frank estivesse realmente morto. Então lorde St. Simon foi a São Francisco, nós viemos a Londres e arranjaram esse casamento, e meu pai ficou muito contente, mas eu sentia o tempo todo que nenhum homem neste mundo poderia tomar o lugar do meu pobre Frank no meu coração.

“Mesmo assim, se me casasse com lorde St. Simon, claro que teria cumprido meu dever para com ele. Não se pode mandar no amor, mas nos atos sim. Fui até o altar com ele decidida a ser a melhor esposa possível. Mas podem imaginar o que senti quando entrei na igreja e vi Frank olhando para mim de um dos bancos. Primeiro pensei que fosse um fantasma, mas, quando olhei de novo, ele ainda estava lá, com uma espécie de interrogação nos olhos, como se estivesse me perguntando se eu estava contente ou triste de vê-lo. Foi um milagre eu não ter desmaiado. Só sei que tudo estava girando e as palavras do sacerdote eram como um zumbido de abelhas em meus ouvidos. Não sabia o que fazer. Deveria interromper a cerimônia e fazer uma cena na igreja? Olhei novamente para ele, e parecia que sabia o que eu estava pensando, porque pôs um dedo aos lábios fazendo sinal de silêncio. Depois vi que rabiscava em um pedaço de papel e sabia que estava escrevendo para mim. Quando passei pelo banco dele ao sair da igreja, deixei cair meu buquê e ele enfiou o bilhete em minha mão quando devolveu as flores. Era uma linha só, pedindo que me encontrasse com ele quando me desse o sinal. Claro que nunca duvidei, nem por um instante, de que meu primeiro dever era para com ele, e decidi fazer exatamente o que ele mandasse.

"Quando voltei para casa, contei à minha criada, que o conhecera na Califórnia e sempre gostara muito dele. Mandei que não dissesse nada a ninguém, mas que embrulhasse umas roupas e deixasse prontos meu casaco e o chapéu. Sei que devia ter falado com lorde St. Simon, mas era extremamente difícil diante de sua mãe e de todos os convidados ilustres. Resolvi fugir e explicar tudo depois. Não fiquei sentada nem dez minutos à mesa quando vi Frank pela janela, do outro lado da rua. Fez sinal para mim e começou a andar em direção ao parque. Fui até o quarto, vesti o casaco e fui atrás dele. Uma mulher veio atrás de mim, falando qualquer coisa sobre lorde St. Simon (parece, pelo pouco que ouvi, que ele tinha um segredo também antes do casamento), mas consegui me livrar dela e logo alcancei Frank. Tomamos um carro juntos e fomos para um quarto que ele alugara em Gordon Square, e esse foi meu verdadeiro casamento depois de todos esses anos de espera. Frank ficara como prisioneiro dos apaches e fugira, foi para São Francisco, descobriu que eu o considerava morto e tinha ido para a Inglaterra, seguiu-me até aqui e me encontrou na manhã do meu casamento."

— Vi no jornal — explicou o americano. — Dava o nome dela e a igreja, mas não dizia onde ela morava.

— Então conversamos sobre o que deveríamos fazer e Frank era a favor de contar tudo, mas eu estava tão envergonhada que só queria desaparecer e nunca mais ver nenhum deles, só mandar um bilhete para meu pai, para dizer que estava viva. Era horrível para mim pensar em todos aqueles lordes e *ladies* sentados em volta da mesa de almoço, esperando que eu voltasse. Então Frank pegou minhas roupas e tudo, fez um pacote e, para que não servisse de pista, jogou em algum lugar onde ninguém ia encontrá-lo. Era provável que estivéssemos a caminho de Paris amanhã, mas esse cavalheiro, o sr. Holmes, veio nos procurar esta tarde, embora não consiga imaginar como ele nos encontrou, e mostrou claramente e com muita bondade que eu estava errada e Frank tinha razão, e que devíamos contar toda a verdade. Ofereceu-nos a oportunidade de falar com lorde St. Simon sozinho, e então viemos a seus aposentos imediatamente. Agora, Robert, você ouviu a história toda e sinto muito se o magoei, mas espero que você não fique muito sentido comigo.

Lorde St. Simon não relaxara sua postura rígida, mas ouvira toda essa longa narrativa com a testa franzida e os lábios comprimidos.

— Perdoe-me — disse —, mas não é meu costume discutir assuntos íntimos em público.

— Então não vai me perdoar? Não vai apertar minha mão antes que eu vá embora?

— Oh, claro, se isso lhe dá prazer. — Estendeu a mão e apertou friamente a mão que ela lhe estendeu.

— Esperava — sugeriu Holmes — que nos acompanhasse em uma pequena ceia.

— Acho que está pedindo demais — respondeu o nobre. — Posso ser obrigado a aceitar estes últimos acontecimentos, mas não devem esperar que os comemore. Acho que, com sua permissão, vou me retirar agora, desejando a todos uma boa-noite. — Incluiu todos nós num rápido cumprimento de cabeça e saiu da sala.

— Então espero que pelo menos o casal me honre com sua companhia — disse Sherlock Holmes. — É sempre um prazer conhecer um americano, sr. Moulton, pois sou um dos que acreditam que a loucura de um monarca e a idiotice de um ministro em anos passados não evitarão que nossos filhos sejam algum dia cidadãos do mesmo país, sob uma bandeira que será uma combinação da inglesa e da americana.

— Esse caso foi bem interessante — comentou Holmes depois que os visitantes saíram. — Serve para demonstrar claramente que a explicação de um mistério pode ser muito simples, mesmo quando de início pareça inexplicável. Nada podia ser mais inexplicável. Nada podia ser mais natural que a sequência de acontecimentos de acordo com a narração dessa senhora, e nada mais estranho que o resultado quando visto, por exemplo, pelo sr. Lestrade, da Scotland Yard.

— Você não estava errado, então?

— Desde o início dois fatos eram muito óbvios para mim. Um era que a moça estava disposta a se submeter à cerimônia de casamento, o outro, que se arrependera disso poucos minutos depois de voltar para casa. É evidente que alguma coisa tinha acontecido durante a manhã para fazê-la mudar de idéia. O que poderia ter sido? Não poderia ter falado com ninguém quando estava fora de casa, porque estava junto com o noivo. Então teria visto alguém? Se tivesse, teria sido alguém da América, pois tinha passado tão pouco tempo aqui neste país que ninguém poderia ter adquirido uma importância tão grande que bastasse vê-lo para mudar por completo seus planos. Veja que já chegamos, por um processo de exclusão, à ideia de que ela deveria ter visto um americano. Então, quem poderia ser esse americano? E por que teria tanta influência sobre ela? Poderia ser um amante; poderia ser um marido. Eu sabia que sua juventude fora passada em lugares rústicos e em condições estranhas. Já havia chegado a esse ponto antes de ouvir a narrativa de lorde St. Simon. Quando nos contou a respeito do homem no banco da igreja, da mudança no estado de espírito da noiva, da maneira tão óbvia de conseguir passar um bilhete, deixando cair o buquê, da conversa com a criada particular e a alusão muito significativa a "se apossar de terras", que em linguagem dos mineiros quer dizer tomar posse daquilo a que outra pessoa já tem direito, a situação ficou absolutamente clara. Ela fugira com um homem, e esse homem era um amante ou um marido anterior, e as probabilidades eram a favor dessa última hipótese.

— E como foi que os encontrou?

— Talvez tivesse sido difícil, mas nosso amigo Lestrade tinha essa informação nas mãos e não lhe deu valor. As iniciais eram, claro, de grande importância, porém mais valioso ainda era saber que nessa semana ele pagara a conta em um dos hotéis mais exclusivos de Londres.

— Como sabia que era exclusivo?

— Pelos preços exclusivos. Oito xelins por um quarto e oito pence por um copo de xerez mostravam que se tratava de um dos hotéis mais caros. Não há muitos em Londres que cobram esses preços. No segundo que visitei na avenida Northumberland, vi pelo registro que Francis H. Moulton, um cavalheiro americano, saíra no dia anterior e, verificando os itens de sua conta, encontrei exatamente os mesmos que vira na duplicata da conta. A correspondência era para ser enviada a 226 Gordon Square; de modo que fui até lá e tive a sorte de encontrar o casal amoroso em casa. Arrisquei-me a dar-lhes alguns conselhos paternais e mostrar que seria melhor, sob todos os aspectos, que esclarecessem sua posição para o público em geral e para lorde St. Simon em particular. Convidei-os a se encontrarem com ele aqui, e como viu, obriguei-o a comparecer.

— Mas sem resultado nenhum — comentei. — A atitude dele não foi nada elegante.

— Ah, Watson — disse Holmes, sorrindo —, talvez você também não fosse nada elegante se, depois de todo o trabalho de fazer a corte e se casar, você se visse privado, ao mesmo tempo, de sua esposa e de uma fortuna. Acho que devemos julgar lorde St. Simon com muita compaixão e agradecer aos céus pelo fato de não termos probabilidade de algum dia nos encontrarmos na mesma situação. Puxe sua cadeira para perto e dê-me meu violino, pois nosso único problema agora é como passar essas noites sombrias de outono.

A COROA DE BERILOS

— Holmes — eu disse uma manhã quando olhava a rua pela janela —, tem um louco passando aí embaixo. É uma lástima que a família dele o deixe sair sozinho.

Meu amigo levantou-se preguiçosamente da poltrona onde reclinava e se aproximou, com as mãos nos bolsos do roupão, olhando sobre meu ombro. Era uma linda manhã de fevereiro, fria e seca, e a neve do dia anterior ainda cobria o chão, brilhando à luz do sol de inverno. No meio da Baker Street fora sulcada pelos carros, formando uma massa escura, lamacenta, mas no meio-fio dos dois lados da rua e nos cantos das calçadas, amontoava-se em flocos de uma brancura cintilante. A calçada cinzenta havia sido limpa e raspada, mas ainda estava perigosamente escorregadia e poucas pessoas haviam se arriscado a sair. Na verdade, ninguém vinha andando da direção da estação do metropolitano a não ser esse cavalheiro cuja conduta excêntrica atraíra minha atenção.

Era um homem de seus cinquenta anos, alto, cheio de corpo e imponente, com um rosto maciço, de feições acentuadas. Estava vestido em estilo sóbrio, mas luxuoso, com uma sobrecasaca preta, chapéu reluzente, polainas marrons e calças cinza-pérola muito bem talhadas. Mas seus gestos faziam um contraste absurdo com a dignidade de suas roupas e feições, pois estava correndo aos arrancos, dando pulinhos de vez em quando, como um homem cansado que não está habituado a usar as pernas. Enquanto corria dessa maneira irregular, sacudia as mãos e a cabeça, e contorcia o rosto em caretas extraordinárias.

— O que há com esse homem? — perguntei. — Está olhando o número das casas.

— Acho que está vindo para cá — disse Holmes, esfregando as mãos.

— Aqui?

— Sim. Creio que vem me fazer uma consulta profissional. Estou reconhecendo os sintomas. Ah! Não disse? — Enquanto falava, o homem chegou ofegante à nossa porta e tocou a campainha com tanta força que o barulho ressoou na casa inteira.

Pouco depois estava em nossa sala, ainda ofegante e gesticulando, mas com um olhar tão triste e desesperado que nossos sorrisos desapareceram e ficamos cheios de horror e compaixão. Levou um tempo para conseguir falar, balançando o corpo e puxando os cabelos, como alguém que tivesse chegado ao limite de suas forças e estivesse prestes a ter um colapso. De repente, dando um salto, bateu com a cabeça na parede com tanta força que nós dois corremos para ele e o arrastamos para o centro da sala. Sherlock Holmes o empurrou para a poltrona e, sentando-se a seu lado, deu pancadinhas em sua mão e falou com ele numa voz calma e suave, que sabia empregar tão bem.

— Veio aqui para me contar sua história, não foi? — disse. — Está muito cansado, veio tão depressa. Procure descansar um pouco e recobrar o fôlego e depois terei muito prazer em estudar qualquer problema que tenha para me contar.

O homem ficou sentado por um minuto ou mais respirando fundo e procurando conter a emoção. Depois passou o lenço na testa, comprimiu os lábios e virou-se de frente para nós.

— Naturalmente pensam que sou louco — disse.

— Vejo que está muito abalado, que aconteceu algo muito grave — respondeu Holmes.

— Só Deus sabe! Algo que chega a abalar minha razão de tão inesperado e tão terrível. A desgraça pública talvez eu pudesse enfrentar, embora seja um homem de caráter e reputação impecáveis. Desgraça pessoal também sucede a todos nós... mas as duas ao mesmo tempo, e de forma tão horrível, são o suficiente para me levar à loucura. Além disso, não sou só eu. Os mais nobres do país vão sofrer também se não encontrarmos uma solução para esse problema terrível.

— Por favor, controle-se, senhor — disse Holmes. — Conte-me calmamente quem é o senhor e o que aconteceu.

— Meu nome — respondeu nosso visitante — deve ser-lhe familiar. Sou Alexander Holder, da firma bancária Holder & Stevenson, da Threadneedle Street.

O nome era realmente muito conhecido e pertencia ao sócio majoritário da segunda maior firma bancária privada da cidade de Londres. O que poderia ter acontecido para deixar um dos principais cidadãos da grande metrópole nesse estado lastimável? Aguardamos, cheios de curiosidade, até que, com grande esforço, ele se preparou para contar sua história.

— Sinto que o tempo é precioso — disse — e é por isso que corri para cá quando o inspetor de polícia sugeriu que eu devia tentar obter sua cooperação. Vim para a Baker Street de metrô e de lá a pé, correndo, pois vi que os carros estavam indo muito devagar, com toda essa neve. É por isso que fiquei sem fôlego, pois sou um homem que não faz nenhum exercício. Estou me sentindo melhor agora e vou contar os fatos da maneira mais resumida e clara possível.

"Os senhores naturalmente sabem que o sucesso de uma firma bancária depende tanto de nossa habilidade em encontrar investimentos rendosos para nossos fundos quanto da capacidade de ampliar nossos conhecimentos e o número de nossos depositantes. Uma das maneiras mais lucrativas de investir dinheiro é em forma de empréstimos, quando as garantias são inquestionáveis. Temos atuado muito nessa área nos últimos anos, e há muitas famílias nobres a quem temos emprestado grandes quantias, aceitando como garantia seus quadros, bibliotecas, ou prataria.

"Ontem de manhã eu estava em meu escritório no banco quando um dos empregados trouxe um cartão. Tive um sobressalto quando vi o nome, pois era... bem, talvez mesmo para os senhores seja melhor dizer apenas que era um nome conhecido no mundo inteiro, um dos nomes mais conhecidos, mais nobres, mais elogiados da Inglaterra. Fiquei assombrado com tanta honra e, quando ele entrou, tentei expressar meus sentimentos, mas ele começou logo a falar de negócios com o ar de quem quer se livrar rapidamente de uma tarefa desagradável.

"'Sr. Holder', disse, 'fui informado de que o senhor costuma emprestar dinheiro.'

"'A firma faz isso quando a garantia é boa', respondi.

"'É absolutamente essencial para mim', disse, 'conseguir cinquenta mil libras agora. Poderia, é claro, obter essa soma insignificante com meus amigos, mas prefiro que seja um negócio, e quero tratar desse negócio pessoalmente. Em minha posição, o senhor há de compreender que não convém uma pessoa ficar devendo favores a ninguém.'

"'Por quanto tempo, se me permite perguntar, vai precisar dessa quantia?', perguntei.

"'Na próxima segunda-feira devo receber uma grande quantia que me é devida e sem dúvida lhe pagarei então o que me adiantar agora, e mais os juros que achar correto cobrar. Mas é absolutamente essencial que eu tenha esse dinheiro neste momento.'

"'Eu teria o maior prazer em adiantar-lhe essa quantia do meu próprio bolso agora mesmo', eu disse, 'se não fosse um pouco acima da minha possibilidade. Por outro lado, se for fazer isso em nome da firma, para ser justo com meu sócio devo insistir que, mesmo em seu caso, todas as precauções comerciais sejam tomadas.'

"'Prefiro mil vezes que seja assim', disse, apanhando uma caixa de couro preto, quadrada, que depositara ao lado da cadeira. 'Sem dúvida já ouviu falar da coroa de berilos?'

"'Um dos bens públicos mais preciosos do Império', observei.

"'Exatamente.' Abriu o estojo e dentro, sobre um veludo macio cor de carne, repousava a magnífica joia a que se referira. 'São 39 berilos enormes', disse, 'e o preço do trabalho em ouro é incalculável. A avaliação mais baixa é o dobro do que lhe pedi. Estou pronto a deixar a coroa como garantia.'

"Peguei o estojo precioso em minhas mãos e olhei um tanto perplexo da coroa para meu ilustre cliente.

"'Duvida de seu valor?', perguntou.

"'De maneira nenhuma. Duvido apenas...'

"'Se é conveniente deixá-la aqui. Pode ficar descansado quanto a isso. Nunca faria uma coisa dessas se não tivesse certeza absoluta de que dentro de quatro dias poderei reavê-la. É apenas uma questão de tempo. A garantia é suficiente?'

"'Perfeitamente.'

"'O senhor compreende, sr. Holder, que estou lhe dando uma grande prova da confiança que deposito no senhor, com base em tudo que me disseram a seu respeito. Confio no senhor não só para ser discreto e não dizer uma só palavra sobre esse negócio, como também para proteger essa coroa com todas as precauções possíveis, pois é desnecessário dizer que haveria um enorme escândalo público se alguma coisa acontecesse com ela. Qualquer dano seria tão grave quanto sua perda total, pois não há no mundo inteiro berilos iguais a esses e seria totalmente impossível substituí-los. Mas vou deixá-la com o senhor, com toda a confiança, e virei buscá-la pessoalmente segunda-feira de manhã.'

"Vendo que meu cliente estava ansioso para ir embora, não disse mais nada. Chamei o caixa e dei ordem para que pagasse a quantia de cinquenta mil libras em notas de mil. Quando fiquei sozinho outra vez, com o precioso estojo à minha frente, não pude deixar de pensar com algum receio na imensa responsabilidade que aquilo representava para mim. Não havia dúvida de que, já que se tratava de um bem nacional, haveria um escândalo horrível se acontecesse qualquer coisa com a joia. Cheguei a me arrepender de haver consentido em ficar com ela. Mas era tarde demais para mudar de ideia. Tranquei o estojo em meu cofre particular e voltei ao meu trabalho.

"Quando terminou o dia, achei que seria imprudente deixar uma coisa tão preciosa no escritório. Cofres de banqueiros já haviam sido arrombados no passado, por que não poderia acontecer o mesmo com o meu? Se isso acontecesse, em que posição terrível eu ficaria! Portanto, decidi que nos dias seguintes eu iria carregar o estojo comigo de um lado para outro, de modo que nunca ficasse longe de meus olhos. Tendo resolvido isso, chamei um cabriolé e fui para minha casa em Streatham, levando a joia comigo. Só respirei aliviado quando a levei para meus aposentos e a tranquei em uma gaveta do meu quarto de vestir.

"Agora preciso dizer algo sobre a minha casa, sr. Holmes, pois quero que compreenda bem a situação. Meu empregado e meu lacaio dormem fora de casa, e podem ser postos inteiramente de lado. Tenho três empregadas que estão comigo há muitos anos e que são de absoluta confiança. Uma outra, Lucy Parr, só trabalha para mim há alguns meses. Mas veio com excelentes recomendações e tem sido mais do que satisfatória. É uma moça muito bonita e tem atraído muitos admiradores, que às vezes ficam rondando a casa. Foi o único inconveniente em relação a ela, mas acredito que seja uma boa moça, sob todos os aspectos.

"Isto quanto aos empregados. Minha própria família é tão pequena que não levarei muito tempo para descrevê-la. Sou viúvo e tenho um filho único, Arthur. Ele tem sido um desgosto para mim, sr. Holmes, um grande desgosto. Não tenho dúvidas de que a culpa é minha. Todos dizem que eu o estraguei. É muito provável que seja verdade. Quando minha querida esposa faleceu, senti que ele era tudo que me restava para amar. Não suportava ver o sorriso desaparecer de seu rosto nem por um instante. Nunca lhe neguei coisa alguma. Provavelmente teria sido melhor para nós dois se eu tivesse sido mais rigoroso, mas só queria o bem dele.

"É claro que minha intenção era que ele herdasse meu negócio, mas não tinha inclinação para isso. Era muito rebelde, muito impetuoso e, para dizer a verdade, não podia confiar nele para lidar com grandes quantias de dinheiro. Quando ainda era muito jovem, tornou-se sócio de um clube muito aristocrático onde, com suas maneiras encantadoras, logo ficou íntimo de homens com muito dinheiro e hábitos extravagantes. Aprendeu a jogar cartas com paradas muito altas e a apostar em corridas de cavalos até que teve de vir a mim várias vezes implorando que adiantasse algum dinheiro de sua mesada para pagar as dívidas de jogo. Tentou mais de uma vez largar a companhia perigosa dessas pessoas, mas em todas essas ocasiões a influência de seu amigo, lorde George Burnwell, foi suficiente para atraí-lo de volta.

"E, na verdade, não me espanto com o fato de que um homem como lorde George Burnwell tivesse tanta influência sobre ele, pois o trouxe muitas vezes à minha casa e vi que eu mesmo mal podia resistir à fascinação dele. É mais velho que Arthur, um homem vivido, que já foi a toda parte, já viu tudo e fez de tudo, tem uma conversa brilhante e grande beleza. No entanto, quando penso nele friamente, longe da magia de sua presença, tenho certeza, observando sua maneira cínica de falar e a expressão que às vezes vejo em seus olhos, de que é um homem em quem não se pode confiar. É isso que penso e minha querida Mary também, com sua intuição feminina.

"Só falta descrever Mary. É minha sobrinha, mas quando meu irmão faleceu, há cinco anos, e a deixou sozinha no mundo, eu a adotei, e desde então a considero minha filha. É um raio de sol em minha casa... doce, meiga, linda, uma excelente dona de casa, tudo que se pode querer em uma mulher. É meu braço direito. Não sei o que faria sem ela. Só em uma coisa ela me contrariou até agora. Meu filho já a pediu em casamento duas vezes, porque a ama com devoção, mas nas duas ela o recusou. Acho que se há alguém que poderia atraí-lo para o bom caminho, é ela, e que o casamento poderia mudar inteiramente a vida dele. Mas agora, meu Deus! É tarde demais, tarde demais!

"Agora, sr. Holmes, o senhor conhece as pessoas que moram em minha casa e posso continuar a minha triste história.

"Quando estávamos tomando café na sala naquela noite, após o jantar, contei a Arthur e a Mary o que me havia acontecido e que o tesouro precioso estava naquele momento sob nosso teto, omitindo apenas o nome de meu cliente. Lucy Parr, que servira o café, havia deixado a sala, tenho certeza, mas não posso jurar que a porta estivesse fechada. Mary e Arthur ficaram muito interessados e quiseram ver a famosa coroa, mas achei melhor não mexer nela.

"'Onde a botou?', perguntou Arthur.

"'Em uma gaveta em meu quarto de vestir.'

"'Bem, espero que a casa não seja assaltada esta noite', disse Arthur.

"'Está trancada', observei.

"'Ora, qualquer chave serve para abrir aquela sua cômoda velha. Quando era mais jovem, eu mesmo a abri com a chave do armário do quarto de depósito.'

"Ele muitas vezes dizia coisas desse gênero sem falar a sério, de modo que não dei atenção ao que disse. Mas ele me seguiu até meu quarto naquela noite, com o rosto muito sério.

"'Olhe aqui, papai', disse, de olhos baixos. 'Pode me dar duzentas libras?'

"'Não, não posso!', respondi, ríspido. 'Tenho sido generoso demais com você em matéria de dinheiro.'

"'Tem sido muito bondoso', respondeu, 'mas preciso desse dinheiro, ou nunca mais poderei aparecer no clube outra vez'.

"'Isso seria ótimo!', exclamei.

"'Talvez, mas não quer que eu saia de lá desonrado', retrucou. 'Não aguentaria a desgraça. Tenho de arranjar esse dinheiro de qualquer maneira, e se não vai me dar, tenho de procurar outro jeito.'

"Fiquei muito zangado, pois era a terceira vez que me pedia dinheiro nesse mês. 'Não verá mais um tostão meu', gritei, e com isso ele balançou a cabeça num cumprimento e saiu do quarto sem dizer mais nada.

"Depois que ele saiu, destranquei a gaveta da cômoda, vi que meu tesouro estava seguro e tranquei-a novamente. Em seguida percorri a casa para verificar se estava tudo trancado, uma tarefa que em geral cabe a Mary, mas achei melhor que eu mesmo a fizesse nessa noite. Quando descia as escadas, vi Mary junto à janela do hall, que ela fechou e trancou quando me aproximei.

"'Diga-me, papai', ela falou, dando-me a impressão de estar um pouco perturbada, 'deu licença a Lucy para sair hoje à noite?'

"'Claro que não.'

"'Ela acaba de entrar pela porta dos fundos. Tenho certeza de que foi só até o portão lateral para ver alguém, mas acho que isso não é muito seguro e não devemos deixar que continue.'

"'Deve falar com ela de manhã, ou, se preferir, eu mesmo falo. Tem certeza de que está tudo trancado?'

"'Certeza absoluta, papai.'

"Dei-lhe um beijo de boa-noite e fui para o meu quarto, adormecendo pouco depois.

"Estou tentando contar-lhe tudo que possa ter alguma relação com o caso, sr. Holmes, mas peço-lhe que faça perguntas sobre qualquer coisa que não lhe pareça clara."

— Pelo contrário, sua narrativa é bastante precisa.

— Estou chegando agora a uma parte da história que quero que seja especialmente clara. Não tenho sono pesado, e a ansiedade que estava sentindo sem dúvida contribuiu para torná-lo mais leve ainda. Por volta de duas horas, fui acordado por algum ruído dentro de casa. Cessou antes que eu estivesse totalmente acordado, mas tive a impressão de que uma janela fora fechada de maneira suave em algum lugar. Fiquei deitado com os ouvidos atentos. De repente, para meu horror, ouvi o som nítido de passos no quarto ao lado. Saí da cama tremendo de medo e olhei pelo canto da porta de meu quarto de vestir.

"'Arthur!', gritei, 'seu vilão! Ladrão! Como ousa tocar nessa coroa?'

"A lamparina de gás estava com a chama baixa, como a deixara, e meu filho desgraçado, vestindo apenas a camisa e calças, estava de pé perto da luz com a coroa nas mãos. Parecia estar torcendo a ponta, ou querendo arrancá-la com toda a força. Ao ouvir meu grito, ele a deixou cair e ficou pálido como um morto. Peguei a coroa e examinei-a. Uma das pontas de ouro, com três berilos, estava faltando.

"'Seu canalha!', gritei, fora de mim de tanta raiva. 'Você a destruiu! Desonrou-me para sempre! Onde estão as pedras que você roubou?'

"'Roubei!', exclamou.

"'Sim, seu ladrão!', berrei, sacudindo-o pelos ombros.

"'Não está faltando nenhuma pedra. Não pode estar faltando', ele disse.

"'Estão faltando três. E você sabe onde estão. Será que vou ter de chamá-lo de mentiroso, além de ladrão? Não vi você tentando arrancar mais um pedaço?'

"'Já me insultou demais', ele disse, 'não vou mais suportar isso. Não direi nenhuma palavra sobre este assunto, já que resolveu me insultar. Deixarei sua casa de manhã e vou tentar minha vida sozinho.'

"'Você a deixará pelas mãos da polícia!', gritei, louco de desgosto e raiva. 'Vou investigar este assunto até o fim.'

"'Não vai conseguir arrancar nada de mim', disse com uma violência que nunca pensei que pudesse demonstrar. 'Se quer chamar a polícia, então eles que descubram o que puderem.'

"A essa altura, a casa toda estava acordada, porque eu gritara de raiva. Mary foi a primeira a entrar correndo no meu quarto, e quando viu a coroa e a cara de Arthur, compreendeu tudo e, com um grito, caiu desmaiada. Mandei a criada buscar a polícia e deixei a investigação em suas mãos no mesmo instante. Quando o inspetor e um guarda entraram em casa, Arthur, que estava de pé, com os braços cruzados e uma expressão sombria, perguntou se era minha intenção acusá-lo de roubo. Respondi que não era mais um assunto particular, que se tornara público, já que a coroa era um bem nacional. Eu decidira que a lei deveria tomar conta de tudo.

"'Pelo menos', ele pediu, 'não faça com que seja preso de imediato. Seria bom para o senhor, e também para mim, se eu pudesse sair de casa por cinco minutos.'

"'Para poder fugir, ou esconder o que você roubou', respondi. E então, percebendo a terrível posição em que me encontrava, implorei que se lembrasse de que não só a minha honra, mas também a honra de alguém muito superior, estava em jogo, e que iria provocar um escândalo que abalaria a nação. Ele poderia evitar tudo isso se me dissesse o que fizera com as três pedras que faltavam.

"'É melhor encarar o fato', eu disse. 'Você foi pego em flagrante e nenhuma confissão tornaria sua culpa mais odiosa. Se você apenas se retratar, como pode fazer, e nos disser onde estão os berilos, tudo será esquecido e perdoado.'

"'Guarde seu perdão para quem pedir', respondeu, virando as costas com desdém. Vi que ele estava insensível demais para que minhas palavras o influenciassem. Só havia uma coisa a fazer. Chamei o inspetor e mandei prendê-lo. Fizeram imediatamente uma busca, não só revistando-o, mas também seu quarto e todos os lugares da casa onde ele poderia ter escondido as pedras, mas não encontraram nenhum vestígio delas, nem o rapaz abriu a boca, apesar de todas as nossas súplicas e ameaças. Hoje de manhã ele foi transferido para uma cela, e eu, depois de passar por todas as formalidades policiais, vim aqui correndo para lhe implorar que use sua habilidade para esclarecer o assunto. A polícia confessou abertamente que, no momento, não pode fazer nada. O senhor pode gastar tudo que for necessário. Já ofereci uma recompensa de mil libras. Meu Deus, o que devo fazer!? Perdi minha honra, minhas pedras e meu filho, tudo em uma noite. O que vou fazer!?"

Segurou a cabeça com as mãos e balançou o corpo de um lado para outro, murmurando baixinho como uma criança cujo sofrimento se tivesse tornado insuportável.

Sherlock Holmes ficou sentado em silêncio por alguns minutos, com a testa franzida e os olhos fixos no fogo.

— O senhor recebe muita gente? — perguntou.

— Não, a não ser meu sócio e sua família, e às vezes algum amigo de Arthur. Lorde George Burnwell esteve lá várias vezes ultimamente. Ninguém mais, acho.

— Sai muito socialmente?

— Arthur sai. Mary e eu ficamos em casa. Nenhum de nós dois gosta muito de sair.

— Isso não é comum para uma moça.

— Ela é muito tranquila. Além disso, não é tão moça assim. Já tem 24 anos.

— O que aconteceu, pelo que disse, parece que a abalou muito também.

— Profundamente! Está ainda pior do que eu.

— Nenhum dos dois tem a menor dúvida de que seu filho é culpado?

— Como podemos ter se eu o vi, com meus próprios olhos, com a coroa nas mãos?

— Não considero isso uma prova conclusiva. O resto da coroa foi danificado de alguma maneira?

— Sim, ela ficou torcida.

— Não acha, então, que ele talvez estivesse tentando consertá-la?

— Deus o abençoe! Está fazendo o que pode por ele e por mim. Mas é uma tarefa impossível. O que estava fazendo ali, em primeiro lugar? Se seu objetivo era inocente, por que não disse logo?

— Exatamente. E se fosse culpado, por que não inventou uma mentira? Seu silêncio, a meu ver, pode ser pelas duas razões. Há vários pontos singulares nesse caso. O que a polícia achou do barulho que o acordou?

— Acharam que poderia ter sido provocado por Arthur, ao fechar a porta de seu quarto.

— Muito pouco provável! Um homem com a intenção de praticar um crime não iria bater uma porta e acordar a casa inteira. E o que disseram do desaparecimento das pedras?

— Ainda estão examinando o assoalho e os móveis na esperança de encontrá-las.

— Pensaram em procurar fora da casa?

— Sim, eles têm demonstrado uma energia extraordinária. Já examinaram minuciosamente o jardim inteiro.

— Bem — disse Holmes —, não é óbvio para o senhor agora que esse assunto é muito mais complexo do que o senhor ou a polícia pensaram de início? Pareceu-lhe ser um caso muito simples; para mim, parece extremamente complicado. Considere o que sua teoria representa. O senhor supõe que seu filho saiu da cama, foi, com grande risco, ao seu quarto de vestir, abriu sua cômoda, tirou a coroa, quebrou com esforço um pedaço, foi para outro lugar, escondeu três pedras das 39 tão bem que ninguém conseguiu achá-las e depois voltou com as outras 36 para o quarto onde se expunha ao risco extremo de ser encontrado. Agora pergunto ao senhor, essa teoria é convincente?

— Mas não existe outra! — exclamou o banqueiro, com um gesto de desespero. — Se seus motivos eram inocentes, por que não os explica?

— É nossa tarefa descobrir isso — respondeu Holmes —, de modo que agora, se me permite, sr. Holder, vamos para Streatham juntos, passar uma hora examinando mais atentamente os detalhes.

Meu amigo insistiu que os acompanhasse em sua expedição, o que estava ansioso para fazer, pois minha curiosidade e compaixão haviam sido despertadas pela história que tínhamos acabado de ouvir. Confesso que a culpa do filho do banqueiro parecia tão evidente para mim quanto para seu infeliz pai, mas eu ainda tinha tanta confiança na opinião de Holmes que senti que devia haver motivos para se ter esperança, já que ele não estava satisfeito com a explicação dada. Quase não disse uma palavra no trajeto para o longínquo subúrbio ao sul da cidade. Ficou sentado com o queixo afundado no peito e o chapéu puxado sobre os olhos, mergulhado em profundos pensamentos. Nosso cliente parecia ter adquirido novo ânimo com o pequeno vislumbre de esperança que lhe fora apresentado e chegou até a conversar descontraidamente comigo sobre os seus negócios. Uma curta viagem de trem e uma caminhada ainda mais curta nos levaram a Fairbank, a modesta residência do grande financista.

Fairbank era uma casa quadrada de bom tamanho, de pedras brancas, um pouco afastada da rua. Uma entrada da largura de duas carruagens e um gramado coberto de neve se estendiam até os dois grandes portões de ferro que fechavam a entrada. À direita havia um grupo denso de arbustos que levava a um caminho estreito entre duas sebes, que ia da estrada até a porta da cozinha e que era a entrada de serviço. À esquerda havia uma alameda que levava à estrebaria e que não ficava dentro da propriedade; era uma via pública, embora pouco usada. Holmes nos deixou parados em frente à porta e caminhou lentamente em volta da casa, passou pela frente, percorreu a entrada de serviço e, dando a volta pelo jardim, chegou à alameda que ia para a estrebaria. Demorou tanto que o sr. Holder e eu fomos para a sala de jantar e esperamos perto da lareira. Estávamos sentados em silêncio quando a porta se abriu e uma moça entrou. Era mais alta que a média, esbelta, com cabelos e olhos escuros, que pareciam mais escuros ainda em contraste com a pele muito pálida. Acho que nunca vi um rosto de mulher tão pálido. Os lábios também eram descorados, mas os olhos estavam vermelhos de chorar. Quando entrou silenciosamente na sala, senti o impacto de sua dor profunda, muito mais do que com o banqueiro de manhã, o que era surpreendente, pois era óbvio que era uma mulher forte, com imensa capacidade de autocontrole. Ignorando minha presença, aproximou-se do tio e passou a mão pelos seus cabelos, num gesto meigo e carinhoso.

— Deu ordem para que soltassem Arthur, não foi, papai? — perguntou.

— Não, não, minha filha, o caso tem que ser investigado até o fim.

— Mas tenho certeza de que ele é inocente. Sabe o que são os instintos de uma mulher. Sei que ele não fez nada de mal, e o senhor vai se arrepender de ter sido tão severo.

— Por que ficou calado se é inocente?

— Quem sabe? Talvez porque estivesse muito zangado pelo fato de o senhor ter suspeitado dele.

— Como poderia deixar de suspeitar dele se o vi com a coroa nas mãos?

— Oh, mas só pegara nela para olhar. Por favor, acredite em mim, sei que ele é inocente. Deixe isso de lado, não diga mais nada. É horrível pensar em nosso querido Arthur na prisão!

— Não vou deixar nada de lado até as pedras serem encontradas... nunca, Mary! Sua afeição por Arthur a está deixando cega em relação às horríveis consequências para mim. Em vez de abafar o assunto, trouxe um cavalheiro de Londres para fazer uma investigação mais minuciosa.

— Este cavalheiro? — perguntou, virando-se para mim.

— Não, o amigo dele. Queria ficar só. Está andando pela alameda da estrebaria neste momento.

— A alameda da estrebaria? — Ergueu as sobrancelhas escuras. — O que espera encontrar lá? Ah, deve ser ele que chega. Espero, senhor, que consiga provar o que eu tenho certeza de que é a verdade, que meu primo Arthur é inocente desse crime.

— Concordo inteiramente com a senhora e espero, como a senhora, que possa prová-lo — disse Holmes, voltando até o capacho para sacudir a neve dos sapatos. — Creio que tenho a honra de falar com a srta. Mary Holder. Posso fazer-lhe uma ou duas perguntas?

— Sem dúvida, senhor, se é para ajudar a esclarecer este horrível mistério.

— Não ouviu nada na noite passada?

— Nada, até meu tio começar a falar em voz alta. Ouvi isso, e desci.

— Fechou todas as janelas e portas na noite anterior. Trancou todas as janelas?

— Sim.

— Estavam todas trancadas esta manhã?

— Estavam.

— Tem uma criada que tem um namorado? Acho que comentou com seu tio na noite passada que ela saíra para vê-lo?

— Sim, e foi ela que nos serviu na sala e que talvez tenha ouvido os comentários de meu tio sobre a coroa.

— Entendo. Está sugerindo que ela podia ter saído para contar ao namorado e que os dois podem ter planejado o roubo.

— Mas de que adiantam todas essas teorias vagas — exclamou o banqueiro com impaciência — se eu lhe disse que vi Arthur com a coroa nas mãos?

— Espere um pouco, sr. Holder. Voltaremos a esse ponto. A respeito dessa moça, srta. Holder. A senhora a viu voltar pela porta da cozinha, suponho?

— Sim. Quando fui verificar se a porta estava trancada, encontrei-a entrando sorrateiramente. Vi o homem, também, no escuro.

— A senhora o conhece?

— Ah, sim. É o rapaz que traz nossas verduras. Seu nome é Francis Prosper.

— Ele estava — disse Holmes — à esquerda da porta, isto é, tinha ido até mais longe no caminho do que era necessário para chegar à porta?

— Sim.

— E é um homem que tem uma perna de pau?

Algo parecido com o medo surgiu nos olhos escuros e expressivos da moça.

— O senhor parece um mágico — disse. — Como sabe disso? — Ela sorriu, mas o rosto magro de Holmes continuou sério.

— Gostaria muito de ir lá em cima agora — disse. — Provavelmente vou querer examinar o lado de fora outra vez. Talvez seja melhor verificar as janelas de baixo antes de subir.

Foi depressa de uma para a outra, parando apenas na janela grande que dava do hall para a alameda da cocheira. Esta ele abriu, e examinou com cuidado o peitoril com sua lente de aumento.

— Agora vamos subir — disse.

O quarto de vestir do banqueiro era mobiliado com simplicidade — um tapete cinza, uma grande cômoda e um espelho. Holmes foi primeiro até a cômoda e examinou a fechadura.

— Qual foi a chave usada para abri-la? — perguntou.

— A que meu filho mencionou, a do armário do quarto usado como depósito de lenha.

— E onde está essa chave?

— É essa que está aí em cima.

Sherlock Holmes pegou a chave e abriu a cômoda.

— É uma fechadura silenciosa — disse. — Não é de admirar que não o tenha acordado. Esse estojo, suponho, contém a coroa. Vamos dar uma olhada. — Abriu o estojo e, tirando o diadema, depositou-o sobre a mesa. Era uma amostra magnífica da arte da joalheria e as 36 pedras eram as mais lindas que já vi. Em um dos lados da coroa havia um pedaço quebrado, deixando uma borda irregular, onde a ponta que segurava três pedras havia sido arrancada.

— Bem, sr. Holder — disse Holmes —, aqui está uma ponta igual à que infelizmente desapareceu. Peço-lhe que tente quebrá-la.

O banqueiro recuou horrorizado.

— Nem pensaria em fazer uma coisa dessas — disse.

— Então eu mesmo faço. — Holmes fez a máxima pressão sobre a ponta, mas nada aconteceu. — Senti que cedia um pouco — disse —, mas, embora eu tenha uma força excepcional nos dedos, levaria um tempo enorme para quebrar um pedaço. Um homem comum não conseguiria. E então, o que acha que aconteceria se eu conseguisse quebrar a coroa, sr. Holder? Haveria um estalo semelhante a um tiro de revólver. Vai me dizer que tudo isso aconteceu a poucos passos de sua cama e que o senhor não ouviu nada?

— Não sei o que pensar. Tudo está muito confuso.

— Mas talvez fique mais claro à medida que prosseguirmos. O que a senhora acha, srta. Holder?

— Confesso que estou tão perplexa quanto meu tio.

— Seu filho não usava sapatos nem chinelos quando o viu?

— Não usava nada, a não ser a calça e a camisa.

— Obrigado. Na verdade, fomos favorecidos por uma sorte extraordinária nessa investigação e será inteiramente culpa nossa se não conseguirmos elucidar o mistério. Com sua permissão, sr. Holder, continuarei minhas investigações lá fora.

Preferiu sair sozinho, pois explicou que pegadas desnecessárias dificultariam sua tarefa. Trabalhou durante uma hora ou mais, voltando enfim com os pés cheios de neve e a expressão impenetrável como sempre.

— Acho que vi tudo que há para ver, sr. Holder — disse. — Posso ajudá-lo mais voltando aos meus aposentos.

— Mas as pedras, sr. Holmes. Onde elas estão?

— Não posso dizer.

O banqueiro torceu as mãos.

— Nunca mais as verei! — exclamou. — E meu filho? O senhor me dá alguma esperança?

— Minha opinião continua a mesma.

— Mas, pelo amor de Deus, que drama foi esse que ocorreu em minha casa ontem à noite?

— Se o senhor puder ir à Baker Street amanhã de manhã, entre nove e dez horas, terei o prazer de fazer o possível para tornar tudo mais claro. Entendo que me dá *carte blanche* para agir pelo senhor, desde que recupere as pedras, e que não há limite para a quantia que eu tenha de gastar.

— Daria toda a minha fortuna para recuperar as pedras.

— Muito bem. Estudarei o assunto até lá. Bem, até logo. É possível que eu tenha de voltar aqui antes desta noite.

Era evidente para mim que meu amigo já chegara a uma conclusão, embora eu não tivesse a menor ideia de qual poderia ser. Várias vezes na viagem de volta para casa tentei sondá-lo a esse respeito, mas ele sempre desviava a conversa para outro assunto, até que desisti. Ainda não eram 15 horas quando entramos em nossa sala. Ele foi para o quarto e desceu poucos minutos depois vestido como um vagabundo. Com a gola do casaco puído e lustroso levantada, uma echarpe vermelha suja e botas gastas, era um perfeito espécime da classe.

— Acho que estou passável — disse, olhando-se no espelho acima da lareira. — Gostaria que viesse comigo, Watson, mas receio que não dê certo. Pode ser que esteja na pista certa ou pode ser que esteja perseguindo um fantasma, em pouco tempo saberei qual dos dois. Espero estar de volta dentro de algumas horas. — Cortou uma fatia do pernil que estava em cima do aparador, colocou-a entre duas fatias de pão e, enfiando essa minguada refeição no bolso, partiu para sua expedição.

Estava terminando meu chá quando ele voltou, evidentemente de ótimo humor, balançando na mão uma velha bota com elástico dos lados. Atirou-a em um canto e serviu-se de chá.

— Só parei um instante — disse. — Vou sair de novo agora mesmo.

— Aonde vai?

— Oh, do outro lado de West End. Talvez demore bastante. Não espere por mim, posso chegar muito tarde.

— Como estão indo as coisas?

— Oh, mais ou menos. Não posso me queixar. Fui até Streatham, mas não falei com ninguém na casa. É um problema muito interessante, desses que pago para esclarecer. Mas não posso ficar aqui conversando, tenho de trocar essas roupas vergonhosas e voltar a ser um homem respeitável.

Vi pelo seu jeito que tinha bons motivos para estar satisfeito, mais do que suas palavras deixavam transparecer. Os olhos brilhavam e havia até um pouco de cor em suas faces pálidas. Subiu as escadas depressa e pouco depois ouvi a porta do hall bater, o que queria dizer que ele estava mais uma vez em campo.

Esperei até meia-noite, mas não havia sinal dele, de modo que fui para o meu quarto. Era comum ficar fora de casa dias e noites a fio quando seguia uma pista, e essa demora não me espantou. Não sei a que horas voltou, mas, quando desci para o café no dia seguinte, lá estava ele com uma xícara de café em uma das mãos e o jornal na outra, com ar repousado e bem-vestido como sempre.

— Perdoe-me por ter começado sem você, Watson — disse —, mas deve lembrar-se de que nosso cliente tem hora marcada hoje cedo.

— Ora, já passa das nove horas — respondi. — Acho que é ele que está chegando. Ouvi a campainha.

Era realmente nosso amigo, o banqueiro. Fiquei chocado com a transformação que se operara nele, pois o rosto, normalmente largo e maciço, estava agora emaciado e murcho, e os cabelos pareciam bem mais brancos. Entrou com um jeito cansado e letárgico, que era muito mais doloroso que a violência do dia anterior, e deixou-se cair na poltrona que puxei para ele.

— Não sei o que fiz para ser castigado dessa maneira — disse. — Há apenas dois dias eu era um homem feliz e próspero, sem nenhum problema. Agora enfrento uma velhice solitária e sem honra. Um desgosto vem atrás do outro. Minha sobrinha Mary me abandonou.

— Abandonou-o?

— Sim. Sua cama esta manhã estava intacta, seu quarto estava vazio e havia um bilhete para mim na mesa do hall. Disse-lhe ontem à noite, com pesar e não com raiva, que se ela tivesse se casado com meu filho talvez tudo tivesse sido diferente. Talvez não devesse ter dito isso. É a isso que ela se refere neste bilhete:

> *Meu querido tio: Sinto que fui eu a causa desses problemas, e que, se tivesse agido de modo diferente, essa desgraça não teria acontecido. Não poderei, com essa ideia em minha mente, nunca mais ser feliz debaixo de seu teto e sinto que devo deixá-lo para sempre. Não se preocupe com meu futuro, pois está garantido. E, acima de tudo, não me procure, porque será inútil e prejudicial para mim. Na vida e na morte, serei sempre a que muito lhe quer. Mary.*

— O que ela quer dizer com este bilhete, sr. Holmes? Acha que indica suicídio?

— Não, não, nada disso. Talvez seja a melhor solução. Acho, sr. Holder, que o senhor está chegando ao fim de seus problemas.

— Ah! O senhor está dizendo isso! O senhor ouviu alguma coisa, sr. Holmes, o senhor descobriu alguma coisa! Onde estão as pedras?

— Não considera mil libras cada uma delas um preço excessivo?

— Pagaria até dez.

— Isto não será necessário. Três mil libras são suficientes. E há uma pequena recompensa, imagino. Está com seu talão de cheques? Aqui está uma pena. É melhor fazer o cheque de quatro mil libras.

Com um ar aturdido, o banqueiro preencheu o cheque. Holmes foi até a escrivaninha, tirou um pedaço triangular de ouro com três pedras engastadas e jogou-o sobre a mesa.

Com uma exclamação de alegria, nosso cliente o agarrou.

— O senhor conseguiu! — balbuciou. — Estou salvo! Estou salvo!

A reação de alegria foi tão violenta quanto fora sua dor, e apertou as pedras contra o peito.

— Há mais uma coisa que o senhor deve, sr. Holder — disse Sherlock Holmes, outra vez.

— Devo! — Ele pegou a pena. — Diga quanto e pagarei.

— Não, a dívida não é comigo. O senhor deve um pedido de desculpas, com toda humildade, àquele nobre rapaz, seu filho, que se portou neste caso de uma maneira que me deixaria orgulhoso se meu próprio filho se portasse assim, se eu tivesse filhos.

— Então não foi Arthur que roubou as pedras?

— Eu lhe disse ontem e repito hoje que não foi ele.

— Tem certeza! Então vamos vê-lo agora mesmo, para dizer-lhe que sabemos a verdade.

— Ele já sabe. Quando esclareci tudo, tive uma entrevista com ele e, vendo que não ia me contar a história, eu a contei a ele. Sendo assim, teve de admitir que eu estava com a razão e acrescentou alguns pequenos detalhes que ainda não estavam bem claros para mim. Mas suas novidades de hoje talvez o façam falar.

— Pelo amor de Deus, conte-me então que mistério extraordinário é esse!

— Vou contar e vou mostrar-lhe de que maneira cheguei a uma conclusão. E deixe-me dizer, em primeiro lugar, o que é mais difícil para mim falar e mais difícil para o senhor ouvir. Houve um entendimento entre sua sobrinha, Mary, e lorde George Burnwell. Fugiram juntos.

— Minha Mary? Impossível!

— Infelizmente, é mais do que possível, é um fato. Nem o senhor nem seu filho conheciam o verdadeiro caráter desse homem quando o admitiram em seu círculo familiar. É um dos homens mais perigosos da Inglaterra, um jogador arruinado, um vilão totalmente desesperado, um homem sem coração nem consciência. Sua sobrinha não sabia nada a respeito de homens assim. Quando declarou seu amor por ela, como fizera com centenas antes dela, Mary ficou convencida de que fora a única a tocar seu coração. Só o demônio sabe o que ele lhe disse, mas finalmente ela se tornou um instrumento dele e tinha o costume de vê-lo quase todas as noites.

— Não posso, não quero acreditar nisso! — exclamou o banqueiro, com o rosto lívido.

— Então vou contar-lhe o que aconteceu em sua casa naquela noite. Sua sobrinha, quando viu que o senhor tinha ido para seu quarto, desceu sorrateiramente e conversou com seu amante pela janela que dá para a alameda da estrebaria. Ele ficou tanto tempo de pé ali que seus pés comprimiram a neve, deixando marcas. Ela contou-lhe sobre a coroa, despertando sua ganância por ouro, e ele a convenceu a fazer o que ele queria. Não tenho dúvida alguma de que ela amava o senhor, mas em algumas mulheres o amor por um homem destrói todos os outros amores, e acho que ela era uma dessas. Mal ouvira as instruções que ele lhe dava quando viu o senhor descendo as escadas, e então fechou a janela depressa, falando da empregada e seu namorado de perna de pau, o que era verdade.

"Seu filho, Arthur, foi para a cama depois de ter falado com o senhor, mas não conseguiu dormir porque estava preocupado com a dívida do clube. No meio da noite ouviu o ruído de alguém passando pela sua porta, então levantou-se e, olhando da porta, ficou surpreso ao ver sua prima andando de modo furtivo pelo corredor até desaparecer em seu quarto de vestir. Completamente atônito, o rapaz enfiou umas roupas e esperou no escuro para ver o que iria acontecer. Pouco depois ela saiu do quarto e, à luz da lâmpada do corredor, seu filho viu que ela carregava a preciosa coroa. Ela desceu as escadas, e ele, tremendo de horror, correu e se escondeu atrás da cortina perto de sua porta, de onde podia ver o que se passava no hall, embaixo. Viu-a abrir a janela sorrateiramente, entregar a coroa a alguém na escuridão e fechá-la outra vez, correndo de volta para o quarto e passando bem perto de onde ele estava escondido.

"Enquanto ela estava em cena, ele não podia agir sem expor a mulher que amava. Mas no momento em que ela desapareceu no quarto, ele compreendeu que isso seria uma desgraça para o senhor e como era importante procurar consertar a situação. Correu pelas escadas do jeito que estava, descalço, abriu a janela, saltou na neve e correu pela alameda, onde podia ver um vulto escuro ao luar. Lorde George Burnwell tentou fugir, mas Arthur o pegou e houve uma briga entre eles, seu filho puxando um lado da coroa e seu adversário, o outro. Na confusão, seu filho bateu em lorde George e feriu-o no olho. De repente, alguma coisa se partiu e seu filho, vendo que estava com a coroa nas mãos, voltou correndo, fechou a janela, subiu até o seu quarto, e acabara de notar que a coroa estava retorcida e procurava consertá-la quando o senhor apareceu."

— Será possível? — balbuciou o banqueiro.

— Então o senhor fez com que ele se zangasse insultando-o no momento em que ele achava que merecia seu mais profundo agradecimento. Não podia explicar a verdade dos fatos sem trair a pessoa que sem dúvida não merecia a menor consideração. No entanto, ele assumiu a atitude mais cavalheiresca e guardou segredo.

— E foi por isso que ela gritou e desmaiou quando viu a coroa — exclamou o sr. Holder. — Oh, meu Deus! Que cego idiota eu fui! E ele me pedindo para sair por cinco minutos! Meu pobre rapaz queria ver se o pedaço que faltava estava no local da briga. Como fui injusto com ele!

— Quando cheguei à sua casa — continuou Holmes —, fui logo examinar cuidadosamente em volta para ver se havia alguma pista na neve que pudesse me ajudar. Sabia que não caíra mais neve desde a noite anterior, e também que houvera uma geada e a neve congelara, preservando qualquer impressão. Segui o caminho da entrada de serviço, mas ele estava pisado e repisado, e não era possível distinguir as pegadas. Mas um pouco adiante, do outro lado da porta da cozinha, uma mulher estivera conversando com um homem, e uma marca redonda de um lado mostrava que ele tinha uma perna de pau. Pude até ver que eles haviam sido interrompidos, pois a mulher correra de volta para a porta, como provavam as marcas profundas da ponta dos pés e muito superficiais do calcanhar, enquanto o perna de pau esperara um pouco e depois fora embora. Na ocasião pensei que poderia tratar-se da empregada e seu namorado, de quem o senhor já me falara, e que foi confirmado posteriormente. Passei pelo jardim sem ver nada além de pegadas sem direção precisa, que julguei serem da polícia, mas, quando cheguei à alameda da estrebaria, descobri uma história longa e complexa escrita na neve à minha frente.

"Havia uma linha dupla de pegadas de um homem de botas e uma segunda linha dupla, que, para minha satisfação, vi que pertencia a um homem descalço. Tive certeza, pelo que o senhor me dissera, que esta última era de seu filho. O primeiro andara em ambas as direções, mas o outro correra rapidamente e, como em certos lugares suas pegadas estavam em cima das depressões causadas pelas botas, era evidente que ele seguira o outro. Segui as marcas e descobri que levavam à janela do hall, onde o Botas havia afundado a neve enquanto esperava. Fui então para o outro extremo, que ficava a uns cem metros ou mais. Vi o lugar onde Botas virara, onde a neve estava toda pisada e amassada, como se tivesse havido uma luta, e por fim, o local onde algumas gotas de sangue haviam caído, para provar que estava certo. Botas correra então pelo caminho e outras pequenas manchas de sangue mostravam que era ele que estava machucado. Quando alcançou a estrada na outra extremidade, vi que a neve havia sido retirada, e foi o fim dessa pista.

"Ao entrar na casa, entretanto, examinei, como deve se lembrar, o peitoril da janela do hall com a lente e pude ver logo que alguém havia saído por ela. Pude distinguir marcas de dedos e calcanhar onde um pé molhado se apoiara ao entrar. Eu estava começando então a formar uma imagem do que havia acontecido. Um homem ficara esperando do lado de fora da janela, alguém lhe trouxera a joia; esta cena fora vista por seu filho, que perseguiu o ladrão, lutou com ele, ambos puxaram a coroa e a combinação de seus esforços causou danos que nenhum dos dois sozinho poderia causar. Seu filho voltou com a joia, mas deixara um pedaço nas mãos do adversário. Até aí, tudo bem. A questão agora era: quem era o homem, e quem lhe dera a coroa?

"É um velho preceito meu que, quando se exclui o impossível, o que resta, por mais improvável que seja, deve ser a verdade. Sabia que não fora o senhor que trouxera a coroa, então só restavam sua sobrinha e as empregadas. Mas, se fossem as empregadas, por que seu filho se deixaria acusar em seu lugar? Não poderia haver nenhum motivo. Mas ele amava sua prima e, portanto, havia um excelente motivo para guardar seu segredo, principalmente por se tratar de um segredo vergonhoso. Quando me lembrei de que o senhor a vira perto daquela janela e que ela desmaiou quando viu a coroa outra vez, minha suposição transformou-se em certeza.

"E quem poderia ser seu cúmplice? Um namorado, evidentemente, pois quem mais poderia anular o amor e a gratidão que ela sentia pelo senhor? Sabia que saíam pouco, que seu círculo de amigos era muito restrito. Mas lorde George Burnwell fazia parte desse círculo.

Já ouvira dizer que ele era um homem de péssima reputação entre as mulheres. Devia ser ele quem usava aquelas botas e ficara com as pedras. Mesmo sabendo que Arthur o desmascarara, devia achar que estava seguro, porque o rapaz não podia dizer uma palavra sem comprometer sua própria família.

"Seu bom senso lhe dirá o que fiz em seguida. Disfarcei-me de vagabundo, fui até a casa de lorde George, consegui fazer amizade com seu criado de quarto, soube que seu patrão cortara o rosto na noite anterior e, enfim, confirmei tudo comprando, por seis xelins, um par de sapatos velhos dele. Com eles na mão, fui até Streatham e verifiquei que correspondiam perfeitamente às pegadas."

— Vi um sujeito maltrapilho na alameda ontem à noite — disse o sr. Holder.

— Exatamente. Era eu. Quando vi que tinha encontrado o homem que procurava, vim para casa e troquei de roupa. O papel que tive de desempenhar então era bastante delicado, pois sabia que era preciso impedir o processo para evitar um escândalo, e que um vilão tão astuto logo veria que estávamos de mãos atadas. Fui vê-lo. A princípio, é claro, negou tudo. Mas, quando lhe contei em detalhes tudo que havia acontecido, tentou me ameaçar e pegou uma arma que estava pendurada na parede. Mas eu conhecia o homem, e encostei uma pistola na cabeça dele antes que ele pudesse me atingir. Aí ficou um pouco mais razoável. Disse-lhe que pagaríamos pelas pedras que estavam em seu poder, mil libras cada uma. Isso provocou sua primeira reação de arrependimento até então. 'Que diabos!', disse, 'eu vendi as três por seiscentas'. Consegui obter dele o endereço do comprador com a promessa de que não seria processado. Fui logo procurar o outro, e depois de muito barganhar consegui as pedras por mil libras cada. Em seguida fui ver seu filho, disse-lhe que estava tudo bem, e por fim fui para a cama por volta de duas horas, depois do que posso chamar de um dia duro de trabalho."

— Um dia que salvou a Inglaterra de um grande escândalo público — disse o banqueiro, levantando-se. — Sr. Holmes, não tenho palavras para lhe agradecer, mas verá que sei expressar minha gratidão pelo que o senhor fez. Sua perícia realmente ultrapassou tudo o que eu já ouvira falar. E agora vou voando para ver meu filho, para pedir-lhe perdão pela injustiça que cometi. Quanto ao que me disse sobre a pobre Mary, estou desolado. Nem mesmo sua perícia pode me dizer onde ela se encontra neste momento.

— Acho que podemos afirmar com certeza — disse Holmes — que ela está onde estiver lorde George Burnwell. Também é certo que, sejam quais forem seus pecados, em breve eles receberão um castigo mais que suficiente.

AS FAIAS ROXAS

— Para o homem que ama a arte pela arte — observou Sherlock Holmes, jogando de lado o caderno de anúncios do *Daily Telegraph* —, muitas vezes é em suas manifestações menos importantes e mais humildes que encontra o maior prazer. Fico contente de ver, Watson, que você compreendeu isso tão bem que nesses registros de nossos casos, que você teve a bondade de redigir e, devo acrescentar, às vezes embelezar, deu destaque não tanto às muitas *causes célèbres* e aos julgamentos sensacionais de que participei, porém aos incidentes que podem ter sido banais em si mesmos, mas que me deram oportunidade de usar minhas faculdades de dedução e síntese lógica, que são minha especialidade.

— No entanto — eu disse, sorrindo —, não consigo ser completamente absolvido da acusação de sensacionalismo imputada aos meus relatos.

— Talvez tenha errado — ele comentou, pegando uma brasa com a tenaz e acendendo o longo cachimbo de cerejeira que substituía o de barro quando estava com mais disposição para discutir do que para meditar —, talvez tenha errado em tentar dar vida e cor a cada uma de suas afirmações, em vez de se limitar à tarefa de registrar o raciocínio rígido de causa e efeito, que é realmente o único aspecto notável de tudo isso.

— Parece-me que sempre lhe tenho feito justiça nisso — eu disse com alguma frieza, porque me desagradava o egoísmo que, mais de uma vez, eu percebera que era um traço importante no caráter singular de meu amigo.

— Não, não é egoísmo, nem vaidade — disse, respondendo, como era seu costume, a meus pensamentos e não a minhas palavras. — Se exijo justiça para com a minha arte, é porque se trata de uma coisa impessoal, uma coisa fora de mim mesmo. O crime é comum. A lógica é rara. Portanto, você deve enfatizar a lógica e não o crime. Você rebaixou o que deveria ser uma série de conferências para uma série de contos.

Era uma manhã fria no início da primavera e estávamos sentados, após o café da manhã, diante de um fogo crepitante na lareira da velha sala da Baker Street. Uma neblina espessa se espalhava entre as casas pardas, e as janelas em frente pareciam manchas escuras e indefinidas das grinaldas amarelas e pesadas. A lâmpada estava acesa e a luz se refletia na toalha branca, na porcelana e nos metais, porque a mesa ainda estava posta. Sherlock Holmes ficara muito quieto a manhã inteira, lendo os anúncios de todos os jornais, até que afinal, aparentemente desistindo da busca, emergira, um tanto mal-humorado, para me fazer uma preleção sobre minhas falhas literárias.

— Ao mesmo tempo — comentou, após uma pausa em que ficou lançando baforadas do seu longo cachimbo e olhando o fogo —, você não pode ser acusado de sensacionalismo, porque uma grande percentagem desses casos pelos quais você teve a bondade de se interessar não trata de crimes, no sentido estritamente legal. Aquele caso em que tentei ajudar o rei da Boêmia, a experiência singular da srta. Mary Sutherland, o problema do homem com o lábio torcido e o incidente do nobre solteiro foram todos assuntos que estão fora do alcance da lei. Mas, ao evitar o sensacional, temo que você tenha caído no trivial.

— No final, talvez tenha sido isso — respondi —, mas acredito que os métodos são originais e interessantes.

— Bobagem, meu caro amigo, o público, o grande público que nada observa, e que não sabe distinguir um tecelão pelos seus dentes nem um compositor pelo seu polegar esquerdo, não liga para as nuanças delicadas de análise e dedução! Mas, na verdade, se você é trivial, não posso culpá-lo, pois a época dos grandes casos já passou. O homem, pelo menos o homem criminoso, perdeu toda a iniciativa e a originalidade. Quanto ao meu negócio particular, parece que está degenerando e se transformando em uma agência para recuperar lápis perdidos e dar conselhos a moças de colégio interno. Mas acho que cheguei ao fundo do poço. Este bilhete que recebi hoje de manhã marca o ponto zero. Leia!

Atirou uma folha de papel amassado para mim. Vinha de Montague Place, com data da noite anterior, e dizia:

Caro sr. Holmes: Estou ansiosa para consultá-lo sobre se devo ou não aceitar um emprego de governanta que me foi oferecido. Irei vê-lo amanhã de manhã, às 10h30, se não for inconveniente.

Atenciosamente,

Violet Hunter

— Conhece essa moça? — perguntei.

— Não.

— São 10h30.

— Sim, e não tenho dúvida de que é ela que está tocando a campainha.

— Talvez seja mais interessante do que você pensa. Lembre-se de que o caso da pedra azul, que no início parecia ser apenas um capricho, transformou-se numa investigação séria. Este caso também pode ser assim.

— Espero que sim! Mas nossas dúvidas logo se dissiparão, porque, se não me engano, aqui está a pessoa em questão.

Enquanto ele falava, a porta se abrira e entrara uma moça. Estava vestida modestamente, mas com capricho, e tinha um rosto atento, alerta, cheio de sardas, e o jeito enérgico de uma mulher que tem de ganhar a vida.

— Perdoe-me por incomodá-lo — disse, dirigindo-se a meu amigo, que se erguera para cumprimentá-la —, mas passei por uma experiência muito estranha e como não tenho pais ou parentes a quem possa recorrer, achei que talvez o senhor pudesse ter a bondade de me dizer o que fazer.

— Tenha a bondade de se sentar, srta. Hunter. Terei muito prazer em fazer o que estiver ao meu alcance para ajudá-la.

Vi que Holmes ficara bem impressionado com os modos e as palavras de sua nova cliente. Examinou-a detalhadamente, como era seu costume, e se preparou, de olhos fechados, juntando as pontas dos dedos, para ouvir sua história.

— Sou governanta há cinco anos — disse — da família do coronel Spence Munro, mas há dois meses o coronel foi transferido para

Halifax, na Nova Escócia, e levou seus filhos para a América com ele, de modo que fiquei sem emprego. Publiquei anúncios nos jornais e respondi a anúncios, mas sem sucesso. Finalmente o pouco dinheiro que eu tinha economizado estava acabando e fiquei desesperada, sem saber o que fazer.

"Há uma agência muito conhecida para governantas no West End chamada Westaway, e eu ia até lá mais ou menos uma vez por semana para ver se tinha aparecido alguma coisa que pudesse me servir. Westaway era o nome do dono da agência, mas a gerente era a srta. Stoper. Ela fica sentada em sua salinha e as senhoras que estão procurando emprego esperam em uma antessala e depois entram uma a uma, quando ela consulta o livro de registro e vê se tem alguma coisa que possa servir.

"Quando estive lá na semana passada, fui levada até a salinha, como sempre, mas vi que a srta. Stoper não estava sozinha. Um homem imensamente gordo com rosto sorridente e papadas enormes que faziam mais dobras e dobras sobre o pescoço estava sentado a seu lado, com óculos pendurados no nariz, olhando atentamente cada moça que entrava. Quando entrei, ele saltou na cadeira e virou logo para a srta. Stoper:

"'Esta serve', disse, 'não poderia pedir nada melhor. Excelente! Excelente!'. Parecia muito entusiasmado e esfregava as mãos com alegria. Parecia tão satisfeito que era um prazer olhar para ele.

"'Está procurando um emprego, senhorita?', ele perguntou.

"'Sim, senhor.'

"'Como governanta?'

"'Sim, senhor.'

"'E quanto quer ganhar?'

"'Ganhava quatro libras por mês com o coronel Spence Munro.'

"'Oh, que absurdo! Exploração... exploração!', exclamou, jogando as mãos para o ar. 'Como alguém pode oferecer essa miséria a uma moça com todos os seus atrativos e talentos?'

"'Meus talentos, senhor, talvez não sejam tantos quanto o senhor imagina', respondi. 'Um pouco de francês, um pouco de alemão, música, desenho...'

"'Ora, ora!', exclamou. 'Isso não interessa. A questão é, a senhora tem ou não tem os modos e o comportamento de uma dama? É isso, em resumo. Se não tem, não serve para criar um menino que algum dia pode desempenhar um papel importante na história do país. Mas se tem, então como pode um cavalheiro pedir que aceite receber uma soma tão insignificante? Seu salário comigo, minha senhora, começaria com cem libras por ano.'

"O senhor pode imaginar, sr. Holmes, que para mim, necessitada como eu estava, essa proposta parecia boa demais para ser verdade. O cavalheiro, entretanto, talvez vendo a expressão de incredulidade em meu rosto, abriu a carteira e tirou uma nota.

"'É também meu costume', disse, sorrindo de maneira agradável até que os olhos se tornaram meras frestas entre as dobras de gordura do rosto, 'fazer um adiantamento a minhas moças de metade de seu salário, para cobrir as despesas de viagem e de vestuário.'

"Pareceu-me que nunca havia conhecido um homem tão fascinante e tão solícito. Como já estava devendo a meus fornecedores, o adiantamento era muito conveniente, mas havia qualquer coisa estranha nessa transação, que me fez querer saber um pouco mais antes de assumir totalmente o compromisso.

"'Posso perguntar onde o senhor mora?'

"'Em Hampshire. Uma região rural encantadora. As Faias Roxas, sete quilômetros depois de Winchester. É uma linda área campestre, cara senhora, e a casa é uma antiga casa de campo.'

"'E minhas obrigações, senhor? Gostaria de saber quais são.'

"'Uma criança... um garotinho de seis anos. Oh, se pudesse vê-lo matar baratas com o chinelo! Bate! Bate! Bate! Três, mortas em um piscar de olhos!' Recostou-se na cadeira e deu gargalhadas.

"Fiquei um pouco espantada com esse tipo de diversão para uma criança, mas as gargalhadas do pai me fizeram pensar que talvez estivesse brincando.

"'Então meus deveres consistem exclusivamente em tomar conta de um menino?'

"'Não exclusivamente, não exclusivamente, minha cara senhorita', exclamou. 'Seus deveres serão, como estou certo de que seu bom senso lhe diria, obedecer a qualquer ordem que minha esposa lhe der, desde que sejam sempre ordens que uma dama possa cumprir. Não vê nenhum problema nisso, não é?'

"'Terei prazer em ser útil.'

"'Muito bem. Quanto a roupas, por exemplo. Temos nossas manias, sabe. Somos excêntricos, mas de bom coração. Se lhe pedíssemos para vestir qualquer roupa que lhe déssemos, não faria objeção a nosso pequeno capricho, não é?'

"'Não', respondi, muito espantada com essas palavras.

"'Ou para sentar aqui, ou sentar ali, isso não a ofenderia?'

"'Oh, não.'

"'Ou para cortar o cabelo bem curto antes de vir trabalhar em nossa casa?'

"Mal acreditei no que ouvia. Como deve ter notado, sr. Holmes, meus cabelos são bastos e de um tom pouco comum de castanho. É muito elogiado. Nunca aceitaria a ideia de sacrificá-los dessa maneira.

"'Receio que isso seja impossível', respondi. Ele estava me observando ansiosamente com seus olhinhos, e vi que seu rosto se contraiu ao ouvir minhas palavras.

"'Sinto muito, mas isso é essencial', disse. 'É uma mania de minha esposa, e os caprichos das senhoras, como sabe, devem ser satisfeitos. Então não quer cortar os cabelos?'

"'Não, senhor, realmente não poderia', respondi com firmeza.

"'Ah, muito bem. É pena, porque em todos os outros aspectos a senhorita nos servia muito bem. Nesse caso, srta. Stoper, é melhor testar mais algumas de suas moças.'

"A gerente estivera esse tempo todo ocupada com papéis, sem dizer nenhuma palavra, mas agora me olhou com uma expressão tão aborrecida que desconfiei que ela perdera uma bela comissão com minha recusa.

"'Quer que seu nome continue em nosso livro?', perguntou.

"'Por favor, srta. Stoper.'

"'Bem, realmente não adianta muito, já que recusa as melhores ofertas dessa maneira', disse asperamente. 'Não pode esperar que nos esforcemos para conseguir outro emprego desses para a senhorita. Muito bom dia, srta. Hunter.' Tocou a campainha sobre a mesa e o criado me levou para fora da sala.

"Bem, sr. Holmes, quando cheguei a casa e encontrei muito pouca coisa para comer e duas ou três contas sobre a mesa, comecei a me perguntar se não fizera uma tolice. Afinal de contas, se essas pessoas tinham manias esquisitas e esperavam ser obedecidas em questões tão extraordinárias, pelo menos estavam prontas a pagar por sua excentricidade. Muito poucas governantas na Inglaterra ganham cem libras por ano. Além do mais, de que servia meu cabelo? Muitas pessoas ficam melhor de cabelos curtos e talvez eu fosse uma delas. No dia seguinte, comecei a achar que cometera um erro, e no outro dia, fiquei convencida disso. Já tinha quase vencido meu orgulho e me preparado para voltar à agência e perguntar se o lugar já fora ocupado, quando recebi esta carta do próprio cavalheiro. Está aqui comigo, e vou ler para o senhor:"

As Faias Roxas, perto de Winchester.

Prezada srta. Hunter: A srta. Stoper teve a bondade de me dar seu endereço e estou lhe escrevendo para perguntar se por acaso a senhora reconsiderou sua decisão. Minha esposa está ansiosa para que venha trabalhar para nós, pela descrição que lhe fiz. Estamos dispostos a lhe pagar trinta libras por trimestre, isto é, 120 libras por ano, para recompensá-la por qualquer inconveniência que nossas excentricidades possam lhe causar. Na verdade, não são difíceis de atender. Minha esposa gosta muito de um tom especial de azul-elétrico e gostaria que a senhora usasse um vestido dessa cor dentro de casa, pela manhã. Mas não precisa gastar dinheiro adquirindo um vestido, pois já temos um que pertenceu à minha querida filha Alice (que agora está na Filadélfia), que acho que lhe ficaria muito bem. E quanto a sentar-se aqui ou ali, ou se divertir da maneira que lhe for indicada, isso não deve lhe causar nenhum inconveniente. Em relação a seus cabelos, é realmente uma pena, já que não pude deixar de notar como são lindos em nosso rápido encontro, mas receio ter de insistir nesse ponto e só espero que o aumento de salário a recompense pela perda. Suas obrigações para com a criança são realmente muito fáceis. Tente mudar de ideia e vir, e eu irei esperá-la com o carro em Winchester.

Atenciosamente,

Jephro Rucastle

— Essa é a carta que acabei de receber, sr. Holmes, e resolvi aceitar. Mas pensei que, antes de dar o último passo, gostaria de saber a sua opinião.

— Bem, srta. Hunter, se já resolveu, isso encerra o assunto — disse Holmes, sorrindo.

— Mas não me aconselharia a recusar?

— Confesso que não é um emprego que gostaria de arranjar para minha irmã se a tivesse.

— O que quer dizer tudo isso, sr. Holmes?

— Ah, não tenho dados suficientes. Não sei dizer. Talvez a senhora tenha alguma opinião?

— Bem, achei que só poderia haver uma explicação. O sr. Rucastle parece ser muito bondoso e ter bom gênio. É possível que sua esposa seja doente mental e que ele queira esconder o fato para que ela não seja levada para algum asilo, e faça todas as suas vontades para evitar que tenha uma crise.

— É uma explicação possível. Na verdade, da maneira como estão as coisas, é a mais provável. Mas, de qualquer modo, não parece uma família boa para uma moça.

— Mas o dinheiro, sr. Holmes, o dinheiro!

— Sim, claro, o salário é muito bom, bom demais. É isso que me preocupa. Por que lhe pagariam 120 libras por ano quando podem escolher qualquer pessoa e pagar apenas quarenta? Deve haver um motivo muito forte por trás de tudo isso.

— Achei que se lhe contasse os fatos, o senhor compreenderia mais tarde, se precisar de seu auxílio. Eu me sentiria muito melhor se soubesse que o senhor está me apoiando.

— Oh, pode se sentir assim. Garanto-lhe que seu probleminha promete ser o mais interessante que me apareceu nos últimos meses. Há alguma coisa muito original em alguns aspectos. Se tiver dúvidas ou achar que está em perigo...

— Perigo! Que perigo está prevendo?

Holmes sacudiu a cabeça.

— Deixaria de ser um perigo se pudéssemos defini-lo — disse. — Mas a qualquer hora do dia ou da noite, um telegrama me faria ir em seu auxílio.

— Isso é suficiente. — Levantou-se rapidamente da cadeira sem um vestígio de ansiedade no rosto. — Irei para Hampshire sem nenhuma preocupação agora. Vou escrever para o sr. Rucastle agora mesmo, sacrificar meu pobre cabelo, e irei para Winchester amanhã. — Despediu-se de nós com algumas palavras de agradecimento para Holmes e saiu.

— Pelo menos — eu disse, quando ouvimos seus passos firmes e rápidos na escada — parece ser uma moça que sabe se defender muito bem.

— E precisa ser — disse Holmes, gravemente. — Se não estou errado, teremos notícias dela dentro de alguns dias.

Não demorou muito para que a profecia de meu amigo se realizasse. Passaram-se 15 dias e muitas vezes pensei nela, imaginando em que estranho desvio da experiência humana essa moça solitária se encontraria. O salário fora do comum, as condições curiosas, as obrigações tão fáceis... tudo levava a crer que se tratava de alguma coisa anormal, embora fosse impossível para mim determinar se era uma excentricidade ou uma trama, se o homem era um filantropo ou um vilão. Quanto a Holmes, notei que muitas vezes ficava sentado durante meia hora, com um ar abstrato e testa franzida, mas, quando eu mencionava o assunto, ele o afastava do pensamento sacudindo a mão.

— Fatos! Fatos! Fatos! — exclamava, impaciente. — Não posso fazer tijolos sem barro. — Mas sempre acabava resmungando que nenhuma irmã dele deveria aceitar um emprego desses.

O telegrama que acabamos recebendo chegou uma noite bem tarde, quando eu estava pensando em me recolher e Holmes se preparava para uma dessas pesquisas químicas que duram a noite inteira a que ele com frequência se dedicava, quando eu o deixava debruçado sobre uma retorta e um tubo de ensaio à noite e o encontrava na mesma posição quando descia para o café da manhã. Abriu o envelope amarelo e, depois de olhar a mensagem, estendeu-a para mim.

— Veja qual é o horário dos trens no guia Bradshaw — disse, e voltou às suas experiências químicas.

A mensagem era curta e urgente:

Por favor esteja no Hotel Black Swan em Winchester amanhã às 12 horas. Venha! Estou desesperada.

Hunter

— Você vai comigo? — perguntou Holmes, erguendo os olhos.

— Gostaria de ir.

— Veja os trens, então.

— Há um trem às nove horas — disse, olhando o Bradshaw. — Chega a Winchester às 11h30.

— Esse está ótimo. Talvez seja melhor adiar minha análise das acetonas para estar em boa forma de manhã.

Às 11 horas da manhã seguinte, estávamos quase chegando à antiga capital inglesa. Holmes mergulhara nos jornais a viagem inteira, mas, depois de ultrapassarmos o limite de Hampshire, deixou-os de lado e começou a admirar a paisagem. Era um dia de primavera ideal, um céu azul-claro, salpicado de pequenas nuvens brancas felpudas que iam do leste para o oeste. O sol brilhava, mas havia um friozinho no ar que despertava a energia de um homem. Em toda a área rural, até as colinas de Aldershot, os telhadinhos vermelhos e cinzentos das fazendas surgiam por entre o verde-claro da folhagem nova.

— Não está tudo novo e lindo? — exclamei com o entusiasmo de um homem que acabava de sair da neblina da Baker Street.

Mas Holmes sacudiu a cabeça, muito sério.

— Você sabe, Watson, que é uma das maldições de um cérebro como o meu que eu tenha de observar tudo que se refira ao meu assunto especial. Você olha para essas casas espalhadas e fica impressionado com sua beleza. Eu olho para elas e o único pensamento que me ocorre é a sensação de seu isolamento e da impunidade com que os crimes podem ser cometidos dentro delas.

— Deus meu! — exclamei. — Quem iria associar a ideia de crime a essas velhas casas encantadoras?

— Elas me enchem de horror. Acredito firmemente, Watson, baseado em minha experiência, que os becos mais miseráveis e sórdidos de Londres não têm uma história de pecados mais terrível do que os belos e sorridentes campos.

— Você me apavora!

— Mas o motivo é óbvio. A pressão da opinião pública pode conseguir na cidade o que a lei não consegue. Não existe um beco tão sórdido a ponto de o grito de uma criança torturada ou a pancada dada por um bêbado não despertarem a simpatia e a indignação dos vizinhos, e o mecanismo da justiça está sempre tão próximo que uma palavra de queixa pode pô-lo em movimento e só um passo separa o crime do banco dos réus. Mas olhe para essas casas isoladas, cada uma cercada por seus campos, quase todas habitadas por pessoas pobres e ignorantes que mal conhecem a lei. Pense nos atos de crueldade demoníaca, a maldade oculta, que continuam ano após ano nesses lugares, e ninguém fica sabendo. Se essa moça que nos pediu ajuda tivesse ido morar em Winchester, não teria receio de que algo lhe acontecesse. São os sete quilômetros de campo que tornam a situação perigosa. Mesmo assim, parece que ela não foi ameaçada pessoalmente.

— Não. Se pôde vir a Winchester para nos encontrar, quer dizer que tem liberdade de sair.

— Exatamente. Tem sua liberdade.

— O que pode estar acontecendo, então? Pode sugerir alguma explicação?

— Imaginei sete explicações diferentes e todas se encaixam nos fatos, até onde sabemos. Mas qual delas é a correta só poderemos saber com a informação nova que sem dúvida vamos encontrar à nossa espera. Bem, lá está a torre da catedral, e logo ouviremos tudo que a srta. Hunter tem para nos contar.

O Hotel Black Swan é uma estalagem conhecida da High Street, a pouca distância da estação, e lá encontramos a moça esperando por nós. Alugara uma sala e o almoço nos aguardava na mesa.

— Estou tão contente que tenham vindo — disse com sinceridade. — É muita bondade sua. Mas não sei mesmo o que fazer. Seus conselhos serão inestimáveis para mim.

— Por favor, conte-nos o que aconteceu.

— Vou contar e preciso ser rápida, porque prometi ao sr. Rucastle que voltaria antes das 15 horas. Consegui sua permissão para vir à cidade hoje de manhã, embora ele não saiba qual o meu objetivo.

— Conte-nos tudo em sua devida ordem. — Holmes estendeu as longas pernas magras na direção da lareira e se preparou para ouvir.

— Em primeiro lugar, devo dizer que, de modo geral, não tenho sido maltratada pelo sr. nem pela sra. Rucastle. Faço apenas justiça dizendo isso. Mas não consigo compreendê-los e estou preocupada em relação a eles.

— O que não compreende?

— O motivo de sua conduta. Mas vou contar exatamente o que ocorreu. Quando cheguei, o sr. Rucastle foi me encontrar e me levou de carro para Faias Roxas. Como ele dissera, fica num lugar lindo, mas não é bonita, é apenas uma casa grande e quadrada, pintada de branco, mas toda manchada de mofo e limo. Tem bastante terreno em volta, bosques de três lados e no quarto, um campo que desce até a estrada de Southampton, que faz uma curva a uns cem metros da porta da frente. O terreno em frente pertence à casa, mas os bosques em volta fazem parte da propriedade de lorde Southerton. Um grupo de faias roxas bem em frente à porta principal inspirou o nome da casa.

"Meu patrão me levou até lá, amável como sempre, e naquela noite ele me apresentou à sua esposa e à criança. Não há verdade nenhuma, sr. Holmes, na hipótese que nos pareceu provável quando conversamos na Baker Street. A sra. Rucastle não é louca. É uma mulher calada, pálida, muito mais jovem que o marido, acho que não tem mais de trinta anos, enquanto ele deve ter uns 45. Deduzi pela conversa que estão casados há cerca de sete anos, que ele era viúvo, e que sua única filha do primeiro matrimônio é a que foi para a Filadélfia. O sr. Rucastle me disse particularmente que ela foi embora porque sentia uma aversão irracional pela madrasta. Como a filha não podia ter menos de vinte anos, imagino que ela estava numa situação desconfortável junto à jovem esposa de seu pai.

"A sra. Rucastle parecia tão desbotada mentalmente quanto fisicamente. Não me causou impressão favorável nem desfavorável. Era completamente apagada. Era fácil ver que se dedicava com paixão ao marido e ao filho pequeno. Seus olhos cinzentos iam sempre de um para outro, captando e antecipando todos os seus desejos. Ele era muito bondoso com ela, do seu jeito rude e expansivo, e de modo geral, pareciam muito felizes. No entanto, essa mulher tinha algum desgosto secreto. Frequentemente ficava perdida em seus pensamentos, com uma expressão muito triste. Mais de uma vez a surpreendi chorando. Pensei algumas vezes que fosse o temperamento do filho que a preocupava, pois nunca tinha visto uma criança tão mimada e tão geniosa. É pequeno para a idade, com uma cabeça desproporcionalmente grande. Parece passar o tempo todo alternando entre acessos de fúria e intervalos de mau humor. Sua única ideia de divertimento é torturar qualquer criatura menor e mais fraca que ele e mostra um talento notável para planejar a captura de camundongos, passarinhos e insetos. Mas prefiro não falar dessa criança, sr. Holmes, e, na verdade, não tem nada a ver com a minha história."

— Gosto de todos os detalhes — disse meu amigo —, mesmo que pareçam irrelevantes.

— Tentarei não omitir nada importante. A única coisa desagradável na casa, que me impressionou logo, é a aparência e conduta dos empregados. Há só dois, um homem e sua mulher. Toller, que é o nome do homem, é rude, grosseiro, de cabelos e barba grisalhos, e está sempre cheirando a bebida. Duas vezes, desde que estou com eles, ficou completamente bêbado, e o sr. Rucastle pareceu nem notar. Sua mulher é muito alta e forte, de cara amarrada, tão calada quanto a sra. Rucastle, e muito menos amável. Formam um casal muito desagradável, mas, por sorte, passo a maior parte do tempo no quarto da criança e em meu próprio quarto, que ficam um ao lado do outro, em um canto do prédio.

"Nos primeiros dois dias após chegar a Faias Roxas, minha vida correu tranquilamente. No terceiro, a sra. Rucastle desceu logo após o café da manhã e murmurou alguma coisa no ouvido do marido.

"'Ah, sim', disse ele, virando-se para mim, 'estamos muito gratos, srta. Hunter, por ter concordado com nossos caprichos e cortado seu cabelo. Garanto-lhe que não alterou em nada sua bela aparência. Vamos ver agora como fica com o vestido azul vivo. A senhora vai encontrá-lo em sua cama, e se quiser ter a bondade de vesti-lo, nós dois ficaremos muito gratos'.

"O vestido que encontrei à minha espera era de um tom peculiar de azul. O tecido era excelente, mas mostrava sinais evidentes de já ter sido usado antes. Não podia ficar melhor se tivesse sido feito para mim. O sr. e a sra. Rucastle manifestaram uma admiração, quando me viram, que me pareceu exagerada de tão veemente. Estavam me esperando no salão, que é muito grande, ocupando toda a frente da casa, com três grandes janelas que vão até o chão. Uma cadeira estava colocada perto da janela do meio, de costas para ela. Pediram que me sentasse nela e então o sr. Rucastle, andando de um lado para outro, começou a contar as histórias mais engraçadas que eu já ouvira. Não podem imaginar como era cômico, e ri até ficar cansada. Mas a sra. Rucastle, que não tem senso de humor, evidentemente nem sorriu, e ficou sentada com as mãos no colo e uma expressão triste e ansiosa. Depois de uma hora mais ou menos, o sr. Rucastle de repente comentou que estava na hora de começar as tarefas do dia, e que eu podia trocar de roupa e ir para o quarto do pequeno Edward.

"Dois dias depois aconteceu a mesma coisa, em circunstâncias idênticas. Novamente troquei de vestido, novamente sentei-me em frente à janela, mas de costas, e novamente ri às gargalhadas das histórias engraçadas que meu patrão contava. Depois deu-me um romance barato e, virando minha cadeira um pouco de lado para que minha própria sombra não caísse sobre a página, pediu-me que lesse em voz alta. Li durante uns dez minutos, começando no meio de um capítulo e, de repente, no meio de uma frase, ele mandou que eu parasse e fosse trocar de roupa.

"O senhor bem pode imaginar, sr. Holmes, como fiquei curiosa a respeito do significado dessa encenação. Tinham sempre o cuidado de não me deixar de frente para a janela e fiquei obcecada pelo desejo de ver o que estava acontecendo às minhas costas. A princípio parecia impossível, mas logo descobri uma maneira. Meu espelho de mão havia quebrado, então tive a ideia feliz de esconder um pedacinho no lenço. Na ocasião seguinte, no meio de uma gargalhada, levei o lenço aos olhos e consegui, com jeito, ver o que estava atrás de mim. Confesso que fiquei desapontada. Não havia nada.

"Pelo menos, foi essa a minha primeira impressão. Mas, ao olhar de novo, percebi que havia um homem parado na estrada de Southampton, um homem baixo, de barba, com uma roupa cinza, que parecia olhar na minha direção. A estrada é muito movimentada e quase sempre tem gente passando por ela. Mas esse homem estava encostado na grade que cercava nosso campo e olhava com toda a atenção. Abaixei o lenço e olhei para a sra. Rucastle, que me observava atentamente. Ela não disse nada, mas tenho certeza de que adivinhou que eu tinha um espelho na mão e vira o que estava atrás de mim. Levantou-se no mesmo instante.

"'Jephro', ela disse, 'há um homem impertinente na estrada que está olhando para a srta. Hunter.'

"'Algum amigo seu, srta. Hunter?', ele perguntou.

"'Não. Não conheço ninguém nessa região.'

"'Ora! Que impertinência! Por favor, vire-se e faça um sinal para ele ir embora.'

"'Não seria melhor ignorá-lo?'

"'Não, não, ele ficaria por aí para sempre. Por favor, vire-se e faça um sinal com a mão.'

"Fiz o que ele mandava, e na mesma hora a sra. Rucastle fechou a cortina. Isso foi há uma semana, e desde então não me sentei mais à janela, não usei o vestido azul nem vi o homem na estrada."

— Tenha a bondade de continuar — disse Holmes. — Sua narrativa promete ser muito interessante.

— Receio que o senhor considere isto um pouco incoerente e talvez haja pouca relação entre os incidentes de que vou falar. No primeiro dia que passei em Faias Roxas, o sr. Rucastle me levou até um pequeno anexo que fica perto da porta da cozinha. Quando nos aproximamos, ouvi o retinir de uma corrente e um som que parecia de algum animal grande se mexendo.

"'Olhe aqui!', disse o sr. Rucastle, mostrando-me uma fresta entre duas tábuas. 'Não é uma beleza?'

"Olhei e percebi dois olhos brilhantes e um vulto indefinido encolhido na escuridão.

"'Não tenha medo', disse meu patrão, rindo de meu sobressalto. 'É apenas Carlo, meu cão mastim. Digo que é meu, mas na verdade o velho Toller é a única pessoa que pode lidar com ele. Só come uma vez por dia, e mesmo assim muito pouco, de modo que está sempre faminto. Toller o solta todas as noites, e Deus ajude o invasor que ele pegar com os dentes. Por favor, nunca, por motivo nenhum, ponha o pé fora da porta à noite, pois sua vida não valerá nada.'

"O aviso não foi à toa, porque duas noites depois eu estava olhando pela janela do meu quarto por volta das duas horas. Era uma linda noite de luar e o gramado na frente da casa estava prateado e quase tão brilhante quanto de dia. Estava envolvida pela beleza pacífica da cena quando percebi que alguma coisa se movia sob a sombra das faias roxas. Quando surgiu ao luar, vi o que era. Era um cão gigantesco, do tamanho de um bezerro, castanho-amarelado, de mandíbulas pendentes, focinho preto e ossos imensos quase perfurando a pele. Atravessou lentamente o gramado e desapareceu nas sombras do outro lado. Essa sentinela medonha gelou meu sangue nas veias de uma maneira que nenhum ladrão poderia fazer.

"E agora tenho uma experiência muito estranha para lhes contar. Como sabem, cortei o cabelo em Londres e coloquei-o, num grande cacho, no fundo da mala. Uma noite, depois que a criança tinha ido para a cama, comecei a me distrair examinando a mobília do meu quarto e arrumando o pouco que tinha. Havia uma velha cômoda no quarto, com as duas gavetas de cima vazias e abertas, e a de baixo trancada. Já enchera as duas primeiras com minha roupa e ainda tinha algumas coisas para guardar. Naturalmente, fiquei irritada por não poder usar a terceira gaveta. Achei que pudesse ter sido trancada por acaso, de modo que peguei minhas chaves e tentei abrir a gaveta. Logo a primeira entrou perfeitamente, e eu abri a gaveta. Só havia uma coisa ali dentro, mas tenho certeza de que nunca poderão adivinhar o que era. O meu cacho de cabelo.

"Peguei-o e comecei a examiná-lo. Era da mesma cor peculiar e da mesma espessura. Mas então vi que era impossível. Como meu cabelo poderia estar trancado naquela gaveta? Com mãos trêmulas, abri minha mala, tirei tudo e lá no fundo estava o meu cacho. Coloquei os dois juntos e garanto-lhes que eram idênticos. Não é extraordinário? Por mais que pensasse, não conseguia entender o que significava aquilo. Coloquei o cacho estranho novamente na gaveta e não disse nada aos Rucastles, porque achei que agira errado abrindo uma gaveta que eles haviam trancado.

"Sou muito observadora por natureza, como deve ter notado, sr. Holmes, e em pouco tempo eu tinha decorado a disposição de todos os aposentos da casa. Mas havia uma ala que parecia não ser habitada. Uma porta em frente à porta dos aposentos dos Toller dava para essa ala, mas estava sempre trancada. Entretanto, um dia, quando eu subia as escadas, encontrei o sr. Rucastle saindo dessa porta com as chaves na mão e uma expressão no rosto que o tornava muito diferente do homem gordo e jovial com o qual eu estava acostumada. As faces estavam vermelhas, a testa franzida de raiva e as veias salientes. Trancou a porta e passou por mim, apressado, sem dizer uma palavra nem olhar para mim.

"Isso despertou minha curiosidade, e quando saí para passear com a criança, fui até o lado de onde podia ver as janelas dessa parte da casa. Havia quatro seguidas, três das quais estavam apenas sujas, mas a quarta estava tapada com tábuas. Não havia ninguém. Enquanto passeava de um lado para outro, olhando para elas de vez em quando, o sr. Rucastle aproximou-se de mim, alegre e jovial como sempre.

"'Ah!', disse, 'não me considere rude se passei pela senhora sem dizer uma palavra. Estava preocupado com assuntos de negócios.'

"Garanti que não ficara ofendida. 'Por falar nisso', eu disse, 'parece que tem muitos quartos vazios lá em cima e um deles tem uma janela coberta de madeira'.

"Ele pareceu surpreso e um pouco assustado com o meu comentário.

"'Meu hobby é fotografia', respondeu. 'Ali é minha câmara escura. Mas, meu Deus! Que moça observadora! Quem poderia imaginar isso? Quem poderia imaginar isso?' Falou em tom de gracejo, mas não havia nada de gracejo em seus olhos quando ele olhou para mim. Só vi suspeita e irritação em seu olhar.

"Bem, sr. Holmes, a partir do momento em que compreendi que havia alguma coisa naqueles quartos que eu não devia ver, fiquei ansiosa para revistá-los. Não era só curiosidade, embora seja muito curiosa. Era mais um sentimento de obrigação, um sentimento de que alguma coisa boa poderia acontecer se eu conseguisse entrar naqueles quartos. Fala-se muito do instinto feminino. Talvez fosse o instinto feminino que me fazia sentir isso. Seja como for, era o que eu sentia. E fiquei atenta a qualquer oportunidade de atravessar a porta proibida.

"Foi ontem que tive essa oportunidade. Devo dizer-lhes que, além do sr. Rucastle, tanto Toller como sua mulher têm alguma coisa a fazer nesses quartos desertos, e uma vez o vi sair com uma sacola preta grande. Nos últimos tempos ele tem bebido muito e ontem à tarde estava completamente bêbado. Quando subi, lá estava a chave na porta. Não tenho nenhuma dúvida de que foi ele que a deixou lá. O sr. e a sra. Rucastle estavam lá embaixo e a criança com eles, portanto a oportunidade era ótima. Virei a chave devagar, abri a porta e entrei.

"Havia um pequeno corredor à minha frente, sem papel nas paredes e sem tapete, que virava à direita na outra extremidade. Nesse trecho havia três portas; a primeira e a terceira estavam abertas. Davam para quartos vazios, empoeirados, um com duas janelas e o outro com uma, tão sujas que a luz da tarde mal penetrava. A porta do meio estava fechada e atravessada por uma barra de ferro larga, com um cadeado preso a um anel de ferro fixo na parede em uma ponta e amarrada com uma grossa corda na outra. A porta também estava trancada e não havia sinal de chave. Essa porta reforçada correspondia à janela coberta de tábuas, mas pude ver por um pouco de luz que escapava por baixo que o quarto não estava totalmente às escuras. Enquanto estava parada olhando essa porta sinistra e pensando no segredo que esconderia, ouvi de repente o som de passos dentro do quarto e vi uma sombra passar de um lado para outro, delineada pela luz filtrada por baixo da porta. Um medo louco e irracional se apossou de mim, sr. Holmes. Meus nervos tensos não aguentaram mais, virei-me e corri como se uma mão horrenda estivesse atrás de mim, agarrando a saia de meu vestido. Disparei pelo corredor, atravessei a porta e caí nos braços do sr. Rucastle, que estava do lado de fora.

"'Então', ele disse com um sorriso, 'era a senhora. Achei que devia ser quando vi a porta aberta'.

"'Oh, estou com tanto medo!', eu disse, ofegante.

"'Minha cara senhora! Minha cara senhora!' Não imagina como sua voz era suave e acariciante. 'O que a assustou tanto, minha cara?'

"Mas a voz dele era melosa demais. Ele exagerou. Fiquei prevenida contra ele.

"'Fiz a tolice de entrar nesta ala deserta', respondi. 'Estava tudo tão escuro, tão silencioso e deserto que fiquei com medo e saí correndo. Oh, é tão terrivelmente silencioso aí dentro!'

"'Foi só isso?', disse, olhando-me com atenção.

"'Só. Por que pergunta?'

"'Por que acha que tranco esta porta?'

"'Claro que não sei.'

"'É para evitar a entrada de pessoas que não têm nada a fazer lá dentro. Entende?' Ainda sorria da maneira mais amável.

"'Estou certa de que se eu soubesse...'

"'Bem, agora sabe. E se ousar atravessar essa porta de novo...' — em um segundo o sorriso se transformou em uma careta de raiva e me olhou com a cara de um demônio, 'eu a jogo ao mastim'.

"Fiquei tão aterrorizada que não sei o que fiz. Acho que passei por ele correndo e fui para o meu quarto. Não me lembro de nada até me ver na cama, tremendo dos pés à cabeça. Então pensei no senhor. Não podia continuar a morar lá sem alguma ajuda. Estava com medo da casa, do homem, da mulher, dos empregados, até da criança. Todos me pareciam horríveis. Se conseguisse trazer o senhor aqui, eu me sentiria bem. É claro que eu podia ter fugido da casa, mas minha curiosidade era tão grande quanto o meu medo. Tomei logo uma decisão. Iria mandar-lhe um telegrama. Pus o chapéu e o casaco, fui até o telégrafo, que fica a quase um quilômetro da casa, e voltei me sentindo muito melhor. Fiquei assustada quando me aproximei da porta, achando que o cão podia estar solto, mas lembrei-me de que Toller havia bebido tanto que estava inconsciente, e eu sabia que ele era o único que tinha algum controle sobre a criatura selvagem, ou que se arriscaria a soltá-la. Entrei sem que nada me acontecesse e fiquei acordada metade da noite, contente ao pensar que iria vê-lo. Não foi difícil obter permissão para vir a Winchester hoje de manhã, mas tenho de voltar antes das 15 horas, porque o sr. e a sra. Rucastle vão sair para fazer uma visita e só voltarão à noite, e tenho de tomar conta da criança. Estas são as minhas aventuras, sr. Holmes, e ficaria muito grata se me dissesse o que tudo isso significa e, acima de tudo, o que devo fazer."

Holmes e eu ouvíramos estupefatos esta história extraordinária. Meu amigo se levantou e andou de um lado para outro com as mãos nos bolsos e uma expressão profundamente grave.

— Toller ainda está bêbado? — perguntou.

— Sim. Ouvi a mulher dele dizer à sra. Rucastle que não podia fazer nada com ele.

— Isso é bom. E os Rucastles vão sair hoje à tarde?

— Sim.

— Existe ali um porão com uma boa fechadura?

— Sim, a adega.

— Aparentemente, a senhora agiu em tudo isso como uma moça muito corajosa e sensata, srta. Hunter. Acha que pode realizar mais uma proeza? Não lhe pediria isso se não achasse que é uma mulher excepcional.

— Posso tentar. O que é?

— Estaremos em Faias Roxas às 19 horas, meu amigo e eu. Os Rucastles já terão saído a essa hora e Toller estará, eu espero, incapacitado. Só resta a sra. Toller, que poderá dar o alarme. Se pudesse mandá-la à adega com algum pretexto, e trancá-la à chave, facilitaria muito as coisas.

— Posso fazer isso.

— Excelente! Examinaremos com cuidado o assunto. É claro que só há uma explicação admissível. A senhora foi levada lá para se fazer passar por outra pessoa, e essa pessoa está presa no quarto trancado. Isso é óbvio. E quanto à identidade da prisioneira, não tenho dúvidas de que se trata da filha, srta. Alice Rucastle, que, se estou bem lembrado, diziam que tinha ido para a América. A senhora foi escolhida, é claro, porque se parecia com ela na altura, no corpo e na cor de cabelo. O dela fora cortado, provavelmente por causa de alguma doença e, portanto, o seu tinha de ser cortado também. Por acaso a senhora encontrou o cacho de cabelo dela. O homem na estrada era, sem dúvida, um amigo dela, talvez seu noivo, e como a senhora usava o vestido da moça e se parecia tanto com ela, ficou convencido pelas suas gargalhadas, quando a via, e depois pelo seu gesto, que a srta. Rucastle estava perfeitamente feliz e que não desejava mais suas atenções. O cão fica solto à noite para evitar que ele tente se comunicar com ela. Até aí está tudo claro. O que há de mais grave nesse caso é o gênio da criança.

— Que diabos isso tem a ver com o resto? — exclamei.

— Meu caro Watson, você como médico está sempre procurando entender as tendências de uma criança por meio do estudo dos pais. Não vê que o inverso é igualmente válido. Quase sempre começo a compreender a personalidade dos pais pelo estudo de seus filhos. O gênio dessa criança é anormalmente cruel, uma crueldade gratuita e quer tenha herdado isso de seu pai sorridente, como eu suspeito, quer de sua mãe, isso é um mau agouro para a pobre moça que está em suas mãos.

— Estou certa de que o senhor tem razão, sr. Holmes! — exclamou nossa cliente. — Estou me lembrando de mil coisas que confirmam que o senhor desvendou o caso. Devemos ir agora mesmo ajudar essa pobre criatura.

— Precisamos ser discretos, porque estamos lidando com um homem muito astuto. Não podemos fazer nada até as 19 horas. Então estaremos lá com a senhora e não levará muito tempo para resolvermos o mistério.

Cumprimos nossa palavra, e às 19 horas em ponto chegamos a Faias Roxas, deixando o carro em uma hospedaria na estrada. O grupo de árvores, com suas folhas escuras brilhando como metal polido à luz do sol poente, era suficiente para indicar a casa, mesmo que a srta. Hunter não estivesse na porta, sorrindo.

— Conseguiu? — perguntou Holmes.

Ouvimos pancadas que vinham de algum lugar embaixo da casa.

— É a sra. Toller presa na adega — disse. — O marido está roncando no chão da cozinha. Aqui estão as chaves dele, que são duplicatas das do sr. Rucastle.

— A senhora trabalhou muito bem mesmo! — disse Holmes com entusiasmo. — Agora mostre-nos o caminho e logo veremos o final desse negócio sinistro.

Subimos as escadas, abrimos a porta, seguimos um corredor e nos encontramos diante da porta que a srta. Hunter descrevera. Holmes cortou a corda grossa e retirou a barra. Então experimentou várias chaves, sem sucesso. Nenhum som vinha de dentro do quarto e o silêncio fez Holmes franzir a testa.

— Espero que não seja tarde demais — disse. — Acho, srta. Hunter, que é melhor entrarmos sem a senhora. Vamos, Watson, empurre a porta com o ombro e veremos se não conseguimos entrar.

Era uma porta velha e frágil, e cedeu aos nossos esforços conjuntos. Entramos no quarto. Estava vazio. Não havia nenhuma mobília, a não ser um colchão de palha, uma mesinha e uma cesta cheia de roupas. Uma claraboia no teto estava aberta e a prisioneira desaparecera.

— Houve alguma coisa criminosa aqui — disse Holmes. — O vilão adivinhou as intenções da srta. Hunter e carregou sua vítima.

— Mas como?

— Pela claraboia. Logo saberemos como conseguiu. — Segurou-se nas bordas da abertura e olhou o telhado. — Ah, sim! — exclamou. — Aqui está uma escada, encostada na beira do telhado. Foi assim que ele a levou.

— Mas é impossível — disse a srta. Hunter. — Essa escada não estava aí quando os Rucastles saíram.

— Então ele deve ter voltado. Estou dizendo que ele é um homem esperto e perigoso. Não ficaria surpreso se esses passos que estou ouvindo na escada forem dele. Acho, Watson, que seria aconselhável você ficar de pistola em punho.

Mal acabara de falar, quando um homem surgiu na porta do quarto, um homem muito gordo com um bastão pesado na mão. A srta.

Hunter gritou e se encolheu junto à parede quando o viu, mas Sherlock Holmes avançou e enfrentou-o.

— Patife! — disse. — Onde está sua filha?

O homem gordo olhou em volta e depois para a claraboia aberta.

— Eu é que tenho de perguntar isso! — berrou. — Ladrões! Espiões e ladrões! Peguei vocês, não é? Estão nas minhas mãos. Eu cuidarei de vocês! — Virou-se e desceu as escadas o mais depressa que podia.

— Foi buscar o cachorro! — exclamou a srta. Hunter.

— Tenho meu revólver — eu disse.

— É melhor fechar a porta da frente — disse Holmes, e descemos as escadas correndo. Mal chegamos ao hall quando ouvimos os latidos do cão e em seguida um grito de agonia, com o ruído horrível de dentes triturando, que causava arrepios. Um homem idoso de rosto vermelho e membros trêmulos saiu cambaleando de uma porta lateral.

— Meu Deus! — gritou. — Alguém soltou o cachorro. Ele não come há dois dias. Depressa, depressa, ou será tarde demais!

Holmes e eu saímos correndo e contornamos o canto da casa, com Toller correndo atrás. Lá estava o imenso animal faminto com o focinho preto afundado na garganta de Rucastle, enquanto ele se contorcia no chão e gritava. Chegando perto, estourei os miolos do cachorro e ele caiu de lado, com os dentes brancos ainda agarrados nas dobras do pescoço de Rucastle. Com muito esforço, separamos os dois e carregamos o homem horrivelmente estraçalhado, mas ainda vivo, para dentro de casa, colocando-o no sofá da sala. Despachamos Toller, repentinamente sóbrio, para dar a notícia à sua mulher e fiz o que podia para aliviar sua dor. Estávamos todos em volta dele quando a porta se abriu e uma mulher alta e magra entrou na sala.

— Sra. Toller! — exclamou a srta. Hunter.

— Sim, senhora. O sr. Rucastle me soltou quando voltou, antes de subir. Ah, senhora, é uma pena que não tivesse me contado o que estava planejando, pois eu lhe diria que todo o seu esforço seria em vão.

— Ah! — disse Holmes, olhando atentamente para ela. — É claro que a sra. Toller sabe mais sobre este assunto do que qualquer outra pessoa.

— Sim, senhor, eu sei, e estou pronta para contar tudo que sei.

— Então, por favor, sente-se e fale, porque há vários pontos a respeito dos quais devo confessar que ainda estou no escuro.

— Vou esclarecer tudo para o senhor — respondeu — e já teria feito isso antes se tivesse conseguido sair do porão. Se houver um inquérito policial sobre isso, lembre-se de que fiquei do seu lado e que era amiga da srta. Alice.

"Ela nunca se sentiu feliz em casa, a srta. Alice, desde que o pai se casou novamente. Ela ficou meio abandonada e não podia dar opinião em coisa alguma. Mas só ficou mesmo muito ruim para ela depois que conheceu o sr. Fowler em casa de uma amiga. Pelo que pude saber, a srta. Alice tinha herdado alguma coisa diretamente, mas era tão calma e paciente que nunca falava nisso e deixava tudo nas mãos do sr. Rucastle. Ele sabia que estava seguro, mas quando surgiu a possibilidade de um marido, que exigiria tudo a que tinha direito por lei, então o pai achou que estava na hora de acabar com isso. Queria que ela assinasse um papel de modo que ele pudesse usar o dinheiro dela, quer ela se casasse quer não. Quando ela se recusou, ele passou a atormentá-la até que ela teve uma febre cerebral e durante seis semanas ficou entre a vida e a morte. Enfim melhorou, magra como um esqueleto, e com o lindo cabelo cortado rente. Mas isso não afetou o rapaz que gostava dela, e ele continuou fiel como poucos homens são."

— Ah — disse Holmes —, acho que o que teve a bondade de nos contar esclarece bem as coisas e posso deduzir o resto. O sr. Rucastle, presumo, recorreu então a essa forma de prisão?

— Sim, senhor.

— E trouxe a srta. Hunter de Londres para se livrar da persistência inconveniente do sr. Fowler.

— Foi isso mesmo, senhor.

— Mas o sr. Fowler, sendo perseverante, como todos os homens do mar devem ser, cercou a casa e, travando conhecimento com a senhora, conseguiu com certos argumentos, metálicos ou não, convencê-la de que seus interesses eram iguais aos dele.

— O sr. Fowler era um cavalheiro de palavras amáveis e mão aberta — disse a sra. Toller serenamente.

— E dessa maneira conseguiu que seu marido tivesse muita bebida à disposição e que uma escada estivesse preparada assim que seu patrão saiu.

— O senhor está certo, foi assim mesmo que aconteceu.

— Tenho certeza de que lhe devemos um pedido de desculpas, sra. Toller — disse Holmes. — A senhora esclareceu tudo que nos intrigava. E aí vem o médico do condado e a sra. Rucastle. Portanto, Watson, acho que é melhor levarmos a srta. Hunter para Winchester, porque parece que nosso *locus standi* agora é bastante questionável.

E assim foi solucionado o mistério da casa sinistra com as faias roxas em frente. O sr. Rucastle sobreviveu, mas tornou-se para sempre um homem inválido, mantido vivo somente pelos cuidados de sua esposa devotada. Ainda vivem com seus velhos empregados, que provavelmente sabem tanto sobre o passado de Rucastle que ele acha difícil se separar deles. O sr. Fowler e a srta. Rucastle se casaram, com uma licença especial, em Southampton, no dia seguinte ao de sua fuga, e ele foi designado pelo governo para um posto nas ilhas Maurício. Quanto à srta. Violet Hunter, meu amigo Holmes, para meu grande desapontamento, não manifestou mais interesse por ela desde que deixou de ser o centro de um de seus problemas, e agora é diretora de uma escola particular em Walsall, onde acredito que obteve bastante êxito.

SOBRE O AUTOR

Arthur Conan Doyle nasceu em 22 de maio de 1859, em Edimburgo, capital da Escócia. Em 1876, ingressou na Universidade de Edimburgo, no curso de medicina. Foi lá que conheceu o dr. Joseph Bell, cujos surpreendentes métodos de dedução e análise foram de grande influência na futura criação de seu detetive.

Além do dr. Bell, Doyle se inspirou em Émile Gaboriau e no detetive Dupin — de Edgar Allan Poe — para conceber a primeira versão do que seria o personagem que conhecemos hoje: um tal Sherringford Holmes, posteriormente Sherlock Holmes.

Depois de muitas tentativas e frustrações, em 1887 Doyle conseguiu que sua primeira história com o detetive, *Um estudo em vermelho*, fosse publicada. A boa aceitação do público o levou a escrever a segunda história de Holmes, *O sinal dos quatro*.

Doyle acabou abandonando a medicina para seguir definitivamente a carreira literária. As histórias de Sherlock Holmes tornaram-se mais e mais populares, obrigando o autor a continuar criando casos para seu detetive. E, quanto mais Holmes expunha suas habilidades para um público estupefato, mais obscurecidas ficavam as outras obras de Doyle.

Para sua grande surpresa, a morte de Sherlock Holmes, publicada em 1893 no caso "O problema final", chocou milhares de pessoas. Assim, em meio a um turbilhão de protestos e insultos, o autor foi obrigado a ressuscitar o personagem no caso "A casa vazia", em 1903.

Em 1902, Doyle foi agraciado pelo governo inglês com o título de *sir*, pela produção do panfleto patriótico *The War in South Africa*.

Debilitado por um ataque cardíaco, *sir* Arthur Conan Doyle morreu em 7 de julho de 1930, em Crowborough, condado de Sussex, na Inglaterra.

Este livro foi impresso em 2022 para a HarperCollins Brasil.